De ERFGENAME

Van Barbara Taylor Bradford zijn verschenen:

Erfenis van een vrouw*
De stem van het hart*
Koester mijn droom*
De erfgename*
De vrouwen van Maxim*
Afscheid van het verleden
Engel*
Een gevaarlijke man*
Sleutel van het hart*
De kracht van een vrouw*
Een sterke vrouw*
Een geheime liefde*
Een nieuw geluk*
Een succesvolle vrouw*
Een vrouw uit duizenden
De wereld aan haar voeten

*In POEMA-POCKET verschenen

Barbara Taylor Bradford

De ERFGENAME

Voor meer informatie: kijk op **www.boekenwereld.com**

POEMA-POCKET is een onderdeel van Luitingh ~ Sijthoff

Zevende druk

Oorspronkelijke titel: *To be the Best*
Vertaling: Marijke Versluys
Omslagontwerp: Pete Teboskins
Omslagfotografie: Picture Box

CIP/ISBN 90 245 4022 4

Inhoud

Proloog

Als je bij mij wilt werken, moet je de beste zijn.
En als je de beste wilt zijn, moet je karakter hebben.
Emma Harte in *De macht van een vrouw*

Vlak voor zonsopgang vertrok Paula van Pennistone Royal. Het was nog donker toen ze het hoge ijzeren hek uit reed en linksaf sloeg, in de richting van de woeste heide. Toen ze echter op de weg kwam die de heuvelrug, de Pennine Chain, doorsneed, begon de hemel al van kleur te veranderen. De vage, antracietgrijze tinten maakten plaats voor violet, roze en koel bleekgroen, terwijl de eerste zonnestralen als zilveren naalden tegen de donkere heuvels aan de verre horizon afstaken. Het was een geheimzinnig tijdstip, tussen nacht en dag in, en de stille, wijde vlakte leek leger en verderaf dan ooit. Tot er opeens een stralend licht verscheen en dat kristallijne schijnsel dat zo kenmerkend is voor het noorden van Engeland het hele uitspansel vulde, en de dag eindelijk aanbrak.
Paula draaide het raampje open en haalde eens diep adem. Daarna leunde ze achterover, ontspande zich en reed met hoge snelheid verder. De wind die naar binnen blies was koel, maar 'hierboven' was het nu eenmaal altijd koel, welk jaargetijde het ook was; dit was niet de juiste plek om het weer te beoordelen. Ze wist dat het opnieuw een snikhete dag zou worden en ze was blij dat ze vroeg op weg was gegaan naar Fairley.
Het was eind augustus, de maand dat in Yorkshire de heide bloeit, en de ruige, onontgonnen vlakten waren grandioos. Hoewel ze het grootste deel van het jaar iets sombers en afschrikwekkends hadden, waren ze vanmorgen van een adembenemende schoonheid, een zee van violet en dieppaars, golvend in de wind, zich uitstrekkend zover het oog reikte. In een opwelling zette Paula de auto langs de kant en stapte uit; ze keek om zich heen en nam de omgeving in zich op. Het landschap was ontzagwekkend... verbijsterend. Er kwam een brok in haar keel. Grandy's heide, zei ze zachtjes bij zichzelf, denkend aan Emma Harte. Ik hou net zoveel van de hei als zij vroeger... net zo goed als mijn eigen dochters Tessa en Linnet ervan zijn gaan houden.
Even bleef Paula bij de auto staan kijken en luisteren, genietend van haar omgeving. Ze hoorde het schrille gekwinkeleer van de leeuweriken die omhoogvlogen en zwenkten in de wolken, terwijl in de verte het geruis klonk van een beekje dat over een rotsige helling omlaagstroomde; in de koele, heldere lucht vermengden zich de geuren van heide en bosbessen, wilde bloemen en kreupelhout. Ze deed een ogenblik haar ogen dicht, besprongen door allerlei herinneringen, toen hief ze haar hoofd omhoog en keek op. De hemelkoepel was stralend blauw, vol witte donzige wolkjes en felle zonneschijn. Het begin van een mooie dag, dacht ze, bij zichzelf glimlachend. Met mooi weer is de hoogvlakte het allermooiste plekje ter wereld. Het was lang geleden dat ze hier was geweest. Veel te lang geleden eigen-

lijk. Hier ligt mijn bakermat, dacht ze, net als die van Grandy. Even draalde ze nog, terwijl de herinneringen haar overspoelden en haar mee terugvoerden...
Paula draaide zich abrupt om, stapte in haar Aston Martin DB 2-4 en reed verder. Een uur lang volgde ze de kronkelige weg door de heidevelden, tot de weg ten slotte het dal in voerde, naar Fairley. Het was zo vroeg dat het dorp nog sluimerde. De straten lagen er volkomen verlaten bij. Paula parkeerde voor de oude, uit grijze steen opgetrokken kerk met haar vierkante, Normandische toren en gebrandschilderde ramen. Ze stapte uit, liep om de auto heen naar het andere voorportier en maakte dat open. Ze had een kartonnen doos voor de stoel neergezet, waar ze een vaas met zomerbloemen uit pakte. Met haar knie drukte ze de deur dicht.
Met de vaas in beide handen duwde ze het hekje open dat naar de begraafplaats naast de kerk leidde.
Over het stenen pad liep ze naar de verste hoek, waar het beschut, begroeid en oneindig stil was. Hier, vlak bij de met mos overdekte stenen muur, overschaduwd door een knoestige oude iep, lag een groepje graven. Een poosje stond ze naar een van de grafstenen te kijken.
Emma Harte was de naam die in het donkergroene marmer was uitgehouwen, met daaronder de jaartallen *1889-1970.*
Elf jaar geleden, dacht Paula. Vandaag is het elf jaar geleden dat ze stierf. Wat is er met de tijd gebeurd? Die is me door de vingers geglipt... Het is alsof het gisteren was dat ze nog leefde en met vaste hand en energiek haar onderneming leidde, terwijl ze ons allemaal op haar onnavolgbare wijze commandeerde.
Paula liep nog wat dichter op het graf van haar grootmoeder toe. Ze bukte zich, zette de bloemen erop en rechtte haar rug, waarna ze roerloos met één hand op de grafsteen bleef staan, starend naar de heuvels in de verte. Haar ogen stonden peinzend, en even liet ze zich door haar gedachten meevoeren.
Ik moet iets doen, Grandy, iets drastisch dat je niet zou aanstaan. Maar ik weet zeker dat je begrip kunt hebben voor mijn beweegreden... Ik wil namelijk iets opbouwen dat alleen van mij is. Als jij in mijn schoenen stond, zou je precies hetzelfde doen. Ik weet het zeker. En het zal goed gaan. Dat moet. Alle twijfel is misplaatst.
Het luiden van de kerkklok doorsneed de stilte als een donderslag. Paula schrok op en werd met een ruk uit haar dromerijen gewekt. Na enkele ogenblikken wendde ze zich af van Emma's graf en liet haar ogen over de andere stenen dwalen. Haar blik bleef rusten op het graf van David Armory, toen groette ze Jim Fairley, haar vader,

en haar echtgenoot, die hier al tien jaar lag. Beiden waren veel te jong gestorven. Het verdriet sneed zo onverwacht door haar heen, dat haar adem stokte en haar hart zich vulde met een oude, vertrouwde pijn. Ze vermande zich, draaide zich met een ruk om en liep het pad weer af. De pijn en de droefheid die de herinneringen opriepen, onderdrukte ze. Het leven behoorde aan de levenden, hield ze zich voor. Paula onderbrak haar snelle pas slechts één keer, toen ze langs enkele graven vlak bij de kerk kwam. Achter het ijzeren hekje lagen Jims voorouders... Adam en Adèle... Olivia... Gerald. Vele Fairleys... èn vele Hartes lagen daar begraven. Twee families die drie generaties lang met elkaar verbonden waren, verwikkeld in een bittere vete, en in liefde, haat, wraakzucht, aaneengeklonken door huwelijken... en ten slotte door de dood. Hier lagen ze, te zamen op hun eeuwige rustplaats in de schaduw van de heidevlakten waar de wind vrij spel had, eindelijk vredig, in deze gewijde aarde...
Toen het hekje achter haar dichtklikte, rechtte Paula haar rug en schouders en haastte zich naar haar auto. Haar stappen waren vastberadener; haar gezicht stond flinker dan eerst. Ze had nog veel voor de boeg, er wachtten vele uitdagingen en ze moest nog veel werk verzetten.
Ze stapte in de auto en installeerde zich voor de lange rit die ze nog moest maken.
Het bandje lag op de stoel naast haar, waar ze het eerder die ochtend voor de reis had klaargelegd. Nadat ze het in het cassettedeck in het dashboard had gestopt, zette ze de muziek harder. Mozarts Jupitersymfonie klonk door de auto... rijk, melodieus, vol levenslust en, voor haar althans, vol hoop. Dit was een van haar lievelingsstukken. Tessa had het bandje een paar weken terug voor haar gekocht. Het was de nieuwste opname. Herbert von Karajan dirigeerde de Berliner Philharmoniker. Paula sloot haar ogen en liet de muziek over zich heen komen. Het eerste deel, het allegro vivace, vervulde haar met spanning; het inspireerde haar.
Na enkele ogenblikken deed ze haar ogen weer open, draaide het contactsleuteltje om en reed heuvelafwaarts, in de richting van de weg van Leeds naar Bradford, die haar naar de M1 zou voeren, de snelweg in zuidelijke richting, naar Londen. Een half uur later stuurde ze de snelweg op en meteen zag ze dat er nog niet veel verkeer was. Hier en daar reden enkele auto's, maar vrachtwagens ontbraken. Als ze bofte en geen oponthoud kreeg, zou ze over nog geen vier uur aan haar bureau bij Harte in Knightsbridge zitten.
Paula gaf wat meer gas en reed met grote snelheid verder, haar ogen strak op de weg gericht.

De symfonie zwol aan tot een crescendo, werd rustiger, kwam weer opzetten en overweldigde haar in al haar schoonheid. Ze liet zich meevoeren met de magische muziek, terwijl er een golf van puur geluk in haar opwelde. Haar brein werkte op volle toeren. Ze zag de komende maanden helder voor zich, ze wist diep in haar hart heel zeker dat al haar plannen gerechtvaardigd waren.
Ze verhoogde haar snelheid. De Aston Martin schoot over de snelweg alsof hij vleugels had en door de lucht vloog. Ze genoot van de sensatie die dit fantastische stuk techniek haar bezorgde, ze genoot van het gevoel dat ze de auto beheerste, en zichzelf, en de toekomst. Ze had een plan uitgedacht. Een meesterlijk plan. Ze wilde het zo snel mogelijk ten uitvoer brengen. Het was een doorwrocht plan. Er kon onmogelijk iets misgaan...

Beminden en onbekenden

Noem niemand je vijand, maar bemin nooit een onbekende.
STELLA BENSON

Vergeet de herbergzaamheid niet, want daardoor hebben sommigen, zonder het te weten, engelen geherbergd.
HEBREEËN 13:2

Mijn ware beminde bezit mijn hart, en ik het zijne,
eerlijk is het ene voor het andere verruild;
ik schat het zijne hoog, hij kan niet zonder het mijne,
stellig, om deze ruil wordt nooit gehuild.
SIR PHILIP SIDNEY

1

Met haar gebruikelijke energieke tred liep Paula haar privé-kantoor van het Londense warenhuis binnen. Nadat ze enkele mappen uit haar aktentas had gepakt, ging ze aan het antieke bureau in de hoek zitten. Precies op dat moment zag ze de bruine envelop die tegen de antieke porseleinen lamp stond.
Er stond PERSOONLIJK op en was kennelijk niet via de post bezorgd. Ze herkende het handschrift meteen. Er voer een huivering van genoegen door haar heen. Gretig pakte ze de envelop, sneed hem open met de van goud en jade gemaakte briefopener en haalde het dubbelgevouwen vel papier eruit.
Het handschrift was kloek. *Kom vanavond naar me toe in Parijs,* stond er. *Op vlucht 902 is een plaats voor je gereserveerd. 18.00 uur. Ik wacht vol ongeduld op de gebruikelijke plek. Stel me niet teleur.*
Paula fronste. De toon was autoritair, bazig, en uit zijn woorden bleek dat hij ervan uitging dat ze kwam. De irritatie die even opvlamde vanwege zijn eigengereidheid dempte de blijdschap die net was opgeweld. Natuurlijk ging ze niet. Dat kon niet. Er stond op haar programma dat ze het weekend met haar kinderen zou doorbrengen, dat *wilde* ze ook eigenlijk.
Met het briefje nog in de hand leunde ze achterover in haar stoel en staarde voor zich uit, terwijl haar gedachten naar hem uitgingen. Bazig... zelfgenoegzaam... dat waren de bijvoeglijke naamwoorden die bij haar opkwamen. Ze waren zeker van toepassing. Er speelde een flauw glimlachje om haar lippen. Opeens kreeg de uitnodiging iets amusants, en de verleiding was groot erop in te gaan. Geef het maar toe, je zou dolgraag met *hem* een weekend in Parijs doorbrengen. Maar er zijn zoveel dingen die je graag zou doen maar die je laat schieten, bracht een inwendig stemmetje haar in herinnering. Weer glimlachte ze, maar nu een tikje wrang, een beetje spijtig zelfs, in de wetenschap dat ze hard voor zichzelf moest zijn. Verwennerij was er voor haar niet bij! Haar plicht kwam op de eerste plaats. Die stelregel van Emma Harte was haar met de paplepel ingegeven, al wenste ze soms dat haar grootmoeder niet zo degelijk te werk was gegaan. Maar Grandy had haar goed opgeleid, ze had haar geleerd dat rijkdom en een bevoorrechte positie ook verantwoordelijkheden met zich meebrachten en dat die stoïcijns gedragen moesten worden, wat het je ook kostte. Daar ze inmiddels zesendertig was, bijna zevenendertig, was het niet erg waarschijnlijk dat haar karakter in deze levensfase nog zou veranderen.
Paula ging rechtop zitten en stopte het briefje weer in de envelop. Ze

onderdrukte een zucht. Een romantisch intermezzo in haar lievelingsstad met die heel bijzondere en uitzonderlijke man had oneindig grote aantrekkingskracht, maar het was onmogelijk. Nee, ze zou niet naar Parijs gaan voor een weekend vol liefde, intimiteit en genoegens. In plaats daarvan zou ze naar haar kinderen gaan en een goede moeder zijn. Haar kinderen hadden haar nodig. Per slot van rekening had ze hen al twee weken niet gezien. Aan de andere kant, ze had hem al die tijd ook niet ontmoet...

'Wel verdorie nog aan toe,' mopperde ze hardop. Had hij dat briefje nou maar niet gestuurd. Ze was erdoor uit haar evenwicht gebracht. Opeens voelde ze zich rusteloos, en dat op een tijdstip dat ze beslist geen enkele afleiding kon gebruiken. De maanden die voor haar lagen zouden buitengewoon veeleisend worden, ze zouden van beslissende betekenis zijn.

Ze zou hem dus straks opbellen om te vertellen dat ze niet kwam; bovendien moest ze de vliegtuigreservering annuleren. Misschien moest ze bij nader inzien British Airways nu meteen maar bellen.

Toen ze haar hand naar de telefoon uitstak, begon het toestel te rinkelen.

Ze nam snel de hoorn op en zei: 'Hallo?' Tegelijkertijd keek ze naar de deur toen haar assistente, Jill, haastig binnenkwam met een kop koffie.

'Hallo Paula, met mij,' zei haar neef Alexander aan de andere kant van de lijn. 'Ik zocht je in het filiaal in Leeds, maar ik hoorde dat je in Londen zit, en dat uitgerekend op die ene dag dat ik hier ben.'

'O Sandy, jongen, wat ontzettend jammer dat ik je misloop!' riep ze uit. Ze legde haar hand over het mondstuk en bedankte Jill, die de koffie voor haar had neergezet en glimlachend wegging.

Paula vervolgde: 'Was je gisteravond in Yorkshire?'

'Ja. Ik was er om ongeveer half zeven.'

'Toen was ik nog op de zaak, Sandy. Je had me moeten bellen, dan hadden we samen kunnen eten.'

'Nee, dat kon niet. Ik moest zo gauw mogelijk naar Nutton Priory, zie je. Mijn rentmeester gaat vandaag met vakantie en we moesten nog van alles bespreken.' Alexander schraapte zijn keel en wachtte even. 'Jij bent vanmorgen bij het graf van Grandy geweest... Het waren toch jouw bloemen, Paula?'

'Ja,' zei ze zachtjes. 'Ik ben er heel vroeg heen gegaan, voordat ik op weg ging naar Londen.'

'Ik zat je dicht op de hielen.' Hij lachte zachtjes. 'Ik vermoed dat we niet voorbestemd waren elkaar vandaag te ontmoeten. Ach, jammer voor mij.'

Paula hield zielsveel van haar neef en ze was gevoelig voor zijn stemmingen. Ze hoorde iets vreemds aan zijn stem, een toon die haar verontrustte. 'Sandy, is er soms iets?' vroeg ze meteen. 'Wilde je me ergens over spreken?'
Hij aarzelde nauwelijks merkbaar, maar riep toen tamelijk beslist uit: 'Nee, nee, helemaal niet! Het leek me alleen leuk om samen te lunchen, ik heb je in geen weken gesproken. Ik weet wel dat je het druk hebt... maar toch mis ik onze têtes-à-têtes, meid.'
Paula had aandachtig geluisterd, haar oren spitsend om die eigenaardige stembuiging op te vangen die haar even tevoren was opgevallen, maar die ontbrak nu. Zijn stem klonk volkomen normaal – melodieus en beheerst, net als anders.
'Ja, die mis ik ook, Sandy,' antwoordde ze. 'Maar ik heb het deze zomer verschrikkelijk druk met al dat heen en weer gevlieg naar Zuid-Frankrijk, en bovendien moet ik wat de zaak betreft ver vooruit denken. Luister eens, nu ik je toch spreek, ik heb al een hele tijd iets op mijn hart.' Ze haalde vlug adem en op iets strengere toon vervolgde ze: 'Ik ben heel boos op je, Alexander. Je hebt je dit jaar nauwelijks bij ons in Cap Martin vertoond, en het is nota bene *jouw* huis. Bovendien vind ik dat je...'
'Jij bent niet de enige die hard moet werken!' was zijn wat bitse reactie, waarna hij snel verder ging: 'Ook ik zit tot over mijn oren in het werk, weet je. Alsjeblieft, Paula, liefje, niet zeuren. Dat doet Emily al meer dan genoeg. Zij begint echt op mijn zenuwen te werken.'
'Je zus vindt dat je niet genoeg ontspanning neemt. Ze wil dat je het kalm aan doet, je zou wat meer van het leven moeten genieten. En toevallig ben ik het met Emily eens. Van ganser harte.'
Alexander negeerde haar commentaar en verwijtende toon. 'Je gaat zeker dit weekend naar de villa?'
'Ja. Ik neem morgenochtend om negen uur het vliegtuig naar Nice. Maandagochtend vroeg ben ik weer terug. Sandy! Ik heb een fantastisch idee! Waarom ga je niet met me mee? Je vindt het vast heerlijk, dat weet je, en de kinderen zullen het enig vinden je weer eens te zien. Emily ook trouwens.'
'Ik moet de komende paar dagen echt op Nutton Priory zijn. Eerlijk waar, Paula. Ik zou dolgraag meegaan, maar het landgoed vraagt veel te veel aandacht. Hoor eens, laten we dinsdag samen lunchen.' Zijn stem klonk nu enthousiast.
'O hemel, nee, dan kan ik echt niet,' steunde ze. 'Dinsdagochtend vroeg neem ik de Concorde naar New York en aan het einde van die week vlieg ik van New York naar Sydney. Ik ben er de hele maand september niet.'

'O. Ik begrijp het.'
Zijn teleurstelling was bijna voelbaar, zodat ze uitriep: 'Zullen we nu vast een afspraak maken? Voor oktober?' Al pratend sloeg ze haar agenda open en bladerde erin. 'De eerste woensdag van de maand bijvoorbeeld?'
'Ik denk dat ik dan wel kan, maar ik moet even in mijn zakagenda kijken. Wacht even, Paula.'
Ze hoorde aan het gestommel dat hij de hoorn neerlegde. Paula nam een slokje warme koffie.
Even later was Sandy weer aan het toestel, zijn stem klonk opgewekt en blij. 'Geen vuiltje aan de lucht, lieve schat. Dan zie ik je in oktober, daar verheug ik me op.'
'O, anders ik wel! O ja, Sandy...'
'Ja?'
'Pas goed op jezelf.'
'Dat zal ik doen. Pas jij maar goed op jezelf, Paula. Doe iedereen in Cap Martin de groeten.'

Na dit gesprek dronk Paula peinzend haar koffie verder op. Ze staarde naar de telefoon, in gedachten nog bij haar neef.
Ze had er oprecht spijt van dat ze de hele zomer had laten verglijden zonder er bij hem op aan te dringen dat hij met hen meeging naar de Rivièra. Maar aan de andere kant, zou dat echt hebben geholpen? Hoogst waarschijnlijk niet. Per slot van rekening had Emily hem sinds Pasen al achter de vodden gezeten; met haar niet onaanzienlijke vindingrijkheid had ze met alle mogelijke middelen geprobeerd hem over te halen om ook naar Villa Faviola te komen. Hij was twee keer overgevlogen, maar alleen voor een kort bezoek en alleen om zijn zus een plezier te doen. Dat hadden zij en Emily duidelijk gemerkt.
Toch voelde ze zich schuldig, want ze żag wel in dat ze Alexander de laatste tijd had verwaarloosd. Ze had het afgelopen jaar ook zoveel moeten regelen en er waren zoveel dingen geweest die haar vrije tijd hadden opgeslokt en allerlei vriendschappen hadden gedwarsboomd. Sandy was een slachtoffer van de genadeloze werkethiek die ze zichzelf had opgelegd. Arme Sandy, ze had gewoonweg geen tijd voor hem gehad, dat was de droeve waarheid, ze gaf het grif toe.
Misschien had zijn stem daarom zo eigenaardig geklonken. Nee, dat was toch geen reden. Die vreemde stembuiging, die ze zich beslist niet had verbeeld, was gewoon het gevolg van spanning en niets anders. Nee, het was overbelasting geweest. Of angst? Ja, dat was het. *Angst*. Het had haar waakzaam gemaakt... er dreigde iets.
Toen dit goed tot haar doordrong, bedacht Paula, terwijl het hart

haar in de schoenen zonk: *Er is iets niet in orde met Sandy.*
Een ongekende onrust maakte zich van haar meester. Het was een vreemde sensatie, zo vreemd dat ze rechtop in haar stoel ging zitten en zich gespannen afvroeg wat er aan de hand kon zijn. Ze fronste en liet vliegensvlug allerlei mogelijkheden de revue passeren. Met Harte Enterprises kon niets mis zijn. Daar zou Emily van af hebben geweten, dat zou ze hebben verteld. Zijn gezondheid was goed. Financiële problemen had hij beslist niet. En hoewel hij geen speciale vriendin had – dat beweerde Emily, die alles van alle familieleden af wist – scheen het hem desgewenst niet aan vrouwelijk gezelschap te ontbreken. Zijn sociale contacten waren niet opzienbarend. Maar ook dit scheen hij liever zo te willen houden, zo verkoos hij zijn leven tegenwoordig in te richten.
Toch moest hij vaak eenzaam zijn, peinsde ze, voor de zoveelste keer wensend dat Sandy was hertrouwd.
Nadat Maggie in Chamonix door een lawine om het leven was gekomen; was hij overweldigd geweest door verdriet. Lange tijd was hij ontroostbaar. Geleidelijk aan was hij erbovenop gekomen, hij had zijn zelfvertrouwen herwonnen en zich moeizaam hersteld. Maar het leek wel alsof hij daarbij zijn persoonlijkheid geweld had aangedaan, want nadien was hij nooit meer helemaal de oude geworden.
Die lawine heeft op ons allemaal invloed gehad, hield Paula zich voor, daarbij vooral denkend aan haar broer, Philip. Ook hij was die dag op de berg gaan skiën, maar hij had als enig familielid de ramp overleefd. En dan haar moeder, die had haar man verloren. En ik heb mijn vader verloren, evenals mijn kinderen hun vader verloren. Ja, die lawine had de hele familie ontwricht. We zijn er onherroepelijk door beschadigd, veranderd. Sindsdien gedragen we ons allemaal beslist een beetje vreemd...
Ze begon zachtjes te lachen. En *ik* vooral, dacht ze, terwijl ze haar best deed het onbehaaglijke gevoel over haar neef van zich af te zetten. Speelde haar verbeelding haar soms parten? Ten slotte hadden zij en Sandy als kinderen veel contact met elkaar gehad, en door de jaren heen hadden ze altijd goed met elkaar kunnen opschieten. Als hem echt iets dwars zat, zou hij haar dat over de telefoon wel hebben toevertrouwd. Ik verbeeld me van alles, het slaat nergens op, was haar conclusie, waarna ze haar zorgelijke gedachten over Alexander gedecideerd terzijde schoof.
Haar blik rustte weer op de stukken op haar bureau.
Nadat ze ze vluchtig had doorgenomen, wist ze dat er gelukkig niets bij zat dat dringend moest worden afgehandeld. Problemen die op vrijdag opdoken, maakten gewoonlijk inbreuk op haar weekends,

die daardoor bedorven werden. In de winter was dat niet zo erg, maar 's zomers, als de kinderen voor lange tijd van hun respectieve scholen thuiskwamen, vonden ze dat heel vervelend. Ze verheugden zich op de weekends met haar en waakten er angstvallig over. Alles wat inbreuk maakte op de tijd die ze samen doorbrachten, werd door hen verafschuwd en voor Paula gold hetzelfde.
Nadat ze de post van die ochtend had gelezen, evenals een memorandum van Jill waarin gedetailleerd structurele wijzigingen op de design-afdeling werden voorgesteld, controleerde ze de stapel orders, waarna ze de telexberichten pakte. Deze laatste waren allemaal afkomstig van het warenhuis in New York en ondertekend door haar Amerikaanse assistente, Madelana O'Shea. Ze waren de vorige dag laat binnengekomen, en slechts één hoefde beantwoord te worden. Paula trok een gele blocnote naar zich toe en begon een antwoord op te stellen. Toen dat was afgehandeld, opende ze de dikste van de mappen die ze uit Yorkshire had meegenomen en pakte er het bovenste vel papier uit. Dat was het enige dat haar op het ogenblik interesseerde. Er stonden de belangrijkste punten van haar grootse plan op vermeld. Eén enkel velletje papier... maar het was de sleutel tot zoveel, de sleutel tot de toekomst.
Een paar tellen later al was ze zo verdiept in haar werk en was ze zo druk bezig met het maken van aantekeningen op de blocnote, dat alle gedachten aan haar neef Sandy vervlogen. Niettemin zou Paula zich deze dag maanden later maar al te goed herinneren. Ze zou zich helder en levendig herinneren dat ze zich ongerust over hem had gemaakt en ze zou vurig wensen dat ze beter naar haar intuïtie had geluisterd. Vooral zou ze er bitter spijt van hebben dat ze er niet bij hem op had aangedrongen haar in vertrouwen te nemen. Als ze zijn problemen had gekend, zou ze niet in staat zijn geweest iets aan de onvermijdelijke afloop te veranderen, maar ze had in ieder geval haar reisplannen kunnen wijzigen. Als ze dat had gedaan, had ze hem kunnen helpen, eenvoudigweg door beschikbaar te zijn wanneer hij haar nodig had.
Maar op deze warme augustusmorgen in 1981 kon Paula dit allemaal niet weten. Bovendien was het eerdere gevoel dat er moeilijkheden dreigden – een gevoel van naderend onheil bijna – al door haar wilskracht verdrongen. Daar kwam nog bij dat ze, net als haar grootmoeder, het benijdenswaardige vermogen bezat om alles opzij te kunnen schuiven om zich op haar zakelijke belangen te concentreren. En dat deed ze nu. Met het hoofd gebogen, haar ogen strak op het papier gericht, werkte ze steeds geconcentreerder verder, zoals altijd zo volkomen opgaand in haar taak dat ze alles om zich heen vergat.

Twintig minuten later keek Paula eindelijk op, ze niette haar aantekeningen aan elkaar en stopte ze in de map, samen met het bewuste vel papier. Vervolgens sloot ze de map weg in de middelste la van haar bureau, om hem daar tijdens het weekend veilig te bewaren. Met een vaag glimlachje, tevreden nu ze aan alles had gedacht en op alle eventualiteiten was voorbereid, zat ze nog even met de sleutel in de hand, voordat ze die zorgvuldig in haar aktentas wegborg.

Ze schoof de stoel naar achteren, stond op, rekte zich uit en wandelde heen en weer omdat ze behoefte aan beweging had. Ze voelde zich stijf van het zitten, eerst in de auto en vervolgens hier aan haar bureau. Bij het raam schoof ze de gordijnen open en keek neer op het Knightsbridge dat onder haar lag. Het viel haar op dat het verkeer nog drukker leek dan anders, maar dat zou wel komen omdat het op vrijdag gedurende de zomermaanden gewoonlijk nog erger was dan anders.

Paula draaide zich om en keek goedkeurend het vertrek rond. Al van kind af aan had ze een zwak gehad voor dit kantoor; ze had zich in de besloten ruimte altijd op haar gemak gevoeld. Toen ze de kamer van haar grootmoeder erfde, had ze geen reden gezien om er veranderingen in aan te brengen en ze had alles vrijwel intact gelaten. Ze had er enkele snuisterijen van haarzelf aan toegevoegd, evenals foto's van haar kinderen, maar daar was het bij gebleven.

Het kantoor leek meer op een salon in een Engels landhuis dan op een zakelijk kantoor, en daarin lag het geheim van de grote charme ervan. De sfeer was er, zo'n zestig jaar terug, door Emma Harte bewust opgeroepen. Ze had waardevolle antieke meubels uit de tijd van koning George neergezet, en ze had prijzige Engelse olieverfschilderijen opgehangen in plaats van het vertrek op meer prozaïsche wijze in te richten. De klassieke chintzbekleding van de banken en stoelen en de dito gordijnen bij het raam zorgden voor warme kleuren die mooi afstaken tegen de grenen lambrizering, terwijl antieke porseleinen lampen en andere schitterende stukken er hun eigen elegante en opvallende accenten aan toevoegden. Afgezien van de inrichting was het een ruim en goed geproportioneerd vertrek, met een prachtige oude Adam-open haard, die op kille dagen altijd werd gebruikt. Het kantoor verveelde Paula nooit en ze vond het leuk als mensen die er voor het eerst kwamen het luid prezen om zijn unieke schoonheid. Grandy had deze kamer precies op de juiste manier ingericht, zoals ze alles goed deed, dacht Paula terwijl ze over het kale maar kostbare Savonnerie-tapijt liep om voor de bewerkte grenen schoorsteenmantel te blijven stilstaan. Ze keek op naar het portret van haar grootmoeder dat erboven hing, geschilderd toen Emma een jonge vrouw

was. Ze miste haar nog steeds, op sommige momenten heel erg zelfs, maar ze putte troost uit het gevoel dat Emma in haar, in haar hart en in haar herinneringen, voortleefde.
Terwijl ze bleef kijken naar dat mooie en toch zo vastberaden gezicht, welde er een immense trots in haar op om Emma's buitengewone, bijna unieke prestaties. Grandy was met niets begonnen en ze had een van de grootste concerns ter wereld opgebouwd... Ze moet op mijn leeftijd ongelooflijk moedig zijn geweest. *Ik* moet net zo moedig zijn als zij, net zo krachtig en net zo vastberaden. *Ik* mag niet aarzelen bij wat *ik* nu moet gaan doen, mijn grootse plan moet net als het hare slagen. Paula's brein werkte op volle toeren, haar gedachten vlogen naar de toekomst en opwinding vervulde haar toen ze zich voorstelde wat haar wachtte.
Ze liep naar haar bureau, want ze wist dat het werk die dag gewoon door moest gaan.
Ze drukte op de intercom. 'Jill...'
'Ja, Paula?'
'Mijn spullen zijn toch uit de auto gehaald?'
'Een poosje geleden al, maar ik wilde je niet storen. Zal ik je nu alles brengen?'
'Graag.'
Even later verscheen Jills kastanjebruine hoofd om de deur en ze kwam haastig Paula's kantoor binnen, met Paula's kledingtas in de ene en een koffer in de andere hand. Jill was een lange, goed gebouwde en atletische jonge vrouw, en zo te zien droeg ze de bagage moeiteloos.
'Ik zet deze vast in je kleedkamer,' zei ze, en verdween door de deur naar het vertrek ernaast.
'Dank je,' mompelde Paula afwezig en toen haar assistente terugkwam, vervolgde ze: 'Ga eens even zitten, alsjeblieft, Jill. Ik wil even een paar zaken met je doornemen.'
Jill Marton knikte, nam plaats aan de andere kant van het bureau en keek Paula met haar warme, intelligente bruine ogen aan. Jill werkte al ruim vijf jaar voor haar en haar bewondering verflauwde geen moment; steeds weer verwonderde ze zich over Paula's uitzonderlijke energie, uithoudingsvermogen en inspirerende invloed. De vrouw die tegenover haar zat was een stuwende kracht, om nog maar te zwijgen over haar intelligente, creatieve en vaak gewaagde dadendrang. Jill had nog nooit voor iemand zoals zij gewerkt. Degenen op de zaak die de legendarische Emma nog hadden gekend, zeiden dat de appel niet ver van de boom viel. Dat nam Jill direct aan, de trekjes die ze in haar baas zo bewonderde, had deze geërfd van de befaamde

stichtster van het Harte-imperium. Ja, het is allemaal een kwestie van genen, dacht Jill, terwijl ze Paula tersluiks bleef opnemen.
'Aha, hier heb ik het... Je memo over de design-afdeling,' zei Paula en ze pakte het vel papier dat ze had gezocht.
Jill rechtte haar rug en keek Paula verwachtingsvol aan. 'Ik hoop dat het je allemaal duidelijk is,' zei ze.
'Reken maar. Je aanbevelingen zijn uitstekend. Ik heb er niets aan toe te voegen. Je kunt de structurele veranderingen meteen aanbrengen, de andere wijzigingen ook. Ze zullen de afdeling enorm verbeteren, Jill.'
Jill voelde een felle blos haar hals en wangen kleuren bij dit compliment, en met een verheugd gezicht pakte ze het memo op dat Paula over het hoogglanzend gewreven blad tussen hen in naar haar toe had geschoven. 'Ik ben blij dat het je goedkeuring kan wegdragen,' zei ze met een stralende glimlach.
Paula beantwoordde haar glimlach. 'Deze telex moet straks naar Madelana, en hier is de post... Niets belangrijks, maar dat wist je al. Je kunt een en ander met gemak zelf afhandelen. Deze orders heb ik geparafeerd.' Ze tikte er met een felrode vingernagel op, waarna ze vroeg: 'En, zijn de advertenties van vorige week al van de ontwerpafdeling gekomen?'
Jill schudde haar hoofd. 'Meteen na de lunch liggen ze op je bureau. Ik heb Alison Warren eerder vandaag gesproken, ze zijn bijna klaar.'
'Mooi. Over de lunch gesproken, heeft Michael Kallinski onze afspraak nog bevestigd? Of heeft hij je laten weten waar ik hem ontmoet?'
'Hij heeft vanmorgen gebeld. Hij wilde niet dat ik je stoorde, want je was net binnen toen hij belde. Daarom heb ik hem niet doorverbonden. Hij komt je om kwart over twaalf halen.'
'O.' Paula keek op haar horloge, stond op en liep naar de kleedkamer. Bij de deur bleef ze staan en keek naar haar kreukelige katoenen broek. 'Dan moest ik me maar eens gaan verkleden. Ik wil voordat Michael komt nog even de zaak in om een paar dingen te checken. Dan moet ik dus opschieten. Wil je me excuseren, Jill?'
'Natuurlijk.' Jill verzamelde de paperassen en liep naar haar eigen kantoor. 'Als je nog wat nodig hebt, hoor ik het wel.'
'Reken maar,' zei Paula en deed de deur achter zich dicht.
In Emma's tijd was de garderobe de archiefkamer geweest, maar Paula had het vertrek opnieuw ingericht met kasten die van de vloer tot het plafond reikten; de deuren ervan waren van spiegels voorzien. De verlichting was bijzonder goed en er stond ook een toilettafel. Daar ging ze aan zitten om haar make-up bij te werken en haar haren

te borstelen. Daarna trok ze de overhemdblouse, de broek en de sandalen uit die ze tijdens de rit uit Yorkshire had gedragen.
Even later had ze zich gestoken in de kleren die ze in de kledingtas had meegenomen: een zwartzijden pakje van shantung, speciaal voor haar door Christina Crowther ontworpen; het was een klassiek-eenvoudig model, chic en stijlvol, en ze droeg er een witzijden topje bij, donkere kousen en hooggehakte zwarte pumps. De sieraden die ze erbij koos waren al even eenvoudig maar opvallend: een parelsnoer van drie rijen dat aan de voorkant sloot met een diamanten siersluiting lag om haar hals, en grote mabé-parels gezet in diamanten glinsterden in haar oren.
Paula bekeek zichzelf kritisch in de spiegel. Wat ze zag beviel haar wel. Het pakje was eenvoudig zonder tè streng te zijn, kortom, ideaal voor de zaak. Bovendien was het elegant genoeg om je in een chique gelegenheid te vertonen. Ongetwijfeld zouden ze naar een speciaal restaurant gaan. Michael nam haar altijd mee naar het beste van het beste.

De personeelslift bracht haar suizend naar de parterre. Paula liep over de afdeling sieraden in de richting van de cosmetica en parfumerie, intussen om zich heen kijkend.
Het was druk die ochtend. Maar ach, over het algemeen verdrongen de klanten zich al vanaf het moment dat de deuren opengingen tot ze om zes uur weer werden gesloten. Al tientallen jaren lang was het een beroemde zaak in Londen, en mensen uit de hele wereld kwamen in drommen de monumentale ingangen binnen om over de befaamde afdelingen te wandelen en de aangeboden artikelen te bekijken èn te kopen.
Paula hield van de drukte, de activiteit, de mensenmassa's, het hoge geroezemoes van de stemmen, waaronder vele buitenlandse, en de opwinding die bijna tastbaar in de lucht hing. Gewoonlijk werd ze een beetje opgewonden als ze na haar afwezigheid weer terugkwam, hoe kort ze ook maar was weg geweest, en deze ochtend was geen uitzondering. De winkels in Yorkshire waren belangrijke schakels in de keten, net zo goed als die in Parijs en New York, maar dit was de parel in de kroon, de zaak die haar het liefst was.
Emma Harte had de winkel in 1921 geopend. Over drie maanden zouden ze het zestigjarig bestaan vieren. Ze had plannen gemaakt voor een groots feest, een eerbewijs aan haar grootmoeder, een van de grootste handelsvrouwen die ooit had geleefd. Bovendien zou het evenement zestig jaar vakmanschap markeren, en een geschiedenis die door geen enkel warenhuis werd geëvenaard, in welke stad ook,

in welk land ter wereld ook. Harte in Knightsbridge was de top. Enig in zijn soort. Een legende.
Het opwindende gevoel weer terug te zijn op dit zeer bijzondere terrein, haar lievelingsplek, gaf haar stap iets extra veerkrachtigs terwijl ze de parfumerieafdeling op liep en bleef staan.
Genadeloos toekijkend als altijd, speurde ze naar onvolkomenheden, maar vond ze niet. Dat deed haar genoegen. De afdeling was onlangs onder haar supervisie gereorganiseerd en al zei ze het zelf, de resultaten waren geweldig.
Glazen panelen, geëtst à la Lalique, talloze spiegels, veel chroom en zilveren accenten, kristallen kroonluchters en wandverlichting... Al die elementen bij elkaar riepen een glinsterend effect op dat overweldigend was. Het vormde de volmaakte achtergrond voor de in het oog springende uitstallingen cosmetica, parfums en schoonheidsprodukten. De afdeling – weelderig, glamorous, uitnodigend – was ontworpen om vrouwen te verleiden veel, heel veel geld uit te geven, en daarin was men uitstekend geslaagd, wat ze al geweten had toen de ontwerpen nog op de tekentafels lagen.
Goede produkten en een goed marketingbeleid, daar draait het allemaal om, bepeinsde Paula inwendig, waarna ze energiek doorliep, om via een omweg over de lingerieafdeling naar de schoenenafdeling Rayne-Delman te wandelen. Ze genoot van haar ochtendronde door haar zaak... Het mooiste warenhuis ter wereld. Het was de plek waar haar macht zetelde, haar sterke citadel, haar trots en glorie. De zaak betekende alles voor haar.

2

Voor de tweede keer die ochtend werd het portret van Emma dat in Paula's kantoor hing aandachtig en grondig bestudeerd.
De man die er zojuist voor was blijven stilstaan was achter in de dertig, blond met blauwe ogen en gebruind. Hij was ongeveer één meter vijfenzeventig, maar door zijn slanke bouw en de snit van zijn kleding leek hij langer. Hij droeg een wit overhemd met een bordeauxrode zijden das en zijn donkerblauwe kostuum, gemaakt van de beste geïmporteerde ruwe zijde, perfect gesneden, onberispelijk van model – het zat hem als gegoten – was duidelijk een kunstwerk afkomstig van Savile Row.
Hij heette Michael Kallinski en hij stond het bekoorlijke gezicht dat levensgroot in olieverf op het doek was vereeuwigd, te bestuderen. Met half dichtgeknepen ogen van concentratie peinsde hij over Em-

ma Hartes krachtige persoonlijkheid.
Het trof hem opeens als heel eigenaardig dat er over een vrouw die al meer dan tien jaar dood was – op de dag af elf jaar, om precies te zijn – gesproken werd alsof ze nog leefde, en dan nog wel door bijna iedereen, niet alleen door haar naaste familie. Het verbaasde hem niet dat iemand met een charisma en uitstraling als Emma, die tijdens haar leven zo'n diepe, overweldigende indruk had gemaakt, aanspraak scheen te maken op onsterfelijkheid. Per slot van rekening had ze haar sporen nagelaten op deze wereld, in haar privé-relaties, in het internationale zakenleven en in haar bemoeienissen met liefdadigheid.
Michael deed een stapje naar achteren, hield zijn hoofd een beetje scheef en probeerde te schatten hoe oud Emma was geweest toen ze voor dit portret poseerde. Waarschijnlijk achter in de dertig, was zijn conclusie. Met haar fijnbesneden trekken, gave huid, roodgouden haar en die bijzondere groene ogen was ze als jonge vrouw een ware schoonheid geweest daaraan hoefde niet te worden getwijfeld.
Geen wonder dat zijn eigen grootvader vele jaren geleden smoorverliefd op haar was geweest en zelfs voor haar zijn vrouw en kinderen in de steek had willen laten – althans, dat gerucht deed bij de familie Kallinski de ronde. En uit wat hij van zijn vader had gehoord was David Kallinski niet de enige man geweest die zich door haar had laten betoveren. Ook Blackie O'Neill was kennelijk in hun jonge jaren voor haar gevallen.
De drie musketiers. Zo had Emma zijn grootvader, Blackie en zichzelf genoemd. In hun jonge jaren, rond de eeuwwisseling, had men hen beschouwd als een wonderlijk trio: een jood, een Iers-katholieke jongen en een protestante. Klaarblijkelijk hadden ze zich niet veel aangetrokken van wat de mensen van hen of hun vriendschap dachten, en ze hadden elkaar hun hele leven – en dat was lang – zeer na gestaan, ze waren bijna onafscheidelijk gebleven. En het was een onoverwinnelijk drietal gebleken. Ze hadden drie imposante financiële concerns opgericht, die de halve wereld beheersten, en drie machtige dynastieën, die met het verstrijken van de tijd alleen maar machtiger werden.
Maar Emma was eigenlijk altijd degene geweest die inspireerde en actie ondernam, die altijd met vooruitziende blik initiatieven nam, terwijl de twee mannen zich door haar lieten leiden. Tenminste, zo had zijn vader het verteld, en hij had geen reden zijn woorden in twijfel te trekken. Bovendien wist hij uit eigen ervaring dat Emma een volstrekt unieke vrouw was geweest. Op de jongere leden van de drie families had ze zeker haar stempel gedrukt, op hemzelf incluis. Haar

onuitwisbare stempel, noemde zijn vader het.
Michael glimlachte bij zichzelf en herinnerde zich nog precies hoe Emma zo'n jaar of dertig geleden was geweest, als ze hen als kinderen kwam ophalen om de voorjaars- en zomervakantie op Heron's Nest door te brengen. Ze hadden haar achter haar rug 'de generaal' genoemd en het huis in Scarborough hadden ze vertederd 'de kazerne' gedoopt. Zij had hen gedrild en hen haar eigen levensfilosofie ingeprent; zij had hun de betekenis van de woorden eerlijkheid en integriteit bijgebracht, evenals het belang van teamgeest en sportiviteit. Gedurende hun hele jeugd had ze hun onafgebroken haar liefde geschonken, haar begrip en haar vriendschap, zodat ze nu betere mensen waren omdat ze haar hadden gekend.
Er gleed een liefdevolle uitdrukking over zijn gezicht en met zijn hand aan zijn slaap groette hij het portret. Zij was de allerbeste geweest, net zo goed als haar kleindochters tot de besten behoorden. Een zeldzaam ras, de vrouwen van de familie Harte, allemaal, en Paula in het bijzonder.
Toen hij de deur hoorde opengaan, draaide hij zich snel om. Zijn gezicht klaarde op toen hij Paula zag.
'Neem me niet kwalijk dat ik je heb laten wachten!' riep ze uit. Ze keek verontschuldigend en haastte zich hem te begroeten.
'Het was niet jouw schuld, ik was te vroeg,' antwoordde hij terwijl hij haar tegemoet liep naar het midden van de kamer. Hij omhelsde haar onstuimig, hield haar toen op armslengte en keek op haar neer. 'Je ziet er geweldig uit.' Hij keek om naar het portret, waarna hij zijn blik weer op Paula liet rusten. 'En je begint meer dan ooit op die legendarische vrouw daar te lijken.'
Paula steunde en keek hem quasi geschokt aan. Ze verbraken hun omhelzing.
'Lieve hemel, Michael, begin jij ook al! Doe me een lol. Er zijn al genoeg mensen die me achter mijn rug de Kloon noemen, dus *jij* hoeft het niet in mijn gezicht te zeggen.' Ze schudde haar hoofd. 'Van een dierbare vriend had ik dat niet verwacht...'
Hij barstte in lachen uit. 'Eerlijk gezegd denk ik wel eens dat jullie allemaal klonen zijn. Het hele stel... Emily en Amanda, en jij ook.' Hij draaide zich om naar het portret. 'Wanneer is dit schilderij eigenlijk gemaakt?'
'In 1929. Hoezo?'
'Ik probeerde te schatten hoe oud Emma was toen ze ervoor poseerde.'
'Negenendertig. Het is vlak voor haar veertigste verjaardag voltooid.'

'Mmm, dat dacht ik al. Ze was op die leeftijd beeldschoon, hè?' Zonder Paula de kans te geven te reageren, vervolgde hij met een glimlachje: 'Besef je wel dat jij en ik familie van elkaar zouden zijn geweest als David mijn grootmoeder Rebecca inderdaad in de steek had gelaten en er met Emma vandoor was gegaan?'
'Laten we die geschiedenis nu maar laten rusten,' zei ze met een lachje. Ze liep snel naar haar bureau en voegde eraan toe: 'Hoe dan ook, ik heb toch al het gevoel dat we familie van elkaar zijn. Jij niet?'
'Ja.'
Hij was met haar meegelopen en ging in de stoel tegenover haar zitten.
Er viel een korte stilte, waarna hij rustig opmerkte: 'In sommige families is bloedverwantschap misschien niet zo belangrijk, maar in onze drie families wel. Onze grootouders zouden hun leven voor elkaar hebben gegeven, en volgens mij is hun loyaliteit op onze generatie overgegaan, nietwaar?'
'Ik ben het met je eens...' Ze onderbrak zichzelf toen de telefoon ging en ze de hoorn pakte. Nadat ze hallo had gezegd en even had geluisterd, legde ze haar slanke, spits toelopende hand over het mondstuk. 'De manager van de zaak in Harrogate,' legde ze uit. 'Ik ben zo klaar.'
Michael knikte, ging achterover in zijn stoel zitten en wachtte tot ze was uitgesproken. Intussen bestudeerde hij haar rustig, zoals hij kort tevoren het portret had bestudeerd.
Michael Kallinski had Paula ruim twee maanden niet gezien en na zijn afwezigheid was haar griezelige gelijkenis met Emma hem des te meer opgevallen toen ze binnenkwam. Natuurlijk, ze had een andere teint dan Emma. Paula had gitzwart haar en intens diepblauwe ogen. Maar ze had Emma's heldere, fijnbesneden trekken geërfd, evenals de befaamde haarinplant waardoor ze een volmaakt hartvormig gezicht kreeg en die boven die ver uiteen staande grote ogen bijzonder opviel. Met het verstrijken van de tijd was het alsof de twee vrouwen steeds meer met elkaar versmolten, identiek werden, althans, in zijn ogen. Misschien had het iets te maken met de uitdrukking die tegenwoordig in Paula's ogen lag, met haar manier van doen, haar doortastendheid, de wijze waarop ze zich bewoog – snel, altijd haastig – en haar gewoonte om over haar tegenslagen te lachen. Deze eigenschappen deden hem aan Emma Harte denken, net als haar stijl van zakendoen.
Hij kende Paula al zijn hele leven en toch had hij haar vreemd genoeg pas echt goed leren kennen toen ze beiden al in de dertig waren. Vroeger had hij haar niet kunnen uitstaan. Hij vond haar koel, af-

standelijk en onverschillig, behalve misschien tegenover haar nicht Emily, dat mollige kind waarover ze altijd moederde, en tegenover Shane O'Neill uiteraard, voor wie ze zich altijd had uitgesloofd.
Bij zichzelf had Michael haar schijnheilig genoemd, omdat ze als kind nooit slechte eigenschappen leek te hebben; ze werd altijd uitbundig geprezen en door de beide ouderparen ten voorbeeld gesteld. Zijn broer Mark had ook een bijnaam voor haar gehad: Toonbeeld van Deugdzaamheid. Achter haar rug hadden Mark en hij haar uitgelachen, maar ach, ze hadden op alle meisjes van de drie families wel wat aan te merken gehad. Ze hadden nooit met ze willen spelen en hadden liever met de andere jongens geravot. Ze hadden een front gevormd, samen met Philip, Winston, Alexander, Shane en Jonathan, in die dagen hun gezworen kameraden.
Pas gedurende de afgelopen zes jaar had hij Paula echt leren kennen en hij had ontdekt dat deze schrandere, hard werkende en intelligente vrouw achter haar koele uiterlijk en haar aangeboren beschaving een grote emotionaliteit verborg. Haar afstandelijke houding was niet meer dan een uiting van haar verlegenheid en terughoudende aard, de eigenschappen die hij in hun jeugd zo verkeerd had beoordeeld. De ontdekking dat Paula heel anders was dan hij altijd had aangenomen, was eigenlijk een grote schok voor hem geweest. Tot zijn verbazing merkte hij dat ze zeer menselijk was. Ze was kwetsbaar, warm, intens trouw en dol op haar familie en vrienden. De afgelopen tien jaar had ze de vreselijkste dingen meegemaakt, afschuwelijke dingen waaraan de meeste andere mensen zouden zijn bezweken, of misschien aan kapot waren gegaan. Maar Paula niet. Ze had ontzettend veel verdriet gehad, maar toch had ze kracht geput uit haar tegenslagen; ze was een vrouw geworden die diep met anderen kon meevoelen.
Sinds ze samenwerkten waren ze elkaar zeer na komen te staan en wanneer dat maar nodig was, was zij zijn steun en toeverlaat in het zakenleven en een bondgenoot in alle andere opzichten. Michael bedacht dat hij zonder Paula's vriendschap zijn traumatische scheiding en zijn grote persoonlijke problemen nooit had aangekund. Zij was altijd bereid om over de telefoon zijn ellende aan te horen, of ze maakte tijd om iets met hem te gaan drinken of eten als hij het te kwaad kreeg. Ze had een speciaal plekje in zijn leven veroverd, en daarvoor zou hij haar altijd dankbaar blijven.
Ondanks al haar succes, wereldwijsheid en zelfvertrouwen had Paula iets – het vertederende van een klein meisje – dat hem diep trof en dat maakte dat hij van alles voor haar wilde doen om haar te plezieren. Vaak genoeg spande hij zich tot het uiterste in om dit te berei-

ken, zoals onlangs in New York. Hij wou dat het eindeloze gesprek uit Harrogate was afgelopen, dan kon hij zijn nieuws kwijt.
Opeens was het zover. Paula legde de hoorn neer en trok een grimas.
'Sorry,' zei ze. Ze leunde achterover in haar stoel en vervolgde vol genegenheid: 'Wat fijn dat ik je weer zie, Michael. En, hoe was het in New York?'
'Fantastisch. Hectisch. Ik zat tot over mijn oren in het werk, want de zaak loopt daar nu als een trein. Maar ik heb ook nog leuke dingen kunnen doen, ik ben zelfs een paar keer een weekend naar de Hamptons geweest.' Hij boog zich voorover, 'Paula...'
'Ja, Michael?' onderbrak ze hem, terwijl ze hem bestudeerde, gealarmeerd door de dringende toon in zijn stem.
'Ik geloof dat ik het misschien heb gevonden... wat jij in Amerika zoekt.'
Meteen maakte opwinding zich van haar meester. Ze ging een beetje naar voren zitten, duidelijk een en al aandacht. 'Een familiezaak of een NV?'
'Een familiezaak.'
'Te koop?'
'Alles is toch te koop – als de prijs aantrekkelijk is?' Er gleed een zweem van ondeugendheid over zijn gezicht terwijl hij haar recht in de ogen keek.
'Toe, niet plagen!' riep ze uit. 'Is het officieel te koop?'
'Nee. Maar wat zegt dat in dit tijdperk van overnamen? De eigenaars kunnen worden benaderd, dat kost niets.'
'Hoe heet het bedrijf? Waar is het gevestigd? Hoe groot is het?'
Michael begon zachtjes te lachen. 'Hé, rustig een beetje. Ik kan maar één vraag tegelijk beantwoorden. Het bedrijf heet Peale and Doone, en het is gevestigd in het Midden-Westen. Niet groot, zeven vestigingen maar... warenhuizen in de buitenwijken. In Illinois en Ohio. Maar het is een oud bedrijf, Paula, opgericht in de jaren twintig door een stel Schotten die naar Amerika waren gekomen en aanvankelijk alleen Schotse produkten importeerden. Je weet wel, wollen stoffen, geruite kilts en plaids, kasjmir en zo. In de jaren veertig en vijftig hebben ze hun assortiment uitgebreid. Maar ze zijn niet met hun tijd meegegaan en zitten in de problemen, tenminste, uit management-oogpunt bekeken. In financieel opzicht is het bedrijf gezond, dat heb ik althans begrepen.'
'Hoe ben je Peale and Doone op het spoor gekomen?'
'Via een vriend van me, een jurist die bij een advocatenkantoor aan Wall Street werkt. Ik vroeg of hij wilde uitkijken naar een winkelketen en hij hoorde van een collega in Chicago van deze zaak. Mijn

vriend gelooft dat ze rijp zijn voor overname.'
Paula knikte. 'Wie heeft de aandelen in handen?'
'De erfgenamen van Peale and Doone.'
'Wie garandeert dat die willen verkopen, Michael?'
'Niemand. Aan de andere kant, aandeelhouders weten vaak pas dat ze willen verkopen als ze worden benaderd.'
'Dat is waar, en het is de moeite waard een nader onderzoek in te stellen.'
'Nou en of, en hoewel het een kleine keten is, is het misschien precies wat jij zoekt, Paula.'
'Alleen jammer dat de winkels in de rimboe liggen,' zei ze zachtjes. Ze keek spijtig terwijl ze hardop dacht: 'Grote steden zoals Chicago en Cleveland liggen meer in mijn lijn.'
Michael nam haar scherp op. 'Hoor eens, jij met jouw flair en ervaring kunt elke zaak waar ook ter wereld je eigen cachet geven, dat weet je toch. Trouwens, wat mankeert er aan de rimboe? Daar valt genoeg geld te verdienen.'
'Ja, je hebt volkomen gelijk,' antwoordde ze snel. Ze besefte dat ze misschien ondankbaar had gereageerd nadat hij zich zo voor haar had ingespannen. 'Kun je nadere inlichtingen voor me inwinnen, Michael?'
'Ik zal mijn vriend in New York vandaag nog eens opbellen en hem vragen verder te informeren.'
'Weet hij dat je voor *mij* op zoek bent naar een winkelketen?'
'Nee, maar als je wilt kan ik hem dat wel vertellen.'
'Nee,' zei Paula zeer abrupt en gedecideerd. 'Liever niet. Tenminste, voorlopig niet, als je het niet erg vindt. Het is beter als niemand ervan weet. Als mijn naam ter sprake komt, zou de prijs wel eens omhoog kunnen schieten. *Als* er een prijs wordt genoemd...'
'Ik snap het. Ik zal Harvey voorlopig niets vertellen.'
'Graag... en bedankt, Michael. Fijn dat je al die moeite voor me hebt willen doen.' Haar glimlach was warm en oprecht. Ze voegde er nog aan toe: 'Ik stel het zeer op prijs.'
'Voor jou doe ik alles, Paula, alles,' antwoordde hij, terwijl genegenheid voor haar uit zijn ogen straalde. Toen keek hij op zijn horloge. 'O, het is al laat! We moesten maar eens gaan,' zei hij en stond meteen op. 'Ik hoop dat je het niet erg vindt, maar de oude heer heeft zichzelf voor de lunch uitgenodigd.'
'Natuurlijk vind ik dat niet erg,' zei ze, met enige stemverheffing. 'Je weet dat ik dol ben op oom Ronnie.'
'Dat is dan wederzijds, kan ik je verzekeren.' Hij wierp haar een geamuseerde blik toe. 'Hij is weg van je... Volgens hem ben je de zon-

neschijn in eigen persoon.'
Ze pakte haar zwartleren tas en stond op. 'Kom, dan gaan we. We mogen hem niet laten wachten.'
Michael stak zijn arm door de hare en liep samen met haar het kantoor uit.
Terwijl ze met de lift naar beneden gingen, dwaalden zijn gedachten onwillekeurig naar zijn vader en Paula, en de bijzondere verstandhouding die zich de afgelopen jaren tussen hen had ontwikkeld. De oude man behandelde haar als een dierbare dochter, terwijl zij hem leek te aanbidden. In ieder geval deed ze alsof hij de schranderste man ter wereld was, wat hij natuurlijk ook was. Vader is haar leermeester geworden, dacht Michael opeens met een inwendig glimlachje, en ook een vervanger voor haar grootmoeder. Het verbaasde hem niet dat sommige mensen vreemd aankeken tegen hun vriendschap en jaloers waren. Persoonlijk juichte hij het contact toe. Paula vulde een leemte op in zijn vaders leven, en hij in het hare.

3

Sir Ronald Kallinski, voorzitter van het bestuur van Kallinski Industries, liep op zijn gemak door de imposante marmeren hal van Kallinski House.
De lange, slanke man had zwart golvend haar dat al aardig wit begon te worden, en een ernstig gezicht – bepaald niet iemand om makkelijk over het hoofd te zien. Hij had de ogen van zijn vader David en zijn grootmoeder Janessa Kallinski: ze waren van het diepste korenblauw dat je je kon voorstellen en vielen des te meer op vanwege zijn verweerde uiterlijk.
Hij stond erom bekend dat hij letterlijk en figuurlijk nooit uit de plooi kwam, onder welke omstandigheden ook; hij zag er altijd tot in de puntjes verzorgd uit en ging elegant gekleed. Vanmorgen droeg hij een antracietgrijs, driedelig kostuum met een onberispelijk wit overhemd en een parelgrijze, zijden das. Hoewel hij al tegen de zeventig liep, was hij zo kerngezond en zo energiek voor zijn leeftijd, dat hij een veel jongere indruk maakte.
Terwijl hij door de ruime hal wandelde, knikte hij beminnelijk naar enkele mensen die hem herkenden. Even stond hij stil om een beeldhouwwerk van Henry Moore te bewonderen, dat in het midden stond; hij had de grote Engelse beeldhouwer, toevallig ook in Yorkshire geboren en getogen, opdracht gegeven het te maken. Sir Ronald was even trots op zijn noordelijke afkomst als op zijn jood-zijn.

Na een kort moment van bezinning bij het imponerende bronzen beeld vervolgde hij zijn weg, duwde de deur open en liep naar buiten. Na twee stappen al bleef hij abrupt stilstaan, want de intense hitte sloeg hem tegemoet. Hij had binnen niet gemerkt hoe warm het was geworden.
Sir Ronald kon absoluut niet tegen de warmte. Boven, in zijn kantoor – een fraai ingerichte suite die de hele bovenverdieping besloeg van het gigantische kantorencomplex dat zijn naam droeg – heerste een ijzige koelte, dank zij de air-conditioning die altijd op de hoogste stand stond en de goede zonwering voor de ramen. Dit gedeelte van Kallinski House werd over het algemeen 'Antartica' genoemd door de genen die het met hem moesten delen. Doris, die al twaalf jaar zijn secretaresse was, was inmiddels aan de extreem lage temperatuur gewend, net als andere hoge functionarissen die al enkele jaren voor hem werkten, en geen van hen nam nog de moeite zich te beklagen. Hun tegenmaatregel bestond eenvoudigweg uit het dragen van een warme trui. Zelfs 's winters hield sir Ronald de temperatuur op zijn kantoor en in zijn diverse woonhuizen zo laag als hij durfde zonder zich felle protesten van personeel, familie en vrienden op de hals te halen.
Eerder die ochtend had hij overwogen om naar het Connaught Hotel te lopen, nu was hij blij dat hij van gedachten was veranderd en zijn auto had besteld. Het was drukkend heet buiten, bepaald geen weer om door de drukke straten in Mayfair te wandelen.
Zodra hij het gebouw uit was gekomen, had zijn chauffeur hem ontdekt; de man stond al stram in de houding naast het achterportier.
'Sir Ronald,' zei hij met een beleefde hoofdknik, waarna hij het portier nog wijder openzette.
'Dank je, Pearson,' antwoordde sir Ronald met een glimlachje, waarna hij in de dieprode Rolls-Royce stapte. 'Het Connaught, alsjeblieft.'
De limousine reed weg. Sir Ronald installeerde zich en staarde afwezig voor zich uit. Hij verheugde zich op de lunch samen met Paula en Michael. Hij had haar al een paar weken niet gesproken en zijn zoon had ruim twee maanden in New York gezeten. Hij had hen alle twee gemist, zij het om verschillende redenen.
Zijn zoon was zijn rechterhand, zijn tweede ik, en zijn favoriet. Hij hield heel veel van zijn jongste zoon, Mark, maar Michael nam een speciaal plekje in zijn hart in. Hij wist nooit goed hoe dat zo gekomen was. Hoe kon je zulke dingen verklaren? Soms dacht hij dat het kwam omdat zijn zoon veel leek op zijn eigen vader. Niet dat Michael uiterlijk iets had van David Kallinski, want met zijn blonde haar en

lichte huid zag hij er veel Engelser uit. Het had te maken met een overeenkomst in karakter en persoonlijkheid. Sir Ronald had tot de dag van Davids dood een uitstekende kameraadschappelijke verstandhouding met zijn vader gehad, net als nu met zijn eigen zoon. Dat was al zo sinds Michael een kleine jongen was, en tegenwoordig kon hij zijn zoon maar node missen. Als zijn eerstgeborene op reis was, voelde hij zich vaak eenzaam.
Paula was de dochter die hij nooit had gehad, of liever gezegd, een plaatsvervangster voor de dochter die te vroeg was gestorven. Miriam, hun tweede kind, geboren tussen Michael en Mark in, zou dit jaar vierendertig zijn geworden, als ze op haar vijfde niet aan hersenvliesontsteking was overleden. Wat hadden hij en Helen daar een verdriet om gehad; ze hadden niet begrepen waarom zij zo jong werd weggerukt. 'Gods wegen zijn ondoorgrondelijk,' had zijn moeder toentertijd tegen hen gezegd en pas nu hij zelf oud was, had hij zich bij die bijzondere opvatting kunnen neerleggen.
Paula was de intelligentste vrouw die hij ooit had gekend, Emma uitgezonderd, en hij had waardering voor haar schranderheid, haar snelle reacties, haar zakeninstinct. Maar soms ook kon ze heel vrouwelijk zijn en hij miste haar vrouwelijkheid evenzeer als hij genoot van zijn rol van klankbord en af en toe van haar adviseur. Hij bewonderde Paula zeer. Ze was een goede moeder èn een geslaagde zakenvrouw. De weg die ze had gekozen was moeilijk, maar ze volgde hem met gemak, met slechts zelden een misstap.
Hij wou dat zijn schoondochter iets van haar praktische en nuchtere instelling had. Het probleem met Valentine was dat ze in een andere wereld leefde. Ze was een beetje wispelturig en altijd ontevreden. Nooit was iets haar *genoeg*, nooit was er iets *goed*, en hij kon zich maar al te goed in Michaels gevoelens verplaatsen. Door de jaren heen had de frustratie van zijn zoon zich opgebouwd tot er onvermijdelijk een gewelddadige uitbarsting was gevolgd. Het had hem niet verbaasd. Hij had Valentine nooit de goede vrouw voor Michael gevonden, niet omdat ze een sjikse was – verschillen op godsdienstig gebied lieten hem zo goed als onverschillig – maar omdat ze zo oppervlakkig was, eigenlijk onwaardig. Hij had het altijd al geweten, maar hoe vertelde je zoiets aan een verliefde jongeman? Hoe dan ook, uiteindelijk was de scheiding geregeld, na veel bittere strijd en de overdracht van grote sommen geld. Gelukkig had Michael gekregen wat hij wilde: een voorlopige scheiding en een aandeel in de voogdij over zijn drie kinderen, Julian en de twee jongere meisjes, Arielle en Jessica.
Een glimlach gaf het strenge gezicht van sir Ronald een zachtere uit-

drukking toen hij aan zijn kleindochtertjes dacht. Had Helen ze nog maar mogen meemaken, wat zou ze daar gelukkig mee zijn geweest. Maar zijn vrouw was acht jaar terug overleden. Hij miste haar nog elke dag en toen hij in 1976 door Harold Wilson werd geridderd, werd zijn vreugde getemperd door droefheid omdat Helen niet meer naast hem stond.
Deze eervolle onderscheiding was voor hem als een volslagen verrassing gekomen. Hij had nooit om een titel gevraagd, had zoiets ook nooit geambieerd en evenmin had hij geprobeerd er een te verkrijgen door veel aan de liefdadigheid te schenken. Een filantroop was hij wel, en bepaalde doelstellingen steunde hij in het bijzonder – zo had hij royaal bijgedragen aan medisch onderzoek en de kunst, maar dit was discreet en zonder tamtam gebeurd.
Het was vleiend om op de onderscheidingenlijst van de premier te staan, vooral omdat iedereen wist dat de titel eerlijk verdiend was. Kallinski Industries was een van de grootste en succesrijkste holdings in Groot-Brittannië, en als zodanig verschafte het niet alleen duizenden een broodnodige baan, maar bovendien was het concern een van de grootste exporteurs. Ronald Kallinski had er zijn leven aan gewijd om het bedrijf zijn huidige toppositie te bezorgen en hij was trots op zijn prestatie. Dat gold kennelijk ook voor zijn vaderland, want dat was de reden dat hij werd geridderd.
Sir Ronald was ontzettend trots op zijn titel. Hij was niet de eerste jood uit Yorkshire die onderscheiden werd, want in de loop van de jaren waren anderen door dankbare eerste ministers al eerder voor het voetlicht gehaald – mannen zoals Montague Burton en Rudolph Lyons. Maar niettemin stelde hij de onderscheiding op prijs, alsof hij inderdaad de eerste was geweest, en in het bijzonder gezien de vroege geschiedenis van de familie Kallinski – als hij dacht aan zijn grootvader Abraham, die in de vorige eeuw Rusland en de pogroms ontvluchtte, zich vestigde in het getto in Leeds en tèn slotte zijn kleermakerij in North Street opende. Dat kleine bedrijfje leverde stukwerk aan John Barran – het eerste confectiebedrijf dat in Leeds begon nadat Singer de naaimachine had uitgevonden. Dat was het begin geweest, de kern van het miljoenenrijk dat Kallinski Industries tegenwoordig was.
Op de ochtend van de plechtigheid was zijn enige verdriet geweest dat Helen, Abraham, zijn vader David, Emma en Blackie de installatie waar hij zo trots op was niet konden bijwonen. Vooral het viertal dat tot de oudere generatie behoorde, zou de betekenis van de ceremonie op Buckingham Palace naar waarde hebben weten te schatten; zij zouden werkelijk hebben begrepen hoe ver de Kallinski's het hadden

geschopt sinds Abraham, de jonge vluchteling uit Kiev, in 1880 in Hull voet op Engelse bodem had gezet.
De Rolls-Royce stopte abrupt op Carlos Place. Sir Ronald kwam tot de werkelijkheid terug, boog zich voorover en zei tegen de chauffeur: 'Pearson, kom me alsjeblieft om half drie ophalen.' Intussen kwam de portier in uniform van het Connaught Hotel naar de wagen toe, opende de deur voor hem en hielp hem uitstappen.
Op weg van de trap voor het hotel naar de eetzaal was het 'sir Ronald' voor en 'sir Ronald' na. Een vaag glimlachje reikte tot zijn ogen toen hij naar het tafeltje werd gebracht dat zijn zoon had gereserveerd. Vijf jaar geleden had hij zich afgevraagd of hij er ooit aan zou wennen dat hij met zijn titel werd aangesproken. Maar hij was eraan gewend... en heel snel ook.
Nadat hij een droge sherry had besteld, nam hij een slokje van het ijswater dat een ober voor hem had neergezet. Vervolgens wachtte hij op de komst van Paula en Michael.

Sir Ronald kon zijn ogen niet geloven. Paula en zijn zoon kwamen door de eetzaal zijn richting uit en Paula leek zoveel op Emma toen ze die leeftijd had, dat het verbazingwekkend was.
Terwijl ze dichterbij kwam besefte hij dat ze een nieuw kapsel had, en dat het daardoor kwam dat haar toch al opvallende gelijkenis met haar grootmoeder werd benadrukt. Haar donkere, glanzende haar was jongensachtig kortgeknipt. Het was een chique, kennelijk hypermoderne coupe, maar toch had het kapsel voor hem iets van de jaren dertig. Het deed hem denken aan de filmsterren uit zijn jeugd... en aan de elegante Emma die hij als jongen had gekend en bewonderd. Hij stond op, nam Paula's uitgestrekte hand in zijn beide handen, beantwoordde haar liefdevolle glimlach en kuste haar op haar wang. Ze wisselden vol genegenheid begroetingen uit, gingen naast elkaar zitten en begonnen meteen geanimeerd te praten.
Michael nam tegenover hen plaats en wenkte de ober. Nadat Paula en hij een aperitief hadden besteld, vroeg hij om de menukaarten. Hij wendde zich tot Paula. 'Jij hebt altijd zo'n haast, laten we maar vast bestellen, dan zitten we rustiger.'
'Goed hoor,' zei ze lachend en nam het menu aan dat de maître d'hotel haar aanreikte.
Laatstgenoemde bleef in de buurt om tekst en uitleg te geven over de specialiteiten van die dag en zijn aanbeveling te doen. Na een vluchtige blik op de spijskaart volgden Paula en de Kallinski's de suggestie van de oberkelner op: ze bestelden de koude gepocheerde zalm met komkommersalade, waarbij Michael een fles Sancerre liet komen.

Intussen waren de aperitiefjes voor Paula en Michael neergezet, en toen de oberkelner was verdwenen, hief sir Ronald zijn glas. Hij keek Paula aan. 'Op de herinnering aan je grootmoeder.'
'Op Emma,' toostte Michael.
Paula glimlachte de twee mannen toe. 'Ja, op Grandy.'
Ze klonken en namen een slokje.
Even later zei Paula: 'Ik dacht dat u wel zou weten wat voor dag het vandaag is, oom Ronnie.'
'We hebben er allebei aan gedacht!' riep Michael uit.
'Hoe zou iemand de sterfdag van zo'n geweldige vrouw kunnen vergeten,' merkte sir Ronald op. 'En wat zou ze trots op je geweest zijn, kindje. Je hebt haar nooit teleurgesteld, en je hebt haar droom op fantastische wijze in ere gehouden.'
'Ik hoop het, oom Ronnie. Ik heb in ieder geval mijn best gedaan om alles wat zij had opgebouwd in stand te houden... en het nog sterker te maken.'
'Dat is je gelukt,' antwoordde sir Ronald terwijl hij haar een warme blik toewierp. 'Jij hebt al net zo'n geniale handelsgeest als Emma had. Je hebt door de jaren heen laten zien dat je een goede kijk op de zaak had en ik kan niet anders dan je complimenteren met alles wat je voor de diverse winkels hebt gedaan.'
'Dank u, oom Ronnie,' zei Paula glimlachend. Ze genoot van zijn goedkeuring.
'Ik sluit me helemaal bij vaders woorden aan,' verklaarde Michael met nadruk. Hij nam een slokje van zijn martini, waarna hij over de rand van zijn glas heen naar haar knipoogde.
Paula's violetblauwe ogen dansten vrolijk. 'Jij bent bevooroordeeld, Michael. Dat zijn jullie eigenlijk alle twee.'
Sir Ronald ging makkelijk achterover zitten. Op vertrouwelijke toon zei hij: 'Een van de redenen dat ik mezelf te eten heb genodigd, is dat ik je raad nodig heb, kindje.'
Paula's nieuwsgierigheid was meteen gewekt. 'Maar hoe zou ik *u* nu goede raad kunnen geven?' vroeg ze onmiddellijk. 'U bent de verstandigste man die ik ken, oom Ronnie.'
Hij ging niet in op haar laatste opmerking. Het was bijna alsof hij die niet had gehoord. Zijn gezicht kreeg iets zorgelijks. Hij nam een slokje sherry, waarna hij haar lang en aandachtig aankeek. 'En toch kun jij me van advies dienen, Paula. Wat Alexander betreft. Of liever gezegd, je kunt me je mening geven.' Sir Ronald zweeg even, waarna hij vroeg: 'Denk jij dat Sandy Lady Hamilton Clothes aan Kallinski Industries zou willen verkopen?'
Dit was het laatste dat Paula verwacht had te horen. Ze was verbluft

en keek sir Ronald even sprakeloos aan. 'Ik weet bijna zeker van niet,' zei ze ten slotte op verraste toon. 'Die tak is veel te belangrijk voor Harte Enterprises. En voor de filialen van Harte ook trouwens.'
'Ja, die onderneming is voor Sandy van grote waarde, èn voor jou natuurlijk, want het label Lady Hamilton wordt exclusief voor Harte gemaakt,' zei sir Ronald.
'Misschien wil hij er wel afstand van doen,' mengde Michael zich in het gesprek. 'Voor de goede prijs, en als het door de juiste mensen wordt aangekocht, Paula. We moeten onder ogen zien dat Sandy het veel en veel te druk heeft sinds dat familiedebâcle... toen hij Jonathan en Sarah ontsloeg. Hij en Emily hebben hun handen eraan vol, en ze moeten ontzettend hard werken om Harte Enterprises draaiende te houden...'
'Och, dat weet ik nog zo net niet,' onderbrak ze hem gauw, 'ze schijnen zich heel goed te redden, Michael.'
'In ieder geval zijn we bereid een uitstekende prijs voor die dochter te betalen,' voegde Michael er nog aan toe, vastbesloten zijn zegje te doen.
'Daar ben ik van overtuigd,' antwoordde Paula effen. 'En ik ben er net zozeer van overtuigd dat Sandy er niet eens over wil nadenken, wat jullie ook bieden.' Ze keek van Kallinski jr. naar Kallinski sr., met een snelle blik die haar opvlammende belangstelling verried. 'Waarom wilt u Lady Hamilton Clothes hebben, oom Ronnie?'
'Wij zouden graag een eigen afdeling damesmode willen hebben,' antwoordde sir Ronald. 'Daarbij zouden we aan jullie zaken dameseconfectie willen leveren, op dezelfde manier als we jullie al herenconfectie leveren, en aan jullie boetieks in de hotels. Wat net zo belangrijk is, we willen een stevige exportpoot onder het bedrijf zetten.'
Paula knikte bedachtzaam. 'Ik begrijp het.'
'Uiteraard verkopen we geen damesmode in de landen waar jij filialen bezit,' merkte Michael op. 'We overwegen om alleen zaken te doen met de Europese Gemeenschap...'
'Met uitzondering van Frankrijk,' interrumpeerde sir Ronald, 'omdat jij een zaak in Parijs hebt.'
'O, ik weet wel dat u mij nooit in de wielen zou rijden, dat spreekt vanzelf,' zei Paula zachtjes. 'En ik snap heus wel waarom u die tak erbij zou willen hebben, oom Ronnie, het ligt voor de hand.'
Ze keek naar Michael. 'Maar *jij* weet hoe behoudend Sandy is, en hoezeer hij op traditie gesteld is. Dat zijn nu juist twee van de redenen waarom Grandy hem het beheer over Harte Enterprises toevertrouwde. Ze wist dat de onderneming bij hem in veilige handen zou zijn, omdat hij nooit iets zou doen dat het fundament zou verzwak-

ken. Bijvoorbeeld door een heel, heel winstgevende dochter te verkopen,' rondde ze op droge toon af, hoewel er een geamuseerd trekje om haar mond speelde.
De twee mannen begonnen te lachen.
'Touché,' zei sir Ronald.
'Ja, ik weet *precies* wat Sandy voor iemand is,' erkende Michael terwijl hij heen en weer schoof in zijn stoel. 'En daarom heb ik vader voorgesteld eerst jouw mening te peilen.'
Op dat ogenblik kwam de ober het bestelde eten brengen, en Michael begon over iets anders. Het drietal praatte de paar minuten die volgden over koetjes en kalfjes. Nadat het eten was opgediend, schonk de sommelier Michael zijn koele witte wijn in. Nadat hij had geproefd, knikte hij goedkeurend. 'Uitstekend,' zei hij tegen de wijnkelner, die meteen de andere glazen volschonk.
Sir Ronald en Paula namen een slokje van hun wijn en prezen beiden de fruitige, lichte smaak. Sir Ronald zette zijn glas neer. *'Bon appétit,'* zei hij, pakte zijn vork en begon aan de gepocheerde zalm.
'Bon appétit,' antwoordden Paula en Michael vrijwel tegelijkertijd.

Een poosje zaten ze zwijgend te eten, maar op een gegeven moment keek Paula van vader naar zoon Kallinski en vroeg op verwonderde toon: 'Oom Ronnie, Michael, waarom beginnen jullie niet gewoon een eigen damesconfectiebedrijf? Jullie beschikken in ieder geval over het nodige geld.'
'Daar hebben we ook wel aan gedacht, kindje,' bekende sir Ronald. 'Maar eerlijk gezegd kopen we liever een bekend label aan. Dat is een stuk makkelijker, weet je. En het zou ons geweldig veel tijd besparen – en geld natuurlijk. Een nieuwe naam zou nog geïntroduceerd moeten worden, met alle reclamecampagnes van dien.'
'Maar er zijn toch zeker talloze bedrijven die dolgraag aan Kallinski Industries willen leveren!' riep ze uit.
'Daar ben ik van overtuigd.' Sir Ronald keek haar indringend aan. 'Maar ik heb belangstelling voor Lady Hamilton Clothes omdat het bedrijf lang geleden door Emma en mijn vader is opgezet. Hij had er een zwak voor, nog lang nadat hij zijn aandelen aan je grootmoeder had verkocht, en datzelfde geldt voor mij.' Sir Ronald glimlachte wrang. 'Ik moet bekennen dat het bedrijf een speciaal plekje in mijn hart heeft,' besloot hij.
Paula legde een sierlijke, zorgvuldig gemanicuurde hand op de arm van sir Ronald en gaf er vol genegenheid een kneepje in. 'Maar Alexander heeft geen enkele reden om die dochter van de hand te doen, tenminste, *ik* kan geen reden bedenken, oom Ronnie. Al een

paar jaar is zijn zus er de baas, en met succes.' Haar zwarte wenkbrauwen fronsten zich een beetje. 'Bovendien, wat moet zij gaan doen als hij Lady Hamilton van de hand doet? Amanda zou zonder werk zitten, en dat is voor Sandy een belangrijke overweging. U weet hoe hij over haar denkt.'
'Ze hoeft toch niet zonder werk te komen,' reageerde Michael meteen. 'Amanda is ontzettend goed, ze zou kunnen aanblijven en het bedrijf voor ons runnen.'
Paula onthield zich van commentaar. Ze prikte wat in de komkommersalade op haar bord, terwijl ze bij zichzelf moest toegeven dat als Lady Hamilton ooit werd afgestoten, Sandy het bedrijf aan de Kallinski's zou moeten verkopen. In zekere zin hadden ze daar recht op.
Sir Ronald pakte zijn servet en bette zijn mond. 'Ik zou je een hypothetische vraag willen voorleggen, Paula,' zei hij voorzichtig.
'Ga uw gang.' Ze keek hem belangstellend aan, terwijl ze zich afvroeg wat hij in gedachten had.
'Laten we eens veronderstellen dat Alexander Lady Hamilton zou willen verkopen, ja, zelfs dat hij daarop gebrand was. Zou hij dat *kunnen* doen? Of moet hij daarvoor de toestemming van de andere aandeelhouders hebben?'
'O nee. De enige andere in het spel is Emily, en die stemt in met alles wat haar broer wil. Zo is ze altijd geweest, weet u.'
Er kwam een verbaasde blik in sir Ronalds ogen en hij leunde achterover in zijn stoel terwijl hij Paula peinzend opnam. Na een korte stilte zei hij langzaam: 'De enige andere... Maar je hebt me een paar jaar geleden toch verteld dat Sarah en Jonathan nog steeds aandelen Harte Enterprises in hun bezit hadden, al waren ze vanwege hun schandelijke manier van doen de laan uitgestuurd.'
'Dat is ook zo. Ze bezitten nog steeds hun aandelen, ze krijgen hun dividend, ze ontvangen de jaarverslagen en de verlies-en-winstrekeningen, maar ze hebben geen enkele zeggenschap. Maar nu ik erover nadenk, hetzelfde geldt voor Emily.'
Sir Ronald keek verblufter dan ooit.
Toen ze hem zo verbijsterd zag kijken, zei Paula: 'Ik zal het u duidelijk maken, oom Ronnie, en jou ook, Michael.'
Vader en zoon knikten. 'Graag, kindje,' zei sir Ronald.
'Mijn grootmoeder heeft tweeënvijftig procent van Harte Enterprises aan Sandy nagelaten. De resterende achtenveertig procent is naar Emily, Jonathan en Sarah gegaan, die elk zestien procent kregen. Als voorzitter van het bestuur en als grootste aandeelhouder, kan Sandy vrijwel alles met het bedrijf doen wat hij wil. Zo heeft Grandy het geregeld. Ze wilde aan de ene kant dat alle vier een inkomen uit het

bedrijf zouden genieten, maar ze wist aan de andere kant dat Sandy de absolute macht moest hebben, om geharrewar van de familie te voorkomen. Ze had het idee dat Sandy in tweeërlei opzicht het grootste deel van de aandelen in haar privé-onderneming had verdiend. Ze gaf hem de grootste macht omdat ze wist dat hij haar wensen altijd zou respecteren.'
'Inderdaad, ik begrijp wel dat je grootmoeder verstandig heeft gehandeld.' Sir Ronald was zoals altijd weer geïmponeerd door de slimme strategie van Emma Harte. Hij vervolgde: 'Zoals gewoonlijk handelde Emma met groot inzicht – ze was heel voorzichtig, kan ik eraan toevoegen. Inderdaad heeft Sandy Harte Enterprises een paar keer door moeilijke tijden geloodst en hij heeft de afgelopen paar jaar bewonderenswaardig werk verricht.'
'Kijk eens, Paula,' zei Michael snel, 'ik weet dat je ervan overtuigd bent dat Sandy geen belangstelling voor overname heeft, en misschien heb je gelijk. Althans, over zijn houding op dit moment. Maar wie weet verandert hij van gedachten en wil hij eens, in de toekomst, Harte Enterprises opdelen.' Michael zweeg. Zijn gezicht stond vragend toen hij eraan toevoegde: 'Of niet?'
Paula moest wel lachen om zijn vasthoudendheid. 'Je wilt dus in ieder geval met hem praten, om uit te leggen dat Kallinski Industries staat te trappelen van ongeduld als hij ooit besluit Lady Hamilton Clothes af te stoten. Dat bedoel je toch?' vroeg ze met een lachje.
Michael knikte. 'Precies, je slaat de spijker op zijn kop. Jij hebt er dus geen bezwaar tegen als vader er met hem over begint, Paula?'
'Nee, natuurlijk niet. Het kan geen kwaad Alexander te laten weten dat jullie belangstelling hebben.' Ze wendde zich tot de oudste van de twee mannen. 'Gaat u dit weekend naar Yorkshire, oom Ronnie?'
'Ja, kindje.'
'Dan kunt u het beste naar Nutton Priory rijden en daar een praatje met hem maken. Als hij buiten is, voelt hij zich altijd veel meer ontspannen.'
'Ik denk dat ik dat ga doen,' zei sir Ronald. 'Dank je, Paula, je hebt me geweldig geholpen.'
Michael schonk haar een van zijn innemende glimlachjes. 'Ja, dank je, we stellen je bijdrage ten zeerste op prijs.' Hij nam een slokje van zijn wijn. Zijn lichtblauwe ogen namen een bedachtzame uitdrukking aan en even later vroeg hij: 'Tussen twee haakjes, gewoon uit nieuwsgierigheid, is Sarah Lowther nog steeds getrouwd met die Franse schilder? Of hoor je nooit meer iets over haar?'
'Uiteraard niet rechtstreeks, want ik heb haar toch samen met Jonathan de deur gewezen,' zei Paula zachtjes. De vrolijkheid verdween

op slag van haar gezicht. 'Maar een half jaar geleden stond er in een Frans tijdschrift een stuk over Yves Pascal... *Paris Match,* geloof ik. Hoe dan ook, er stond onder andere een foto bij van Sarah en Yves en hun dochtertje van vijf, Chloe. Ze wonen kennelijk in Mougin, in de Alpes Martimes. Daar hebben ze een oude boerderij, waar hij een studio heeft. Hij staat bekend als het *enfant terrible* in de Franse kunst, en hij is heel bekend geworden, hij schijnt groot succes te hebben.'
'Hij is ook een verrekt goede schilder,' zei Michael, 'al is het mijn smaak niet. Ik ben opgevoed met de Franse Impressionistische School, en dan doet al dat hypermoderne gedoe je niets. Geef mij maar Monet, Manet, Sisley en Van Gogh.'
'Dat ben ik helemaal met je eens,' beaamde Paula.
'Over Sarah gesproken, wat is er met haar handlanger, Jonathan Ainsley, gebeurd?' Michael keek Paula fronsend aan. 'Houdt hij zich nog steeds in het Verre Oosten op?'
'Ik geloof van wel, maar dat weet zelfs Sandy niet zeker.'
'Vrienden van Emily beweren dat ze hem in Hongkong hebben gesignaleerd, en een andere keer in Singapore. Jonathans dividenden en de stukken van Harte Enterprises worden naar een Londense accountantsfirma gezonden die zijn zaken behartigt.' Ze trok een grimas. 'Zolang hij zich maar niet in Engeland vertoont, is het mij goed. Zoals Emma gezegd zou hebben: "opgeruimd staat netjes".'
'Dat mag je wel zeggen!' Michael schudde vol verwondering zijn hoofd. 'Ik heb nooit begrepen waarom hij zo heeft gehandeld. Hij was gewoon niet goed snik, oliedom als je het mij vraagt. Zijn bedje stond gespreid en hij heeft er niets van gemaakt.'
'Misschien dacht hij dat hij nooit gesnapt zou worden,' opperde sir Ronald. 'Maar ik weet zeker dat hij niet op háár had gerekend.' Hij keek schuins naar Paula, klopte haar op haar arm en besloot met een zacht lachje: 'In jou heeft hij een geduchte tegenstandster gevonden, kindje, geen twijfel mogelijk.'
Paula probeerde met hem mee te lachen, maar het klonk gedwongen en gekunsteld. Even kon ze geen woord uitbrengen. Ze vond het vreselijk om over haar neef Jonathan Ainsley te moeten praten, die zo lang geleden haar doodsvijand was geweest.
Michael drong aan: 'Niemand van de familie weet dus wat hij doet voor de kost?'
Paula keek Michael somber aan. Ze bestudeerde hem lang en aandachtig en tuitte haar lippen, een gewoonte die ze jaren terug van haar grootmoeder had overgenomen. Een fractie van een seconde later zei ze een tikje scherp: 'Jonathan Ainsley hoeft niets te *doen* voor

de kost, want hij ontvangt een zeer aanzienlijk inkomen uit Harte Enterprises.' Er viel een korte stilte, waarna ze er nog aan toevoegde: 'En niemand heeft de moeite genomen erachter te komen wat hij privé of zakelijk doet, want het kan niemand van ons ook maar íets schelen hoe hij het maakt.' Paula fronste verbaasd haar wenkbrauwen en richtte haar levendige blauwe ogen op Michael. 'Vanwaar eigenlijk die plotselinge belangstelling voor Jonathan?' vroeg ze snibbig.

'Ik weet het niet, ik heb in geen jaren een gedachte aan hem gewijd, maar nu brand ik opeens van nieuwsgierigheid,' bekende Michael met een verontschuldigend lachje.

'Ik brand allerminst van nieuwsgierigheid.' Ondanks de warme eetzaal in het Connaught, huiverde Paula. Ze was de laatste woorden die Jonathan haar had toegevoegd nooit vergeten. *Ik zal je dit betaald zetten, Paula Fairley. Sebastian en ik krijgen je nog wel, verdomme,* had hij geschreeuwd, terwijl hij op lachwekkende wijze zijn vuist in haar richting had geschud, als de schurk in een negentiende-eeuwse roman. Sebastian Cross zou haar nooit 'krijgen', want híj was dood. Maar Jonathan kon het haar nog steeds betaald zetten. Soms had ze nachtmerries over haar neef, nachtmerries waarin hij haar de vreselijkste dingen aandeed. Daartoe was hij zeker in staat. Hij was tot bijna alles in staat, dat wist ze nog uit hun kinderjaren. Enkele jaren terug had ze haar angst eens tegenover Sandy uitgesproken. Sandy had lachend gezegd dat ze Jonathan geen gedachte meer waardig moest keuren. Hij had haar eraan herinnerd dat Jonathan een tiran was en net als alle tirannen was hij een lafaard. Dat was ook zo. Niettemin had ze de herinnering aan die dag dat Sandy hem had ontslagen nooit kunnen vergeten. Steeds weer zag ze Jonathans onheilspellende blik en het van haat vertrokken gezicht voor zich. Sinds dat moment wist ze instinctmatig dat hij haar onverzoenlijke vijand zou blijven, tot de dag dat ze hem ten grave droegen. De jaren waren verstreken en ze had hem niet weergezien – geen van allen hadden ze hem ontmoet – en toch koesterde ze een diepgewortelde angst voor hem.

Opeens drong het tot haar door dat Michael en sir Ronald naar haar zaten te kijken, ze verwachtten dat ze iets zou zeggen. Ze wendde zich tot Michael. Zo luchtig mogelijk zei ze: 'De jongeheer Ainsley bleek het zwarte schaap van de familie, en hoe minder woorden we aan hem vuil maken, hoe beter.'

'Je hebt helemaal gelijk, kindje, volkomen gelijk!' zei sir Ronald zachtjes. Het was hem opgevallen dat ze tijdens hun gesprek over Ainsley was veranderd en het leek hem verstandig een ander onder-

werp aan te snijden. Dus begon hij met niet-gespeeld enthousiasme: 'Ik heb je uitnodiging ontvangen voor het diner-dansant ter gelegenheid van het zestigjarig bestaan van de zaak, Paula. Ik verheug me er enorm op. Kom, vertel me eens wat meer over de andere festiviteiten die je op het programma hebt staan.'
'O, dolgraag, oom Ronnie! Ik heb een paar heel bijzondere dingen gepland...' Ze zweeg toen de ober bij hun tafeltje kwam staan. 'Maar misschien kunnen we beter eerst het dessert bestellen,' vervolgde ze terwijl ze een van de menu's pakte die werden uitgereikt.
'Uitstekend idee. Ik kan de sorbet van harte aanbevelen,' zei sir Ronald. 'Voor iets anders is het veel te warm, vind je ook niet?'
Paula knikte. 'Ik denk dat ik meedoe. Michael, jij ook?'
'Ik alleen koffie, graag.'
Toen de ober was weggegaan nam Michael Paula eens waarderend op. 'Volgens mij kun jij alles eten zonder een gram aan te komen,' zei hij lachend. 'Maar ik moet tegenwoordig vreselijk oppassen met wat ik eet.'
Paula schudde haar hoofd en lachte met hem mee. 'Ach kom, Michael, je bent slank genoeg.' Toen wendde ze zich tot zijn vader om de draad van het gesprek weer op te vatten en ze somde op wat er later dat jaar in Knightsbridge allemaal te gebeuren stond.

Michael was achterover in zijn stoel gaan zitten. Hij speelde met zijn wijnglas en luisterde maar met een half oor naar Paula.
In gedachten concentreerde hij zich op Lady Hamilton Clothes en de talloze mogelijkheden die dat bedrijf hun bood, *als* ze zo fortuinlijk waren het van Harte Enterprises terug te kunnen kopen. Amanda Linde, Sandy's halfzuster, stelde nu al enkele jaren de collectie samen en naar zijn mening was zij een veel beter ontwerpster dan Sarah Lowther ooit was geweest. Haar kleding was vlot en nonchalant-sportief, met tegelijkertijd een bijzonder soort chic, omdat ze altijd kans zag er iets van de stijl à la Harte aan toe te voegen. Haar ontwerpen zouden in andere Europese landen net zo goed verkopen als in Frankrijk, daar was hij van overtuigd.
Sir Ronald en Paula zetten hun gesprek voort over de festiviteiten rond het zestigjarig bestaan van de zaak. Hun stemmen waren tegen het geroezemoes van de lunchdrukte in het goed bezochte restaurant nauwelijks te onderscheiden.
De ober kwam het dessert serveren en schonk koffie in.
Michael pakte zijn kopje op terwijl hij verder peinsde over de talentvolle Amanda. Als ze Lady Hamilton aankochten, nu of in de toekomst, zou ze moeten aanblijven als eerste ontwerpster en commer-

cieel directrice. Dat was absoluut noodzakelijk. Als ze ook maar enigszins liet blijken dat ze niet voor hen wilde blijven werken, zou hij haar moeten zien over te halen...
Paula's schaterlach weerklonk door het warme restaurant en onderbrak zijn ver afgedwaalde gedachten. Het was een gulle, diepe lach die vreemd genoeg iets sensueels had, en Michael keek snel in haar richting.
Hij bestudeerde haar. Ze zat haar sorbet te eten en ze likte een klontje ijs dat op haar bovenlip was blijven zitten met het puntje van haar tong weg. Hij keek geboeid toe hoe ze verder at, terwijl hij bevangen werd door een uitzonderlijke lichamelijke aantrekkingskracht die ze uitstraalde. Zijn reactie verbijsterde hem. Michael bleef doodstil zitten, sloeg zijn ogen neer en staarde in zijn kop koffie.
Toen hij ten slotte weer opkeek had ze het ijs verorberd en hield ze haar gezicht van hem afgewend terwijl ze antwoordde op iets dat zijn vader had gezegd. Michael knipperde met zijn ogen, hij begreep niets van zichzelf. Dat hij op die manier aan Paula dacht was pure waanzin.
Het felle zonlicht stroomde door het raam pal achter haar naar binnen en omstraalde haar met een diepe gloed, zodat het was alsof ze onder een schijnwerper op het toneel stond. Ze zag er beter uit dan ooit... het zwarte haar, de violetblauwe ogen, de gave huid met het gouden waas als van een rijpe perzik. Wat zag ze er op dit moment stralend uit... en zo aantrekkelijk.
Michael, die altijd alleen maar broederlijke genegenheid voor Paula had gekoesterd, werd vervuld van een fel verlangen om met haar te vrijen. Hij sprak zichzelf streng toe om de gevoelens die zo plotseling waren opgelaaid terug te dringen en boog zijn hoofd, bang dat het op zijn gezicht te lezen stond dat hij haar begeerde. Hoe komt dat? vroeg hij zich af. Waarom wil ik opeens met haar naar bed, terwijl ik haar al zoveel jaren ken? Hij tuurde strak naar het vaasje bloemen dat midden op tafel stond. Zijn gezicht stond weer ondoorgrondelijk nu hij zijn emoties had verdrongen.
'Volgend weekend ben ik in Parijs, Paula,' zei sir Ronald op dat moment, 'op weg naar Biarritz. Als jij er dan ook bent, om een bezoek aan de zaak daar te brengen, kunnen we misschien samen gaan eten.'
'Nee, volgend weekend ben ik niet in Parijs...' begon Paula. Ze maakte haar zin niet af. 'Hè, verdorie!' riep ze uit. Ze ging met een ruk rechtop zitten en dacht fronsend aan het briefje op haar bureau. Ze was vergeten de vliegtuigreservering voor Parijs af te zeggen, die voor die namiddag voor haar was gemaakt.
'Is er iets vervelends?' vroeg sir Ronald bezorgd.

'Nee, nee, niets bijzonders,' stelde Paula hem gerust, terwijl ze zich voornam British Airways meteen te bellen zodra ze weer op kantoor was. 'Ik had voor de lunch nog iets moeten doen, maar er is echt niets aan de hand, oom Ronnie.'
Michael, die erin was geslaagd zijn erotische gedachten met betrekking tot Paula te onderdrukken, keek zijn vader verwonderd aan. 'Waarom ga je in dit jaargetijde naar Biarritz, vader? Het seizoen is toch voorbij?'
'Ja, dat weet ik wel... Maar ik ga een door Fabergé gemaakt paasei bekijken,' vertelde sir Ronald zichtbaar vergenoegd.
Hij keek de andere twee stralend aan. 'Mijn kunsthandelaar in Parijs heeft een cliënte uit Biarritz, een bejaarde dame uit Wit-Rusland. Het lijkt erop dat ze eindelijk bereid is haar kostbare ei te verkopen. En uiteraard wil ik de eerste zijn, voor de Amerikaanse uitgever Malcolm Forbes of een andere serieuze verzamelaar ervan hoort en hem onder mijn neus wegkaapt. Jullie weten hoe ontzettend zeldzaam die Fabergé-eieren zijn geworden.' Sir Ronald keek op zijn horloge, fronste en voor Michael commentaar had kunnen leveren, ging hij snel verder: 'En nu schiet me te binnen dat ik over een kwartier een afspraak heb bij Wartski. Kenneth Snowman heeft onlangs een sigarettendoos aangekocht die nog van tsaar Nicolaas II is geweest. Gemaakt door Perchin, een van de beste ontwerpers van Fabergé. Ik heb beloofd dat ik er vanmiddag even naar zou komen kijken.'
'Wat leuk voor je, vader. Ik hoop dat je ze allebei kunt kopen,' zei Michael, want hij wist hoe belangrijk het verzamelen van deze kunstvoorwerpen voor zijn vader was geworden. Wat als een soort hobby was begonnen, was uitgegroeid tot een diepe hartstocht. De Fabergé-collectie van Kallinski was befaamd en werd vaak tentoongesteld samen met de Sandringham-collectie, die begonnen was door koning Eduard VII en koningin Alexandra, de zuster van tsarina Marie Feodorovna, en waar koningin Mary later aan had bijgedragen. De verzameling was nu in het bezit van koningin Elizabeth II.
Michael keek zijn vader glimlachend aan. 'Als jij zo'n haast hebt, vader, zal ik wel betalen,' zei hij en wenkte de ober.
Sir Ronald keek naar Paula. 'Als je het niet erg vindt om mij eerst bij Wartski af te zetten, kan mijn chauffeur je naar de zaak brengen, kindje.'
'Graag, oom Ronnie, dat is een goed idee.'
'Michael, kan ik jou ook een lift geven?'
'O, nee,' antwoordde Michael, die er opeens niets voor voelde om onnodig lang in Paula's gezelschap door te brengen. 'Bedankt voor het aanbod, vader, maar ik loop liever.'

4

Uiteindelijk ging ze toch naar Parijs. Het was een impulsief besluit, genomen toen ze om drie uur terugkwam op de zaak. Ze had de telefoon gepakt en was begonnen het nummer van British Airways te draaien om haar reservering te annuleren. Opeens had ze zich bedacht en de hoorn weer op het toestel gelegd.
Daarna had ze hard gewerkt, ze had een paar zijden japonnen in haar kledingkoffer gestopt en was haastig naar Heathrow vertrokken om het toestel van zes uur te kunnen halen. Met tien minuten speling was het haar gelukt en de vlucht was zonder incidenten en snel verlopen, met de wind achter. Eén uur en vijf minuten na de start waren ze rustig op de luchthaven Charles de Gaulle geland.
Het wachten op de bagage had niet veel vertraging opgeleverd, waarna ze zonder problemen door de douane was gekomen. Nu zat ze op haar gemak achter in de auto-met-chauffeur, die hij naar de luchthaven had gestuurd om haar op te halen. Met grote snelheid werd ze naar Parijs en hun ontmoeting gereden.
Voor het eerst sinds de lunch met de Kallinski's eerder die dag in het Connaught, begon Paula zich te ontspannen. Nu bekende ze zichzelf dat het geen overhaast besluit was geweest om toch te gaan... Ze had toch zeker van meet af aan geweten dat ze naar hem toe zou gaan? Was het toen al niet een *fait accompli* geweest? Natuurlijk was het dat. Maar dat had ze zichzelf doodeenvoudig niet willen bekennen en daarom had ze allerlei gedachten over plichtsbesef en verantwoordelijkheidsgevoel eromheen geweven.
Paula leunde in het hoekje van de bank achterover en sloeg haar lange, goed gevormde benen over elkaar. Een glimlach gleed over haar gezicht toen een bepaalde uitspraak van haar wijze grootmoeder haar te binnen schoot. Jaren geleden had die eens tegen haar gezegd: 'Als de juiste man roept, gaat een vrouw direct naar hem toe, waar ze ook is, wat haar verantwoordelijkheden ook zijn. Ongetwijfeld loop jij op een dag in diezelfde val, net als ik toen ik je grootvader leerde kennen. Let op mijn woorden, Paula.' Zoals gewoonlijk had Emma gelijk gehad.
De glimlach lag nog om Paula's mond toen ze naar buiten keek. Door het uur tijdverschil tussen Londen en Parijs was het inmiddels bijna negen uur en het begon al donker te worden.
Met een aardig gangetje verliet de auto de Boulevard de Courcelles, om zonder vaart te minderen het Place de l'Etoile op te rijden. Paula kromp in elkaar toen de wagen met hoge snelheid de Arc de Triomphe rondde, dat reusachtige monument voor de heldhaftigheid van een

volk. Ze vroeg zich af of al die racende auto's, die werden bestuurd alsof ze meededen aan een mini-Grand-Prix, veilig en zonder botsingen of calamiteiten hun bestemming zouden halen. Dat leek haast onmogelijk.
Maar opeens had haar wagen zich losgemaakt van de opstopping, het bumper-aan-bumper-rijden, het piepende gerem en de blèrende claxons en reed de Champs Elysées op. Net als anders hield ze haar adem in toen ze de schitterende boulevard voor zich zag liggen.
Iedere keer dat ze in Parijs was, dacht ze terug aan die allereerste keer dat ze er kwam en al die andere bezoeken daarna; alle speelden een rol in haar voorkeur voor deze stad. Haar liefde voor de lichtstad was een mengeling van herinneringen en nostalgie, ze vond het de mooiste stad van de wereld. Het wemelde er van de verwijzingen naar het verleden en naar al diegenen die haar bezoeken zo bijzonder hadden gemaakt: Grandy, haar vader en moeder, haar broer Philip, Tessa, en haar nicht Emily, die haar favoriete reisgenote was geweest op de vele uitstapjes die ze als jonge meisjes hadden gemaakt.
Hij maakte eveneens deel uit van haar herinneringen aan Parijs en het zou niet lang duren of ze zou hem weerzien. Ze nam zich voor het weekend niet te bederven door zich ongerust te maken over de kinderen; ze mocht er geen spijt van hebben dat ze haar plannen had gewijzigd om bij hem te zijn in plaats van bij haar kroost. Dat zou niet eerlijk zijn. Trouwens, ze was altijd van mening geweest dat wroeging zinloos was, zonde van haar kostbare tijd.
Ze waren inmiddels op het Rond-Point en even verderop zag ze de Egyptische obelisk die uit de tijd van Ramses II stamde en uit Luxor hierheen was gebracht om op die immense stenen rechthoek van het Place de la Concorde in de schijnwerpers te staan. Wat een spectaculaire aanblik... Een adembenemend tafereel dat voorgoed in haar geheugen gegrift stond. Ze voelde vreugde opwellen nu ze hier terug was. Gelukkig had ze de chauffeur gevraagd met een omweg naar het hotel te rijden.
Maar enkele minuten later al reden ze het Place Vendôme op, dat sfeervolle plein met zijn volmaakt geproportioneerde gebouwen, ontworpen tijdens het bewind van Lodewijk XIV. Ze stopten voor het Ritz, waar Paula uitstapte, de chauffeur bedankte en vroeg of hij voor de bagage wilde zorgen.
Ze liep snel door de grootse, stijlvolle lounge, door de ogenschijnlijk eindeloze galerij vitrines ingericht door Parijse winkels, op weg naar wat de *côté Cambon* van het hotel heette, terwijl de kant waar zij was binnengekomen de *côté Vendôme* werd genoemd. In de kleinere lounge aangekomen nam ze de lift naar de zevende verdieping, waar

ze de gang door rende naar zijn suite. Gespannen en opgewonden kwam ze bij de deur, die op een kiertje stond, in afwachting van haar komst. Ze duwde hem open, ging naar binnen, deed de deur zachtjes dicht en leunde ertegenaan om op adem te komen.
Hij stond achter zijn bureau, zonder colbertje, met de mouwen van zijn witte overhemd opgerold, zijn donkere das hing half losgetrokken om zijn hals. Hij was aan het telefoneren en stak een zonverbrande hand op ter begroeting. Toen hij haar zag begon hij te stralen. Hij brak zijn zin af, luisterde aandachtig en zei ten slotte zachtjes en snel: '*Merci,* Jean-Claude, *à demain,*' en legde neer.
Precies op hetzelfde moment liepen ze naar elkaar toe.
Toen ze langs het Louis-XV-tafeltje kwam waar een ijsemmer met champagne en twee kristallen glazen op stonden, draaide ze speels de fles in het ijs een keertje om en zei vrolijk: 'Jij was wel heel zeker van je zaak! Je wist dat ik zou komen, hè?'
'Natuurlijk,' antwoordde hij lachend. 'Ik ben onweerstaanbaar.'
'En ontzettend onbescheiden.'
Midden in de kamer bleven ze heel even tegenover elkaar staan. Haastig zei ze: 'Ik was bijna niet... Ik maakte me bezorgd... bezorgd over de kinderen... die hebben me nodig...'
'*Madame,*' zei hij, 'uw echtgenoot heeft u ook nodig.' Toen trok hij haar in zijn armen. Hij kuste haar stevig op haar mond. Ze beantwoordde zijn kus, klampte zich aan hem vast, en hij hield haar even heel dicht tegen zich aan toen ze de kus hadden afgebroken.
'O Shane,' zei ze ten slotte met haar hoofd tegen zijn borst, 'ik ben toch van jou.'
'Ja, dat weet ik,' antwoordde hij. Zacht lachend hield hij haar bij haar schouders en keek neer op haar gezicht dat ze naar hem opgeheven hield. Langzaam schudde hij zijn hoofd.
'Maar je hebt altijd anderen om je heen,' vervolgde hij. In zijn welluidende stem was nog een zweem van een lach waarneembaar. 'Kinderen en familieleden en secretaresses en personeel, en ik heb je tegenwoordig nooit lang voor mezelf. Daarom besloot ik vanmorgen vroeg, toen ik naar Parijs vloog voor een ontmoeting met Jean-Claude, dat we dit weekend met z'n tweeën moesten zijn. Zonder de rompslomp van door de week. Een paar dagen voor onszelf, voordat je naar New York gaat. Daar hebben we toch recht op?'
'Ja, daar hebben we zeker recht op.' Paula lachte hem weemoedig toe. 'Toen ik hierheen reed, heb ik me nog zó voorgenomen om het niet over de kinderen te hebben en ik ben er nog maar net en nu heb ik al...'
Met een teder gebaar legde Shane zijn hand over haar mond. 'Sst!

Ik weet hoe graag je de kinderen wilde zien voordat je wegging, en dat gebeurt ook.'
'Wat bedoel je?' vroeg ze, hem verbaasd aankijkend.
'Vanavond en zaterdag zijn helemaal voor ons, maar op zondagmorgen vliegt Kevin ons naar de Rivièra, dan kunnen we zondag en maandag met de kinderen doorbrengen. Het enige is dat je één dag later naar New York gaat, op woensdag in plaats van op dinsdag. Goed?'
'O lieveling, natuurlijk is dat goed! Wat een geweldig idee! Wat lief van je om het zo te regelen dat we allemaal tevreden zijn,' riep ze uit. Hij keek haar glimlachend aan. 'Het zijn toevallig ook mijn kinderen!'
'Maar je bent de afgelopen weken al voor ze opgedraafd en je zult ze nu wel zat zijn.'
'Nou en of... in zekere zin tenminste. Maar ze verheugen zich echt op je komst en ik wil ze niet teleurstellen, anders denk jij nog dat ik een grote egoïst ben. Ik ben dus bereid je met ons nageslacht te delen, per slot van rekening laat je ons daarna een week of vijf, zes in de steek.'
Paula keek met een liefdevolle blik naar hem op. 'Ja, inderdaad.' Ze aarzelde even, maar vroeg toen zachtjes: 'Hoe gaat het met Patrick? Is alles goed met hem, Shane?' Zorgelijk fronste ze haar donkere wenkbrauwen en haar helderblauwe ogen stonden opeens wat angstig.
'Het gaat uitstekend met hem, Paula, hij is zo gelukkig als een kind maar kan zijn en hij vermaakt zich de hele dag prima,' stelde Shane haar op stellige toon gerust. 'Heus, lieveling, je moet je niet onnodig ongerust maken.' Hij legde zijn hand onder haar kin zodat ze hem wel moest aankijken en voegde eraan toe: 'Patrick redt zich wel, echt.'
'Neem me niet kwalijk, Shane, ik weet dat ik hem wat te veel betuttel, maar hij is nog zo klein en kwetsbaar... en anders dan de anderen. De anderen zijn soms zo luidruchtig en wild, ik ben altijd bang dat er iets gebeurt als hij niet in zijn vertrouwde omgeving is...'
Ze maakte haar zin niet af, want ze wilde niet hardop uitspreken dat ze doodsbang was dat hun eerstgeborene iets zou overkomen. Patrick was zeven en bleef wat achter. Als hij niet onder haar hoede was, maakte ze zich altijd ongerust.
Hoewel Shane net zo graag als zij hun zoon voor de buitenwereld wilde afschermen, waakte hij er voortdurend over, zij het op een zachtaardige manier, dat ze niet té bezorgd deed. In haar hart wist ze dat Shane gelijk had en ze deed erg haar best haar angst te beteugelen en

om Patrick te behandelen alsof hij volkomen normaal was, net als zijn zusje Linnet van vijf en zijn halfbroer en halfzusje, Lorne en Tessa, de tweeling van twaalf van wie Jim Fairley de vader was.
Shane bestudeerde haar aandachtig en had begrip voor haar gevoelens tegenover Patrick. Met een geruststellend glimlachje zei hij: 'Ik had je nog niet verteld over Linnet, zij is een echt moedertje geworden sinds we in Zuid-Frankrijk zitten. Ze heeft Patrick onder haar hoede genomen, al is ze nog maar klein. Nu jij er niet bij bent, wordt ze zelfs een beetje bazig. En je weet hoe Lorne met Patrick omspringt... hij is dol op hem. Het gaat dus allemaal uitstekend, lieveling van me, en...' Toen er werd geklopt riep Shane: '*Entrez*.' Hij maakte zich van Paula los en haastte zich naar de deur, die al openging.
Een gemoedelijke bediende kwam binnen met Paula's kledingkoffers. Shane wees hem de weg naar de slaapkamer, zei waar hij de spullen moest neerzetten en gaf hem een fooi.
Toen ze weer alleen waren liep Shane naar de tafel en begon de champagnefles te ontkurken.
'Hoor eens,' zei hij, 'nu hebben we genoeg over de kinderen gepraat. Emily en Winston zorgen uitstekend voor ze.'
'Ach ja, natuurlijk, lieveling.'
Paula's gedachten gingen uit naar hun jongste kind. Ze begon zachtjes te lachen, zodat er lachrimpeltjes bij haar ooghoeken verschenen. 'Dus Linnets *ware* aard komt boven? Ik heb altijd al gedacht dat die dochter van ons iets van Emma's autoriteit had geërfd, dat ook zij iets van de dragonder in zich had.'
Shane keek haar aan, trok een grimas en rolde met zijn ogen. 'Nog een dragonder in de familie! Lieve god, ik geloof niet dat ik dat aankan! Maar ach, ik denk dat *al* mijn vrouwen hun bazigheid compenseren met hun uiterlijk schoon.' Met een knipoog vervolgde hij: 'O ja, je moet de groeten hebben van Emily. Toen ik haar begin deze avond belde om te vertellen dat ik je naar Parijs had gelokt en dat we dus pas zondag naar het zuiden komen, was ze reuze enthousiast over dit weekend-voor-onszelf. Ze vond het een fantastisch goed idee en ze zegt dat je je nergens zorgen over hoeft te maken. Kom, zullen we een glas van dit heerlijke spul drinken en ons daarna verkleden voor het diner?'
'Dat lijkt me een uitstekend idee, schat.'
Terwijl Shane zich met de bediende en de bagage had bemoeid, was Paula op de bank gaan zitten. Ze schopte haar schoenen uit, trok haar benen op en leunde achterover. Ze keek naar haar man.
Het maakte geen verschil of ze elkaar nu vier of veertien dagen niet

hadden gezien, want iedere keer reageerde ze weer verrast als ze Shane na haar afwezigheid terugzag, overdonderd als ze werd door zijn puur lichamelijke uitstraling. Zijn krachtige persoonlijkheid speelde daarin een grote rol, evenals zijn lengte, postuur en zijn knappe gezicht. Zestien jaar geleden, op het feest ter gelegenheid van zijn vierentwintigste verjaardag, had Emma Harte gezegd dat Shane O'Neill een bijzondere aantrekkingskracht bezat, en dat gold nog steeds. Hij was een man naast wie alle andere mannen verbleekten.
In juni had Shane zijn veertigste verjaardag gevierd. Hij was in de bloei van zijn leven, en dat was hem aan te zien. Hij bezat een krachtig lichaam met een brede rug en massieve schouders, terwijl hij goed in conditie was gebleven; tijdens zijn verblijf in de zon samen met de kinderen was hij diepbruin geworden. Aan zijn slapen vertoonde zich een zweem van grijs, maar eigenaardig genoeg maakte hem dat niet ouder. In combinatie met zijn gebruinde gezicht leek het grijs eerder de jeugdigheid van zijn karakteristieke, mannelijke gezicht te benadrukken. In tegenstelling tot zijn hoofdhaar zat er nog geen spoortje grijs in zijn snor, die nog even gitzwart was als vroeger.
Ik ken hem al mijn hele leven en dat bijzondere gevoel dat ik voor hem koester is nog niet veranderd, dacht Paula terwijl ze hem stilletjes bleef gadeslaan. Hij is de enige man van wie ik ooit heb gehouden. De enige man die ik hebben wil... de rest van mijn leven... mijn echtgenoot, mijn minnaar, mijn beste vriend.
'Hé, Bonestaak,' zei hij, haar aansprekend met de bijnaam die hij haar vroeger had gegeven. Hij kwam de kamer door lopen. 'Je bent mijlenver weg.' Hij reikte haar een glas champagne aan, ging naast haar op de bank zitten en keek haar even onderzoekend aan.
'Ik zat een beetje te dagdromen,' antwoordde ze en klinkte met hem toen hij zijn glas hief.
Hij boog zich dichter naar haar toe en keek haar strak aan. 'Emma zou dit weekend met z'n tweetjes een goed idee hebben gevonden... Ze was in haar hart heel romantisch, net als ik.'
'Ja, dat is waar.'
'Vanzelfsprekend heb ik vandaag veel aan haar gedacht,' ging Shane verder, 'en opeens realiseerde ik me hoe snel de tijd na haar dood voorbij is gegaan. Griezelig eigenlijk zoals de jaren zijn voorbijgevlogen. Het lijkt nog pas gisteren dat ze ons allemaal achter de vodden zat...'
'Ik dacht precies hetzelfde toen ik vanmorgen op het kerkhof stond!'
Hun ogen ontmoetten elkaar. Ze keken elkaar even verbaasd aan, waarna ze veelbetekenend glimlachten. Het gebeurde wel vaker dat ze hetzelfde dachten, ook als ze niet bij elkaar waren, of soms, als

ze wel bij elkaar waren, sprak de een iets uit wat de ander net had willen zeggen.
Toen ze nog klein was, had Paula geloofd dat Shane haar gedachten kon lezen, en die overtuiging was ze nog steeds toegedaan. Dit verschijnsel verbaasde haar niet langer; ze vormden nu zo'n hechte eenheid dat ze hun saamhorigheid als vanzelfsprekend aannam en het heel gewoon vond dat ze op dezelfde golflengte zaten.
Terwijl ze hem aankeek zei ze met een stem waaruit lichte verbazing sprak: 'Niet te geloven, hè, dat we in november alweer tien jaar getrouwd zijn!'
'Nee. . .' Hij streelt zachtjes met zijn hand over haar wang. 'Toch is het zo, en iedere dag als je echtgenoot was even waardevol voor me. Ik had er niet één willen overslaan, zelfs de nare dagen niet. Het is beter om bij je te zijn, onder welke omstandigheden ook, dan je te moeten missen.'
'Ja, zo denk ik er ook over,' antwoordde ze. Uit haar ogen sprak haar diepe, duurzame liefde voor hem.
Shane beantwoordde Paula's vaste blik en de uitdrukking in zijn stralende, donkere ogen was een weerspiegeling van haar gevoelens. Het werd stil tussen hen.
Het was een harmonische, vriendschappelijke stilte, een van die rustige intermezzo's die ze vaak deelden als ze wisten dat hun gevoelens niet in woorden hoefden te worden uitgedrukt.
Paula leunde achterover en dronk van haar champagne. Opeens probeerde ze zich voor te stellen hoe het leven er zonder hem zou uitzien. Bij het idee alleen al kromp ze inwendig ineen. Shane gaf haar bestaan pas echt betekenis. Hij was een vast punt in haar leven, op hem kon ze bouwen, hij was er altijd als ze hem nodig had, en zij was er voor hem. Ze was blij dat hij dit weekend zo had georganiseerd, zodat ze nog even tijd voor elkaar hadden voordat ze aan haar zakenreis naar Amerika en Australië begon. Inwendig glimlachte ze om de listige manier waarop hij deze rustpauze voor hen had ingelast. Haar liefde voor hem werd erdoor versterkt.
Shane zat haar te bestuderen. Hij zag tot zijn genoegen dat de spanning van de dagelijkse beslommeringen geleidelijk aan wegtrok uit haar gezicht. Hij maakte zich vaak zorgen om haar, want hij wist hoe hard ze werkte. Maar nooit bemoeide hij zich daarmee. Ze was net als Emma. Als hij bezwaren zou maken tegen haar niet aflatende werklust, zou dat zonde van zijn tijd zijn en haar alleen maar irriteren.
Hij liet zijn forse gestalte in de hoek van de blauwfluwelen Louis-XVI-bank wegzinken om van zijn drankje te genieten. Nu pas kon

ook hij zich ontspannen, voor het eerst sinds hij die ochtend uit de villa in Zuid-Frankrijk was vertrokken. Vanaf het moment dat hij uit de bedrijfsjet van O'Neill was gestapt tot Paula's aankomst in het hotel, had hij druk onderhandeld met Jean-Claude Soissons, hoofd van O'Neill Hotels International in Frankrijk. Maar het werk mocht vanavond en morgen geen inbreuk maken op zijn privé-leven, en dat was de reden waarom ze niet in het hotel waar hij eigenaar van was logeerden. Steeds als hij Paula voor zichzelf wilde hebben om rustig bij elkaar te zijn, reserveerde hij een luxe suite in het Ritz, waar niemand hem, naar hij wist, zou storen.
Net als Paula daarnet, raakte hij in gepeins verzonken. Hij dacht aan de zesendertig uur die voor hen lagen en de vreugde die ze zouden beleven aan hun samenzijn – helemaal alleen.

Deze twee mensen hadden een heel bijzondere band.
Zelfs als kinderen was het er al geweest, die saamhorigheid, die intimiteit, dat gevoel van verbondenheid. Wat in hun jeugd was begonnen, was tot volle bloei gekomen toen ze volwassen waren, in hun huwelijk.
Een tijdlang, gedurende Paula's rampzalige verbintenis met Jim Fairley, was er verwijdering ontstaan, maar de band tussen hen was nooit werkelijk verbroken geweest. Toen ze hun vriendschappelijke verhouding hadden hervat en eindelijk ook een seksuele relatie waren aangegaan, had de kracht van hun lichamelijke hartstocht voor elkaar diepe indruk op hen gemaakt. Maar ze hadden beseft dat het goed was zo, dat ze voor elkaar bestemd waren geweest, ook in dat opzicht, en voor het eerst in hun leven voelden ze zich compleet.
Shane besefte hoe volslagen waardeloos zijn avontuurtjes met die talloze andere vrouwen waren geweest. Zonder Paula zou zijn leven geen zin meer hebben. Paula op haar beurt wist dat Shane de enige man was van wie ze ooit echt had gehouden, ze zag in hoe leeg en liefdeloos haar huwelijk met Jim was en erkende dat het voortzetten van die leugen haar dood zou betekenen. Ze begreep dat ze een eind moest maken aan dat huwelijk als ze haar leven wilde redden – en haar zelfrespect wilde bewaren – anders zou ze gek worden.
Hoewel ze zich had voorbereid op Jims tegenstand, was Paula geschrokken van zijn haatdragendheid en de rancuneuze manier waarop hij had gereageerd toen hij hoorde dat ze wilde scheiden. Ze hadden elkaar fel bestreden en waren in een impasse geraakt.
Toen ze een van hun ergste crises doormaakten, was Jim onverwacht naar Chamonix vertrokken om met haar ouders op wintersportvakantie te gaan. Paula was razend op hem geweest omdat hij ging

skiën tijdens zo'n beslissende periode in hun leven. Ten slotte was hij omgekomen op de Mont Blanc, door de lawine die de familie had gedecimeerd. Toen hoefde ze niet meer te strijden voor een scheiding, want op zesentwintigjarige leeftijd was ze van de ene dag op de andere weduwe geworden.
Jims dood had een wig tussen Paula en Shane gedreven en ze had hem weggestuurd omdat ze zich zo vreselijk schuldig voelde. Maar uiteindelijk had ze de zaak redelijker kunnen bekijken en had ze haar evenwicht hervonden. Ze was naar hem toe gegaan en had tegen hem gezegd dat ze haar hele verdere leven met hem wilde delen. Ze hadden zich onmiddellijk verzoend, want Shane O'Neill was aldoor van haar blijven houden.
Twee maanden daarna, met Emily en Winston Harte als getuigen, waren ze bij de burgerlijke stand van Caxton Hall in Londen getrouwd.
En beiden wisten diep in hun hart dat ze hun bestemming hadden bereikt.

De antieke pendule op de witmarmeren schoorsteenmantel gaf luid het halve uur aan.
Verrast keken Paula en Shane op en zagen hoe laat het was. Shane riep uit: 'Lieve hemel, het is al half tien en ik heb voor kwart voor tien een tafeltje in de Espadon gereserveerd. Kun je in een kwartier klaar zijn, liefje?'
'Ja, natuurlijk,' zei Paula. Ze zette haar glas neer, rekte zich uit en geeuwde achter haar hand.
Shane keek haar indringend aan; hij fronste zijn wenkbrauwen. 'Je bent doodop,' zei hij bezorgd. 'Wat onattent van me om van je te verwachten dat je beneden zou willen eten. Je neemt een warm bad, meisje, en wel meteen. Vanavond laat ik wel een hapje voor ons op de kamer brengen.'
'Doe niet zo gek, mij mankeert niets,' begon Paula. Ze zweeg en gaapte nogmaals. 'Hmm, om je de waarheid te zeggen, ik heb een drukke dag achter de rug,' gaf ze toe. 'Misschien heb je gelijk en kunnen we beter hier wat eten.'
'Natuurlijk heb ik gelijk.'
Shane stond op, bukte zich, pakte haar handen in de zijne en trok haar overeind. Met zijn arm om haar schouders loodste hij haar mee naar de slaapkamerdeur. 'Ik wou dat ik Kevins vrije weekend had ingetrokken, dan had hij je vanavond met het vliegtuig kunnen halen...'
'Ik ben dolblij dat je dat niet hebt gedaan!' riep Paula uit. Ze wierp

hem een scherpe, bijna misprijzende blik toe. Ze mocht Kevin Reardon graag en ze wist dat de vlieger zo'n harde werker was dat zijn privé-leven er vaak bij in schoot. 'Kevin verheugt zich al weken op het verjaardagsfeest van zijn vriendin, morgenavond. Trouwens, hij heeft je boodschap veilig overgebracht. Het was toch Kevin die jouw briefje vanmorgen op de zaak heeft afgegeven?'
'Ja, inderdaad.' Shane duwde haar lachend verder de slaapkamer in. 'Toe, kleed je uit en neem een warm bad. Terwijl jij je lekker ontspant, zal ik iets te eten bestellen. Waar heb je zin in?'
'O, kies jij maar... Ik laat het helemaal aan jou over, schat.'
'Zullen we er een soort picknick van maken, met dingen die jij lekker vindt? En nog een fles prik.'
Paula lachte vrolijk. 'Als ik nog één slok champagne drink, ben ik gevloerd.'
'Dat mag,' antwoordde Shane prompt, 'want je echtgenoot is er om voor je te zorgen.'
'Zo is dat. En een heel bijzondere echtgenoot nog wel.' Ze ging op haar tenen staan om hem op zijn wang te kussen.
Shane sloot haar in zijn armen en hield haar stevig tegen zich aan. Hij kuste haar donkere kruintje, waarna hij haar abrupt losliet en een stapje naar achteren deed.
'Het lijkt me verstandig dat ik iets te eten ga bestellen, anders sta ik niet in voor de gevolgen. Per slot van rekening heb ik je twee hele weken niet gezien en eerlijk gezegd heb ik je ontzettend gemist, lieveling...'
'O, Shane, lieveling,' zei ze langzaam en heel zachtjes. 'Ja... ik weet wat je bedoelt...'
Haar stembuiging en het verlangen dat zichtbaar opflikkerde, maakten dat hij meteen weer naar haar toeging.
Ze stak haar hand naar hem uit.
Hij pakte haar hand in de zijne.
Hun greep verstevigde zich en ze omhelsden elkaar. Hij boog zijn gezicht over het hare en zocht haar mond. Aan de warme blos op haar wangen voelde hij dat zij als altijd net zozeer naar hem verlangde als hij naar haar, wat hem opwond en zijn hart sneller deed kloppen. Ze kusten elkaar lang, intens en verleidelijk. Zijn tong verkende haar mond, zij deed hetzelfde; daarna werden hun tongen stil en deelden ze een gevoel van de allerdiepste intimiteit.
Opeens begon Paula in zijn armen te beven en ze zwaaiden licht heen en weer alsof ze dronken waren, en dat waren ze natuurlijk ook – dronken van elkaars nabijheid. Vervolgens liepen ze half struikelend naar het bed, met hun armen nog om elkaar heen geslagen.

Shane ontdeed haar van haar kleren.
Ze ging op het bed liggen en wachtte op hem. Haar ogen lieten zijn gezicht niet los terwijl hij zijn overhemd en broek uittrok. Ze kon zich nauwelijks beheersen terwijl ze zo aandachtig naar hem keek, zo verlangde ze naar hem, en toen ze zag hoe opgewonden hij was, voelde ze een huivering over haar rug lopen. En toen Shane in die violetblauwe ogen keek, die inktzwart werden van verlangen naar hem, werd hij bevangen door zo'n felle begeerte om haar te bezitten, dat het bloed hem naar het hoofd steeg en zijn hart tegen zijn ribben begon te bonken. Hij voelde zich duizelig en licht in zijn hoofd toen hij naar het bed liep en naast haar ging liggen.
Hij steunde op een elleboog, boog zich over haar heen en keek op haar neer.
Ze keek strak naar hem op.
Hun ogen ontmoetten elkaar in een lange blik waaruit intense wederzijdse liefde sprak. Met twee vingers raakte hij haar wang aan, liet zijn vingertoppen over haar wenkbrauwen, oogleden, neus en mond dwalen; langzaam volgde hij de omtrek van haar lippen, deed ze vaneen en liet zijn vingertoppen tegen haar tong rusten. Ze zoog erop en de sensualiteit van dat kleine gebaar wond hem nog verder op, zodat het bloed hem als vuur door de aderen stroomde. Onmiddellijk zocht zijn mond de hare, hard en indringend, hun tanden schampten langs elkaar en hij kuste haar met groeiende hartstocht, terwijl zijn hand over haar sierlijke, lange hals streelde. Zijn vingertoppen bleven daar niet, maar gingen verder om haar weelderige borsten te liefkozen, waarna ze nog verder naar beneden dwaalden om licht haar platte buik te strelen, om ten slotte tussen haar dijen te blijven rusten.
Shane begon haar te liefkozen, met lome, langzame bewegingen, en met zo'n grote tederheid dat het was alsof hij haar helemaal niet aanraakte. Maar hij voelde haar fluwelen zachtheid toenemen en hij ging door met strelen en verkennen, tot zijn vingertoppen zich nestelden tegen haar intiemste plekje, het wezen van haar vrouwzijn.
Meteen welfde Paula zich dichter tegen hem aan en haar slanke hand begon hem te strelen, even fijngevoelig als hij haar liefkoosde. Shane voelde dat hij nog harder werd toen ze opeens sneller haar hand bewoog en hij moest een kreet smoren toen hij onder haar aanraking begon te kloppen. Hij pakte haar bij haar pols om haar hand tegen te houden, waarna hij de druk van zijn vingertoppen vergrootte; ze verstrakte en hield haar lichaam gespannen. Hij verkende verder, gleed dieper tussen haar fluwelen zachtheid, zodat ook zij een kreet smoorde.

Hij boog zich over haar satijngladde borsten, heel gespannen en stevig, en proefde de harde, rechtopstaande tepels met zijn mond, eerst de ene, toen de andere. Ze begon ritmisch te bewegen onder zijn ervaren aanraking, zijn liefkozende mond, en ze zuchtte en mompelde zachtjes zijn naam, steeds weer. Haar handen klemden zich om zijn nek en dwaalden door zijn volle haar, waarna ze opeens zijn brede schouders beetpakte toen haar opwinding toenam.
Paula spande zich en hijgde. Een verrukkelijke warmte doorstroomde haar. Zijn bewegingen versnelden zich, werden nog vaardiger en doeltreffender, en in haar opwinding riep ze uit: 'Shane, o Shane, mijn lieve man, ik hou zoveel van je!' Hij op zijn beurt zei, met zijn mond tegen haar keel, met een stem die laag klonk van verlangen: 'Jij bent mijn ware liefde, Paula, mijn eigen liefste. Kom, lieveling, kom bij me.' Weer hijgde ze en zei: 'Ja, o ja,' waarna ze zich nog steviger aan zijn schouders vastklampte.
Shane was bang dat hij zou klaarkomen toen ze zich voor hem opende, als een exotische bloem die haar zachte, weelderige bladeren openvouwt. Kreunend zei ze zijn naam, ze rilde. Hij kon zich niet meer beheersen en ging op haar liggen om snel bezit van haar te nemen, bezeten door dezelfde intense warmte die haar doorstroomde. Hij liet alle reserves varen en zij kende net zo min remmingen als hij. Haar armen omvatten hem en hielden hem stevig tegen haar aan. Hij schoof zijn handen onder haar lichaam om haar dichter naar zich toe te halen. Ze smolten samen, ze werden één.
Terwijl Shane dieper in haar drong en volkomen opging in haar en de vreugde die ze hem schonk, dacht hij opeens: *Ik wil haar zwanger maken, nu. Ik wil weer een kind.*
Dit idee, hoewel volkomen onverwacht, maakte hem zo opgewonden dat hij fel tegen haar aan bewoog. Zij beantwoordde zijn felheid met even ongebreidelde hartstocht, hun begeerte was van dezelfde orde, en algauw ontdekten ze hun eigen ritme, net als tijdens al de jaren van hun huwelijk. Maar voor Shane was het vanavond plotseling net als die eerste keer dat ze elkaar hadden bemind, en het was alsof de tijd stilstond. Hij was weer in Connecticut, waar hij toen woonde en waar hij haar tot de zijne had gemaakt, na al die jaren dat hij naar haar had verlangd toen ze nog getrouwd was met een ander; hij had haar bemind zoals hij nog nooit een andere vrouw had bemind, zoals alleen hij en zij voorbestemd waren elkaar te beminnen. En toen steeg hij omhoog... hoger, naar het licht... het licht omhulde hem... zij was het middelpunt van het licht... ze wachtte op hem... het onbereikbare wezen uit zijn kinderdromen. En nu was ze van hem. Niets en niemand kon hen ooit weer scheiden. Zij behoor-

den elkaar voor altijd toe, tot in de eeuwigheid. Hij voelde zich gewichtloos... hij steeg hoger en hoger... hij vloog naar dat tijdloze licht... naar de oneindigheid. Hij vocrde haar met zich mee, hij sloot de wereld in zijn armen, hij riep haar, net zoals zij hem riep. En samen deinden ze op de golven van de extasc in dat gouden schijnsel... het licht verblindde hen maar toch konden ze zien... en o, wat een gebenedijde vrede heerste daar...

Shane werd met een schok wakker. Hij draaide zijn hoofd naar rechts en keek op de klok die op het nachtkastje stond. Bij het vage schijnsel kon hij zien dat het bijna vijf uur was.

Naast hem lag Paula in diepe slaap verzonken.

Hij kwam op een elleboog overeind, boog zich over haar heen en raakte met een liefkozend gebaar haar gezicht aan, maar zo zachtjes dat ze niet wakker werd uit haar slaap van uitputting. Hij streek een streng haar uit haar ogen, toen ging hij weer liggen, strekte zich uit op zijn rug en sloot zijn ogen. Na enkele minuten echter merkte hij dat hij niet zo gemakkelijk de slaap kon vatten, niet zo snel als hij had gedacht. Opeens was hij klaar wakker. Toch had hij een paar uur heel diep geslapen, net als anders wanneer hij bij Paula was, alsof hij rustiger en tevredener was als zij bij hem in bed lag. Ach, natuurlijk was dat zo. Hij ging op zijn zij liggen en voegde zijn lichaam naar het hare. Zij was even belangrijk voor hem als het leven zelf en nu hij daar zo in het donker naast haar lag, haar in de stilte van zijn hart aanbiddend, vroeg hij zich af of hij haar zwanger had gemaakt. Weken geleden al hadden ze afgesproken dat ze met de pil zou stoppen.

De vorige avond had hij zijn zaad gezaaid en hij bad dat het zaad vruchtbare bodem zou treffen en mocht opbloeien tot een kind... een kind geboren uit liefde, verwekt op een hoogtepunt van hartstocht en geestelijk één-zijn. Hij onderdrukte een zucht toen hij aan Patrick dacht. Hij hield van zijn zoontje met een diepe, tedere en beschermende liefde, maar toch betreurde hij het dat hun eerstgeborene niet normaal was. Hij durfde zijn gevoelens niet tegenover Paula te uiten, uit angst dat hij daarmee haar eigen verdriet erger zou maken, maar hoewel hij zulke gedachten zelden helemaal kon wegstoppen, had hij zijn smart altijd voor haar verborgen kunnen houden. Instinctief legde Shane zijn rechterarm om haar heen, trok haar dichter tegen zich aan en begroef zijn gezicht in haar geurige haar. Hij liep over van liefde voor haar. Hij deed zijn ogen weer dicht en liet zich meevoeren naar de slaap. Ja, dacht hij, het is nu tijd voor ons derde kind. Terwijl hij eindelijk wegdommelde, vroeg hij zich af of dat de ware reden was dat hij haar naar Parijs had gelokt.

5

Villa Faviola lag in het stadje Roquebrune-Cap Martin, ongeveer halverwege tussen Monte Carlo en Menton.
Het huis werd omringd door een grote tuin en het stond op de punt van het schiereilandje van Cap Martin. Erachter verhieven zich beschermende pijnbomen, terwijl de vele hoge ramen uitzicht boden op zee.
De villa stamde uit de jaren twintig; het was een prachtig oud huis, ruim en stijlvol, met een rondlopende, door pijnbomen omzoomde oprijlaan, grote gazons die van het terras tot voorbij het zwembad strekten, tot aan de steile rotswand en de schitterende Middellandse Zee daarachter.
De buitenmuren waren beige geschilderd, in een zachte, bijna zandkleurige tint, terwijl de canvas zonneschermen van een zelfde maar iets diepere nuance waren gemaakt. De luiken waren hagelwit.
Een breed terras strekte zich uit aan de zeekant van het huis. Het was opgebouwd uit witte stenen en marmer, zodat het sierlijk leek te zweven boven de groene tuin, waar een bonte bloemenweelde bloeide en fonteinen sprankelden in het felle zonlicht. Op het terras stonden enkele, ronde, witmetalen tafeltjes met beige parasols erboven, bijpassende witte stoelen, schommelbanken met zonneluifel en stretchers met crèmekleurige kussens. Doordat alleen deze zachte, harmonieuze tinten waren gebruikt, viel niets uit de toon bij de kleurstelling van de prachtige gevel.
Villa Faviola was eind jaren veertig door Emma Harte aangekocht, vlak na de Tweede Wereldoorlog; zij had de oorspronkelijke tuinaanleg verzorgd rond het huis en tussen de diverse gazons. Gedurende de afgelopen jaren echter had Paula de bloemenborders groter laten maken. Ze had een groot aantal verschillende bloeiende boompjes geplant, evenals struiken en exotische planten, waarna de parkachtige tuin zijn huidige schoonheid had gekregen, met een pracht en praal die langs de Côte d'Azur befaamd was.
Binnen Villa Faviola baadden de koele, hoge vertrekken in zacht gefilterd zonlicht; de inrichting was eenvoudig maar opvallend stijlvol. Charmante oude Provençaalse meubelstukken van donkere houtsoorten of geloogd eiken waren gecombineerd met grote banken, gemakkelijke stoelen, chaise-longues en ottomanes. Op bijzettafeltjes stonden Kaapse viooltjes, roze en witte cyclamen, terwijl de nieuwste nummers van tijdschriften en pas uitgekomen boeken voor het grijpen lagen.
Glanzend gewreven parket of roze marmeren vloeren waren of onbe-

dekt, of er lagen hier en daar oude Aubusson-tapijten of effen wollen kleden op. In het hele huis waren de kleuren licht of koel gehouden. Crème, vanille en wit domineerden, vooral op de wanden, tinten die werden herhaald in gordijnen en bekledingsstoffen van banken en stoelen. Kleuraccenten werden gevormd door variaties beige, perzik en zand, terwijl men hier en daar *café-au-lait* tegenkwam, dat prachtige lichtbruin dat zo typisch Frans is.
In deze harmonische nuances vielen de felle kleuren van romantische, lyrische schilderijen op van bekende hedendaagse Franse kunstenaars zoals Epko, Taurelle en Bouyssou, terwijl in grote Baccarat-vazen van kristal een uitbundige bloemen- en bladerenpracht uit de tuin prijkte.
Tocht waren de kamers geen van alle zo imponerend of groots dat gasten en kinderen zich er klein gingen voelen, alsof ze in een museum waren. Integendeel, Emma had het huis bedoeld als vakantieonderkomen, waar ontspannen in geleefd kon worden. Het had een heel eigen, gezellige maar stijlvolle sfeer gekregen. Bovendien voelde iedereen zich er direct thuis, en de zonnige kamers en de uitnodigende, door pijnbomen overschaduwde tuin met de stralende bloemenpracht boden een serene aanblik.
Faviola was eigendom van Alexander Barkstone, die het met alles wat erin stond van Emma had geërfd, met uitzondering van de impressionistische kunstwerken, die zijn grootmoeder had nagelaten aan Philip in Australië. Sandy kwam echter zelden naar de villa, omdat hij de voorkeur gaf aan zijn landgoed in Yorkshire. Er werd het meest gebruik van gemaakt door zijn zuster Emily en haar gezin, zijn nicht Paula O'Neill en zijn neef Anthony Dunvale en hun respectievelijke echtgenoten en kinderen. Een enkele keer kwamen zijn moeder, Elizabeth, en haar echtgenoot, de Fransman Marc Deboyne, voor een lang weekend over uit Parijs, meestal buiten het hoogseizoen.
Van hen allen was het Emily die het meest op Villa Faviola gesteld was; ze hield zielsveel van het huis.
Als klein meisje had ze vele van de gelukkigste uren van haar jeugd hier doorgebracht met haar geliefde Gran. Ze had het altijd een betoverd en toverachtig mooi huis gevonden. Ze kende er elk hoekje en gaatje, op alle verdiepingen; de tuin en het strand onder aan de rotswand hadden voor haar geen enkel geheim meer. Nadat ze in juni 1970 met haar achterneef Winston Harte was getrouwd, waren ze naar de Rivièra gevlogen om hun wittebroodsweken in de villa door te brengen. De heerlijke, zorgeloze dagen en romantische avonden waren zo vredig, dat Emily's intense gevoelens voor Faviola er nog

door werden aangewakkerd. Sindsdien was de villa haar toevluchtsoord, waar ze in het voorjaar en gedurende de winter heen kon gaan, hetzij alleen, hetzij met Winston, terwijl ze er altijd de zomermaanden met haar kinderen Toby, Natalie en Gideon doorbracht. Ze kon er geen genoeg van krijgen, en ze wist dat dat ook nooit zou gebeuren; ze beschouwde de villa als de ideale plek op aarde.

Sandy's bezoeken aan het huis daarentegen waren na de dood van zijn vrouw steeds zeldzamer geworden. In 1973, zich realiserend hoeveel Emily van de villa hield, had hij haar gevraagd om het beheer van hem over te nemen. Het was voor hem een hele opluchting geweest toen ze prompt en enthousiast ja had gezegd.

Uiteraard had Emily in de loop der jaren haar eigen stempel op Faviola gedrukt, maar ze had er geen replica van een Engels landhuis van willen maken. In plaats daarvan had ze de Franse aspecten zoveel mogelijk gehandhaafd en ze had de overwegend Provençaalse sfeer eerder weten te accentueren door haar onnavolgbare toevoegingen. Hoewel ze er de afgelopen acht jaar dus veel energie en tijd in had gestoken, beschouwde Emily de villa nooit als haar eigendom, want ze vergat geen moment dat het huis van haar broer was. En toch was het in zekere zin ook van haar, vanwege de tijd, de zorg en de grote liefde die ze er voortdurend rijkelijk aan schonk. Zeker is dat iedereen Emily beschouwde als *la grande châtelaine* van Villa Faviola.

Toen Emma Harte nog leefde, werd de dagelijkse gang van zaken beheerd door een vrouw uit Roquebrune, een zekere madame Paulette Renard. Nadat ze in 1950 door Emma in dienst was genomen, was ze in de gezellige, ruime conciërgewoning getrokken die bekendstond als *la petite maison.* Twintig jaar lang had ze de familie Harte met haar niet aflatende toewijding gediend.

Toen Emma echter in 1970 overleed, vond madame Paulette het tijd om ermee op te houden; ze had haar verantwoordelijkheden en haar sleutels overgedragen aan haar dochter, Solange Brivet, die hoofd van de huishouding was in een hotel in Beaulieu, maar graag iets anders wilde gaan doen. Madame Paulette was weduwe en de Brivets en hun kinderen woonden al enkele jaren bij haar in *la petite maison,* zodat er niet drastisch iets veranderde en er geen droevig afscheid hoefde te worden genomen. En daar het via de moestuin maar een klein eindje lopen was naar de villa, was madame Paulette altijd in de buurt om haar gewaardeerde mening te geven of haar grote kennis ten toon te spreiden.

Gedurende de afgelopen elf jaar was het beheer van Faviola een familieaangelegenheid voor de Brivets geworden. Solanges man, Marcel, was kok, twee van hun drie dochters, Sylvie en Marie, hielpen in de huishouding en hun zoon, Henri, fungeerde als butler en, zoals Emily het uitdrukte: 'ons factotum *par excellence*', terwijl Marcels neven Pierre en Maurice de tuin verzorgden. Dit tweetal kwam elke ochtend in hun Renaultje uit Roquebrune, samen met nog een Brivet, nicht Odile, die Marcel in de keuken bijstond. Odile nam een grote mand met brood mee uit de *boulangerie* van haar moeder: verse *croissants* en *brioches,* die Marcel warm opdiende aan het familieontbijt, en *baguettes,* de lange stokbroden met harde korst waar de kinderen zo dol op waren.

Madame Solange, zoals ze door iedereen werd genoemd, had haar opleiding genoten in Hôtel de Paris in het nabije Monte-Carlo; ze runde de villa met flair, alsof het een groot hotel aan de Rivièra was, efficiënt en met een onfeilbaar oog voor details, en met dezelfde toewijding als haar moeder voor haar. Al die jaren dat ze er in dienst was, werkten zij en Emily al harmonieus samen, zonder een wanklank.

De uitspraak 'God zij dank hebben we Solange' lag Emily in de mond bestorven. Ook deze augustusochtend mompelde ze deze woorden terwijl ze haastig naar de keuken liep, in het midden van het vertrek bleef staan, om zich heen keek en tevreden knikte.

De avond tevoren hadden ze hun jaarlijkse diner gegeven ter afsluiting van het zomerseizoen, maar dat was aan de ruime, ouderwetse keuken niet te zien. Zoals gewoonlijk blonken de hangende potten en pannen, de houten werkbladen waren blinkend wit geschuurd, de plavuizenvloer glom en alles stond smetteloos schoon op zijn vaste plaats.

Solange moest er werkelijk de zweep overheen hebben gehaald om alles vanmorgen zo keurig in orde te hebben, dacht Emily, terugdenkend aan de rommel van de avond ervoor, nadat de laatste gast eindelijk was vertrokken. Glimlachend pakte ze een glas uit de kast, liep naar de koelkast en schonk zich een glas mineraalwater in. Met het glas in de hand liep ze terug via de voorraadkeuken, door de eetkamer en door de openslaande deuren naar het terras. Haar klepperende sandalen waren het enige geluid op die warme, stille ochtend.

Emily was altijd als eerste op, elke morgen, soms zelfs al met zonsopgang.

Ze koesterde dit rustige uur voordat iedereen wakker werd en het personeel arriveerde. Ze vond het prettig om helemaal alleen te genieten van de vredige rust van het stille, sluimerende huis, van de geuren en kleuren van het mediterrane landschap.

Het was ook het uur dat ze de stukken doorlas die ze altijd meenam; ze maakte aantekeningen voor haar secretaresse in Londen, die ze

een paar keer per week belde. Verder stelde ze het menu voor die dag op en maakte plannen voor uitstapjes met de kinderen. Maar vaak zat ze zomaar op het terras, blij dat ze een moment voor zichzelf had om te kunnen nadenken voordat de drukke dag begon en er een horde kinderen op haar afkwam, met alle rommeligheid van dien.
Het was niet zo erg als ze alleen voor haar eigen drietal moest zorgen, maar als de vier kinderen van Paula en de drie van Anthony ook op Faviola waren, vaak met enkele logeetjes, was het wel eens alsof er een ongezeglijk voetbalelftal rondbanjerde. Maar Emily had haar eigen aanpak en ze kon hen veel beter aan dan wie ook. Niet voor niets noemden de kinderen haar achter haar rug 'de sergeant-majoor'.
Terwijl ze al wandelend van haar mineraalwater dronk, liep Emily naar de rand van het terras en leunde tegen de balustrade. Ze keek uit over de tuin naar de zee. Die was vandaag diepblauw en woelig, terwijl de hemel die zich erboven uitstrekte loodgrijs zag, wat niet veel goeds voorspelde.
Ze hoopte maar dat het weer niet opnieuw zou omslaan, zoals vorige week toen de mistral, die droge noordenwind die door het Rhônedal blies, enkele dagen akelig weer had meegebracht. De kinderen waren zonder uitzondering rusteloos, nukkig en lastig geweest. Solange had meteen de mistral de schuld gegeven; ze had Emily eraan herinnerd dat die gewoonlijk de meeste mensen uit hun evenwicht bracht. Emily was het met haar eens geweest en ze waren beiden blij toen de wind van zee was gaan waaien. Het weer was verbeterd, en daarmee de stemming van de kinderen. Ze waren veel rustiger, bijna weer net als anders. Zelfs Emily voelde zich kalmer. Ze was prikkelbaar en nerveus geweest tijdens die sombere, ongekend winderige dagen; ze moest toegeven dat er waarschijnlijk veel waars school in wat Solange en de andere buurtbewoners zeiden over de mistral en zijn eigenaardige invloed op de mensen. Ze keek op haar horloge. Het was pas tien voor half zeven. Tegen een uur of negen zou de hemel volmaakt azuurblauw zijn, de zon zou schijnen en de zee zou rimpelloos zijn als een vijver, voorzag ze, zoals altijd optimistisch, net als haar grootmoeder voor haar.
Ze wendde zich van de balustrade af en ging aan de tafel zitten waar ze haar paperassen had klaargelegd. Wat haar werk betrof was op het ogenblik haar reis naar Hongkong het belangrijkste; ze zou er gaan inkopen voor Genret, het im- en exportbedrijf dat ze voor Harte Enterprises beheerde. Ze sloeg haar agenda open en keek naar de data in september die ze een paar weken terug voorlopig had genoteerd. Ze bladerde enkele keren heen en weer, bestudeerde haar planning zorgvuldig en tekende met potlood aan welke veranderingen ze wilde

aanbrengen. Daarna begon ze een briefje aan Janice, haar secretaresse in Londen, met een schema voor haar nieuwe indeling.
Een paar minuten later schrok Emily zich haast dood toen er een sterke, koele hand stevig op haar schouder werd gelegd. Ze sprong half overeind en keek met grote schrikogen achterom. 'Lieve hemel, Winston! Kom toch niet zo aansluipen! Ik heb je niet horen komen, ik schrik me wild!' riep ze uit.
'Sorry, schat,' verontschuldigde hij zich, waarna hij zich voorover boog en haar op haar wang kuste. 'Goedemorgen,' voegde hij eraan toe, waarna hij over het terras liep en tegen de balustrade geleund liefdevol naar haar stond te kijken terwijl hij haar hartelijk toelachte.
Emily beantwoordde zijn glimlach. 'Zeg eens, waarom ben jij zo vroeg uit de veren? Meestal kom jij niet voor tienen je nest uit.'
Winston haalde zijn blote schouders op en legde zijn handdoek op de balustrade. 'Ik kon niet meer in slaap komen vanmorgen. Maar zo gaat het bij mij altijd, nietwaar, Em? Ik probeer altijd die laatste paar dagen hier ten volle te benutten. Ik wil van elke seconde genieten, net als de kinderen.'
'En net als ik.'
'Ja, dat is zo... Jij vindt het hier heerlijk. Maar de villa doet jou ook goed, Emily... Je ziet er stralend uit!'
'Dank je, wat een compliment,' antwoordde ze.
Hij keek naar het glas dat voor haar op tafel stond. 'Je drinkt zeker water? Maak je geen koffie?'
Emily schudde haar hoofd. 'Nee, Winston, ik ga geen koffie zetten,' zei ze met nadruk. 'Want als ik dat doe, maak ik er ook toost bij, en dan doe ik boter en jam op die toost, en dan eet ik die op, en als Odile om zeven uur met al dat verleidelijke lekkers uit de bakkerij komt, neem ik nog een keer wat, een *tweede* ontbijt, en je weet heel goed dat ik om m'n lijn moet denken.'
'In mijn ogen zie je er fantastisch uit, mevrouw Harte,' zei hij lachend en met een wellustige blik. 'Ik zou haast zin in je krijgen.'
'Winston toch, op dit uur van de dag!'
'Hoezo? Het is toch nog lekker vroeg... Kom mee, schat, laten we nog even naar bed gaan.'
'Hè, doe toch niet zo gek, ik heb vanmorgen nog duizend en één dingen te doen.'
'Ik ook,' merkte hij luchthartig op terwijl hij haar nogmaals verlangend en veelbetekenend aankeek. Hij bestudeerde haar aandachtig en wat hij zag, beviel hem wel. Emily was nu vierendertig en in zijn ogen een van de knapste vrouwen van de wereld. Ze was blonder dan ooit en bruinverbrand, terwijl haar heldere, groene ogen, die qua kleur zo

op die van hem leken, een levendige intelligentie uitstraalden en een *joie de vivre* dat typerend voor haar was. Ze droeg een zachtgroen met roze jurkje over haar bikini en ze zag er die ochtend onmogelijk jong, fris en verleidelijk uit.
'Winston, je mag niet zo staren. En zeker niet zo begerig. Wat is er toch?'
'Niets, ik stond je alleen maar te bewonderen. En ik vond dat je eruitzag als een verrukkelijk ijsje... lekker genoeg om in te bijten.'
'Hè, toe zeg!' lachte Emily, maar ze bloosde tot in haar hals. Ze sloeg haar ogen neer en keek strak naar haar agenda.
Er viel een korte stilte.
Winston verbeet een glimlach. Het vermaakte en vergenoegde hem dat hij haar na een huwelijk van elf jaar nog kon doen blozen, maar ze was dan ook zijn Emily en hij hield van haar om haar meisjesachtigheid, haar vrouwelijkheid en haar zachte karakter. Vreemd, dacht hij, in het zakenleven kan ze keihard zijn en toch heeft ze privé zoveel liefs. Net als Paula natuurlijk, en tante Emma toen die nog leefde. Maar juist die twee uitersten in hun aard maakten de vrouwen van de familie Harte zo origineel. Dat wist hij al heel lang.
Emily keek naar hem op. Meteen zag ze de bespiegelende uitdrukking op het gezicht van haar man en ze vroeg: 'Waar denk je nú weer aan?'
'Ik vroeg me alleen maar af waar dit vanmorgen allemaal goed voor is,' zei Winston zachtjes terwijl hij naar de tafel slenterde. Hij plofte op een stoel tegenover haar en keek haar onderzoekend aan.
'Wat bedoel je?' vroeg ze verbaasd.
'Waarom ga je er vandaag zo hard tegenaan, terwijl je eind van de week weer in Londen bent? Het is nauwelijks de moeite waard, liefje.'
'Ik ben niet echt aan het werk, ik probeer alleen de data voor mijn inkoopreis naar Hongkong en China vast te leggen,' legde Emily uit. 'Als ik 10 september wegga in plaats van de 6de, zoals ik eerst van plan was, zou ik daar nog zitten als Paula Hongkong aandoet wanneer ze van Sydney weer naar New York reist. We hadden het er gistermiddag over en het leek ons een leuk idee om een paar dagen samen op te trekken. Beetje ontspannen... vast kerstcadeautjes kopen... en dan zouden we samen naar New York kunnen vliegen, daar een paar dagen blijven en met de Concorde naar Engeland terugkomen. Wat vind jij?'
'Lijkt me een goed idee, als jullie daar zin in hebben. Ik heb geen enkel bezwaar, want ik hoef pas de eerste week van oktober in Canada te zijn. Ben jij weer terug voor ik wegga?'

'Ja, natuurlijk. Ik heb rekening gehouden met jouw trip naar Canada en mijn planning daaraan aangepast.'
'Prima, kindje,' antwoordde Winston glimlachend. Hij stond op om zijn handdoek te pakken. 'Nou, als jij geen medelijden hebt met je arme mannetje en het vertikt om koffie voor hem te zetten, ga ik vast zwemmen voordat die horde monstertjes de boel onder de voet komt lopen.'
Emily moest lachen toen ze zijn gezicht zag. 'Ach, liefje, zó erg zijn ze nu ook weer niet,' protesteerde ze. Opeens had ze er behoefte aan de jongere generatie te verdedigen.
'En of ze erg zijn!' was zijn weerwoord. 'Ze zijn heel vaak ronduit vreselijk!' Er gleed een brede grijns over zijn gezicht. 'Maar ik moet toegeven dat ik dol op ze ben... vooral op die drie van mij.' Hij kuste haar vluchtig en liep zonder verder iets te zeggen met zijn handdoek zwaaiend en vrolijk fluitend richting zwembad.
Emily keek hem na. Ze vond dat hij er met zijn gebruinde lijf en gezicht fit en gezond uitzag; zijn rossige haar was goudblond gebleekt in de zuidelijke zon. De zomer hier had hem goed gedaan. De Yorkshire Consolidated Newspaper Company en de Canadese dochtermaatschappijen eisten hem helemaal op en ze probeerde hem altijd een beetje af te remmen. Maar hij besteedde niet de minste aandacht aan haar; zijn enige commentaar was dat ze allemaal werkten alsof de duvel achter hen aan zat. Dat was ook zo. Zo had Gran hen opgevoed. Emma had minachting gekoesterd voor mensen die de kantjes eraf liepen, zodat ze vanzelfsprekend allemaal overambitieus waren geworden.
Ik mag me gelukkig prijzen dat ik Winston heb, peinsde Emily terwijl ze achterover in haar stoel leunde. Ze liet zich meevoeren op haar gedachtenstroom; het menu voor die dag kon nog wel even wachten. Als ze naar het verleden keek, besefte ze soms dat hij haar bijna was ontglipt en dat ze hem gemakkelijk aan een andere vrouw had kunnen verliezen.
Emily was al op haar zestiende verliefd geworden op Winston. Ze waren achterneef en -nicht. Zijn grootvader en naamgenoot, Winston Harte, was de broer van haar grootmoeder geweest. Ofschoon Winston vijf jaar ouder was dan zij, waren ze als kinderen de beste maatjes geweest. Maar toen hij volwassen was geworden, had hij haar nauwelijks nog opgemerkt; hij had haar zeker niet gezien als een aantrekkelijke jonge vrouw van wie hij zou kunnen houden.
Hij was met zijn boezemvriend, Shane, in Oxford gaan studeren, waar het tweetal al snel de naam had gekregen een stel notoire rok-

kenjagers te zijn. Bijna iedereen had schande gesproken van hun niet zo frisse escapades. Emily werd geplaagd door een mengeling van jaloezie en verlangen, ze wou dat zij zelf een van die meisjes was achter wie Winston aan zat en met wie hij naar bed ging. Alleen Emma had nuchter gereageerd. Gran had er gewoon om gelachen en had gezegd dat het jongelui waren die nu eenmaal hun wilde haren nog niet kwijt waren. Maar ja, Winston noch Shane kon in de ogen van Emma Harte iets verkeerds doen. Ze koesterde voor beiden een bijzondere genegenheid.
En dus had Emily Winston van een afstand geadoreerd, hopend dat hij haar op een dag weer zou zien staan. Maar dat was niet gebeurd, en tot haar groot misnoegen bleek hij opeens een serieuze verhouding te hebben met een meisje uit de stad, Alison Ridley. Begin 1969 deed het praatje in de drie families de ronde dat hij op het punt stond zich met Alison te verloven. Emily had gedacht dat haar hart zou breken. Maar opeens was alles anders geworden. Als door een wonder had Winston belangstelling voor haar opgevat tijdens de doopplechtigheid van de tweeling van Paula en Jim Fairley, in maart van dat zelfde jaar. En dat alles door een incident met Shane, waardoor haar grootmoeder van streek was geraakt. Zij en Winston waren naar de bibliotheek op Pennistone Royal geroepen, waar Emma hen streng ondervroeg over Shanes gevoelens voor Paula. Toen ze eindelijk hadden kunnen ontsnappen, waren ze een wandeling in de tuin gaan maken om bij te komen van de beproeving. En om de een of andere reden had Winston haar toen gekust. Die kus kwam als een donderslag bij heldere hemel. Zelfs Emily, die toch veel van hem hield, was net zo verbijsterd als hij door hun heftig reagerende zintuigen terwijl ze daar in elkaars armen zaten op dat bankje bij de vijver met waterlelies. De wereld had duizelingwekkend rondgetold en was voor hen beiden op een heerlijke manier op zijn kop gezet.
Winston had er geen gras over laten groeien, want hij was nu eenmaal een echte Harte. Zodra hun verhouding was begonnen, had hij de relatie met Alison verbroken. Kort daarna had hij haar grootmoeder gevraagd of ze zich mochten verloven. Emma had haar toestemming gegeven, want ze was zeer ingenomen met de verbintenis tussen haar kleindochter en haar achterneef. Een jaar later, toen Gran uit Australië was teruggekomen, waren ze getrouwd in dat unieke oude kerkje in Pennistone. Gran had een prachtige receptie voor hen gehouden in de tuin van Pennistone Royal en haar leven als Winstons vrouw was begonnen... Het was het mooiste leven dat een vrouw zich maar kon wensen.
Emily zuchtte voldaan, bepaalde zich tot het heden, pakte haar pen

en begon te noteren wat er die middag tijdens de lunch zou worden gegeten. Toen ze klaar was stelde ze een menu op voor het diner, maar hield abrupt op toen haar iets inviel. Vanavond zouden zij en Winston met Paula en Shane naar Beaulieu rijden om in La Reserve te gaan eten. Gezellig met z'n vieren. Zonder aanhang. Dat zou een stuk rustiger zijn. En romantischer, niet te vergeten. Dat vindt Winston vast een goed idee, dacht ze, en glimlachte heimelijk.

6

'Stomkop die je bent! Ongelooflijke stomme idioot! Kijk nou eens wat je doet! Je hebt op mijn tekening gespetterd en nou is ie helemaal bedorven!' Tessa Fairley schreeuwde moord en brand terwijl ze woedend naar Lorne keek, agressieve gebaren maakte en met haar penseel in de lucht zwaaide.
'Dan moet je ook maar niet naast het zwembad gaan zitten met je ezel,' antwoordde Lorne waardig. Hij keek haar op zijn beurt boos aan. 'Zeker niet terwijl iedereen erin en eruit springt. Het is je eigen schuld dat de kleuren doorlopen. En trouwens, ik ben *geen* stomme idioot!'
'Nee, je bent hartstikke gek!' antwoordde zijn twaalf jaar oude tweelingzus prompt. Toen slaakte ze een kreet van afgrijzen. 'Niet doen, Lorne Fairley! Sta je niet zo uit te schudden! O! O! *Rotjongen* dat je bent. Nou heb je mijn andere tekeningen ook verpest. O, nu zijn ze allemaal doorgelopen! Mam! *Mammie*... zeg tegen Lorne dat ie van mijn tekeningen af moet blijven,' klaagde ze.
'Die wil ik hebben,' verkondigde Linnet rustig en graaide Tessa's grote gele zonnehoed van de stretcher bij de ezel, zette hem boven op haar felrode krullen en beende tevreden weg. Ze trok een rubber eend aan een touwtje achter zich aan en duwde steeds de hoed omhoog die over haar ogen dreigde te zakken.
'Geef onmiddellijk terug, stout kind!'
Toen haar zusje van vijf haar straal negeerde, riep Tessa tegen niemand in het bijzonder uit: 'Zag je dat? Ze pakt die hoed zonder het me te vragen. Mammie... *Mammie*... Dat kind is hartstikke verwend. Jij en pappa hebben haar bedorven. Er is geen hoop...'
'Hoor haar! Tessa, wat draaf je weer door, net als Lornie. Je praat Lornie na,' tartte Gideon Harte vanuit het zwembad, waar hij betrekkelijk veilig was.
'Ik zal me niet verwaardigen dáárop te antwoorden. Wat een belachelijke opmerking,' snoof Lorne verachtelijk, waarna hij op een

matras ging liggen, zijn *Ilias* van Homerus pakte en zich daarin verdiepte.
'Geef die hoed terug!' krijste Tessa en stampte met haar voet op de grond.
'O, doe me een lol en laat haar toch haar gang gaan,' zei een onzichtbaar iemand vermanend vanuit het zwembad, waarna het rossige, goudblonde hoofd van Toby Harte boven de rand opdook. De jongen van tien grijnsde breed naar Tessa, zijn lievelingsnichtje, waarna hij zich uit het water hees. Hij deed het voorzichtig om geen spatten op haar tekeningen te maken, want hij had geen zin zich haar woede op de hals te halen. 'Per slot van rekening is ze nog maar héél klein.'
'*Niet* waar,' sprak een gedempte stem vanonder de grote zonnehoed hem tegen.
'Wat kan het je toch schelen, Tess? Het is maar een goedkoop geval dat je in Nice op de markt hebt gekocht,' zei Toby.
'Het is geen goedkoop geval! Die hoed is hartstikke *gaaf!* En hij heeft me een hele week zakgeld gekost, Toby Harte!'
'Eigen schuld, dikke bult,' riep de achtjarige Gideon.
'Wat heb jij daar nou voor verstand van, Gideon Harte! Jij bent al net zo'n stommeling als mijn broer.'
'Ken jij geen andere *stomme* woorden dan stommeling, *stommeling?*' riep Gideon terug. Hij stak zijn tong naar haar uit.
'Rotjong! Rotjong!' schreeuwde Tessa hem toe. 'Jij bent ook hartstikke verwend!'
'Ach, hou toch je mond jullie,' vermaande Toby op verveelde toon. 'Zeg Tess, mag ik een van je ouwe Beatleplaten lenen?'
'Welke?' vroeg Tessa, meteen argwanend terwijl ze haar ogen halfdicht kneep tegen het felle zonlicht.
'*Sgt. Pepper's Lonely Hearts Club Band.*'
'O nee, die leen ik je absoluut niet uit! Dat is een... *klassieker* geworden. Toen ik hem van tante Amanda kreeg, zei ze erbij dat ie later heel, heel veel waard zou worden... Zij had hem al voordat wij werden geboren. Maar... Nou ja... voor jou wil ik wel een uitzondering maken, dus...'
'Tjé, bedankt, Tess,' onderbrak Toby haar. Zijn besproete gezicht klaarde op.
'...Je mag hem huren als je wilt. Tien pence per uur,' voltooide Tessa haar tirade. Haar stem klonk even grootmoedig als haar gezicht stond.
'*Tien pence per uur!* Dat is een woekerprijs!' sputterde Toby tegen. 'Nee, dank je wel, Tessa, ik werk er niet aan mee om van jou een kapitaliste te maken.'

'Iedereen in deze familie is kapitalist,' verklaarde Tessa zelfgenoegzaam.
'Laat maar, ik draai mijn nieuwe van de Bee Gees wel.'
'Je bekijkt het maar.'
'Tante Paula. Tante Paula... uw dochter heeft deze zomer een ontzettend scherpe tong gekregen,' riep Toby uit, terwijl hij een minachtende blik in Tessa's richting wierp.
'Mammie... Ik doe mijn broekje uit, het is helemaal nat,' riep Linnet vanonder de te grote zonnehoed.
'Snap je nu wat ik bedoel, mam?' gnoof Tessa. 'Ik ken maar één kind van vijf dat het nog in haar broek doet.'
'Niet waar! Niet waar, mammie!' protesteerde een helder stemmetje schril. De hoed werd naar achteren geschoven en Linnets verhitte gezichtje verscheen.
'Tante Paula, mag ik alsjeblieft zo'n gemberkoekje?' vroeg Natalie Harte van drie. Ze pakte er een en knabbelde eraan voordat iemand het haar had kunnen verbieden.
'Mammie! Kijk nou eens wat ze doet! Ze maakt mijn mooie zonnehoed helemaal nat. Hou op, klein kreng dat je bent! *Hou op!* Mammie, zeg dat ze dat niet mag doen. *Moeder*... je luistert niet. Als je die hoed in het zwembad gooit, vermoord ik je, Linnet O'Neill! Gideon! Pak mijn hoed! Gauw, anders zinkt ie!'
'Goed, maar dan moet je dokken.'
Tessa besteedde geen aandacht aan zijn dreigement. 'Wacht maar, ik krijg je nog wel, Linnet!' riep ze het mollige figuurtje na dat snel in de richting van de badhokjes rende.
'Moeder... *Moeder*... Wil je *alsjeblieft* tegen Tessa zeggen dat ze niet zo hysterisch moet schreeuwen? Ik krijg er een barstende koppijn van,' zei Lorne verveeld vanaf de matras waarop hij lag te lezen.
'Tante Paula, Natalie heeft *alle* gemberkoekjes opgegeten,' zei India Standish ontzet. Ze draaide zich om naar haar nichtje en voegde er op de strengste toon die een kind van zeven zich kan aanmeten aan toe: 'Je wordt er misselijk van. Ontzettend, vreselijk misselijk, en dat is net goed, kleine vreetzak.'
'Alsjeblieft, dit is voor jou, India,' zei Natalie met een veroverende glimlach terwijl ze een half chocolaatje uit de zak van haar zonnejurk viste. Ze veegde het zand eraf en gaf het aan het oudere meisje, dat haar idool was.
'Bah! Nee, dank je. Het ziet er vies uit, jakkie!'
'Tante Paula, er ligt iets verzopens onder in het zwembad,' riep Gideon terwijl hij bovenkwam om lucht te happen. Triomfantelijk hield hij de doorweekte zonnehoed omhoog.

'O nee toch! Mammie, ze heeft mijn dure hoed bedorven. *Mammie,* hoor je wel wat ik zeg!?'
'Waar? Wat is er verzopen?' wilde Patrick weten. Hij ging op zijn buik liggen, met zijn hoofd boven het water om naar beneden te kunnen kijken. 'Ik zie het niet, Gid.'
'Ik moet ernaar duiken,' legde Gideon uit, waarna hij als een soepele dolfijn weer onder water verdween.
'Is vijf pence ook genoeg voor een uur van *Sgt. Pepper's Lonely Hearts Club Band?*' vroeg Toby hoopvol sjaggerend.
'Acht pence... *misschien.*'
'Nee, dank je wel, kattekop. Je kunt ermee... de pot op!'
'O mammie, mammie, kijk eens! Een vogel. *Dood!*' riep Patrick uit.
'Ach, arm vogeltje. Begrafenis. Mogen we hem begraven?'
'Tante Paula, zeg tegen Gideon dat hij dat vieze, weerzinwekkende ding moet weggooien!' riep Jeremy Standish van elf uit. 'Het stinkt een uur in de wind, het vervuilt de lucht.'
'Nee, niet waar!' Gideon keek zijn neef nijdig aan. 'We gaan hem begraven, want dat wil Patrick graag, hè, tante Paula? Tante Paula, hoe-oe! *Tante Paula,* we mogen hem toch begraven, goed?'
'*Mammie,* mag het vogeltje begraven worden?'
'*Mammie,* ik wil een droge broek.'
'*Moeder,* kijk nou eens wat Linnet doet. Ze zwaait met haar onderbroek! Mammie. *Mammie.* MOEDER!'
'In godsnaam, Tessa, schreeuw niet zo!' riep Lorne uit. 'Als jij zo in mijn oor tettert, kan ik me niet op Homerus concentreren. Wat zal ik blij zijn als ik volgende week weer op school zit, dan ben ik bij jou uit de buurt. Je bent niet te genieten, verdomme.'
'Als vader je hoort vloeken, krijg je er van langs.'
'En wie gaat hem dat vertellen, klikspaan?'
'Ik heb je nog nooit verraden, klier die je bent.'
'Als ik een klier ben, ben jij het ook, tweelingzus!'
'Kom niet in m'n buurt met dat afschuwelijke, stinkende ding, Gideon, anders krijg je een oplawaai,' dreigde Jeremy.
'Tante Paula! Tante Paula! Natalie heeft overgegeven! Dat *zei* ik toch al!' riep India uit.
'Gideon Harte, ik *waarschuw* je. Ga weg of ik sla erop!'
'*Tante Paula,* zeg tegen Toby dat ie me moet loslaten!' gilde Gideon. 'Hij doet me pijn!'
'En dan is het *mijn* beurt,' dreigde Jeremy opeens met leedvermaak.
'Mammie, *mammie,* zeg dat de jongens niet mogen vechten,' krijste Linnet.
Paula smeet haar boek van zich af en sprong nijdig overeind. Ze be-

gon ze luid uit te foeteren, maar ze werd overstemd door een reeks eigenaardige doffe slagen die door de warme lucht echoden. Toen het geluid wegstierf, vroeg Paula: 'Wat was dat in hemelsnaam?'
'De gong,' zei Linnet.
'Gong?' herhaalde Paula perplex, terwijl het haar opviel hoe stil de kinderen opeens waren geworden. 'Welke gong, van wie?'
Lorne legde uit: 'De gong van tante Emily... Ze heeft er een gekocht...'
'Van het huis op de berg,' kwam Tessa snel tussenbeide, waarna ze haar nog steeds verbijsterde moeder vertelde: 'De oude mevrouw daar is gestorven, en twee weken geleden is alles geveild. We zijn er allemaal met tante Emily heen geweest, ze dacht dat we er misschien koopjes op de kop zouden tikken.'
'Maar we hebben alleen die gong gevonden,' zei Jeremy zachtjes.
'Mammie gebruikt hem om ons te roepen,' zei Toby. 'Eén slag betekent dat het ontbijt klaar is, bij twee slagen moeten we lunchen en bij drie moeten we binnenkomen om onze handen te wassen voor het avondeten, en...'
'En als ze zo vaak achter elkaar op de gong slaat, zoals net, betekent het dat we ervan langs krijgen,' vertelde Linnet vertrouwelijk en ze trok een grimas. 'Dan zijn we *stout* geweest. Dan hebben we iets hééł ergs gedaan.'
'Nu begrijp ik het,' zei Paula, terwijl ze het groepje kinderen eens goed opnam. Nog meer dan eerst kreeg ze de indruk dat alle kinderen, zelfs de recalcitrantste onder hen, aardig bedremmeld keken. Ze draaide zich om, want ze wilde niet laten zien dat ze moest lachen. Wat was die Emily toch vindingrijk!
'Nou, we zullen het weten,' mopperde Lorne. Hij stond op en liep weg.
'Je hebt gelijk,' beaamde Toby. 'Kom op, jongens, we smeren 'm voordat mijn moeder ons korvee geeft, of erger nog, iets bedacht heeft om ons nog nuttiger bezig te houden.'
Binnen een paar tellen waren de oudere kinderen Lorne en Toby, zoals altijd de leiders, nagerend. Ze vlogen met halsbrekende snelheid naar de trap die naar het strand onder aan de rotswand voerde. Alleen Patrick, Linnet en Natalie bleven achter bij het zwembad.

Eindelijk heerste er stilte.
Paula liet zich dankbaar in haar stoel vallen. Ze was blij dat ze eindelijk wat rust kreeg die ochtend. Ze had haar uiterste best gedaan de kinderen te negeren en had zich niet bemoeid met hun eindeloze gekibbel – dat had ze in de loop der jaren wel geleerd – tot Toby en

Gideon waren gaan vechten en het ernaar uitzag dat Jeremy zou gaan meedoen. Dat kon ze niet goed vinden. De oudste zoon van Anthony en Sally Dunvale was pas ziek geweest en het laatste dat zijn vader had gezegd, voordat hij eerder die ochtend naar Ierland was vertrokken, was dat ze ervoor moesten zorgen dat de jongen gedurende de rest van zijn verblijf niet te moe werd. Als Jeremy in Clonloughlin terugkwam en vertelde dat hij aldaar had gevochten met de andere jongens, zouden Paula en Emily dat tot uitentreure van zijn moeder moeten horen, daar was ze van overtuigd. Hun nicht Sally was overbezorgd voor haar oudste kind, de erfgenaam van de titel, de landerijen en het fortuin van de familie Dunvale.
Paula haalde eens diep adem en wilde net haar dochtertje onderhouden over het feit dat ze haar onderbroek *en plein public* had uitgetrokken, toen ze Emily haastig over het pad tussen de gazons zag aankomen.
'Hoe-oe! Hoe-oe!' riep Emily en zwaaide.
Paula zwaaide terug.
Even later wisselden de twee vrouwen veelbetekenende blikken en barstten in hartelijk lachen uit.
'Ik weet dat het ding een hoop kabaal maakt,' zei Emily, 'maar het werkt ontzettend goed.'
'En hoe,' beaamde Paula. 'Ik heb ze nog nooit zo gauw stil zien worden. Nog *nooit*. Wat een goed idee van je om dat ding te kopen.'
'Ja,' antwoordde Emily lachend, 'dat mag je wel zeggen. Lieve hemel, ze maakten zo'n herrie, het verbaast me dat je niet al een barstende pijn in je hoofd hebt. Terwijl ik in de keuken stond om met Marcel het menu te bespreken, kon ik mezelf nauwelijks horen denken.'
'Mammie, ik heb gespuugd,' vertelde Natalie terwijl ze naar Emily toe ging en aan haar jurk sjorde. 'Ik heb overgegeefd.'
'Praat niet zo kinderachtig, je bent al groot. Je moet zeggen: overgegeven,' verbeterde Emily. Ze keek fronsend neer op haar jongste spruit en legde bezorgd een hand op haar voorhoofd. 'Voel je je niet lekker? Is het nu alweer over, liefje?'
'Ik weet het niet, mammie.'
'Het komt doordat ze *alle* gemberkoekjes heeft opgegeten,' verklapte Linnet.
'Hè, Linnet, je mag niet klikken, dat weet je best!' berispte Paula haar op scherpe toon, terwijl ze haar dochter streng aankeek. 'Trouwens, jij bent vanmorgen ook heel stout geweest. Eerst heb je Tessa's zonnehoed in het zwembad gegooid en toen heb je waar iedereen bij was je onderbroekje uitgetrokken. Ik ben heel boos op je, ik schaam

me voor je, Linnet.' Paula schudde haar hoofd en deed haar best er gepast boos bij te kijken, wat niet zo goed lukte. Toch voegde ze er nog aan toe: 'Je hebt je misdragen en de enige reden dat je nog geen straf hebt gehad, is omdat ik nog een straf moet bedenken die hierbij past.'
Linnet beet op haar lip, keek bedremmeld, maar deed er wijselijk het zwijgen toe.
Emily keek van haar dochter naar haar nicht en vervolgens naar Paula. 'Waarom heb ik toch ook zo dom gedaan!' riep ze uit. 'Ik heb allebei de kinderjuffen dezelfde dag vrij gegeven, zodat ze samen naar Grasse konden gaan om parfum te kopen. En dat nog wel vandaag nota bene, de laatste kans die je hebt op een beetje rust voordat je woensdag naar New York gaat. Het spijt me, Paula.'
'Het geeft echt niet, meid.'
Emily zuchtte zachtjes en pakte Natalie bij de hand. 'Kom mee, dan gaan we naar binnen, dan zal ik je iets voor je buik geven. Ga jij ook maar mee, Linnet, voor een schone broek.'
'Dank je, Emily,' zei Paula zachtjes en installeerde zich weer in haar stoel.
'We lunchen om één uur,' zei Emily. 'En voor vanavond heb ik een tafeltje bij La Reserve gereserveerd. Alleen voor ons vieren.'
'Dat is maar goed ook!' lachte Paula. 'Wat een goed idee. Het is eeuwen geleden dat ik daar ben geweest, en het is een van mijn favoriete restaurants.'
'Ja, dat weet ik,' antwoordde Emily vergenoegd en draaide zich om. Ze had een paar stappen gedaan toen ze over haar schouder tegen Paula zei: 'O ja, voor ik het vergeet, ik moet vanmiddag naar Monte Carlo om bij mijn antiquair een porseleinen bord op te halen dat hij voor me heeft gerepareerd. Heb je zin om met me mee te rijden? Ik ben zó klaar bij Jules, dan kunnen we daarna wat door de stad wandelen en theedrinken in Hôtel de Paris... Mensen kijken, net als vroeger met Gran.'
'Wat een leuk idee, Emily. Ja, ik ga graag mee.'
Emily lachte haar stralend toe, waarna ze haar pupillen voor zich uit duwde en zich naar hen overboog terwijl ze al pratend naar de villa liep.
Paula keek het drietal na terwijl ze het pad af liepen, de twee meisjes ieder aan een kant van Emily, hangend aan haar arm. Linnet en Natalie leken sprekend op elkaar en ze konden gemakkelijk voor zusjes doorgaan. Ze hadden immers beiden de beroemde Harte-kenmerken geërfd: Emma's rode haar, levendige, groene ogen en gave perzikhuid. Het waren beeldschone kinderen, echt waar. Net Botticelli's.

Patrick kwam bij Paula's stoel staan, raakte haar arm aan en keek haar indringend aan. 'Mammie...'
'Wat is er, liefje?'
'Mammie... dat arme vogeltje. Gid heeft 'm meegenomen. Geen begrafenis.' Het kind schudde bedroefd zijn hoofd.
'Natuurlijk gaan we hem begraven,' zei Paula vriendelijk. Ze nam zijn kleine, groezelige handje in haar hand en keek naar zijn engelachtige gezichtje. Zijn donkere O'Neill-ogen stonden helder en levendig, in plaats van uitdrukkingsloos en leeg, zoals zo vaak. Het deed haar goed dat ze hem vandaag zo alert meemaakte.
Ze glimlachte haar zoon geruststellend toe. 'Ik weet zeker dat Gideon het vogeltje mee terugneemt. We zullen madame Solange vragen of ze een oud blikje heeft om het vogeltje in te doen. Na de lunch is de begrafenis. Ik beloof het, liefje.'
Patrick hield zijn hoofd een beetje scheef en nam haar aandachtig op. 'Begraven in de tuin?' vroeg hij met een trage, aarzelende glimlach.
'Ja, precies, dat doen we. O, Patrick, kijk eens wie daar aankomt!'
Patrick keek om en toen hij Shane zag komen klaarde zijn gezicht op. Hij maakte zijn hand los uit die van zijn moeder en rende op zijn vader af.
Paula riep hem bezorgd na: 'Patrick, voorzichtig, anders val je!'
Patrick gaf geen antwoord. Hij rende zo snel als zijn korte beentjes hem konden dragen. 'Pappa! Pappa!' riep hij.
Shane ving zijn zoon op en zwaaide hem hoog in de lucht. Daarna zette hij hem op zijn schouders. Vrolijk lachend renden ze samen naar het zwembad, terwijl Patrick riep: 'Hop, hop, paardje, in galop!'
'Ik neem hem mee het water in, goed, lieveling?' riep Shane. Hij bukte zich en zette Patrick voorzichtig op de grond.
'Ja, natuurlijk!' riep Paula terug.
Ze ging wat rechterop zitten zodat ze hen beter kon zien, terwijl ze een hand beschermend boven haar ogen hield.
Shane sprong in het ondiepe, met Patrick stevig in zijn armen, en meteen begonnen ze te ravotten, lachend en roepend. Patricks gezicht straalde van opwinding en blijdschap, hetzelfde gold voor Shane.
Zo van een afstand was haar zoon net als alle andere, normale kinderen van zeven; het probleem was dat hij altijd de geest van een zevenjarige zou houden. Zijn lichaam zou groeien en ouder worden, maar zijn geestelijke vermogens zouden de rest van zijn leven blijven zoals ze nu waren. Hij zou nooit anders worden, die hoop hadden ze laten

varen. Toen ze pas hadden ontdekt dat Patrick achterlijk was, had Paula zich verwijten gemaakt omdat ze geloofde dat ze een afwijking in haar genen bij zich droeg die ze van haar grootvader had geërfd. Paul McGill had een zoon gehad bij zijn wettige echtgenote, Constance, in Australië; de jongen, Harry – die alweer enkele jaren dood was – was ook achterlijk geweest. Ze was er zo van overtuigd geweest dat dit de oorzaak was, dat ze tegen Shane had gezegd dat ze niet nog een kind durfde te krijgen. Shane echter had haar theorie direct weggewuifd en hij had erop aangedrongen dat ze naar professor Charles Hallingby gingen, een vooraanstaand geneticus.
Ze hadden beiden tests ondergaan en de resultaten hadden afdoende bewezen dat zij noch Shane een gebrek aan hun zoon had meegegeven. Patricks aandoening was onverklaarbaar, eenvoudigweg een speling van de natuur. Professor Hallingby had, nadat hij hun familiegeschiedenissen had bestudeerd, Paula uitgelegd dat de zoon van haar grootvader wellicht al voor zijn geboorte schade had opgelopen doordat Constance McGill tijdens haar zwangerschap een zware drinkster was geweest. Ook haar moeder, Daisy, had haar talloze malen op die mogelijkheid gewezen. Uiteindelijk had ze moeten toegeven dat de professor en haar moeder misschien gelijk hadden. Het sprak vanzelf dat het oordeel van professor Hallingby haar enigszins gerust had gesteld. Kort daarna was ze weer zwanger geworden, en Linnet bleek een volkomen normaal kind te zijn.
Paula hield van al haar kinderen evenveel en ze probeerde geen van hen voor te trekken, maar heel diep in haar hart wist ze dat Patrick een speciaal plekje innam en dat ze voor hem iets heel bijzonders voelde. Haar liefde voor haar gehandicapte kind had iets fels, misschien gedeeltelijk juist vanwege die handicap die hem zo kwetsbaar en afhankelijk maakte.
Zijn leeftijdgenootjes in de familie hielden veel van hem en waren heel voorzichtig met hem, waarvoor Paula diep dankbaar was. Vaak overpeinsde ze dat het hartverscheurend zou zijn geweest als ze hem hadden veracht of gemeden, wat wel eens voorkwam in een gezin met een achterlijk kind. Maar Lorne, Tessa en zelfs de kleine Linnet namen Patrick evenzeer in bescherming als zij en Shane, eigenlijk net zoals zijn vele neefjes en nichtjes. Geen enkel kind in de familie had Patrick ooit het gevoel gegeven dat hij 'anders' was. Het was diep treurig dat haar kleine Patrick niet normaal was, dat hij een handicap had. Maar Paula zag heel goed dat zijn zachtmoedigheid en zijn innemendheid veel dingen goedmaakten en dat hij daardoor een dierbaar familielid was. Eén ding was zeker: hij bracht het beste in hen allen naar boven.

Een gehandicapt kind is als een beurse plek in het hart; de pijn gaat nooit helemaal over, dacht Paula opeens. Ze zuchtte zachtjes en bleef heel stil zitten. Ze probeerde haar droefheid weg te duwen en bleef kijken naar die twee donkere hoofden die in het water dartelden. Haar man, haar zoon. O, wat hield ze veel van hen beiden, met een liefde die haar soms beklemde.
Het deed haar goed te zien hoe ze van het waterballet genoten. Shane kon heel voorzichtig en behoedzaam met Patrick omspringen, maar hij kon ook, zoals nu, stevig met hem stoeien. Uit de vreugdekreten en de enthousiaste geluiden kon ze opmaken dat het jongetje het prachtig vond om met de vader die hij aanbad rond te spetteren. Een geluksgevoel doorstroomde haar en verdrong het verdriet van enkele ogenblikken daarvoor.
Paula leunde achterover en deed haar ogen dicht. Ze voelde zich tevreden en rustig, maar ze keek bijna onmiddellijk weer op en rechtte haar rug toen ze Winstons stem hoorde.
Hij kwam aanlopen met een groot blad met plastic bekers. Achter hem aan volgde gedwee zijn neefje Giles Standish, de tweede zoon van zijn zuster Sally, de gravin van Dunvale. Giles droeg een grote kan limonade behoedzaam in beide handen.
'Bonjour, tante Paula. Voilà! Ici citron pressé pour toi,' zei de negen jaar oude Giles, pronkend met zijn beetje Frans, zoals hij de hele zomer al deed. Hij kreeg extra lessen en sprak de taal zodra hij de kans kreeg, tot grote ergernis van de andere kinderen, die nog niet zulke vorderingen hadden gemaakt. Hun voortdurende geplaag deed hem echter niets; hij was onafhankelijk van aard, zodat hij er geen aandacht aan schonk en doorging met zijn Frans te spuien wanneer hem dat zinde.
Giles zette de kan op een van de tafeltjes in de schaduw, waarna hij beleefd opzij ging voor zijn oom.
'Wat ziet dat er lekker uit, Giles, jongen,' zei Paula. 'Net wat ik nodig heb, want ik ben uitgedroogd door de warmte. Zijn je ouders al weg?'
'Ja, maar het was ontzettend druk op de luchthaven in Nice, hè, oom Winston?' zei Giles, die overstapte op Engels.
'Het was verrekte druk, Paula,' bevestigde Winston terwijl hij limonade in een hoog glas schonk en haar dat aanreikte. 'Een grote chaos. Ik heb nog nooit zoveel mensen bij elkaar gezien. Sally en Anthony waren blij dat ze met Shanes privé-toestel reisden. Ik moet zeggen, dat vliegtuig is een zegen gebleken. Ik vind het een rustige gedachte dat Emily en ik eind van de week op die manier onze horde naar huis kunnen brengen. En, Giles, wil je ook een glas?'

'Nee, dank u.' Giles keek om zich heen. 'Waar zijn Jeremy en India, tante Paula?'
'Ik geloof dat je broer en zus naar het strand zijn gedeserteerd. Met de rest van het stel.'
'Hoi! Ik wil wedden dat ze aan het vissen zijn, of dat ze bezig zijn *oursins* te zoeken. Ik ga er ook heen!' riep Giles opgewonden uit. 'Wilt u me excuseren, tante Paula, oom Winston,' en met die woorden ging hij ervandoor. Hij sprong met grote stappen over het gras, op weg naar de hoge trap.
Winston keek hem na en zei tegen Paula: 'Dat jong heeft de beste manieren van het hele stel. Als sommigen – die van mij in het bijzonder – een klein beetje van hem zouden overnemen, zou ik het al prachtig vinden.' Hij ging zitten, nam een grote teug limonade en vervolgde: 'Emily vertelde dat ze daarnet ontstellend vervelend waren.'
'Het liep inderdaad een beetje uit de hand, Winston. Maar Emily maakte een eind aan het gekibbel met de gong, en dat werkte voortreffelijk.' Ze keek haar neef van opzij aan en begon zachtjes te lachen. 'Echt iets voor Emily om zoiets te bedenken. Maar het heeft effect. Ik wou dat ik net zo goed met ze kon omspringen als zij.'
Winston glimlachte breed. 'Wie zou dat niet graag willen?'

7

'Ik ben dol op die ouderwetse hotels, vooral als ze in de stijl van *la belle époque* zijn ingericht, met een beetje pracht en praal,' zei Emily tegen Paula toen ze later die middag de Place Casino in Monte Carlo op liepen. 'Je weet wel, net als het Hôtel de Paris hier, het Negresco in Nice, het Ritz in Parijs en het Impérial in Wenen.'
'Om het Grand in Scarborough niet te vergeten,' zei Paula lachend terwijl ze gezellig haar arm door die van Emily stak. 'Ik weet nog goed hoe graag je daar vroeger kwam. Je zeurde me aldoor aan mijn hoofd of ik er met je ging theedrinken. Je kon niet wachten om je mond vol te proppen met komkommersandwiches, soezen en scones met aardbeienjam en slagroom,' plaagde ze. Haar violetblauwe ogen sprankelden.
Emily rilde bij de herinnering en trok een vies gezicht. 'Lieve god, al die dingen waar ik zo dik van word! Geen wonder dat ik sinds die tijd zoveel moeite moet doen om mijn gewicht binnen de perken te houden. Ik heb als kind te veel gesnoept!' Ze glimlachte naar Paula. 'Je had het nooit mogen goedvinden dat ik zoveel at!'

'Hoe had ik je dan moeten tegenhouden? Ik deed mijn best om je bij het Grand Hotel uit de buurt te houden, met allerlei listen. Ik deed soms zelfs wel eens alsof ik geen geld bij me had. Maar je had altijd overal een oplossing voor, zelfs daarvoor... "Zet maar een krabbel op de rekening, net als oma," zei je dan tegen me. Je was een zeer ondernemend kind, weet je.'
'Net als jij.'
Ze stonden allebei op precies hetzelfde moment stil en keerden zich werktuiglijk naar elkaar toe. Ze glimlachten, terugdenkend aan die zorgeloze, gelukkige tijd toen ze samen opgroeiden in Yorkshire en Londen. Er viel een korte, kameraadschappelijke stilte, die Emily verbrak door te zeggen: 'We hebben toch maar geboft, hè, Paula? We hebben zo'n heerlijke jeugd gehad, vooral toen we met onze Gran samen waren.'
'Ja, dat was de beste tijd,' beaamde Paula. 'En zij was de beste.'
Ze liepen weer verder, elk in hun eigen gedachten verzonken. Ze staken het sfeervolle plein over, in de richting van het Hôtel de Paris dat in de verste hoek lag, tegenover het vermaarde Casino van Monte Carlo.
Het was een prachtige middag; het zonlicht viel gefilterd door de bomen terwijl zachte, witte wolken langs de blauwe hemel dreven; er stond een frisse wind van zee, die de rokken van hun zomerjurken deed opwaaien en opbollen als bloemkelken. De witte zeilen van de boten die in de haven lagen, vingen de bries op en de bonte vlaggetjes aan de masten dansten en wapperden vrolijk.
Emily had hen na een gezamenlijke lunch op het terras van de villa in haar poederblauwe Jaguar naar Monte Carlo gereden. Na de lunch hadden ze de dode vogel in de tuin begraven, een plechtigheid die iedereen had bijgewoond, wat Patrick tot grote tevredenheid stemde. In het prinsdom Monaco hadden ze de auto geparkeerd en waren naar Jules et Cie gegaan, de antiekwinkel waar Emily vaak oud porselein kocht, om een Limoges-bord op te halen dat Jules voor haar had gerepareerd. De charmante oude man had een heel verhaal verteld over antiek porselein en glas, en hij had hun zijn privéverzameling van zeldzame stukken laten zien. Ze hadden nog wat rondgesnuffeld bij de antiquair, waarna ze een wandeling door de belangrijkste straten hadden gemaakt om de etalages te bekijken. Nu waren ze op weg naar het beroemde hotel om thee te gaan drinken.
'Het is ongelooflijk chic, misschien iets te overdadig, maar ik vind het onweerstaanbaar,' zei Emily. Ze stonden even stil voor het Hôtel de Paris en keken naar de gevel. Emily begon zachtjes bij zichzelf te lachen terwijl ze de traptreden op liepen. Bijna onmiddellijk ver-

stomde haar lach. Ze greep Paula zo stevig bij haar arm dat haar nichtjes gezicht van pijn vertrok. Paula volgde haar blik.
Er kwam een lange vrouw de trap af, met een bos vlammend rood haar en elegant gekleed, op een manier die onmiskenbaar Frans was. Ze droeg een witzijden japon, zeer chic en strak aansluitend, met een zwartzijden roos op elke schouder, zwart met witte hooggehakte schoenen, een bijpassende tas en witte handschoenen. Een breedgerande zwarte strohoed completeerde het geheel. Ze had een meisje van een jaar of drie bij de hand, dat ook helemaal in het wit gekleed ging en dat hetzelfde felrode haar had. De vrouw boog zich naar het kind toe om iets tegen haar te zeggen; ze had hen nog niet gezien.
'God allemachtig! Dat is Sarah!' Emily slaakte een gesmoorde kreet en kneep Paula nogmaals in haar arm.
Paula's adem stokte haar in de keel, maar ze kreeg niet de kans om te reageren, terwijl zij en Emily ook niet meer konden omdraaien en weglopen.
Een fractie van een seconde later was hun nicht op gelijke hoogte met hen. De drie vrouwen stonden op dezelfde traptree elkaar aan te staren. Ze waren zo verbijsterd dat ze geen woord konden uitbrengen en bleven als aan de grond genageld staan.
Paula verbrak als eerste de pijnlijke stilte.
'Hallo, Sarah,' zei ze heel rustig en met zachte stem. 'Je ziet er goed uit.' Ze zweeg en haalde eens diep adem. 'En dat is zeker je dochtertje... Chloe, nietwaar?' Ze lachte gedwongen en keek neer op het kind, dat haar met opgeheven gezichtje ernstig en nieuwsgierig aanstaarde. Toen Paula haar eens goed bestudeerde, zag ze dat dit een echte afstammelinge van Emma Harte was.
Sarah had haar evenwicht hervonden en wierp Paula een vernietigende blik toe. 'Hoe durf je mij aan te spreken!' riep ze uit. Ze deed geen enkele moeite om haar vijandigheid en afkeer te verbergen. 'Hoe durf *jij* een vriendelijk gebaar naar mij te maken.' Ze boog zich dichter naar Paula en siste haar toe: 'Wat een lef, verdomme, om te doen alsof er niets tussen ons is voorgevallen, Paula O'Neill. En dat na wat je mij hebt aangedaan, kreng dat je bent!'
De onverholen haat op Sarah's gezicht en haar dreigende houding maakten dat Paula geschokt en misnoegd terugdeinsde.
'Blijf maar uit mijn buurt!' riep Sarah uit. Haar gezicht was dieprood aangelopen. Ze stikte bijna van woede en haar stem klonk onnodig luid en schril. 'En jij ook, Emily Harte, jij bent geen haar beter dan zij,' zei ze schamper terwijl haar vuurrode lippen zich verachtelijk naar beneden krulden. 'Jullie tweeën hebben grootmoeder tegen mij opgezet, en daarna hebben jullie me afgetroggeld wat me rech-

tens toekwam! *Dieveggen,* dat zijn jullie! Schiet op, ga opzij! Allebei!'
Sarah pakte het kind steviger bij de hand en drong zich tussen Paula en Emily door, zo dat Paula bijna viel. Hooghartig schreed ze de resterende treetjes af, zonder één keer om te kijken. Het meisje had moeite haar moeder bij te houden en struikelde bijna. Ze riep uit: *'Maman, maman, attendez!'*
Paula was ondanks de warmte verkild, terwijl ze een akelig gevoel in haar buik had gekregen. Even stond ze als verlamd en kon geen voet verzetten. Toen merkte ze opeens dat Emily haar weer bij de hand pakte.
'Pfff!' zei Emily. 'Wat afschuwelijk. Ze is nog niets veranderd, hè?'
'Nee, nog niets,' beaamde Paula. Ze vermande zich. 'Laten we gauw naar binnen gaan, Emily. De mensen kijken naar ons.' Paula maakte zich los en snelde de trap op, het hotel binnen, om afstand te scheppen tussen zichzelf en de voorbijgangers die getuige waren geweest van de scène. Ze voelde zich vernederd en trilde inwendig nog.
Emily rende haar na en trof haar nicht in de lounge aan, terwijl ze haar best deed haar kalmte te herwinnen. Ze stak haar arm door die van Paula en trok haar verder mee het hotel in. 'Gelukkig kenden we de mensen niet die stonden te luisteren en zich stonden te vergapen, liefje. Zet het van je af. Kom, laten we een lekker kopje thee gaan drinken, dat zal ons goed doen.'
Toen ze eenmaal aan een tafeltje zaten in een rustig hoekje van de uitgestrekte lounge, zich hadden geïnstalleerd en een pot thee hadden besteld, leunde Emily achterover en slaakte een diepe zucht. 'Wat een akelige scène was dat,' zei ze.
'Ja. Onverkwikkelijk. En gênant. Ik kon mijn oren nauwelijks geloven toen ze ons als een viswijf begon uit te schelden, om nog maar te zwijgen van de vreselijke dingen die ze zei.'
Emily knikte en keek Paula onderzoekend aan. 'Waarom sprak je haar eigenlijk aan?'
'Ik wist niet wat ik anders moest doen. We stonden oog in oog. Het was een pijnlijke situatie, dat weet je toch, Emily,' antwoordde Paula en zweeg. Haar gezicht nam een bespiegelende uitdrukking aan en ze schudde langzaam haar hoofd. 'Ik denk dat ik altijd een beetje medelijden met Sarah heb gehad. Ze was nu eenmaal Jonathans marionet, en in zekere zin zijn slachtoffer. Hij heeft haar erin laten lopen, hij heeft haar gebruikt en haar geld afgetroggeld. Ik heb haar eigenlijk nooit als een slechte vrouw beschouwd, ik vond haar alleen maar dom.'
'Ik ben het met je eens – tenminste, ik vind haar dom, maar ik heb

geen medelijden met haar, dat zou jij ook niet moeten hebben!' riep Emily uit. Ze boog zich over tafel en vervolgde: 'Hoor eens, Paula, jij bent veel te aardig. Jij probeert altijd eerlijk te zijn en genuanceerd te denken. Dat is natuurlijk prima als je te maken hebt met mensen die je medeleven waard zijn, maar dat zie ik bij Sarah niet zo. Of ze nu dom was of niet, ze wist dat het verkeerd was om Jonathan te steunen door hem geld te geven voor zijn privé-onderneming. Dat ging werkelijk tegen het belang van Harte Enterprises en tegen dat van de familie in.'
'Ja, je hebt gelijk,' erkende Paula. 'Maar toch vind ik dat ze in sommige opzichten eigenlijk alleen maar dom is geweest en ik weet zeker dat Jonathan haar zand in de ogen heeft gestrooid.'
Emily antwoordde: 'Misschien.' Ze leunde achterover, sloeg haar benen over elkaar en vervolgde: 'Vind je het niet vreemd dat we Sarah niet eerder tegen het lijf zijn gelopen? Per slot van rekening woont ze al een jaar of vijf aan de zuidkust, in de buurt van Cannes, volgens dat verhaal in *Paris Match*. Mougins ligt hier niet ver vandaan.'
Paula zweeg. Even later keek ze Emily strak aan en zei zachtjes: 'Wat ook vreemd is, is dat Michael Kallinski voor het eerst sinds jaren op vrijdag over Sarah en Jonathan begon en...'
'Waarom?' onderbrak Emily haar autoritair.
'Zomaar, hij was alleen nieuwsgierig. We hadden het over Lady Hamilton Clothes gehad, dat vertelde ik je gisteren al, dus ik denk dat het voor de hand lag dat hij informeerde waar Sarah uithing. Maar toch...' Paula maakte haar zin niet af en schudde haar hoofd.
'Maar toch?' drong Emily aan.
'Ik dacht alleen dat het telepathie was dat hij het over hen had.' Paula lachte eigenaardig en een beetje nerveus. Ze keek Emily veelbetekenend aan.
'Dat was het zeker! Ik hoop trouwens vurig dat we Jonathan niet tegen het lijf lopen. Ik weet niet zeker of ik een confrontatie met hem zo rustig overleef als die met Sarah.'
'Ik zou het zeker niet kunnen.' Paula huiverde onwillekeurig; de haren in haar nek gingen overeind staan en ze kreeg kippevel op haar armen. Ze leunde achterover in haar stoel en kauwde op haar onderlip. Ze wou dat het haar koud liet dat Jonathans naam ter sprake was gekomen.
Gelukkig kwam op dat moment de ober met een vol blad aanzetten. Paula was blij met de afleiding terwijl hij kopjes en schoteltjes voor hen op tafel neerzette en in rad Frans tegen Emily sprak, die hij kennelijk vaker had gezien. Paula bedankte voor de vele verrukkelijke lekkernijen die haar werden voorgehouden en keek steels naar Emily,

zich afvragend of haar nicht voor de verleiding zou bezwijken. Emily keek verlangend naar de gebakjes, maar ook zij schudde haar hoofd. Terwijl Paula de thee inschonk, zei ze: 'En dan te bedenken dat ik van allemaal één had willen hebben. Ik had een hele maaltijd kunnen doen met chocoladesoezen en tompoezen, maar je zag dat ik sterk was. En dat allemaal om een goed figuur te houden. En voor Winston! Hij ziet me liever slank, en daarom heb ik een ijzeren wil ontwikkeld als het gaat om akelige dikmakende dingen zoals roomsoezen. Je mag wel heel trots op me zijn,' besloot ze terwijl er een onweerstaanbare lach bij haar opborrelde.
'Winston mag zeker ook trots op je zijn,' antwoordde Paula met haar meelachend. Hun vrolijkheid verdreef de nare smaak van de scène met Sarah, waar ze in gedachten nog steeds mee bezig waren geweest. Hun stemming sloeg om en werd weer gewoon. Bijna meteen begonnen ze over de paar dagen die ze de maand daarop in Hongkong wilden doorbrengen en ze maakten daar afspraken over. Op een gegeven moment, tussen twee slokjes thee in, zei Paula: 'Jij en Shane hebben gelijk, Emily, ik geloof dat ik Madelana meeneem naar Australië.'
'O, wat fijn dat je het met ons eens bent, kindje. Als die boetieks werkelijk zo'n chaos zijn, kan ze een grote steun zijn.'
'Ja, dat is zo, en volgens mij zal ze het enig vinden om mee te gaan, denk je ook niet?'
'Wie niet? Het is een prachtige reis, en voor jou doet ze alles.'
'Inderdaad. Het was een slimme gedachte van me om haar een jaar geleden tot mijn assistente te promoveren. Ze is van onschatbare waarde gebleken.' Paula keek op haar horloge. 'Het is vijf uur... Elf uur 's ochtends in New York. Ik zal haar straks opbellen en vertellen dat ik wil dat ze met me meekomt. Ze zal deze week haar handen vol hebben om schoon schip te maken als ze zaterdag mee moet kunnen, dus hoe eerder ze het weet, hoe beter.'
'Je kunt haar van hieruit bellen, als je wilt, Paula,' opperde Emily, die nooit tijd verspilde als ze dat kon voorkomen.
'Nee, nee, dat komt nog wel. Ik doe het wel als we terug zijn op Faviola. Door het tijdsverschil van zes uur heb ik speling genoeg.'
Emily knikte, waarna ze schijnbaar zonder enige samenhang opmerkte: 'Ik wil er iets onder verwedden dat die jurk die ze aan had een echte Givenchy was.'
'Daar twijfel ik niet aan. Sarah kleedde zich altijd met flair.'
'Mmm.' Emily zat peinzend enkele ogenblikken in de verte te staren. Ten slotte vroeg ze Paula: 'Denk jij dat ze nog wel eens iets van Jonathan hoort?'

'Ik heb geen flauw idee.'
'Wat zou er van hem geworden zijn, Paula? Waar woont hij?' vroeg Emily zachtjes, alsof ze hardop zat te denken.
'Ik wil het niet eens weten. Ik praat ook liever niet over hem, als je het niet erg vindt, Emily. Je weet heel goed dat Jonathan Ainsley niet mijn favoriete gespreksonderwerp is,' antwoordde Paula op scherpe toon.
'Ach, sorry, liefje,' antwoordde Emily. Ze had er opeens spijt van dat ze weer over hun neef en nicht was begonnen. Gauw sneed ze een ander onderwerp aan. 'Ik zal eens even betalen, dan kunnen we naar huis en kun jij Madelana in New York bellen.'
'Goed, laten we maar opstappen,' stemde Paula in.

8

Ze was zo'n vrouw waar mannen nog eens naar omkijken. Vrouwen trouwens ook.
Niet dat Madelana O'Shea nu zo'n schoonheid was. Dat was ze niet. Maar ze had wat de Fransen noemen *je ne sais quoi,* dat ondefinieerbare 'iets' waardoor ze opviel en overal waar ze kwam de aandacht trok.
Vanavond was dat al niet anders. Ze stond voor het warenhuis Harte aan Fifth Avenue geduldig te wachten op de taxi die ze net vanuit haar kantoor had besteld. Het was donderdagavond acht uur en het warenhuis was nog open. Iedereen die zich naar binnen of naar buiten haastte wierp haar een tersluikse blik toe, zich afvragend wie ze was, want ze had stijl en haar houding had iets koninklijks.
Madelana was een lange, jonge vrouw van ongeveer één meter vijfenzeventig, ze was slank en had een rank figuur, met lange, goed gevormde benen. Haar volle, kastanjebruine haar dat haar hartvormige gezicht omlijstte droeg ze los tot op haar schouders. Haar gezicht was iets te mager om knap genoemd te kunnen worden, maar het gladde voorhoofd en de hoge, wat scheefstaande, messcherpe jukbeenderen gaven haar iets van een raspaardje, wat nog werd geaccentueerd door de fijnbesneden, aristocratische neus, die licht besproet was. Ze had een brede, Ierse mond met een volle, enigszins sensuele onderlip, en een innemende glimlach die haar gezicht iets stralends gaf. Maar het waren vooral haar ogen die boeiden en opvielen. Ze waren groot en stonden ver uit elkaar, terwijl ze de ongewone grijze tint hadden van doorzichtig kwarts; de fraaie, lichte kleur werd nog benadrukt door de delicaat gebogen wenkbrauwen. Het waren zeer intelligente ogen,

waaruit een vastberadenheid sprak die soms op een staalharde wil wees, maar het waren ook ogen van iemand die graag lachte en misschien wat roekeloos kon zijn.
Madelana kleedde zich met flair en alles stond haar even goed, wat ze ook aantrok. Ze gaf haar kleding een zeker cachet, bijvoorbeeld door de manier waarop ze een sjaaltje droeg, de rand van een hoed neersloeg, een lap oosterse zijde op unieke wijze om haar hoofd knoopte of een snoer antieke kralen om haar lange, slanke hals wond. Juist die persoonlijke noot in combinatie met haar veulenachtige uiterlijk gaf haar verschijning een zekere allure die boeide.
Het was een drukkende avond, zo vochtig als het alleen midden in de zomer in New York kan zijn. Alle mensen maakten een vermoeide en verlepte indruk door de warmte terwijl ze langs Fifth Avenue zwoegden of aan de rand van het trottoir stonden, zoekend naar een gele taxi of wachtend tot ze konden oversteken.
Dat gold niet voor Madelana O'Shea. Haar nauw aansluitende, crèmekleurige zijden tuniek, met de eenvoudige halslijn en driekwart mouwen, die ze op een rechte zwartzijden rok droeg, zag er even fris uit als toen ze die ochtend naar haar werk was gegaan. Ondanks de warmte maakte ze een koele indruk, even elegant als altijd.
De wijnrode taxi stopte voor het warenhuis. Ze haastte zich erheen met een gemak en een lichtvoetigheid die ze had overgehouden aan de ballet- en tapdanslessen in haar jeugd. Ze bewoog zich soepel en met grote gratie, als van een danseres, en ook dat maakte deel uit van haar aantrekkingskracht.
Nadat ze het portier van de taxi had opengemaakt, zette ze de grote tas van Harte op de bank en ging ernaast zitten.
'West Twenty-fourth Street, mevrouw?' zei de chauffeur terwijl hij zich in het verkeer op Fifth voegde.
'Ja, halverwege tussen Seventh en Eighth, alstublieft.'
'Komt in orde, mevrouw.'
Madelana leunde achterover, met haar handen op haar zwarte handtas die ze op schoot had. In gedachten was ze druk bezig, zoals bijna altijd, waar ze ook was, wat ze ook aan het doen was.
Sinds maandagmiddag, toen Paula haar uit Zuid-Frankrijk had gebeld om te zeggen dat ze zou meegaan naar Australië, had ze het gevoel alsof ze aan een marathon meedeed. Ze had het werk dat ze onder handen had moeten afronden, ze had haar zakelijke besprekingen voor de weken daarop moeten afzeggen, evenals de schaarse privé-afspraken die ze had gemaakt, en ze moest de goede kleren en accessoires voor de reis bij elkaar zoeken.
Paula was woensdagochtend vroeg in New York aangekomen, met

de Concorde, en rechtstreeks naar het warenhuis gegaan. Samen hadden ze twee dagen aan één stuk door keihard gewerkt, maar ze hadden dan ook wonderen verricht. Morgen zou een betrekkelijk gewone werkdag zijn, waarna ze zaterdag de eerste etappe van hun trip zouden afleggen. Vanavond zou ze de dossiers die ze in de winkeltas had gestouwd doornemen en afhandelen en morgen zou ze haar koffers pakken.

Ik heb alles goed geregeld, dacht Madelana plotseling opgelucht. Ze knikte tevreden in zichzelf. Toen ze naar buiten keek ontging haar grotendeels de bonte mengeling van glamour en smerigheid op Times Square, met de drugshandelaars, de scharrelaars, de verslaafden, de verkopers, de rechercheurs in burger en de hoertjes in spe. Terwijl de taxi snel door dit stukje schreeuwerige en rommelige stad reed op weg naar Chelsea, hield ze zich in gedachten bezig met de reis naar de andere kant van de wereld.

Ze zouden eerst naar Sydney gaan, daarna naar Melbourne en misschien zelfs nog naar Adelaide, voordat ze naar Sydney zouden terugkeren om daar de langste tijd van hun verblijf door te brengen. Uit wat Paula haar had verteld, had ze begrepen dat er veel werk te doen was en het zouden razend drukke weken worden. Maar dat vooruitzicht bracht haar niet uit haar evenwicht. Zij en Paula O'Neill konden uitstekend samenwerken, ze schenen elkaar van meet af aan te begrijpen en ze pasten goed bij elkaar.

Niet voor het eerst bedacht ze hoe vreemd het was dat zij, een arm, Iers-Amerikaans, katholiek meisje uit het Zuiden en een aristocratische Engelse, erfgename van een van 's werelds grootste fortuinen en een bekend internationaal zakenvrouw, in zovele opzichten zo op elkaar leken. Ze waren beiden als het ware verslaafd aan werken en beschikten over een tomeloze energie; ze waren perfectionistisch, gedisciplineerd, toegewijd en gedreven, en ze konden bijzonder goed organiseren. Als gevolg daarvan werkten ze elkaar niet op de zenuwen en ook hadden ze geen problemen met elkaar, want ze schenen altijd op dezelfde golflengte te zitten. Het is net alsof je met Fred Astaire of Gene Kelly danste, dacht ze inwendig glimlachend om haar vergelijking.

In het jaar dat ze nu Paula's assistente was, had ze nog nooit een fout gemaakt, en dat wilde ze zo houden, vooral tijdens deze reis naar Australië. Paula was de sleutel tot haar toekomst. Het doel dat ze voor ogen had, was om ooit president-directeur te worden van Harte New York, en met Paula's hulp zou ze dat doel bereiken.

Ambitie. Ze was vreselijk ambitieus, dat wist ze maar al te goed, en daar had ze vrede mee. Ze beschouwde dat als een punt in haar voor-

deel, niet in haar nadeel. Door haar gedrevenheid had ze bereikt wat ze nu was. Haar vader had wel eens geklaagd dat ze té ambitieus was, maar haar moeder had alleen maar lief geglimlacht, terwijl ze haar achter zijn rug een knipoog had gegeven en haar moederlijk goedkeurend had toegeknikt. Ze had Madelana zo vaak ze kon aangemoedigd.
Ze wou dat haar ouders nog leefden. En haar zusje, Kerry Anne, die was gestorven toen ze vier was. En Joe en Lonnie, haar twee broers die in Vietnam waren gesneuveld. Ze miste hen vreselijk, evenals haar zusje en haar ouders, en ze had wel eens het gevoel dat ze geen thuis had, geen rustpunt in haar leven, nu ze haar allemaal waren ontvallen. Ze hadden een hecht gezin gevormd en waren dol op elkaar geweest. Als ze terugdacht aan de mensen die ze de afgelopen paar jaar had verloren en haar verdriet om hen, werd het haar droef te moede. Vastberaden verdrong ze de pijn.
Madelana haalde een paar keer diep adem om zichzelf en haar gevoelens weer in de hand te krijgen, zoals ze zichzelf had aangeleerd nadat haar vader vier jaar terug was begraven. Pas toen hij in zijn graf lag, overviel haar een gevoel van diepe eenzaamheid en pas toen drong het echt tot haar door dat ze niemand meer over had, op tante Agnes na, de zuster van haar vader, die in Californië woonde en die ze nauwelijks kende.
De taxi stopte voor Residence Jeanne d'Arc. Ze nam het bonnetje van de chauffeur in ontvangst, zei hem gedag, pakte haar tassen en stapte uit. Snel rende ze de trap op en het gebouw in.
Zodra ze naar binnen liep, ontspande Madelana zich. Dit gebouw was haar zo vertrouwd, het leek haar te verwelkomen... Ze had hier een kamer gehad toen ze pas in New York woonde en ze was er drie jaar gebleven. Ze beschouwde dit nog steeds als haar thuis, ofschoon ze inmiddels een eigen flatje had in de buurt van East Eighthy Street.
Ze liep de kleine hal door en sloeg rechtsaf, op weg naar het kantoor.
'Hallo, zuster Mairéad,' zei Madelana tegen de non die achter de balie zat en die avond dienst had. 'Hoe gaat het met u?'
'Nee maar, Madelana, wat leuk dat je er bent. Met mij gaat het prima, uitstekend zelfs,' antwoordde de non. Ze had een heel vaag Iers accent, terwijl haar rode appelwangen kuiltjes vertoonden van genoegen. Zuster Mairéad had een zwak voor Madelana gekregen toen die hier nog woonde en ze was altijd verheugd de knappe, jonge vrouw weer te zien die eens de trots was geweest van haar ouders, God hebbe hun ziel, en die in alle opzichten haar katholieke opvoeding voorbeeldig in praktijk bracht.
'Zuster Bronagh weet dat ik kom,' zei Madelana glimlachend. Ze zet-

te de grote tas van Harte op de balie, haalde er een in cadeaupapier gewikkeld pakje uit en keek de non aan. 'Mag ik mijn tas even hier laten staan?'
'Natuurlijk, Madelana, ga je gang. Zuster Bronagh zei dat je naar de tuin moest gaan. Ze komt over een paar minuten bij je. Ik geef haar wel een seintje dat je er bent.' Zuster Mairéad straalde. Ze nam de hoorn van de telefoon en draaide een nummer.
'Dank u, zuster,' zei Madelana zachtjes, waarna ze naar de piepkleine lift ging die haar naar de vierde verdieping zou brengen, vanwaar een trap naar de daktuin leidde.

Tot haar verbazing was er niemand aanwezig. Gewoonlijk waren er op mooie zomeravonden altijd wel een paar bewoonsters die met elkaar een praatje maakten, of met de nonnen, die er zaten te lezen of rust zochten, een glas wijn of vruchtensap dronken.
Het was een heerlijk plekje, dichtbegroeid met klimop; wijnranken klommen tegen latwerkjes, bakken waren gevuld met rode en roze geraniums en er stonden potten vol gele en perzikkleurige begonia's, terwijl de zusters er ook groenten hadden geplant. Hier en daar stonden wat stoelen en tafeltjes. De daktuin ademde een uitnodigende, gezellige sfeer.
Ze stond even stil bij het beeld van de Heilige Maagd, omringd door massa's bloemen zoals altijd 's zomers, en ze herinnerde zich hoe vaak ze de bloemen had verzorgd toen ze hier nog woonde. Ze had dit plekje altijd als een oase beschouwd, een heerlijk stukje groen te midden van de betonnen canyons van Manhattan. Het gevoel van welbehagen dat haar hier doorstroomde had haar ziel goed gedaan.
Ze liep met soepele tred naar een van de tafeltjes, legde het cadeautje en haar handtas neer, waarna ze in een stoel ging zitten van waaruit ze zicht had op de stad. Recht voor zich uit zag ze het Empire State Building en het Chrysler Building uittorenen boven de warwinkel van daken en schoorstenen van Chelsea en de minder opvallende wolkenkrabbers.
Het begon al schemerig te worden en de lavendel met grijze hemel kreeg een diep kobaltblauwe tint die als inkt uitvloeide en geleidelijk aan de lichtere nuances doofde. De vele lichtjes in de torens van de twee dominerende gebouwen waren al ontstoken, maar de grootse architectuur zou pas goed zichtbaar worden als de hemel diepzwart was gekleurd. Dan zouden de torens reliëf krijgen en majestueus afsteken tegen de donkere fluwelen coulissen, een aanblik die zo mooi was dat de adem haar altijd in de keel stokte.
Toen ze hier nog woonde, was Madelana ook 's winters graag naar

boven gegaan. Warm aangekleed had ze in elkaar gedoken in een beschut hoekje gestaan om de twee bijzondere bouwwerken te bewonderen, evenals het stadssilhouet met zijn unieke, verbijsterende schoonheid.

Het Chrysler Building, met het art-deco-motief van een bundel zonnestralen op de elegante, spits toelopende toren, baadde altijd in een helder, wit licht dat het een ongenaakbare schoonheid verschafte en de pure lijnen van het ontwerp benadrukte, terwijl het Empire State Building al naar gelang de feestdagen van kleur veranderde. Op Thanksgiving Day werden de twee geledingen en de slanke toren overgoten met amber, goud en oranje, met Kerstmis met rood en groen. Het licht veranderde in blauw met wit op Chanoeka en andere joodse feestdagen, in geel met Pasen, in groen op de feestdag van de heilige Patricius, en in rood, wit en blauw op 4 juli. Misschien was het Chrysler eigenlijk het mooiste van de twee gebouwen, maar het Empire State was beslist de grootste trekpleister als het prijkte met zijn feestelijke reeks regenboogkleuren.
'Goedenavond, Madelana,' riep zuster Bronagh terwijl ze op het tafeltje toeliep. Ze had twee glazen witte wijn bij zich.
Madelana sprong op toen ze haar stem hoorde.
'Goedenavond, zuster.' Ze pakte glimlachend het haar aangeboden glas aan. De twee vrouwen drukten elkaar vol genegenheid de hand, waarna ze samen aan tafel gingen zitten.
'Je ziet er uitstekend uit,' zei zuster Bronagh terwijl ze Madelana in het vallende duister bestudeerde.
'Dank u, ik voel me ook uitstekend.'
Ze klonken en namen een slokje wijn.
'Dit is voor u, zuster,' zei Madelana even later en schoof het cadeautje over de tafel heen.
'Voor mij?' De ogen van zuster Bronagh begonnen te twinkelen achter haar brilleglazen, haar gezicht was een en al glimlach.
'Daar ben ik voor gekomen... Ik kom afscheid nemen. Ik kan volgende week niet naar uw afscheidsfeest komen, want dan zit ik inmiddels in Australië.'
'Australië! Lieve hemel, wat ver weg, Madelana. Maar voor jou lijkt het me reuze spannend. Wat jammer dat je niet op mijn feest kunt komen... We zullen je missen, net als anders wanneer je niet naar onze bijeenkomsten kan komen. Wat leuk dat je iets voor me hebt meegebracht, heel attent. Mag ik het nu al openmaken?'
'Natuurlijk,' antwoordde Madelana lachend. Ze genoot van de vreugde die deze kleinigheid bracht.

Zuster Bronagh maakte het gele strikje los, wikkelde het papier eraf en haalde het deksel van de zilverkartonnen doos van Harte. Onder een paar lagen vloeipapier lagen drie toilettasjes van verschillend formaat, gemaakt van diepblauwe zijde en afgezet met een iets lichter blauw randje.
'O, wat mooi!' riep zuster Bronagh uit. Ze pakte er een uit de doos, bekeek het van alle kanten, maakte de rits open en keek erin. Haar kleine vogelkopje straalde opeens van geluk en ze drukte Madelana's hand die op tafel lag stevig. 'Heel erg bedankt, kindje, precies wat ik nodig heb.'
'Fijn dat u ze mooi vindt. Ik wilde u iets moois geven dat ook praktisch is.' Madelana glimlachte haar toe. 'Ik weet uit ervaring hoe praktisch ingesteld u bent. Deze leken me heel geschikt voor op reis.' Ze zette haar ellebogen op tafel, terwijl haar vingers met het glas speelden. 'Wanneer vertrekt u naar Rome?'
'Op 10 september. Ik verheug me er zó op! Het is een uitdaging om daar te kunnen meehelpen bij de leiding van het tehuis. Het ligt niet zo ver van het Vaticaan, dat vind ik extra leuk om zo dicht bij de Heilige Stoel te wonen.' Ze ging stralend verder: 'Ik moet je bekennen, Madelana, dat ik heel opgewonden was toen zuster Marie-Theresa mij aanwees.'
Madelana knikte. 'Iedereen hier zal u missen, ik ook.'
'O, en ik zal jou ook missen, Madelana, en de andere meisjes van vroeger, die komen me nog steeds opzoeken, en de meisjes die hier nu wonen, en de zusters.' Het werd even stil. Heel even stonden de ogen van zuster Bronagh bedroefd en ze werden vochtig, daarna schraapte ze haar keel, rechtte haar rug en trok de kraag van haar witte blouse netjes. Ze glimlachte Madelana hartelijk toe. 'Vertel me eens over je reis naar Australië. Dat plan is nogal plotseling opgekomen, nietwaar?'
'Inderdaad. Ik ga op zakenreis met mijn baas, Paula O'Neill. Zaterdagmorgen vertrekken we naar Los Angeles, daar logeren we die nacht, want het lijkt haar dat we in betere conditie zijn als we de vlucht onderbreken in plaats van aan één stuk door te vliegen. Zondagavond om tien uur nemen we het toestel van Quantas naar Sydney.'
'Hoe lang blijf je weg?'
'Een week of twee, drie, misschien wel vier. Het kan zijn dat ik nog moet blijven als Paula al weg is, om het een en ander af te ronden. We gaan erheen vanwege de boetieks in de hotels. Ze maakt zich zorgen, want ze worden niet goed beheerd. De manager is ziek geweest en haar assistente is òf in paniek, òf ze gooit er met de pet naar.'

'Je hebt goed werk gedaan bij Harte, Madelana. Ik ben trots op je.'
'Dank u. Maar u weet hoe belangrijk mijn carrière voor me is...'
Madelana zweeg en haar manier van doen kreeg iets aarzelends. Ze keek neer op haar handen die op tafel lagen. Even later ging ze zachter en peinzend verder: 'Door al die jaren zo hard te werken heb ik het verdriet aangekund, en heb ik mijn verliezen kunnen leren verdragen...' Haar stem stierf weg.
De zuster pakte Madelana's hand in de hare in een troostend gebaar.
'Ja, dat is zo. Maar je geloof heeft je daarbij geholpen, Madelana. Vergeet nooit dat God weet wat Hij doet en dat Hij ons nooit meer te dragen geeft dan we aankunnen.'
'Ja, dat heeft u me wel vaker gezegd.' Madelana pakte de hand van zuster Bronagh steviger beet. Het werd even stil tussen hen. Madelana keek op en glimlachte flauwtjes naar de vrome en zachtmoedige vrouw van middelbare leeftijd, die haar zo hartelijk had opgevangen toen ze hier woonde en die haar extra aandacht had gegeven.
'Ik móest u nog een keer spreken voordat u naar Rome ging, zuster Bronagh. Ik wil u uit het diepst van mijn hart bedanken voor de hulp die u me hebt geboden toen ik zo diep in de put zat. U heeft me het gevoel gegeven dat ik hier welkom was toen ik arriveerde. U hebt me moed ingesproken.'
'Nee, nee, dat is niet waar, Madelana,' zei de zuster prompt. 'Die moed zat in jezelf, ook toen al. Net als nu. En zo zal het altijd zijn. *Als* ik iets heb gedaan, was het alleen maar dat ik je heb laten zien dat je die moed bezat. Ik maakte je duidelijk dat je uit je eigen moed kon putten.'
'Ja... Maar toch kan ik u nooit genoeg bedanken voor alles wat u voor me hebt gedaan. En voor alles wat u me hebt geleerd... vooral over mezelf.'
'Je hebt altijd een bijzonder plaatsje in mijn hart ingenomen, kindje,' antwoordde zuster Bronagh met zachte stem. 'Als ik deze levenswijze niet had gekozen, als ik me niet in dienst had gesteld van God om Zijn werk te verrichten en als ik was getrouwd en een dochter had gekregen, zou ik gewenst hebben dat ze precies was geweest als jij.'
'O, zuster Bronagh, wat lief dat u dat zegt, dank u heel hartelijk!'
Madelana werd overmand door emotie. Tranen prikten in haar ogen en ze knipperde om ze te verdringen, want ze wilde haar zelfbeheersing niet verliezen. Ze besefte hoezeer ze zuster Bronagh zou missen nu de non vertrok om in Rome een nieuwe taak op zich te nemen.
'Dat u in mij geloofde, zuster,' zei Madelana, 'is heel belangrijk voor me geweest. Het was een afspiegeling van het vertrouwen dat mijn moeder in mij had. Zij heeft me altijd aangemoedigd, net als u. Ik

zal proberen u nooit teleur te stellen.'
Er gleed een lieve, tedere glimlach om de bleke lippen van zuster Bronagh. Langzaam en met nadruk antwoordde ze: 'Het belangrijkste is om jezelf nooit teleur te stellen, Madelana.'

9

De rit van Residence Jeanne d'Arc naar East Eighty-fourth Street was lang en warm. Voor het eerst die dag voelde Madelana zich naar warm en plakkerig toen ze ten slotte uitstapte voor het kleine appartementengebouw waar ze woonde.
'Hallo, Alex,' begroette ze de conciërge opgewekt toen hij het portier voor haar openhield.
De conciërge beantwoordde haar groet. In zijn ogen lag een bewonderende blik terwijl hij haar snel en met de haar eigen soepele gang over het trottoir zag lopen. Ze stapte vlug naar binnen, nog voordat hij de deur voor haar had kunnen opendoen. Het was alsof ze door de hal zweefde, haar voeten leken het marmer nauwelijks te raken. Ze stond even stil om haar post te pakken, waarna ze de lift nam naar de zeventiende verdieping. Toen ze de sleutel in het slot stak, hoorde ze de telefoon binnen rinkelen. Ze haastte zich terwijl het schrille gerinkel de koele stilte in de flat bleef verstoren. Nadat ze het licht in het piepkleine halletje had aangedaan, liet ze haar spullen zonder meer op de grond vallen en rende naar het dichtstbijzijnde toestel. Dat stond op het bureau in de woonkamer, die in geel en wit was ingericht en die rechtstreeks op het halletje uitkwam. Ze pakte snel de hoorn van het toestel, riep 'Hallo', maar kwam tot de ontdekking dat er al niemand meer was. Alles wat ze hoorde was het zachte gebrom van de kiestoon; kennelijk had degene die opbelde een fractie van een seconde voordat zij bij het toestel kwam neergelegd.
Nou ja, dacht ze, als het belangrijk is, belt hij of zij nog wel een keer. Schouderophalend legde ze neer. Toen aarzelde ze en keek nog eens naar de telefoon. Ze overwoog even om de hoorn te pakken, want ze vroeg zich af of het Paula soms was geweest, die op het laatste moment nog iets wilde regelen. Of misschien had ze willen bellen over iets dat ze nog waren vergeten. Toch lag het niet voor de hand, want het was al bijna tien uur. Ze verwierp het idee om haar baas in haar flat aan Fifth Avenue te bellen. Daarmee zou ze inbreuk maken op haar privacy en Paula ging trouwens altijd vroeg naar bed als ze net in New York was, om de jet-lag tegen te gaan.
Madelana huiverde toen ze merkte hoe kil het binnen was. De air-

conditioning had de hele dag op zijn hoogste stand gestaan en het was ijskoud in de flat. Haar lichaam zou zich echter snel hebben aangepast en de koelte was een verademing na de vochtige, bedompte straten in Manhattan.
Ze ging haar spullen ophalen, nam ze mee naar de zitkamer en ging op de geelfluwelen bank zitten om haar post door te kijken. Er zat niets belangrijks bij; ze legde de enveloppen op de koffietafel van koperen buizen met glas en ging naar de slaapkamer ernaast om zich te verkleden.
Even later kwam ze weer te voorschijn, blootsvoets en in een lange, roze, katoenen kaftan gehuld. Ze ging gauw naar de keuken om een hapje eten klaar te maken, waarna ze zich moest verdiepen in het werk dat ze van de zaak mee naar huis had genomen.
De keuken in haar flatje was lang en smal. Toen Madelana er voor het eerst kwam, deze maand net een jaar geleden, had ze aan een scheepskombuis moeten denken. Daarom had ze de keuken geschilderd in diverse tinten blauw, met veel wit en hier en daar een felrood kleuraccent. Aan de wand had ze platen opgehangen die met de zee te maken hadden, variërend van walvisvaarders en negentiende-eeuwse zeilschepen tot raderboten, oceaanstomers en moderne jachten. Alle waren in koperen lijsten gevat, terwijl ook andere gebruiksvoorwerpen van koper waren, zoals bakvormen die boven het fornuis en het aanrecht hingen, wat voor een aparte sfeer zorgde.
Vlak bij het raam had ze een kleine klaptafel gemaakt waar twee thonet-stoelen bij stonden, een ideaal plekje om snel even een hapje te eten. Een kleine plantenbak op de vensterbank was gevuld met ragfijne varens en de keuken ademde een opgewektheid en een charme die eerder te danken waren aan haar vindingrijkheid dan aan het geld dat ze eraan had besteed.
Madelana's oog viel op een van de kleurrijke afbeeldingen van jachten en glimlachend dacht ze aan haar vriendin Patsy Smith. Patsy was een meisje uit Boston, dat tegelijk met haar in het tehuis had gewoond. Twee jaar terug had Patsy haar uitgenodigd om het lange weekend van 4 juli in het zomerhuis van de familie Smith in Nantucket te komen logeren. Vier heerlijke dagen lang hadden ze veel gezeild, een sport waaraan Madelana direct haar hart had verpand. Het was een nieuwe, opwindende ervaring voor haar geweest en tot haar verbazing had ze ontdekt dat ze zich op het water en in een boot uitstekend thuisvoelde.
Misschien ga ik dat nog wel eens doen, dacht ze, terwijl ze zich omdraaide naar de koelkast om de ingrediënten voor een salade eruit te pakken.

De telefoon die aan de wand achter haar hing rinkelde. Ze nam op.
'Hallo?'
'Hè, hè, ben je eindelijk thuis?'
'O, hallo, Jack. Ja, ik was...'
'Je had onze afspraak afgezegd omdat je moest werken, zei je,' onderbrak hij haar onbeleefd. Zijn mooie, sonore stem had een verongelijkte ondertoon. 'Maar je was helemaal niet thuis, tante, ik heb je de hele avond gebeld.'
Madelana verstrakte toen ze hoorde hoe beschuldigend hij klonk. Het ergerde haar dat hij kennelijk had gecontroleerd of ze de waarheid had gesproken. Maar ze haalde eens diep adem en slaagde erin rustig en op redelijke toon te zeggen: 'Ik ben naar het tehuis geweest, om zuster Bronagh op te zoeken.'
'Ach ja, je zult wel een smoesje klaar hebben.'
'Maar het is echt waar. Praat niet op die manier tegen me, daar hou ik niet van, Jack.'
'Je denkt toch niet dat ik geloof dat je daar werkelijk heen bent geweest? Op bezoek bij een non?' Hij lachte hol. 'Kom nou toch, kindje...'
'Ik lieg nooit,' onderbrak ze hem. Ze kookte van woede. Met enige stemverheffing voegde ze er koeltjes aan toe: 'En ik hou er niet van om van een leugen beticht te worden.'
Hij deed alsof hij haar opmerking niet had gehoord. 'Waarom vertel je me niet met wie je vanavond echt bent uit geweest?'
'Ik ben bij zuster Bronagh geweest.' Ze verstevigde haar greep op de telefoonhoorn om kalm te blijven. Haar woede groeide, haar geduld raakte uitgeput.
Hij lachte nogmaals, deze keer nog spottender. 'Zuster Bronagh, het zal wel! Kom nou, liefje, wees nou niet roomser dan de paus. Je hebt het tegen Jack. Ik ben het, Jack, je minnaar, Jack, de grote man in je leven. Maar is hij de *enige* man in je leven? Dat is de vraag.'
Ze besefte dat hij niet alleen weer had gedronken, maar dat hij in feite behoorlijk dronken was. Hoewel het aan zijn stem nog niet te horen was, herkende ze de verschijnselen tegenwoordig. Hij werd sarcastisch, hij zocht ruzie en stelde zich argwanend op, en bovendien kwamen al zijn onzekerheden naar boven. En uiteraard vond hij het leuk om haar uit haar tent te lokken, wat haar nog bozer maakte. Jack had een kwade dronk over zich. De afgelopen paar maanden had ze geleerd dat een consequente, harde aanpak de enige manier was om met hem om te springen; als ze nu de strenge schooljuffrouw speelde, kon ze hem op de een of andere manier nog wel de baas. Maar ze wilde helemaal niet de baas spelen over Jack. Ze verlangde

naar een gelijkwaardige verhouding, een evenwichtige verbintenis waarin geen van hen beiden de ander probeerde te manipuleren of te overheersen.

Op zakelijke en koele toon zei ze: 'Welterusten, Jack. Ga maar naar bed. Ik bel je morgen nog wel.'

Er viel een stilte aan de andere kant van de lijn. Ze hoorde dat hij zijn adem inhield, alsof het hem verbijsterde dat zíj het gesprek ging beëindigen.

Nogmaals zei ze, heel vastberaden en koeler dan ooit: *'Welterusten.'*

'Hé, zeg, wacht eens even, Madelana. Kunnen we morgenavond niet samen gaan eten? Een rustig dineetje, bij mij of bij jou. Of ergens bij jou in de buurt. Hè toe, zeg maar ja, schat,' vleide hij, opeens veel minder vijandig, bijna berouwvol.

'Je weet dat ik dan niet kan, Jack. Ik heb je eerder van de week al uitgelegd dat ik vrijdagavond moet pakken. Voor het geval je het bent vergeten: ik ga zaterdagochtend naar Australië!'

'Ach ja, *natuurlijk!* Ik vergeet maar steeds dat jij zo'n klein carrièrevrouwtje bent dat zich met hart en ziel aan het werk wijdt. Of moet ik zeggen: een grote carrièrevrouw? Dat is zeker beter op zijn plaats, hè? Ja zeker, grote carrière, belangrijke baan, huizenhoge ambities. Maar zeg eens, kindje, houdt dat werk je 's nachts warm als het koud is?' Hij lachte verbeten. 'Dat betwijfel ik. Jij hebt geen grote carrière nodig, liefje, jij hebt een grote man nodig. Een grote man zoals ik. Luister, ik heb een geweldig idee. Als ik nu meteen naar je toe kom, dan...'

'Je hebt veel te veel gedronken, Jack Miller! Je bent nog zatter dan een stinkdier dat aan een vat illegaal gestookte drank heeft zitten lurken!' riep ze uit, onwillekeurig overstappend op het spraakgebruik van haar jeugd in het Zuiden, wat haar wel meer gebeurde als ze nijdig of erg opgewonden was. 'Ga naar je bed,' beval ze op heftige toon, 'ik bel je morgenochtend wel.' Ze legde rustig de hoorn op het toestel, ofschoon ze hem er het liefst met een klap op had gegooid. Zijn houding maakte dat ze zich vernederd, geërgerd en boos voelde. Ik vind het vreselijk zoals hij de laatste tijd tegen me doet, zei ze half binnensmonds terwijl ze de kast opendeed en er een metalen vergiet uitpakte. Boos rukte ze de slablaadjes klein, gooide ze in het vergiet dat ze in de gootsteen had gezet en liet het water over de stukjes sla stromen.

Gelaten staarde ze voor zich uit naar de muur, terwijl ze in gedachten met niemand anders bezig was dan met Jack Miller.

Het is een stomme kerel, dacht ze, en ik ben nog veel stommer, want ik blijf met hem omgaan. Ik weet al weken dat we niet bij elkaar pas-

sen. Dit leidt tot niets. Ik kan zijn bezitterigheid en zijn argwaan niet verdragen, terwijl de dronkemansscènes van de laatste tijd onverteerbaar zijn.
Verstrooid streek ze met haar hand door haar haren. En hij maakt me zo kwaad dat ik al mijn stekels overeind zet. Verdorie, waarom pik ik dit allemaal?
Ze trok een la open en haalde er een scherp hakmes uit, maar haar handen trilden zo erg dat ze het weer neerlegde omdat ze bang was dat ze zich zou snijden.
Een hele tijd stond ze tegen het aanrecht geleund en deed haar best om haar turbulente woede terug te dringen.
Er is niets meer tussen ons.
Toen deze nieuwe gedachte tot haar doordrong, als een pijl die doel trof, voelde ze dat de inwendige spanning afnam. Heel, heel langzaam werd het trillen minder.
Het was waar, er was niets meer tussen hen. Tenminste, zij voelde niets meer voor hem. Zelfs haar lichamelijke verlangen naar hem was verdwenen. Het kwam steeds vaker voor dat zijn manier van doen haar weerzin wekte. Als ik terugkom uit Australië, zet ik er een punt achter, was haar conclusie. Het heeft geen zin mijn tijd aan hem te verspillen. Mijn eigen leven komt op de eerste plaats. Ik kan geen babysitter meer zijn voor Jack Miller, want dat heb ik de afgelopen maanden gedaan. Nee, nog beter, ik zal het hem morgen zeggen. Dat is veel aardiger dan te wachten tot ik terugkom. Poe, waarom zou ik aardig voor hem zijn? Die rotvent heeft me een nare tijd bezorgd. Madelana zuchtte vermoeid. Het was alsof Jack haar wilde straffen. Of wilde hij iemand anders straffen? Zichzelf misschien? Hij zat al een paar maanden zonder werk, wat hem bijzonder zwaar viel. Als hij werk had, was hij een ander mens. Een compleet mens. Dan maakte hij geen kroegentochten meer met zijn vrienden, dan dronk hij geen druppel.
Arme Jack, dacht ze. Haar boosheid was op slag verdwenen. Hij heeft zoveel: een goed uiterlijk, charme, talent en zelfs een grote intelligentie. Maar hij doet er niets mee, hij laat het wegsijpelen als drank uit een fles. Vooral zijn alcoholgebruik baarde haar zorgen, het was de drank die tussen hen in was gekomen. Onveranderlijk was hij naderhand een en al verontschuldigingen en berouw, maar dat maakte zijn gedrag er niet minder stuitend door, evenmin als het verdriet dat hij haar deed.
De gedachte kwam bij haar op dat hij eerder haar medelijden nodig had dan iets anders. Jack, de acteur aan Broadway, bijna maar niet helemaal een Grote Ster, een virtuoos toneelspeler die groot, groot

succes had kunnen hebben als hij dat had gewild, die naar Hollywood had kunnen gaan om het witte doek te veroveren zoals hij het theater had veroverd, waar zijn grote kracht lag. Zijn knappe, scherp besneden gezicht met het zilverglanzende haar en die prachtige zachtblauwe ogen waren fascinerend en maakten hem uitzonderlijk fotogeniek. En hij bezat zelfs de uitstraling van een filmster – als hij er zijn best voor deed. Hij had een tweede Paul Newman kunnen zijn, tenminste, dat beweerden zijn collega's voortdurend. Het lag altijd op het puntje van haar tong om te vragen: 'Waarom is hij dat dan niet?' maar ze had die vraag nooit uitgesproken. Ja, zijn vrienden waren een en al bewondering voor Jack Miller... Hij was typisch een acteur die geliefd was bij andere acteurs, zeiden ze. Hij behoorde tot de top, tot dezelfde klasse als Al Pacino en Jack Nicholson. Maar naar haar mening ontbrak er bij hem iets; ergens in zijn karakter klopte iets niet. Had hij maar een ander temperament...
Ze had de indruk dat Jack niet bezeten genoeg was, en hij was in ieder geval niet ambitieus genoeg. Misschien zat hij daarom altijd op haar te vitten en gaf hij altijd af op haar carrière... want zij was overambitieus, terwijl hij niet ambitieus genoeg was. Misschien was hij het ooit geweest, maar dan was dat nu voorbij.
Madelana lachte begrijpend. Jack vond het vervelend dat zij carrière maakte, omdat hij in zijn hart een echte seksist was. Dat had hij vaak genoeg laten doorschemeren, nietwaar?
Ze pakte het mes en begon een tomaat in stukjes te snijden. Tot haar genoegen zag ze dat haar handen niet meer trilden.

Later, nadat Madelana haar kipsalade had verorberd en ze een glas ijsthee met citroen dronk in de woonkamer, zat ze gedachteloos naar de televisie te staren. Ze zag de onbenullige film nauwelijks, en ze luisterde er al helemaal niet naar.
Terwijl ze achterover in de kussens leunde, besefte ze dat haar stemming een stuk was verbeterd, ze voelde zich veel opgewekter. Dat beklemde gevoel in haar borst was afgenomen en ze moest bekennen dat ze heel opgelucht was en blij was nu ze eindelijk had besloten haar relatie met Jack Miller te verbreken.
Bovendien was het dit afgelopen halfuurtje tot haar doorgedrongen dat dit besluit helemaal niet zo onverwacht was gekomen als ze eerst had gemeend. Ze wilde eigenlijk al langer de contacten tussen hen verbreken, maar ze had er domweg het lef nog niet toe gehad.
Ze vroeg zich af hoe dat kwam. Was ze de laatste maanden misschien bij Jack gebleven omdat ze bang was opnieuw moederziel alleen te zijn?

Patsy Smith was weer in Boston gaan wonen en Madelana had in New York niet veel andere intieme vrienden. Bovendien had ze, omdat ze zo hard werkte – ook vaak 's avonds – nauwelijks tijd over voor de paar vrouwen die ze kende en aardig vond.
Maar met Jack lag het anders. Daar hij bij het toneel was, begon zijn vrije tijd nadat om tien uur het doek was gevallen. Hun ongewone dagindelingen pasten wonderwel bij elkaar.
Een paar keer per week had ze overgewerkt, of ze had stukken mee naar huis genomen en daar gewerkt, tot ze naar Joe Allen of Sardi ging om daar met Jack een hapje te eten. Andere avonden was hij vaak na de voorstelling naar haar flatje gekomen en had ze voor hem gekookt, waarna hij was blijven slapen. Bovendien brachten ze de zondag meestal samen door bij hem thuis, aan East 79th Street.
Als hij echter niet optrad, zoals nu, wilde hij haar elke avond ontmoeten, zonder rekening te houden met haar werk. Dat was dus niet mogelijk en ze hield zich nauwgezet aan haar eigen werkschema. Ze liet zich door hem niet de wet voorschrijven, en daarmee waren de moeilijkheden begonnen. Hij hield hartstochtelijk van zijn vak, in zekere zin draaide zijn leven om zijn werk. Niettemin scheen hij niet te kunnen begrijpen dat haar werk net zo belangrijk voor haar was als acteren voor hem. En zo was het conflict geboren.
Patsy had hen met elkaar in contact gebracht. Ze kende hem nu twee jaar en ze had echt van hem gehouden en hij was inderdaad de enige met wie ze in Manhattan een hechte band had gekregen. In zeker opzicht was het alsof hij familie van haar was, en misschien had ze zich daarom nog aan hem vastgeklampt toen haar diepste instincten haar al hadden gezegd dat ze het vege lijf moest zien te redden.
Familie, dacht ze nogmaals, en het woord bleef door haar gedachten dwalen... Ze keek naar de ingelijste kleurenfoto op het bijzettafeltje. Ze stonden er allemaal op... haar broers Joe jr. en Lonnie, zij met de kleine Kerry Anne op schoot, en haar vader en moeder. Wat zagen ze er allemaal jong uit, zelfs haar ouders, en wat straalde er een liefde van hun dierbare gezichten. Haar familie zou gecharmeerd zijn geweest van Jack Miller, ze zouden hem onderhoudend en aardig hebben gevonden, want hij wàs onderhoudend en aardig, maar hij zou hun goedkeuring niet hebben kunnen wegdragen, in ieder geval niet als haar vriend.
Haar ouders en broers en zusje hadden haar als uniek beschouwd en ze hadden grootse dingen van haar verwacht, vooral haar moeder, al zo lang ze zich kon herinneren. 'Jij zult succes hebben in het leven, schat van me,' zei haar moeder altijd tegen haar, met die heerlijke, zangerige stem die nooit het charmante Ierse accent had verloren. 'Jij

hebt de hersens, Maddy, jij bent gezegend... gekust door de goden, nou en of, kindje-lief. Jij bent uitverkoren, Maddy.'
Madelana zat roerloos, alsof ze op de bank was versteend. Opeens hoorde ze hun stemmen in zich echoën, elke stem helder en herkenbaar... Joe... Lonnie... Kerry Anne... haar moeder... en haar vader...
Ze waren dood, maar toch voelde ze hun nabijheid nog heel goed. Elk van hen had haar iets meegegeven. Ze zaten diep in haar hart verankerd en ze waren voortdurend bij haar. Bovendien koesterde ze mooie herinneringen aan hen, die haar steunden en haar grote kracht gaven.
Even liet ze zich meevoeren, alsof ze in trance was, naar het verleden, maar na korte tijd vermande ze zich en stond op. Ze zette de televisie uit, pakte haar gitaar en ging ermee op de bank zitten.
Met haar blote voeten onder zich opgetrokken sloeg ze enkele akkoorden aan, stemde de snaren en begon vervolgens zachtjes te spelen, denkend aan haar familie, waarbij ze al die gelukkige uren herleefde die ze samen hadden gekend. Alle O'Sheas waren muzikaal geweest en ze hadden door de jaren heen vele gezellige avonden doorgebracht, spelend op hun instrumenten, en ze hadden samen of alleen vaak gezongen.
Nu ze daar zo alleen zat, begon Madelana zachtjes voor zich heen een van die oude volksballaden te neuriën die zij en haar broers hadden gezongen. Toen ze het wijsje te pakken had en het goede ritme had gevonden, schalde haar stem puur en zuiver door het rustige flatje.
'On top of old Smoky, all cover'd with snow, I lost my true lover, for courtin' too slow. Now courtin's a pleasure, but partin' is grief, a false-hearted lover, is worse than a thief. A thief will just rob you, and take what you have, but a false-hearted lover will send you to your grave. On top of old Smoky, all cover'd with snow, I lost my true lover, for courtin' too slow.'

10

Ze was in New York gearriveerd met het stof van Kentucky nog aan haar geiteleren laarzen. Dat was geweest in de zomer van 1977, toen ze drieëntwintig jaar oud was. Met haar wat wrange gevoel voor humor had ze zichzelf gekenschetst als 'gewoon een arm meisje van buiten, een provinciaaltje dat nog zo groen is als gras,' terwijl ze eigenlijk geen van beiden was.
Voluit heette ze Madelana Mary Elizabeth O'Shea. Ze was in juli

1954 geboren, even buiten Lexington, in het hartje van het land van de countrymuziek.
Ze was de eerste dochter van Fiona en Joe O'Shea en vanaf het moment dat ze ter wereld kwam, was ze hun oogappel geweest. Ze had twee oudere broers, Joseph Francis Xavier jr, die naar zijn vader was vernoemd en die elf was toen zij werd geboren, en Lonnie Michael Paul, die toentertijd zeven was. Beide jongens adoreerden hun kleine zusje met een liefde die tijdens hun tragisch korte leven geen moment verflauwde.
Iedereen verwende haar en het was een wonder dat Madelana zo onbedorven was gebleven, wat voor een groot deel kwam door haar sterke karakter en zachtaardigheid.
Haar vader was Iers-Amerikaans, van de derde generatie en in hart en nieren een man van Kentucky, maar haar moeder was in Ierland geboren en in 1940, op haar zeventiende, naar Amerika gekomen. Fiona Quinn was door haar oudere zus en broer op de boot gezet om te gaan logeren bij familie in Lexington, om op die manier aan de oorlog in Europa te ontsnappen. 'Ik ben een uit de klei getrokken evacuée,' zei ze altijd met een vrolijke lach en sprankelend groene ogen; ze liet het zich graag aanleunen dat ze te midden van haar familie en vrienden iets bijzonders was.
Joe O'Shea was in 1940 drieëntwintig; hij werkte als ingenieur in het kleine aannemersbedrijf van zijn vader en hij was de boezemvriend van Liam Quinn, een neef van Fiona. Bij Liam thuis leerde Joe Fiona kennen, en hij was meteen verliefd geworden op het lange, ranke meisje uit County Cork. Hij vond dat ze het mooiste gezichtje en de verblindendste glimlach had die hij ooit had mogen aanschouwen. Ze kregen verkering en tot Joes blijdschap bekende Fiona algauw dat ze zijn gevoelens beantwoordde. Ze trouwden in 1941.
Na hun wittebroodsweken, die ze in Louisville doorbrachten, gingen ze in Lexington wonen, waar in 1943 hun eerste zoon werd geboren, enkele weken nadat zijn vader naar Engeland was vertrokken om in Europa aan de oorlog deel te nemen.
Joe, die bij de Amerikaanse infanterie zat, werd aanvankelijk in Engeland gelegerd; later nam zijn eenheid deel aan de landing in Normandië van de Omaha Beach Assault Force, op D-Day, 6 juni 1944. Hij had geluk en overleefde deze aanval en andere offensieven van de geallieerden op het Europese krijgstoneel. Eind 1945 kwam hij terug, met een Purple Heart trots op zijn battledress gespeld.
Toen hij weer aan het burgerleven gewend was, ging Joe opnieuw werken in het bedrijfje van zijn vader, waarna het leven van de O'Sheas zijn normale loop hernam. In 1947 werd Lonnie geboren en

toen Maddy zeven jaar daarna aan het gezin was toegevoegd, leek het Fiona en Joe verstandiger niet nog meer kinderen te nemen, daar ze zoveel mogelijk wilden geven aan de drie die ze al hadden. Daarbij dachten ze vooral aan de kosten van een universitaire opleiding voor de twee jongens en Maddy. Joes vader was met pensioen gegaan, Joe had het familiebedrijfje overgenomen en verdiende redelijk. Hoewel ze bepaald niet arm waren, waren ze allesbehalve rijk. 'We kunnen behoorlijk rondkomen,' zei Joe altijd, waar hij gewoonlijk aan toevoegde: 'Maar dat is geen reden om te juichen of geld over de balk te gooien.'
Joe O'Shea was een goed echtgenoot en vader, Fiona een lieve, zachtaardige vrouw en de trotste moeder die er bestond. Ze vormden een gelukkig gezin, waarin zelden een wanklank te beluisteren was.

Joe jr., Lonnie en Maddy waren onafscheidelijk. 'De schrik van de buurt,' noemde Fiona hen.
Madelana was als kind een echte kwajongen en ze wilde alles doen wat haar broers deden. Ze zwom en viste in de riviertjes met hen, ze ging mee jagen en wandelen in de heuvels; ze maakte alle expedities mee, en stond altijd haar mannetje.
Paardrijden was haar lievelingssport, waarin ze dan ook uitblonk. Al op jeugdige leeftijd was ze een goed ruiter, omdat ze het geluk had te kunnen oefenen op de diverse paardenfokkerijen in en rond Lexington, waar volbloedpaarden werden getraind en waar haar vader af en toe karweitjes deed.
Ze was dol op paarden en kon uitstekend met ze omgaan. Net als haar vader en haar broers ging ze graag naar wedstrijden en ze konden haar geen groter plezier doen dan haar mee te nemen naar Churchill Downs in Louisville als daar de Kentucky Derby werd gelopen. Zij juichte het hardst van allemaal als een paard dat hun voorkeur had, won.
Van jongs af aan was Maddy vastbesloten zich niet door haar broers te laten overvleugelen, en zij adoreerden haar zo en waren zo ontzettend trots op haar knappe uiterlijk, intelligentie, onafhankelijkheid en durf, dat ze haar altijd aanmoedigden. Maar hun moeder, die hoofdschuddend keek naar de spijkerbroeken en geruite overhemden en de luidruchtige jongensstreken, probeerde haar betere manieren bij te brengen.
'Wat moet er toch van je worden, Maddy O'Shea?' vroeg Fiona zich af, terwijl ze zachtjes maar wanhopig met haar tong klakte. 'Kijk nu eens hoe je erbij loopt... Heus, in die kleren denkt iedereen dat je een stalknecht bent, terwijl je vriendinnen er zo mooi en vrouwelijk

uitzien in hun nette jurkjes. Je vindt nooit een aardige jongeman die verkering met je wil, nee, zeker niet als je er zo bijloopt, kindje. Straks geef ik je nog op voor de dansles van juffrouw Sue Ellen, dan leer je het een en ander over manieren, elegantie en vrouwelijkheid. Ik zweer je dat ik het doe, Maddy O'Shea. Wees gewaarschuwd, meisje van me.'
Maddy reageerde dan hartelijk lachend en gooide zwierig haar kastanjebruine lokken naar achteren, want dit dreigement had ze meer gehoord. Dan omhelsde ze haar moeder onstuimig en beloofde beterschap; steevast gingen ze vervolgens samen aan de keukentafel zitten om een kop dampende warme chocolademelk te drinken en honderduit te praten. Ze waren en bleven de beste maatjes.
Uiteindelijk, alleen om haar moeder een plezier te doen, ging Madelana naar de dans- en bewegingslessen van Sue Ellen in Lexington, waar ze ballet- en tapdansen leerde. Toevallig bleek ze aanleg voor dansen te hebben en ze genoot van de lessen. Hier leerde ze zich lichtvoetig en stijlvol te bewegen, hier maakte ze zich die soepele gratie van de danseres eigen, die ze altijd zou behouden.
Als ze later op deze jaren terugkeek, putte Madelana troost uit het feit dat zij en haar broers zo'n heerlijke jeugd hadden gehad. Het katholieke geloof was hun door moeder met de paplepel ingegeven, terwijl vader hen streng had aangepakt. Ze hadden op school hard moeten werken en thuis allerlei karweitjes moeten opknappen, maar het was een van de gelukkigste perioden in haar leven geweest, en daardoor was ze geworden wat ze was.

Niemand was verbaasder dan Fiona toen ze, eind 1964, merkte dat ze weer zwanger was. Het jaar daarop, op haar eenenveertigste, schonk ze het leven aan Kerry Anne.
Hoewel de baby niet was gepland, was ze welkom, en haar doop was een gelukkige gebeurtenis. Het enige dat een schaduw wierp over hun vreugde was het feit dat Joe jr. op het punt stond naar Vietnam te vertrekken. Hij was soldaat in het Amerikaanse leger en hij was net tweeëntwintig geworden.
Het komt wel eens voor dat een gezin door een reeks tegenslagen wordt getroffen, tragische gebeurtenissen zo onbegrijpelijk en zo onverklaarbaar, dat ze niet te bevatten zijn. En dat overkwam de O'Sheas.
Joe jr. sneuvelde in 1966 bij Da Nang, één jaar nadat hij naar Indochina was vertrokken. Lonnie, die als marinier ook in Vietnam diende, verloor het leven tijdens het Tet-offensief van 1968. Hij was eenentwintig.

Tot hun verdere afgrijzen en hartverscheurend verdriet overleed de kleine Kerry Anne aan complicaties na een operatie aan haar amandelen, kort voordat ze in 1970 vijf zou zijn geworden.
Fiona, Joe en Maddy klampten zich aan elkaar vast, diep geschokt en verbijsterd van verdriet. Ze konden de pijn van de plotselinge, afschuwelijke verliezen binnen nauwelijks vijf jaar bijna niet aan. Het kwam hun voor dat elke nieuwe klap harder aankwam dan die ervoor, en ze leden ondraaglijke smart.
Fiona kwam er eigenlijk nooit meer helemaal bovenop, ze bleef treuren, maar ondanks dat en ofschoon ze haar enig overgebleven kind naast zich nodig had, stond ze erop dat Madelana haar studie aan Loyola University in New Orleans begon toen ze achttien werd.
Madelana had al een paar jaar naar dit tijdstip toegewerkt en haar ouders hadden haar keuze goedgekeurd, want het ging om een kleine, door jezuïeten beheerde universiteit. Niettemin liet Madelana haar ouders maar node in de steek, vooral haar moeder die zo afhankelijk van haar was, en ze was meer dan bereid om haar plannen te wijzigen.
Daar wilde Fiona echter niet van horen, want het was haar lang gekoesterde droom dat Madelana zou gaan studeren. Ze wist inmiddels dat ze kanker had, waar ook Joe van op de hoogte was, maar ze hielden dit verschrikkelijke nieuws zorgvuldig voor hun dochter geheim.
Vier jaar later, toen het einde naderde, werd Fiona zo hulpbehoevend dat ze de medische feiten niet langer voor Maddy konden verbergen.
Madelana worstelde zich moeizaam door haar laatste maanden op Loyola, terwijl ze probeerde de wanhoop en het verdriet te verdringen. Het enige dat haar tijdens die martelend pijnlijke periode op de been hield, was het vaste voornemen haar moeder niet teleur te stellen.
Fiona maakte nog net mee dat Maddy in de zomer van 1976 afstudeerde in de bedrijfskunde. Ze stierf twee maanden later.
'De dood van Kerry Anne was de laatste nagel aan je moeders doodskist,' zei Joe steeds maar weer tijdens de winter van dat jaar, tot de woorden haar als een vreselijke litanie in de oren klonken.
Soms zat hij Maddy strak aan te kijken, om haar met tranen in zijn ogen te vragen: 'Was het niet genoeg dat ik één zoon aan het vaderland gaf? Waarom moest Lonnie ook sneuvelen? Wat had het voor zin?' En voordat ze iets kon antwoorden, voegde hij er boos en verbitterd aan toe: 'Het had geen enkele zin, Maddy. Joe en Lonnie zijn allebei voor *niets* gestorven.'
Dan pakte Madelana zijn hand in de hare en probeerde hem te troosten, iedere keer weer als hij zo praatte, maar ze had haar vader

en zichzelf nooit duidelijk kunnen maken waarom het zo was gegaan. Net als de meerderheid van de Amerikanen had ze maar een vaag idee van het doel waarmee de oorlog in Vietnam werd gestreden.

Nadat ze was afgestudeerd had Madelana werk gevonden op het kantoor van het warenhuis Shilito in Lexington.
Ondanks haar onstuimige kinderjaren en gebrek aan belangstelling voor vrouwelijke zaken, had ze als tiener een zwak gekregen voor kleren; ze had gemerkt dat ze aardig flair had als het op mode aankwam. De in- en verkoop van confectie trok haar wel, en al tijdens haar studie had ze besloten zich op dat gebied te bekwamen.
Madelana's baan op de marketingafdeling van Shilito was een uitdaging gebleken; bovendien had ze het werk inspirerend en boeiend gevonden. Ze had zich volledig op haar werk gestort en haar tijd verdeeld tussen het warenhuis en haar ouderlijk huis, want ze was bij haar vader blijven wonen.
Begin 1977 begon ze zich grote zorgen om Joe te maken; hij was sinds de dood van haar moeder namelijk somberder dan ooit en apatisch geworden. In tegenstelling tot haar moeder scheen hij geen troost uit de godsdienst te kunnen putten. Hij bleef maar zeggen dat zijn zoons tevergeefs waren gestorven en vaak betrapte ze hem erop dat hij naar hun foto's op de schoorsteenmantel in de woonkamer zat te staren, zijn ogen gekwetst en verbijsterd, zijn gezicht angstig mager geworden.
Het deed Maddy verdriet het te moeten aanzien en ze deed al het mogelijke om hem af te leiden, om hem een bestaansreden te geven, maar niets hielp.
In het voorjaar bleek Joe O'Shea een schim te zijn geworden van de knappe, joviale man die hij eens was geweest en toen hij in mei van dat jaar plotseling aan een hartaanval overleed, besefte Maddy ondanks haar intense verdriet dat ze eigenlijk niet verbaasd was. Het was alsof hij had willen sterven, alsof hij er vurig naar verlangde zich bij Fiona in het graf te kunnen voegen.
Na zijn begrafenis begon Madelana zijn zaken te ordenen, een betrekkelijk eenvoudige taak, omdat hij alles goed verzorgd had achtergelaten.
Het was zijn bescheiden aannemingsbedrijf de laatste jaren goed gegaan, zodat ze het materiaal, de apparaten en de 'goodwill' aan Pete Andrews had kunnen overdoen; deze was de rechterhand van haar vader geweest en hij wilde de zaak voor zichzelf en het handjevol oude werknemers voortzetten. En hoewel het haar zwaar viel, had ze ook het huis moeten verkopen waar ze haar jeugd had doorgebracht,

evenals het merendeel van haar moeders meubels. Daarna had ze in Lexington een flatje betrokken.
Niet heel lang daarna was ze gaan inzien hoe moeilijk het leven in Lexington haar voortaan zou vallen. Ofschoon het geliefde land van de countrymuziek haar in het bloed zat, werd het haar met de dag droever te moede. Waar ze ook kwam, waar ze ook om zich heen keek, zag ze hun gezichten... van haar ouders, Kerry Anne, Joe jr. en Lonnie. Ze verlangde terug naar hen, naar het verleden, naar de dingen zoals ze vroeger waren.
Het overlijden van haar vader had oude wonden geopend en had het verdriet om de anderen die voor hem waren gestorven, opgerakeld. Ze zag in dat ze beter weg kon gaan. Misschien zou ze ooit terugkeren en met vreugde aan het verleden denken. Maar nu was het tijd om weg te gaan. De wond was nog te vers en te pijnlijk, en ze was nog te onevenwichtig om troost te kunnen putten uit de herinneringen aan haar familie.
Alleen de tijd zou de wonden helen, dan pas zou ze een zekere troost kunnen ontlenen aan gedachten aan vroeger, dan pas kon ze er vrede mee hebben.
En dus besloot Madelana noordwaarts te trekken, naar New York City, om daar een heel nieuw leven te beginnen.
Dat was heel dapper van haar.
Toen ze in Manhattan aankwam, had ze geen baan, ze kende er niemand en ze had geen contacten, maar een dak had ze in ieder geval wel boven haar hoofd. Dat was al voor haar geregeld voordat ze uit Lexington was weggegaan.
De Zusters van de Goddelijke Voorzienigheid, een onderwijsorde van nonnen uit Kentucky, een van de eerste in zijn soort in Amerika, beheerden een tehuis in New York. Daar konden katholieke meisjes en jonge vrouwen uit de hele wereld tegen een schappelijke prijs een kamer huren.
Naar dit tehuis, het Jeanne d'Arc, wendde Maddy in oktober 1977 haar schreden. Binnen een week na haar komst in West Twenty-fourth Street had ze zich geïnstalleerd en voelde ze zich er thuis.
De nonnen waren hartelijk en behulpzaam, de meisjes vriendelijk. Het tehuis zelf was gezellig, van alle gemakken voorzien en keurig onderhouden. Er waren vijf verdiepingen, elk met een eigen douche en badkamer. Er was een kleine maar fraaie kapel, waar de jonge bewoonsters en de zusters konden bidden of mediteren, terwijl de gemeenschappelijke ruimten – een bibliotheek en een televisiekamer – er vlakbij lagen. De andere faciliteiten bestonden uit een keuken en een kantine in het souterrain waar kon worden gekookt en gege-

ten, plus een wasruimte en bergplaatsen voor persoonlijke bezittingen.
Een van de eerste dingen die Maddy had gedaan was haar appeltje-voor-de-dorst van veertigduizend dollar op de bank zetten, waar ze een betaal- en spaarrekening had geopend. Daarna had ze een telefoon laten installeren in haar kamer op de derde verdieping. Patsy Smith, die aan de andere kant van de gang woonde, had haar dat aangeraden omdat dit haar leven een stuk eenvoudiger zou maken. Vervolgens was ze werk gaan zoeken.
Sinds ze had besloten in zaken te gaan, had Maddy wijlen Emma Harte als voorbeeld genomen, een van de grootste zakenvrouwen die ooit had geleefd. In de afgelopen paar jaar had ze alles over de befaamde Emma gelezen wat ze kon vinden, en Harte in New York was het enige warenhuis waar ze wilde werken. Maar toen ze er ging praten kwam ze er algauw achter dat er geen vacatures waren. Niettemin had ze indruk gemaakt op de personeelschef en hij had beloofd contact met haar op te nemen als er een geschikte plaats vrijkwam. Haar sollicitatieformulier en haar curriculum vitae waren keurig in een dossier gestopt.
Aan het eind van haar derde week in de stad had Maddy werk gevonden op het kantoor van Saks Fifth Avenue.
Precies een jaar later was er eindelijk een vacature bij Harte en ze had die kans met beide handen aangegrepen, vervuld van enthousiasme bij het idee dat ze daar mocht werken. Nog geen half jaar later had ze zich er al onderscheiden.
En ze had de aandacht getrokken van Paula O'Neill.
Paula had haar bezig gezien op de afdeling marketing en Madelana's persoonlijke stijl, plezierige optreden, efficiency en grote intelligentie waren haar opgevallen. Van toen af aan had Paula haar steeds uitgekozen voor allerlei bijzondere opdrachten en ten slotte had ze haar overgeplaatst naar het directiekantoor. Een jaar daarna, in juli 1980, had Paula Madelana gepromoveerd tot haar assistente, een functie die ze speciaal voor haar had ingesteld.
Na deze belangrijke promotie en flinke salarisverhoging had Madelana ten slotte een eigen flat durven zoeken. Ze had iets gevonden dat haar aanstond en ze had haar bezittingen uit de opslag in Kentucky laten komen. Eindelijk was ze uit het tehuis weggegaan, waar ze met enig verdriet afscheid had genomen van zuster Bronagh en zuster Mairéad.
De eerste maaltijd die ze in haar nieuwe flat had bereid, was op een zondagavond, voor Jack en Patsy, vlak voordat Patsy weer naar Boston was vertrokken.

Het was een heerlijke avond geweest, heel feestelijk, en Jack had hen uitstekend beziggehouden. Toch waren zij en Patsy een beetje treurig geworden, wetend dat ze binnenkort gescheiden zouden worden. Ze hadden plechtig beloofd elkaar niet uit het oog te verliezen en sindsdien wisselden ze geregeld brieven uit.
Met haar promotie was Madelana's leven ook in andere opzichten veranderd; er was een hele nieuwe wereld voor haar opengegaan. Paula had haar meegenomen naar Londen, zodat ze het reilen en zeilen van de beroemde zaak in Knightsbridge zou leren kennen en ze had de Harte-vestigingen in Yorkshire en Parijs bezocht. Tweemaal had Paula haar meegenomen naar Texas, al had dat meer te maken gehad met de zaken voor Sitex dan voor Harte. Ze had ontdekt dat ze van reizen hield, graag nieuw terrein verkende en nieuwe mensen ontmoette.
Haar eerste jaar als Paula's assistente was voorbijgevlogen; het was een aaneenschakeling van opwindende gebeurtenissen, uitdagingen en successen, en algauw zag Maddy in dat ze haar bestemming had gevonden bij Harte in New York, waar zij zich ten volle kon ontplooien.

11

Het spelen en zingen van enkele van haar favoriete volkswijsjes had Madelana tot rust gebracht. Eindelijk voelde ze zich van binnen weer vredig.
Eerder had ze half en half verwacht dat Jack Miller nog eens zou bellen; eigenlijk had ze dat gevreesd. Maar hij had niet gebeld. Nu doorstroomde haar een gevoel van vrede en ze was volkomen kalm. Ze stond op, zette haar gitaar weg en liep naar het bureau dat bij het raam stond.
De dossiers die ze van de zaak had meegenomen lagen daar op een stapeltje te wachten. Ze ging zitten, keek op de klok en zag dat het al bijna middernacht was. Maar dat gaf niet. Ze was klaarwakker en voelde zich energiek. Uithoudingsvermogen was een van haar sterke punten en ze wist dat ze deze klus met gemak binnen een paar uur kon hebben geklaard.
Ze pakte haar pen, leunde achterover en staarde even peinzend naar de muur.
De merklap die daar hing, die haar moeder voor haar had geborduurd toen ze nog klein was, trok opeens haar aandacht. De lap had al boven haar bed in haar kamertje in Lexington gehangen en was een

van de dingen die ze had meegenomen toen ze naar New York was gegaan.
Als je dag is omzoomd met gebed, komen er niet zo gauw rafels aan had haar moeder met koningsblauw op de beige achtergrond geborduurd. De merklap was afgezet met kleine bloemetjes in felle, primaire kleuren.
Madelana glimlachte bij zichzelf, terwijl ze in gedachten Fiona's lieve gezicht voor zich zag. Ik denk dat ze trots op me zou zijn geweest, trots op wat ik van mijn leven heb gemaakt en op wat ik heb bereikt. Ik weet best dat ze Jack geen goede partner voor me had gevonden, natuurlijk niet. Dat geloof ik zelf ook niet. Niet meer. Ik zal hem morgenochtend opbellen om te vragen of hij met me gaat lunchen en dan zal ik het hem ronduit zeggen, vervolgde ze, inwendig het besluit herhalend dat ze eerder had genomen. Dat is niet meer dan fatsoenlijk. Zoiets kan ik hem niet door de telefoon vertellen.
Ze legde de pen neer en begon haar dossiers door te bladeren, zoekend naar de map met haar aantekeningen en de gegevens over de modetentoonstelling.
Alle dossiers hadden betrekking op de komende viering van het zestigjarig bestaan van Harte. Paula's thema was eenvoudig, maar sterk in zijn eenvoud: Zestig jaar stijlvolle confectie van het jazztijdperk tot het ruimtetijdperk.
Paula had haar de leiding gegeven over het feestprogramma van het filiaal in New York en zij was verantwoordelijk voor de algehele planning van de diverse evenementen en shows. Vele, vele maanden al waren er druk telexberichten over de Atlantische Oceaan uitgewisseld. Ideeën waren goedgekeurd of verworpen door Paula, materiaal was besteld, campagnes waren in gang gezet, advertenties ontworpen, brochures en uitnodigingen gedrukt. De dossiers vertegenwoordigden talloze uren werk, aandacht en toewijding, en ze moest vanavond nog de laatste paar memo's voltooien met betrekking tot elk evenement en de campagne.
Een van Maddy's speciale projecten was de Maand van het Parfum; verder had ze een stijlvolle kunsttentoonstelling georganiseerd in de galerie van de zaak, met speciale aandacht voor siervoorwerpen uit de art-deco-periode, en een tentoonstelling van echte en nagemaakte juwelen van de art-deco-periode tot het heden, met onder andere materiaal van de beste ontwerpers ter wereld.
Onder hen Verdura, Jeanne Toussaint van Cartier en Renée Puissant van Van Cleef en Arpels, en hun werk uit het verleden. Alain Boucheron en David Webb waren twee moderne ontwerpers die in de schijnwerpers werden gezet. Aan de andere kant van de prijsbalans

had ze besloten de aandacht te vestigen op de unieke namaakbijouterieën ontworpen door Kenneth Jay Lane, gecombineerd met een collectie van stukken uit de jaren dertig.
Haar handen bleven ten slotte rusten op de modemap. Hier zaten de informatie en de bijzonderheden in over de modetentoonstelling die Paula van plan was volgend voorjaar in de zaak te Londen te houden. Maddy had haar overgehaald om die collectie aan het eind van de zomer van 1982 naar New York te laten komen. Nadat ze had toegestemd, had Paula voorgesteld dat Madelana de tentoonstelling zou uitbreiden door er kleren aan toe te voegen van Amerikaanse vrouwen die of op de lijst van de best gekleden hadden gestaan, of een kledingstuk bezaten van een topcouturier, hetzij overleden, hetzij nog in leven. En dat had ze gedaan – met doorslaggevend succes. Het middelpunt van de tentoonstelling waren de kleren die ooit van Emma Harte waren geweest en die Emma tot haar dood zorgvuldig had bewaard. Paula had deze kleren met zorg bewaard nadat ze tentoongesteld waren geweest op Fashion Fantasie, een jaar of tien, elf terug, in het Londense filiaal.
Emma's kleding dateerde onder andere uit de eerste jaren twintig; er was een avondjas van Paquin bij, van bruin fluweel afgezet met een enorme kraag van vossebont, een korte avondjapon met een grote strik op de rug, in 1926 ontworpen door Poiret, en een met blauwe en groene kraaltjes bezette avondjurk van Vionnet. Dit stuk was in bijzonder goede conditie en maakte een schitterende indruk op de foto die de Londense marketingafdeling had opgestuurd. In Madelana's ogen leek de japon nauwelijks gedateerd.
Ze nam de andere tekeningen en foto's door, keek aandachtig naar Emma's Chanel-pakjes uit de jaren twintig, een uitgebreide collectie van haar hoeden, gemaakt door Franse en Engelse couturiers, complets van Lanvin, Balmain en Balenciaga, twee gedrapeerde zijden avondjurken van Fortuny, een avondpyjama van Molyneux en een schitterend gesneden mantel van Pauline Trigère, ontworpen in de jaren vijftig, maar nu nog even chic als toentertijd. Er waren ook nog moderne stukken van Dior, Givenchy, Yves Saint Laurent, Bill Blass en Hardy Amies.
Maddy begon aantekeningen te maken en gaf precies de volgorde aan waarin de tekeningen en foto's in de catalogus moesten worden opgenomen. Ze was daarover in gesprek met de layout-afdeling, die al enkele malen om deze illustraties had gevraagd.
Een van Maddy's favoriete stukken was een charmeuse avondjurk van Mainbocher, die volgens Paula door haar grootvader, Paul McGill, in 1935 in New York voor Emma was gekocht. Hij was afge-

zet met toefjes zijden bloemen die als epauletten op de schouders waren bevestigd en er hoorde een bijpassende mof bij met soortgelijke zijden bloemen erop.
Madelana pakte een foto waarop Emma de bewuste jurk droeg en bestudeerde haar even. God, wat een beeldschone vrouw was ze toch, mompelde ze bij zichzelf, waarna ze besloot deze foto voor het laatst te bewaren.
Na het dossier van de modetentoonstelling nam ze de gegevens door over de Maand van het Parfum, om vervolgens de art-deco-show aan te pakken. De bijzonderheden van de juwelententoonstelling bewaarde ze voor het laatst. Ze werkte nog onafgebroken anderhalf uur door, om er zeker van te zijn dat er geen vergissingen konden worden begaan terwijl zij in Australië zat.
Om twee uur in de ochtend stond ze in haar keukentje te wachten tot het water kookte voor een kop oploskoffie. En terwijl ze de koffie meenam naar de woonkamer, staalde ze zich voor zeker nog een uur van hard werken.
Ach, dacht Maddy terwijl ze aan het bureau ging zitten, als Emma Harte de klok rond kon werken, kan ik dat ook. Per slot van rekening is zij al jaren mijn inspiratiebron en idool, en ik wil haar voorbeeld zoveel mogelijk navolgen.

12

'Hoe heb je het klaargespeeld om alles af te krijgen?' vroeg Paula met een blik op de dossiers die ze net had gelezen, waarna ze Madelana aankeek.
'Ik ben vannacht tot half vier opgebleven.'
'O Maddy, dat had je toch niet hoeven doen. We hadden de dossiers best in het vliegtuig kunnen doornemen, dan hadden we onze laatste opdrachten vanuit Australië kunnen telexen.' Terwijl ze dat zei, voelde Paula een zekere opluchting dat dat nu niet nodig zou zijn.
'Maar zo is het toch beter, nietwaar, Paula?' zei Madelana. 'Nu deze stapel is weggewerkt kunnen we dit alles uit ons hoofd zetten en ons veel beter concentreren op de boetieks.'
'Je hebt helemaal gelijk,' beaamde Paula. 'En ik moet zeggen dat je hard hebt gewerkt. Mijn complimenten met wat je hebt bereikt.' Paula kneep haar violetblauwe ogen halfdicht en ze bestudeerde de vrouw tegenover haar aandachtig. 'En wat nog veel opmerkelijker is, is dat het je niet is aan te zien dat je tot diep in de nacht hebt gewerkt.'

'O nee?' Madelana lachte mee met haar baas, die ze niet alleen bewonderde en respecteerde, maar om wie ze werkelijk veel gaf. 'Dank je, aardig dat je het zegt.'
Paula tikte op de dossiers. 'Je hebt kans gezien om een heleboel verschillende produkten en artikelen onder één noemer te brengen. Door dat te doen heb je mijn thema aanzienlijk versterkt. Eerlijk gezegd, toen ik op het idee kwam om de viering *Van het jazztijdperk tot het ruimtetijdperk* te noemen, vroeg ik me af of het idee niet te veelomvattend was om effect te kunnen sorteren. Maar jij hebt weer eens bewezen dat het kon, en eerlijk gezegd ben jij nog een stapje verder gegaan dan de afdeling marketing in Londen. Daarom heb ik met stijgende opwinding het afgelopen uur je memo's zitten lezen.'
Paula geloofde in het gezegde: ere wie ere toekomt. Ze voegde er nog aan toe: 'Gefeliciteerd. Sommige ideeën zijn briljant, en ik ben zeer ingenomen met wat je hebt bereikt.'
Een voldaan gevoel doorstroomde Madelana en ze glimlachte stralend. 'Dank je, Paula, maar we mogen niet vergeten dat jij het thema hebt bedacht, het was een echte uitdaging. En eigenlijk lag alles al klaar, de ideeën wachtten eenvoudigweg om uit de naslagwerken en de archieven gehaald te worden.'
'Om nog maar niet te spreken van jouw knappe koppie!' riep Paula uit. Ze pakte de map waarop stond *Maand van het Parfum, Promotie,* sloeg hem open en pakte het bovenste vel papier eruit.
Nadat ze het nogmaals had bestudeerd merkte ze op: 'Sommige dingen zijn werkelijk fascinerend. Ik had er bijvoorbeeld geen idee van dat Chanel vijf als haar geluksgetal beschouwde en dat ze daarom haar eerste parfum *Chanel No. 5* noemde. Ook wist ik niet dat Jean Patou *Joy* in 1931 samenstelde en dat Jeanne Lanvin in 1927 *Arpège* uitbracht. Dat wil zeggen dat drie van de beroemdste parfums van de wereld, die tegenwoordig nog steeds enorm populair zijn, eigenlijk al vijftig jaar oud zijn.'
'Kwaliteit is nu eenmaal duurzaam,' antwoordde Madelana. 'Ik vond sommige van die grappige onderwerpen ook interessant. Misschien kunnen we die op de een of andere manier gebruiken in het reclamemateriaal, of in onze advertenties.'
'Jazeker. Dat is een geweldig goed idee. En je kunt de layout-afdeling zeggen dat ze posters maken waar ze op staan, en displays voor op de toonbanken op de parfumerieafdeling.'
'Prima. Over displays gesproken, heb je even tijd? Ik wil je graag een ontwerp laten zien dat ik heb laten maken. Ik hoop het hier in de zaak te kunnen gebruiken, als het jouw goedkeuring kan wegdragen.'
'Laten we dan meteen maar even gaan kijken.' Paula sprong op en

liep met Madelana mee naar het kantoor ernaast.
Er was een ezel neergezet in de hoek vlakbij het raam van waaruit het kantoor uitzicht bood op Fifth Avenue. Madelana pakte een grote, op karton geplakte poster en zette die op de ezel. 'Dit ontwerp wil ik op zijden spandoeken door de zaak gebruiken en ik wil graag weten wat jij ervan vindt. De doeken moeten vandaag worden besteld, maandag op z'n allerlaatst, anders zijn ze in december, als het feest begint, niet klaar.'
'Ik begrijp het. Kom, laat maar eens zien.'
Madelana sloeg het papier weg dat het karton had beschermd en deed een stapje opzij.
Paula keek aandachtig naar de kloeke letters: VAN HET JAZZTIJDPERK TOT HET RUIMTETIJDPERK: 1921 TOT 1981.
Onder de reusachtige leuze stond een onderkop: *Zestig jaar stijl en élégance bij Harte.*
Paula bleef ernaar staan kijken. Dit was haar slagzin, de woorden die ze een jaar geleden had genoteerd, toen ze net was begonnen de herdenking en de bijzondere evenementen voor te bereiden. Het enige waardoor dit ontwerp zich onderscheidde van de ideeën van de marketingafdeling in Londen was een portret van Emma Harte, dat in schetsmatige lijnen achter de letters zichtbaar was.
Paula zei niets. Haar ogen namen een peinzende uitdrukking aan. Madelana hield haar adem in en sloeg haar aandachtig gade; ze wachtte gespannen haar reactie af. Toen Paula bleef zwijgen, zei ze zorgelijk: 'Je vindt het niet mooi, hè?'
'Eerlijk gezegd weet ik het nog niet goed,' mompelde Paula aarzelend. Ze liep het kantoor rond om de poster vanuit allerlei verschillende gezichtspunten te kunnen bekijken. 'Ja... ja... Het bevalt me wel,' zei ze ten slotte, iets gedecideerder nu. 'Maar ik zou het portret van mijn grootmoeder niet op *alle* spandoeken in de zaak willen gebruiken. Dat lijkt me smakeloos, te veel van het goede, eigenlijk. En we moeten het zeker niet overdrijven. Maar hoe meer ik het bekijk, hoe meer ik vind dat we er iets mee kunnen doen, niet op al te grote schaal... Op een paar ruime verdiepingen in de zaken in Londen en Parijs, en hier op de begane grond. O, en in Leeds ook! Dat móet, denk ik, want daar is het allemaal begonnen.'
'Weet je het zeker? Je klinkt nog niet helemaal overtuigd.'
'Nee, ik weet het zeker. Je kunt de spandoeken bestellen, en neem er dan meteen genoeg voor de andere filialen. We kunnen ze net zo goed in New York laten maken. Als ze klaar zijn kunnen ze per vliegtuig naar Londen en Parijs worden gebracht.'
'Goed idee. Ik ben blij dat je tevreden bent over onze vorderingen.

Iedereen zal het geweldig vinden dat jij er je goedkeuring aan hecht en dat we deze plannen verder kunnen uitwerken.'
Paula glimlachte. 'Nu, wat de bijzondere evenementen betreft, was dit het wel, denk ik. Loop nog even mee naar mijn kantoor, Madelana, wil je? Ik moet nog iets met je bespreken.'
'Goed,' antwoordde Maddy en liep haastig mee, zich afvragend wat er ging komen. Opeens had Paula's stem gespannen geklonken, iets dat ze niet van haar gewend was en daarom verontrustend vond.

Paula liep om haar bureau heen en ging zitten.
Madelana nam plaats in de stoel tegenover haar, op het randje. Ze keek naar haar baas en vroeg zich af of er onheil dreigde.
Paula ging achterover zitten, zette haar vingertoppen tegen elkaar en bestudeerde die een paar tellen. Toen zei ze: 'Ik wil je iets vertellen dat vertrouwelijk is, Madelana, maar ik zeg er met grote nadruk bij dat het *zeer* vertrouwelijk is. Ik heb er met Shane en Emily nog niet over gesproken, maar dat komt eigenlijk omdat ik nog geen goede gelegenheid heb gehad om erover te beginnen. Maar jij werkt zo nauw met me samen, dat ik vind dat jij het meteen moet weten.'
'Je kunt er van op aan dat het onder ons blijft, Paula. Ik praat nooit over wat wij samen bespreken. Zo ben ik niet.'
'Dat weet ik, Madelana.'
Paula keek haar ernstig aan en zei weloverwogen: 'Ik ben de afgelopen dagen een paar keer gebeld door een zekere Harvey Rawson. Dat weet je natuurlijk wel, want je hebt hem wel eens doorverbonden.'
Madelana knikte.
'Hij heeft een juridisch adviesbureau aan Wall Street en hij is een vriend van Michael Kallinski. Hij heeft wat informatie voor me ingewonnen. Privé.'
'Je hebt toch geen problemen op dat gebied?'
'Nee, nee, Maddy. Al een hele tijd speel ik met de gedachte om mijn activiteiten in de Verenigde Staten uit te breiden... Ik zou de keten Harte-winkels door het hele land bekendheid willen geven, en met dat doel voor ogen zoek ik naar een bestaande winkelketen om over te nemen. Michael weet dat en hij heeft een poosje geleden iets laten doorschemeren, uiteraard zonder mijn naam te noemen. Vorige week hoorde hij via Harvey Rawson over een kleine winkelketen. Voordat ik naar New York kwam, heb ik met Michael gesproken. Ik heb tegen hem gezegd dat hij Harvey kon vertellen dat ik degene was die belangstelling voor die keten had en dat hij rechtstreeks contact met me kon opnemen.'
'Dus Harvey Rawson vertegenwoordigt jou eigenlijk bij die overna-

me,' recapituleerde Madelana terwijl ze wat rechtop ging zitten. Ze keek haar baas indringend aan.
'Het gaat nog niet direct om een overname. Maar ja, hij vertegenwoordigt mij in de contacten die hij heeft met de keten, maar zonder erbij te zeggen dat ik de belangstellende ben.'
'Ja, dat begrijp ik. Als zij wisten dat het om jou ging, zou dat de prijs opdrijven, en hoe. Maar het lijkt mij een geweldig goed idee, Paula, je hebt een vooruitziende blik.' Madelana's opwinding weerspiegelde zich op haar gezicht en ze leunde gespannen naar voren. 'Hoe heet die winkelketen? En waar zijn de zaken gevestigd?'
'Het gaat om Peale and Doone; ze hebben bij elkaar zeven winkels, in Illinois en Ohio,' vertelde Paula. 'Het is niet het soort zaak dat ik oorspronkelijk zocht, want ik hou meer van winkels in de grote steden. Maar Peale and Doone kan een begin zijn.'
'Is het een NV?'
'Nee, het is een familiebedrijf. Volgende week wil Harvey proberen vast te stellen of de aandeelhouders eventueel willen verkopen, en dan zien we wel verder. Hij neemt dan contact met mij en Michael op, en zij hebben allebei het reisschema in Australië, tenminste, voor zover onze reis gepland is,' besloot ze.
Madelana stond op toen ze merkte dat Paula het gesprek had beëindigd. 'Fijn dat je me over je plannen hebt verteld, Paula. Ik voel me gevleid dat je mij erbij betrekt en ik verheug me erop om samen met jou aan de expansie te werken.'
'Mooi zo, dat hoopte ik al. Ik wil dat je in deze zaak heel nauw met me samenwerkt, Maddy.' Ook Paula ging staan. Ze pakte de stapels dossiers van haar bureau en gaf ze aan Madelana.
Samen liepen de twee vrouwen de kamer door, stonden stil bij de deur naar het kantoor van Madelana en keken elkaar aan.
'Eigenlijk ben je klaar,' zei Paula, 'dus er is geen reden om na de lunch nog terug te komen, als je daar geen zin in hebt. Ik heb je de rest van de dag niet nodig en ik weet zeker dat je tot morgenochtend nog meer dan genoeg te doen hebt.'
'O, dank je, wat aardig van je, Paula. Maar ik kom vast nog wel even terug, want ik wilde een paar joggingpakken op de sportafdeling kopen. Jij zei toch dat dat de enige manier was om te vliegen? Naar Australië, bedoel ik.'
Paula begon te lachen. 'Dat is ook zo, al vrees ik dat het geen elegant gezicht is. En vergeet je sport- of tennisschoenen niet. Los Angeles-Sydney is zo'n dertien à veertien uur vliegen, afhankelijk van de wind, en het is net alsof al je ledematen opzwellen. Dat niet alleen, ik kan veel gemakkelijker zittend slapen als ik zo'n pak aan heb.'

'Dan zal ik zeker een goede uitrusting aanschaffen nadat ik met Jack heb geluncht...' Madelana onderbrak zichzelf. Haar gezicht nam een andere uitdrukking aan; de spanning stond erop te lezen.
Dat ontging Paula niet. Ze fronste en vroeg zacht en bezorgd: 'Is er iets?'
Maddy schudde haar hoofd. 'Nee, hoor,' begon ze, maar ging niet verder. Ze had een hechte relatie met Paula, en ze waren altijd open en eerlijk tegen elkaar. 'Dat mag ik eigenlijk niet zeggen, Paula, want het is niet waar. Het gaat beroerd tussen Jack en mij en ik zet er een punt achter. Ik wil het doen voordat ik wegga. Daarom ga ik met hem lunchen.'
'Wat vervelend voor je,' zei Paula zachtjes, terwijl ze haar meelevend toelachte en even haar hand op Madelana's arm legde. 'Ik dacht dat het zo goed ging tussen jullie. Tenminste, die indruk kreeg ik van jou, de laatste keer dat we het over hem hadden, toen jij in Londen was.'
'Toen ging het ook nog goed, en in veel opzichten is het een aardige jongen. Maar er broeien zoveel conflicten. Volgens mij heeft hij tegenwoordig een hekel aan me, en aan mijn werk.' Madelana schudde haar hoofd. 'Voor zover ik het kan overzien zit er geen toekomst in onze verhouding.'
Paula zweeg en dacht terug aan woorden van Emma, woorden die ze had gesproken toen zij in dezelfde situatie verkeerde als Madelana nu. 'Vele jaren geleden,' vertelde ze rustig, 'toen het met mijn eerste huwelijk slecht ging, heeft mijn grootmoeder me een goede raad gegeven die ik nooit ben vergeten. Ze zei: "Als iets niet goed gaat, moet je niet bang zijn er een eind aan te maken zolang je nog jong genoeg bent om overnieuw te beginnen, om je geluk bij iemand anders te vinden." Grandy was een heel wijze vrouw. Ik kan je haar woorden alleen maar doorgeven, Maddy, en erbij zeggen dat je op je eigen gevoelens moet vertrouwen. Voor zover ik jou ken, hebben die je nog nooit in de steek gelaten.'
Paula zweeg, keek haar snel even indringend aan en vervolgde: 'Volgens mij heb je het goede besluit genomen. Voor jou is dit het beste.'
'Dat weet ik. Bedankt voor je belangstelling, Paula. Ik zal Jack vandaag zeggen dat het uit is tussen ons, snel en duidelijk. En daarna wil ik me op mijn werk concentreren.'

13

De gigantische, imponerende constructie van zwart glas en staal rees als een uit steen gehouwen monument op tegen de azuurblauwe hemel. Het gebouw was een symbool van rijkdom en bevoorrecht-zijn, prestige en macht, en een schitterend gedenkteken voor de stichters van een immens zakenimperium. Het droeg de naam de McGill Tower. Het silhouet van Sydney werd erdoor bepaald.
De man die dit buitengewone en mooie bouwwerk had bedacht en had laten neerzetten, huisde in de toren als een magnaat uit lang vervlogen tijden, hij oefende absolute macht uit, hij beheerde en bestuurde alles wat hij bezat vanuit deze stijlvolle, moderne commandopost, en wel met een intelligentie, wijsheid en eerlijkheid die men van iemand van zijn leeftijd niet zou verwachten.
De zwarte glazen toren was zijn domein. Hij werkte er van vroeg in de ochtend tot laat in de avond, terwijl hij er door de week vaak overnachtte. Zijn kantoren en zijn flat lagen boven elkaar en besloegen volledig de twee bovenste verdiepingen van het gebouw.
Laat op deze maandagmiddag stond de man met zijn rug naar het enorme raam dat een panoramisch uitzicht bood over de haven en het stadscentrum van Sydney. Met zijn hoofd een beetje scheef, zijn ogen aandachtig half dichtgeknepen, luisterde hij nauwlettend naar zijn bezoeker, een jonge Amerikaanse zakenman.
Philip McGill Amory, de knapste van de kleinzoons van Emma Harte, was op zijn vijfendertigste in de bloei van zijn leven en stond op het toppunt van zijn macht. Hij had een magnetische en geheimzinnige uitstraling in het internationale zakencircuit en de pers, en voor veel mensen was hij een raadsel. Net als zijn moeder en zuster had hij Paul McGills uiterlijk geërfd. Zijn haar was even glanzend zwart en zijn ogen waren van dat wonderlijke blauw dat bijna violet leek, en hij bezat de vitaliteit, de mannelijke trekken en de lengte die zijn grootvader zo'n boeiende man hadden gemaakt.
Vandaag droeg hij een zandkleurig lichtgewicht kostuum van gabardine, met een modieuze snit; hij was tot in de puntjes verzorgd, van de boord van zijn diepblauwe overhemd tot de neuzen van zijn donkerbruine instappers, die glommen als een spiegel.
'En dat,' zei zijn bezoeker, 'is het hele verhaal. En voordat ik er een paar miljoen – Amerikaanse – dollars in steek, leek het me beter even hierheen te komen om uw advies in te winnen. Voordat ik uit Londen wegging, zei Shane dat ik per se met u moest gaan praten als ik daar behoefte aan had, omdat u meer dan wie ook op de hoogte bent van opaal.'

Philip begon zacht te lachen. 'Dat klopt niet helemaal, meneer Carlson. Ik vrees dat mijn zwager wel eens wat overdrijft. Maar goed, ik weet er aardig wat van af, ja. Wij winnen al jaren opaal, onder andere. Een van onze dochtermaatschappijen, McGill Mining, is in 1906 door mijn grootvader opgericht, een paar jaar nadat in 1903 het beroemde gebied met zwarte opaal bij Lightning Ridge was ontdekt. Maar om terug te komen op uw probleem, uit wat u me tot nu toe hebt verteld, maak ik op dat u niet helemaal goed bent geadviseerd. Als ik u was, zou ik terughoudend blijven en me wel twee keer bedenken voor ik zoveel geld stopte in dat syndicaat waarover u me vertelde.'
Steve Carlson ging wat rechterop zitten en keek Philip onderzoekend aan. 'Denkt u soms dat er gezwendeld wordt?' vroeg hij. Zijn stem kreeg iets schrils en zijn ogen keken Philip angstig aan.
Philip schudde zijn hoofd. 'Nee, nee, helemaal niet,' antwoordde hij prompt en met nadruk. 'Maar we kennen Jarvis Lanner van horen zeggen, en hoewel hij voor zover wij hebben kunnen nagaan best eerlijk is, lijkt hij me niet bepaald de aangewezen man om u te adviseren over opaalwinning in de rimboe.'
'Zo presenteert hij zichzelf anders wel, al viel het me een paar dagen geleden op dat Lanner niet zoveel wist als hij beweerde. Daarom zit ik nu bij u.'
Philip onthield zich van commentaar. Hij liep bedachtzaam naar zijn bureau, ging erachter staan en keek de jongeman even medelijdend aan. Wat een groentje was hij nog! Philip, die de jongeman wilde helpen maar ook een eind aan het onderhoud wilde maken, zei: 'Ik denk dat ik u het beste in contact kan brengen met enkele goed bekend staande mijnbouwdeskundigen en topgeologen. Zij zullen u de goede richting uit kunnen sturen, meneer Carlson. Zal ik dat voor u doen?'
'Eh, ja, dat lijkt me een goed idee. Ik stel het erg op prijs dat u de tijd hebt genomen om met me te praten. Maar voor de goede orde, wat denkt u zelf van Queensland wat opaal betreft? Bent u ook niet van mening dat het net zoveel te bieden heeft als men mij doet geloven?'
'Zo zou ik het niet willen zeggen, nee.'
Philip ging zitten, trok een blocnote naar zich toe en pakte zijn gouden vulpen. 'Veel goudzoekers en mijnbouwers zullen u vertellen dat Queensland nog steeds veel te bieden heeft, en in zekere opzichten zal dat wel waar zijn. Maar ik betwijfel of u daar veel kostbaar opaal zult aantreffen. Dat is namelijk zeer zeldzaam. Gewone kwaliteit opaal is er vanzelfsprekend genoeg. Jarvis Lanner liegt niet als hij dat

beweert. Maar ik zeg met nadruk: gewone kwaliteit opaal. U gaf me te kennen dat u topkwaliteit naar boven wilt halen.'
'Ja.' Carlson stond op van de bank, slenterde naar het bureau en ging in de stoel zitten die ervoor stond. 'Waar zou ik volgens u mijn geluk moeten beproeven, meneer Amory?'
'Och, dat kan op zoveel plaatsen,' antwoordde Philip licht schouderophalend, want hij wilde zich niet laten verleiden tot bepaalde uitspraken of verantwoording nemen voor een aanbeveling die voor de jonge Carlson niet lucratief zou blijken. Maar toch wilde hij ook niet onhoffelijk zijn, en daarom zei hij: 'Ons bedrijf wint nog steeds opaal bij Lightning Ridge in New South Wales, en ook in Coober Pedy. Dat is het grootste wingebied van Australië, waar wij ons fijnste, lichte opaal vandaan halen. En dan is er nog Mintabie, in het zuiden. Daar wordt sinds 1976 met succes opaal gewonnen.'
'Dat is dus een nieuw wingebied.'
'Nee, het is al in 1931 ontdekt, maar door watergebrek, de barre omstandigheden en slecht materieel was het moeilijk om het opaal uit de grond te krijgen, zodat er al die jaren lang niets is gebeurd. Maar met de moderne apparatuur is aardig resultaat geboekt. Hoe dan ook, ik zal u naam en telefoonnummer geven van de deskundigen over wie ik het had. Ga maar eens met ze praten. Ik heb er alle vertrouwen in dat ze u op het goede spoor zullen zetten. Ook kunnen ze u vertellen of u er verstandig aan doet te investeren in het syndicaat van Lanner.'
'U denkt dus dat het wel een betrouwbare club is?'
'Ik heb nooit gezegd dat er met het syndicaat iets aan de hand zou zijn, alleen dat u goed moet overwegen of u er geld in steekt,' herinnerde Philip de man tegenover hem meteen. 'En ik heb u erop gewezen dat u van Lanner niet het beste advies had gekregen.' Philip glimlachte en voordat Carlson de kans kreeg iets terug te zeggen, zei hij zachtjes: 'Een ogenblikje,' pakte de gouden pen nogmaals op en begon in zijn regelmatige, snelle handschrift iets te noteren.
'Natuurlijk, ga uw gang,' zei Steve Carlson, zij het wat laat, waarna hij achterover in de stoel ging zitten en de man aan het bureau nauwlettend bekeek. Hij was onder de indruk van het feit dat hij hem op zo korte termijn en zonder problemen te spreken had gekregen. Toegegeven, hij beschikte over goede recommandatie. Aan de andere kant waren magnaten van Amory's kaliber en macht moeilijk te spreken te krijgen, zelfs via hun familieleden. Ze hadden het gewoonlijk te druk, bedolven als ze waren onder financiële paperassen en jaaroverzichten, om onbekenden te woord te staan die hun advies kwamen inwinnen. Vrijwel altijd lieten ze dat door ondergeschikten opknap-

pen. Maar bij deze vent was dat anders, dit leek een geschikte kerel, zonder kapsones, geen poeha. Toen hij daarnet kennis met hem maakte, was hij met stomheid geslagen geweest. Philip McGill was zo godvergeten knap dat hij in Hollywood voor de camera's moest staan, verdomme; hij hoorde niet achter een bureau. Die interessante kop, die indringend blauwe ogen, die blinkend witte tanden en die gebruinde huid moest je met eigen ogen zien, anders geloofde je het niet. En dan dat fantastische pak en dat maatoverhemd, om nog maar niet te spreken van die saffieren manchetknopen... Verdorie, die vent was te mooi om waar te zijn, eerder een superster dan een zakenman. Toch had hij niet verwacht dat Amory een snor zou hebben. Het stond geweldig, was Steves conclusie, zo leek de tycoon net een beroepsgokker... nee, een zeerover.
Steve Carlson moest een lach die opwelde, onderdrukken toen hij bedacht dat er tegenwoordig nog genoeg piraten rondzwierven... allemaal probeerden ze in de zakenwereld een graantje mee te pikken. Toch had Amory niet de reputatie een meedogenloos man te zijn, zo'n moderne machtswellusteling die de ene maatschappij na de andere opkocht om zijn doel te bereiken. Amory hoefde niemand te overvallen, nietwaar? Met een conglomeraat zo groot als de McGill Corporation was dat niet nodig. Dat stuk speelgoed was miljoenen, nee, miljarden waard.
Carlson schoof heen en weer in zijn stoel en nam Philip nog eens peinzend op. Ik wil wedden dat die kerel een te gek privéleven heeft, één groot feest, dacht de jonge Amerikaan terwijl er een mengeling van afgunst en bewondering in hem opkwam. Met zo'n uiterlijk, al die macht en al dat geld, lagen de vrouwen natuurlijk aan zijn voeten. Jongens, jongens, ik zou er wat voor over hebben om één avondje in die met de hand gemaakte Italiaanse schoenen te staan...
Philip drukte een knop van de intercom in. 'Maggie?'
'Ja?'
'Meneer Carlson gaat zo weg. Ik geef hem een lijst met namen mee. Wil jij er alsjeblieft de goede telefoonnummers bij zoeken?'
'Ja zeker.'
Philip liep om het bureau heen.
Carlson sprong op, nam het velletje papier aan dat hem werd aangereikt en liep mee naar de deur.
Philip schudde de jongeman stevig de hand. 'Ik wens u veel succes, meneer Carlson. Ik weet zeker dat alles op zijn pootjes terechtkomt.'
'Geweldig bedankt, meneer Amory. Fijn dat u tijd voor me had, en nog bedankt voor de goede raad.'

'Graag gedaan,' antwoordde Philip en gebaarde naar zijn secretaresse, die bij haar bureau stond te wachten. 'Maggie, zorg jij verder voor meneer Carlson?' Daarna ging hij zijn heiligdom weer binnen en deed de deur gedecideerd achter zich dicht.
Blij om eindelijk weer alleen te zijn, slenterde Philip naar de panoramaruit en keek uit over de haven. De lente was in aantocht en het was de hele dag al verrukkelijk weer. Er dreven talloze zeilbootjes op het frisse water, voortgedreven door de wind; de bontgekleurde spinnakers bolden op, de grootzeilen staken ver opzij uit om elk zuchtje wind te kunnen opvangen.
Wat een schitterend gezicht... Sydney Harbour Bridge welfde zich majesteitelijk in de verte... de witte jachten en hun kleurrijke spinnakers, de sprankelende, zonovergoten zee, en, iets opzij gelegen, de Opera met het unieke dak dat bestond uit gebogen schaaldelen die vanuit dit gezichtspunt leken op de gigantische zeilen van een galjoen dat scherp afstak tegen de zee en de hemelsblauwe lucht.
Philips hele gezicht lichtte op. Sinds zijn jongensjaren al was hij dol op deze stad en voor hem bood de haven van Sydney de mooiste aanblik van de hele wereld. Hij kon er geen genoeg van krijgen, vooral niet als hij er vanuit zijn kantoor op neerkeek.
Toen hij zich van het raam afwendde, nam hij zich voor om de spinnaker op zijn eigen zeiljacht te laten nakijken. De ballonfok was gemaakt van flinterdun nylon en alle zeilen moesten nodig worden gecontroleerd. Hij glimlachte wrang. Zeilen was tegenwoordig een dure hobby. Een compleet stel zeilen, van een lichte spinnaker tot een zwaar grootzeil, kostte bijna een miljoen Australische dollars.
Er werd geklopt. De deur ging open en Barry Graves, zijn assistent, keek om een hoekje. 'Mag ik binnenkomen?' vroeg hij breed grijnzend.
'Natuurlijk,' zei Philip en liep naar zijn bureau.
'Zeker een tik van een kangoeroestaart gekregen?' vroeg Barry veelbetekenend.
De twee mannen wisselden een blik van verstandhouding, waarna ze in lachen uitbarstten.
'Nee,' zei Philip, 'hij is niet getikt, Carlson is alleen nog jong en groen. Ik denk dat hij besmet is met het avonturenvirus. Kennelijk heeft hij ergens horen verluiden dat Australië vijfennegentig procent van de wereldproduktie opaal levert en hij komt hier zijn geluk beproeven en zijn erfenis in de winning investeren.'
'Weer zo'n goudzoeker,' verzuchtte Barry. 'De ziel. Maar ach, die zullen er wel altijd blijven. Wat is zijn relatie tot Shane?'
'Stelt niet zoveel voor. Carlsons zwager is een van Shanes topdirec-

teuren bij O'Neill International in New York en Shane wilde alleen maar aardig zijn. De jongeman is in Londen naar hem toegegaan en Shane zei dat hij eerst met mij moest gaan praten voor hij zich in een roekeloos avontuur stortte.'
'Verstandig.' Barry bleef nog even naast het bureau staan. Toen ging hij snel verder: 'Ik kwam alleen even gedag zeggen, Philip. Ik wil graag wat eerder weg als je me niet meer nodig hebt. Vanavond heb ik bestuursvergadering van de tennisclub.'
'Ga je gang, Barry.'
'Bedankt. O ja, nog één ding. Moet ik morgenochtend een wagen naar het vliegveld sturen om Paula op te halen?'
'Nee, dank je, dat hoeft niet. Mijn moeder gaat erheen.'
'Mooi zo.' Barry liep naar de deur. Voor hij wegging draaide hij zich nog een keer om. 'Maak het niet te laat vanavond.'
'Nee hoor. Ik rij dadelijk naar Rose Bay, ik ga bij mijn moeder eten.'
'Doe Daisy de groeten.'
'Zal ik doen.'
'Tot morgen dan, Philip.'
Philip knikte, richtte zijn aandacht op de stukken die op zijn bureau lagen en ging aan het werk. Even voor zessen zei hij via de intercom tegen Maggie dat ze naar huis kon gaan.
'Bedankt, Philip.'
'O ja, Maggie, wil je de garage nog even bellen? Zeg maar tegen Ken dat de wagen om zeven uur voor moet staan.'
'Komt in orde. Prettige avond.'
'Prettige avond, Maggie.' Hij schakelde de intercom uit en wijdde zich weer aan zijn werk, met de ijver en de gedrevenheid die hem door zijn grootmoeder waren ingeprent.

Vanaf zijn eerste ademtocht, in juni 1946, was door zijn vader en moeder en alle andere familieleden stilzwijgend aangenomen dat Philip McGill Amory voorbestemd was om aan het hoofd te staan van de McGill Corporation in Australië.
Voordat hij zich in 1939 een kogel door het hoofd had geschoten nadat hij bij een ernstig auto-ongeluk gedeeltelijk verlamd was geraakt, had Paul McGill een nieuw testament gemaakt. Daarin had hij alles wat hij bezat nagelaten aan Emma Harte, met wie hij al zestien jaar samenwoonde.
Zijn immense privé-kapitaal, het onroerend goed en andere bezittingen in Australië, Engeland en Amerika liet hij rechtstreeks na aan Emma, die er vrij over kon beschikken. Maar het zakenimperium in Australië en zijn aandeel in Sitex Oil in America – het bedrijf dat

hij in Texas had opgericht – moest Emma beheren voor Daisy, het enige kind dat ze samen hadden gekregen, en Daisy's eventuele kinderen.
Van 1939 tot 1969 had Emma zelf de McGill Corporation geleid, zowel van dichtbij in Sydney, als vanuit Londen. Met de hulp van betrouwbare assistenten was haar beheer succesvol geweest; sommige vertegenwoordigers hadden tot zijn dood nog voor Paul McGill gewerkt. Deze directeuren van de diverse bedrijven binnen het conglomeraat voerden haar opdrachten uit en waren verantwoordelijk voor het dagelijks beheer van hun afdelingen. De werkzaamheden varieerden van het winnen van opaal en mineralen tot mijnbouw, landontwikkeling en projectontwikkeling, onder andere van de schapenfokkerij van de familie in Coonamble.
De veelomvattende ondernemingen van de McGills, waar Philip nu de verantwoording voor droeg, waren begonnen met die schapenfokkerij, een van de grootste in New South Wales. Dunoon was in 1852 opgezet door Philips betovergrootvader, Andrew McGill, een Schotse zeekapitein, die zich in het land van zijn tegenvoeters had gevestigd. De McGill Corporation als zodanig was een schepping van zijn overgrootvader, Bruce McGill, en werd later door zijn grootvader Paul uitgebreid tot een van de belangrijkste maatschappijen ter wereld.
Toen hij nog maar een klein jongetje was, was Emma al met Philip over Australië gaan praten; ze vertelde hem van de wonderbaarlijke schoonheid en rijkdom van dat bijzondere werelddeel. Ze had hem overvoerd met avontuurlijke verhalen over zijn grootvader en ze deed dat zo mooi, zo levendig en met zo'n diepe liefde dat ze Paul voor het kind tot leven had geroepen. Philip had soms het gevoel alsof hij zijn grootvader echt had gekend.
Naarmate hij ouder werd, had Emma hem duidelijk gemaakt dat Pauls machtige imperium, waarvoor zij zo vaak naar Australië moest reizen, eens van hem en Paula zou zijn, maar dat híj er de leiding van zou hebben, net zoals zij nu deed voor hun moeder.
Philip was zes jaar oud geweest toen Emma hem voor het eerst had meegenomen naar Sydney, samen met zijn ouders, Daisy en David Amory, en zijn zusje. Zodra hij voet op Australische bodem had gezet, was hij verkocht geweest. Zijn liefde voor het land was nooit getaand.
Philip had zijn opleiding in Engeland genoten; hij had er Wellington bezocht, de school waar ook zijn grootvader op had gezeten, maar op zijn zeventiende had hij fel geprotesteerd. Hij had Emma en zijn ouders verteld dat hij van school wilde en dat hij niet van plan was

te gaan studeren. Hij had in niet mis te verstane bewoordingen uitgelegd dat hij het tijd vond om het klappen van de zweep te leren in het bedrijf dat hij te zijner tijd zou moeten leiden.
Ten slotte had zijn vader toegegeven en gelaten zijn schouders opgehaald, wetend dat hij deze strijd toch niet zou winnen.
Emma had zich ongeveer net zo opgesteld. Ze had Philip meegenomen naar haar werk, die eerste dag een glimlach verbijtend, want ze wist dat haar kleinzoon geen flauw idee had van wat hem te wachten stond. En zo was het begonnen, Emma's keiharde training waar hij zich volledig aan had moeten onderwerpen. Ze was streng, veeleisend en de hardste leermeesteres die hij ooit had meegemaakt. Ze stond erop dat hij alles meer dan goed deed, met ijver en zonder zich te laten afleiden. Zijn leven lag in haar handen, tot de tijd kwam dat hij begrip had gekregen voor de principes van haar manier van zakendoen.
Emma was voor alles eerlijk als geen ander, en Philip was uiteindelijk gaan begrijpen dat zijn grootmoeders niet aflatende kritiek op hem, zijn zuster en zijn neven en nichten niets anders was dan haar manier om zich ervan te verzekeren dat ze zich konden redden als ze er alleen voor stonden en zij er niet meer zou zijn om hen te leiden of te beschermen.
Tijdens zijn gezellenjaren reisde Philip steeds met Emma mee als ze naar Australië ging en hij bracht er zoveel mogelijk zijn vakanties door. Dan bezocht hij onveranderlijk Dunoon in Coonamble, omdat hij zoveel mogelijk over de schapenfokkerij wilde leren. Soms ging Emma met hem mee en dan genoot hij dubbel, want zij kon over de goeie ouwe tijd vertellen en over de bezoeken die ze er met Paul had afgelegd, en altijd weer boeiden haar verhalen hem.

In 1966, toen hij twintig was, stuurde Emma Philip voorgoed naar Australië. Ze wilde dat hij uit de eerste hand zou leren hoe het zakenimperium reilde en zeilde dat hij later als president-directeur en voorzitter van het bestuur zou beheren.
Na drie jaar had Philip bewezen dat hij Emma's vertrouwen waard was geweest. Niet dat dit haar hogelijk had verbaasd, want ze wist dat hij haar inzicht, haar aanpak en haar instinct voor geld verdienen had geërfd en dat hij anderen naar zijn hand kon zetten, wat zij haar hele leven al deed. Bovendien was Emma zich ervan bewust dat Philip, behalve dat hij als twee druppels water op zijn grootvader leek, gezegend was met Pauls scherpzinnigheid en financiële aanleg.
Philip had zich algauw thuis gevoeld in Sydney, zowel op zakelijk als op maatschappelijk gebied, en hij had er een goed leven opgebouwd.

Het land van zijn voorvaderen, dat hem sinds de bezoeken als kind al zo boeide en intrigeerde, werd nu zijn thuishaven. Hij wilde nergens anders ter wereld liever wonen.
Twee van Emma's vertegenwoordigers, Neal Clarke en Tom Patterson, hadden Philip opgeleid en voor hen koesterde hij oprecht respect en genegenheid. Toch was het gewoonlijk Emma tot wie Philip zich wendde als hij zich onzeker voelde of als hij een crisis het hoofd moest bieden. Na zijn grootmoeders dood in 1970 nam zijn vader haar plaats in, in zoverre dat hij zijn vertrouweling en klankbord werd als Philip het nodig achtte om buiten zijn eigen organisatie advies in te winnen. De ontijdige dood van David Amory bij de lawine in Chamonix, in januari 1971, had Philip niet alleen van zijn geliefde vader beroofd, maar van een wijze raadgever en leidsman.
Toen Philip dat jaar in maart naar Sydney was teruggekeerd, geheel hersteld van de lichte verwondingen die hij die fatale dag in de bergen had opgelopen, was hij een jongeman van vijfentwintig geweest, die een moeilijke tijd doormaakte. Hij rouwde niet alleen om zijn vader, maar zag de toekomst met grote zorgen tegemoet. Hij moest een gigantisch concern leiding geven, hij kreeg enorme verantwoordelijkheden te dragen, en nu Emma en zijn vader dood waren, stond hij er helemaal alleen voor.
Paula, hoewel altijd even toegewijd en loyaal, had haar eigen problemen, en hij kon haar niet lastig vallen met zijn zorgen en onzekerheden.
Zijn moeder, Daisy, die op Paula's aandringen met hem naar Australië was teruggekeerd, ging gebukt onder het verlies van haar man. En hoewel de McGill Corporation op papier van haar was, had ze zich nooit met de dagelijkse leiding bemoeid en Philip wist dat zij geen steun voor hem kon betekenen. In feite was het zo dat zij bij hem hulp zocht.
Nog afgezien van deze problemen worstelde Philip in dit stadium van zijn leven met een andere emotie: schuldgevoelens omdat hij de lawine wèl had overleefd.
Maar weinig mensen blijven onaangedaan als ze een lawine overleven waarin andere familieleden worden gedood, en Philip was daarop geen uitzondering. Hij wist niet wat hij moest beginnen, hij wist met zichzelf geen raad. Waarom had *hij* dit overleefd, terwijl de anderen waren omgekomen? Die vraag beheerste zijn gedachten en speelde voortdurend op de achtergrond.
Hij wist er geen antwoord op.
Geleidelijk aan echter had hij ingezien dat hij die traumatische ervaring moest zien te verwerken, hij moest de gebeurtenissen van zich

afzetten en als dat mogelijk was, moest hij er iets positiefs uit proberen te putten. Zijn moeder en zuster hadden hem nodig en hij moest de zaak runnen, hield hij zich de maanden na het ongeluk steeds voor. En daarom bepaalde hij zich tot de toekomst, hopend dat hij eens zou weten wat de reden was dat hij het ongeluk had overleefd, of het een doel had gediend.
Daar Philip het bloed van Emma Harte en Paul McGill door de aderen vloeide, was hij een harde, toegewijde werker, en toen hij eenmaal kans had gezien zijn woelige emoties te beteugelen, kon hij al zijn energie steken in de McGill Corporation. Het werk schoof problemen en zorgen naar de achtergrond en wat hem betrof was dit de meest bevredigende manier van leven, zijn dagen en nachten waren gevuld.

En op die manier was Philip McGill Amory in 1981 zelf een van Australiës topindustriëlen geworden, een belangrijk man met wie rekening moest worden gehouden.
Het concern had in de elf jaar na Emma's dood zijn ups en downs gekend. Maar hij had het roer stevig in handen gehouden, op een vaste koers gevaren, en hij had het bedrijf de toekomst binnengeleid. Hij had verliesgevende afdelingen afgestoten, de belangen gespreid, andere bedrijven gekocht die ijzererts wonnen en hij had natuurlijke hulpbronnen aangeboord; bovendien had hij zich op het gebied van de communicatie gewaagd door de aankoop van kranten en tijdschriften, en radio- en televisiestations.
Onder de hoede van Philip was het bedrijf, gesticht en opgebouwd door zijn voorvaderen en geconsolideerd tijdens Emma's interimbeleid, de jaren tachtig met meer macht en met betere financiële vooruitzichten ingegaan dan men ooit had kunnen dromen.

De telefoon op Philips bureau rinkelde een paar keer. Hij nam de hoorn op.
'Ja?' zei hij met een blik op zijn horloge.
'Met Ken, meneer Amory. De wagen staat voor.'
'Dank je, Ken, ik kom er zo aan.' Philip legde neer, stopte een stapel financiële overzichten, andere stukken en de *Asian Wall Street Journal* in zijn aktentas, knipte hem dicht en liep zijn privé-kantoor uit. Zijn bordeauxrode Rolls-Royce stond voor de McGill Tower aan Bridge Street en Ken, die al vijf jaar zijn chauffeur was, leunde tegen de motorkap.
'Goedenavond, meneer Amory,' zei Ken. Hij ging rechtop staan en hield het achterportier open.

'Hallo, Ken,' antwoordde Philip en stapte in. Even later reden ze weg en hij beval: 'Rose Bay, alsjeblieft, Ken. Het huis van mevrouw Rickards.'
'Komt in orde, meneer.'
Philip installeerde zich op de zachte, met beige leer beklede bank en probeerde de beslommeringen van die dag van zich af te zetten. Hij sloot ontspannen zijn ogen en liet alles van zich afglijden. Hij dacht aan Paula en even doorstroomde hem een geluksgevoel toen hij bedacht dat ze de volgende ochtend in Sydney zou aankomen. Hij miste haar, net als zijn moeder haar miste. Philips gedachten gingen uit naar Daisy. Hij had haar een week niet gezien. Ze was met haar man, Jason Rickards, naar Perth geweest en pas de vorige avond laat teruggekomen. Maar hij twijfelde er niet aan of ze wachtte ongeduldig op Paula's komst.
Hij wist dat het enige dat zijn moeders geluk in de weg stond, was dat ze tegenwoordig zo ver van haar dochter en kleinkinderen woonde. Maar ze had Jason, en daar was Philip heel dankbaar voor.
Wat is timing toch belangrijk in het leven, bedacht Philip opeens. Hij had zijn moeder in 1975 aan de industrieel uit Perth voorgesteld, toen Jason eindelijk de akelige scheiding van drie jaar daarvoor had verwerkt en zijn moeder er eindelijk aan toe was weer een relatie aan te gaan. Ondanks hun druk bezette dagen en hun vele verplichtingen waren Daisy en Jason eenzaam en ze waren blij dat ze aan elkaar werden voorgesteld. En toen waren ze, tot ieders verbazing maar niet die van Philip, verliefd op elkaar geworden. Een jaar later waren ze getrouwd.
Het was een gelukkig huwelijk. Jasons verweerde gezicht was voortdurend een en al glimlach en zijn moeder zag er tegenwoordig stralend uit, ze had haar verdriet eindelijk verwerkt. Maar zijn moeder was dan ook een sterke vrouw.
In de jaren vlak na zijn vaders dood had ze haar best gedaan om haar nieuwe leven in Australië zo goed mogelijk in te delen. Ze had gastvrouw voor Philip gespeeld, ze had haar eigen sociale contacten gelegd en ze had zich tenslotte met grote ijver en toewijding op liefdadigheidswerk gestort, vooral op het gebied van de kinderbescherming. Dat had haar grote bevrediging geschonken en haar bestaan een doel gegeven.
Als enig kind van Paul McGill, eens de rijkste man van Australië, en als erfgename van zijn enorme fortuin had Daisy, die zelf half Australische was, geloofd dat liefdadigheid haar plicht was, omdat welstand en een bevoorrechte positie die verantwoordiging meebrachten. Zij had de McGill Stichting opgericht, die miljoenen aan me-

disch onderzoek, kinderziekenhuizen en onderwijs had bijgedragen. Ja, het leven in Sydney had zijn moeder goed gedaan, net zoals zij op haar manier Sydney goed had gedaan.
Jason Rickards was een aanwinst in haar leven, en eerlijk gezegd voor hen allen. Iedereen mocht hem graag en hij hoorde er inmiddels echt bij. Jason, die zelf geen kinderen had, had zich met hart en ziel in het stiefgrootvaderschap gestort en Paula's kinderen waren dol op hem.
Ja, het was allemaal goed afgelopen, dacht Philip. Ze hadden geluk gehad... veel geluk.
Hij sloeg zijn ogen op en ging weemoedig glimlachend rechtop zitten. Zíjn timing klopte echter nooit en hij had wat vrouwen betreft niets dan pech. Maar dat kon hem niet schelen. Hij wilde niet trouwen, want het leven als vrijgezel beviel hem uitstekend. Er waren per slot van rekening erger dingen in het leven.

14

De zoele zomerlucht die door de openstaande tuindeuren naar binnen stroomde, was een mengeling van zachte geuren... kamperfoelie, blauwe regen, klimrozen en eucalyptus, terwijl in de kamer een vleugje Joy te bespeuren was, Daisy's lievelingsparfum, het enige merk dat ze gebruikte.
De stereo-installatie op de achtergrond liet zachtjes een etude van Chopin horen en met zijden bespannen lampekappen gaven een warme gloed aan de elegant ingerichte salon, waar perzik, wit en zachtgroen de voornaamste tinten waren en die een zekere rust ademde. Philip zat tegenover zijn moeder aan de antieke Chinese koffietafel die met de hand uit ebbehout gesneden was; hij genoot van een ballonglas cognac, nadat ze heerlijk samen hadden gegeten. Fernando, de Filippijnse kok, had Barramundi klaargemaakt, zijn favoriete visgerecht, en Daisy had een Engels *trifle*-toetje voor hem bereid, waar hij als kind al gek op was. Hij voelde zich voldaan na het lekkere eten en de goede wijn, en hij zat intens tevreden op de comfortabele bank. Hij hield het glas cognac onder zijn neus en snoof genietend de sterke, bijna pittige geur op. Hij nam een slokje, proefde dat aandachtig, waarna hij met het glas tussen zijn handen achterover leunde, af en toe knikkend, terwijl hij naar haar zachte melodieuze stem luisterde.
'En omdat Jason donderdag terugkomt uit Perth, leek het me leuk om Paula in het weekend mee te nemen naar Dunoon. Vind je ook niet, jongen? En jij gaat toch mee, hè?'

Philip zette het glas op een bijzettafeltje en fronste zijn wenkbrauwen.
'Geloof je echt dat ze meteen weer op stap wil gaan, nadat ze de halve wereld rond heeft gevlogen?' Hij schudde zijn hoofd. 'Dat betwijfel ik, moeder.' Opeens maakte zijn frons plaats voor een glimlach. 'Trouwens, mijn zuster, *jouw dochter,* kennende, gaat ze zaterdag meteen hard aan de slag om te proberen orde op zaken te stellen in de boetiek van het Sydney-O'Neill. Daar komt ze voor, weet je nog?'
'O, maar ze komt ook voor ons!' beweerde Daisy met klem, terwijl ze hem een scherpe blik toewierp. Ze vroeg zich wel eens af of een van haar kinderen ooit aan iets anders dacht dan aan werken. Ze betwijfelde dat. Ze leken te veel op haar moeder.
Daisy's gezicht nam een peinzende uitdrukking aan en even later zei ze: 'Maar misschien heb je gelijk, Philip. Het kan zijn dat ze zich opgejaagd voelt. Wie weet is het beter om het volgend weekend naar de schapenfokkerij te gaan.'
'Ja, waarom niet, moeder?' beaamde hij meegaand.
Weer speelde er een glimlach om Daisy's lippen en haar levendige blauwe ogen twinkelden. Ze boog zich enthousiast voorover. 'Jason en ik hebben besloten een maand langer in Engeland te blijven, Philip. We gaan begin november weg in plaats van begin december, en we komen pas eind januari terug. Drie maanden... ik verheug me er immers op... Londen en Pennistone Royal... Kerstmis in Yorkshire bij Paula, Shane en de kleinkinderen, en de rest van de familie, dat is mijn ideaal. Het wordt net als vroeger... toen mijn moeder nog leefde...'
'Ja,' zei Philip. Met opgetrokken wenkbrauwen vroeg hij: 'Maar kan Jason wel zo lang wegblijven?'
'Natuurlijk. Dat is een van de redenen dat hij de laatste weken zoveel in Perth is geweest. Hij zorgt ervoor dat alles tijdens zijn afwezigheid gladjes verloopt. Trouwens, hij heeft alle vertrouwen in zijn staf, net als jij.' Ze glimlachte naar hem. 'Jij komt toch ook mee? Naar Engeland, ter gelegenheid van Kerstmis bedoel ik.'
'Hmm, ik weet het nog niet zeker,' begon hij, maar zweeg abrupt toen hij zijn moeders gezichtsuitdrukking zag. Ze keek teleurgesteld.
'Ik hoop dat ik weg kan, lieve moeder,' zei hij, zich nog niet vastleggend, want hij had geen zin om zo lang van tevoren al een beslissing over Kerstmis te nemen of haar iets te beloven. Ze zou hem eraan houden!
'O, Philip, je moet meekomen! Je hebt het Paula *beloofd!* Ben je dan vergeten dat Harte zestig jaar bestaat? Je moet per se naar dat diner-dansant dat ze op nieuwjaarsdag organiseert. Iedereen komt, het

maakt een afschuwelijke indruk als jij er niet bij bent.'
'Ik zal mijn uiterste best doen, moeder, goed?'
'Ja, goed,' antwoordde ze rustig, waarna ze achterover tegen de dikke kussens van de bank leunde, haar zijden jurk gladstreek en een diepe, zachte zucht slaakte. Even later sloeg Daisy haar ogen op. Ze bestudeerde Philip en probeerde erachter te komen in wat voor stemming hij was, zich afvragend of ze over zijn huidige vriendin durfde te beginnen. Hij kon soms zo geïrriteerd reageren, vooral als het om zijn privé-leven ging.
Ze besloot het erop te wagen en zei met haar zachte, gelijkmatige stem: 'Als je naar Engeland komt, lijkt het me wel leuk als je Veronica meeneemt. Het is zo'n aardige, knappe jonge vrouw.'
Philip probeerde zijn lachen in te houden. Ten slotte zag hij kans uit te brengen: 'Heus, moeder, je loopt verschrikkelijk achter. Ik heb wéken geleden al een punt gezet achter de verhouding met Veronica Marsden. Het is voorbij... finito... uit.'
'Dat heb je me niet verteld,' antwoordde Daisy verwijtend. Ergernis nam bezit van haar. 'Hè, jongen, wat vervelend nou voor je. Zoals ik al zei, ze is een aardige jonge vrouw, en eerlijk gezegd dacht ik dat jullie heel serieus waren. Maar ach, je zult zelf wel weten wat het beste is, Pip,' zei ze zachtjes, het koosnaampje uit zijn jeugd gebruikend.
Ze keek hem onderzoekend aan terwijl ze aarzelend vroeg: 'Misschien neem je liever je nieuwe vlam mee?'
'Er is geen nieuwe vlam, moeder. En hou alsjeblieft op met je gekoppel!' riep hij boos uit. Hij zag meteen aan haar ogen dat hij haar had gekwetst. Op iets vriendelijker toon vervolgde hij met een lachje: 'Jij wilt me het huwelijk in jagen omdat jij hier in Australië een heel stel kleinkinderen wilt hebben om te betuttelen.'
'Ja, daar zit iets van waarheid in,' bekende Daisy.
Ze nam een slokje van haar thee met citroen en zweeg, terwijl ze haar eigen gedachtengang volgde. Ze vroeg zich af waarom haar zoon steeds weer kapte met een geschikte jonge vrouw, net als het serieus leek te worden. Ze dacht aan Selena, die voor Veronica zijn vriendin was geweest. Selena was nadat zij en Philip uit elkaar waren gegaan bij haar gekomen. Ze had Daisy toevertrouwd dat Philip zich gedwongen voelde een relatie te verbreken zodra die serieus werd, of liever gezegd, *bedreigend,* zoals Selena het uitdrukte. Daisy vroeg zich af of het meisje gelijk had gehad. Ze onderdrukte een zucht. Haar zoon was zelfs voor haar een raadsel, net zo goed als voor vele anderen.
Philip bestudeerde haar aandachtig. 'Zeg, ma, wat zit jij stilletjes te

bekokstoven? Ik zíe je hersens bijna werken.'
'Niets, helemaal niets, jongen.' Daisy lachte kort en vervolgde op vertrouwelijke toon: 'Eerlijk gezegd vroeg ik me af of jij ooit trouwt.'
'Ik heb de reputatie de ergste playboy te zijn die er op het westelijk halfrond rondloopt. Die titel wil ik graag houden.' Hij bracht het cognacglas naar zijn mond en knipoogde haar over de rand heen toe. Zijn gezicht stond ondeugend.
'Je kunt jezelf nauwelijks een *play*boy noemen, Philip, daarvoor werk je veel te hard. Het wordt zwaar overdreven en de pers plakt je gewoon een etiket op omdat je zo'n goede partij bent.'
Daisy ging verzitten en sloeg haar lange benen over elkaar. Haar stem klonk ernstiger nu. 'Maar ik moet er niet aan denken dat je later in je leven ook nog alleen bent, Philip. Dat is een afschuwelijk vooruitzicht, en voor mij ook geen geruststellende gedachte. En ik wil zeker niet dat je een chagrijnige ouwe vrijgezel wordt.'
Daisy zweeg even en keek hem indringend aan, in de hoop dat haar woorden goed tot hem zouden doordringen. 'Je mag niet worden zoals die arme John Crawford,' besloot ze, denkend aan haar notaris in Londen. Eens had hij een zwak voor haar opgevat en hij had na Davids dood met haar willen trouwen. Zij had echter alleen vriendschap voor John gevoeld, dieper gingen haar gevoelens niet.
'Ja, die arme John, dat mag je wel zeggen,' beaamde Philip. 'Hij is tegenwoordig een echte zielepoot. Hij verlangt nog steeds naar jou, denk ik, ma. Maar ik chagrijnig? Nooit. De vrouwtjes zullen mij jong en vrolijk houden, tot op hoge leeftijd.' Hij glimlachte veelbetekenend. 'Je weet toch wat ze zeggen... Verandering van spijs doet eten, en hoe ouder, hoe gekker. Ik zorg er dus wel voor dat ik zelfs als grijsaard nog een mooi meisje aan mijn zij heb.'
'Daar twijfel ik niet aan,' gaf Daisy toe terwijl ze met hem meelachte. Maar inwendig vroeg ze zich af of die vluchtige relaties met talloze vrouwen uiteindelijk genoeg zouden zijn voor haar zoon. Maar ach, als hij het zo wilde... Aan de andere kant miste hij veel door niet te trouwen. Ze had het gesprek hierover graag voortgezet om heel ernstig over zijn privé-leven te praten, over zijn toekomst en de toekomst van de McGill Corporation als hij geen nakomelingen kreeg. Maar haar instinct èn haar verstand waarschuwden haar dat ze beter haar mond kon houden. Per slot van rekening was Philip vijfendertig jaar oud en hij was niemand verantwoording schuldig dan zichzelf. Hij zou het wel eens heel vervelend kunnen vinden als ze bleef drammen.
In de bibliotheek ernaast rinkelde de telefoon en even later kwam

Daisy's Filippijnse bediende, Rao, in de deuropening staan. 'Neemt u me niet kwalijk, mevrouw. Meneer Rickards is aan de telefoon.'
'Dank je, Rao,' zei Daisy. Ze wierp een blik op haar zoon. 'Ik ben zo terug, jongen.'
Een zacht geruis van zijde, een vleugje Joy, en Daisy was haastig verdwenen. Philip keek haar na. Het moest hem wel opvallen hoe jong zijn moeder er vanavond uitzag. Ze had in mei haar zesenvijftigste verjaardag gevierd, maar ze maakte een jaren jongere indruk. Ze had een slank, bijna meisjesachtig figuur. Haar knappe gezicht vertoonde nog bijna geen rimpels en omdat ze zelden in de zon zat, had ze haar gave Engelse teint behouden. Nog steeds had ze iets onbedorvens, iets jeugdigs, en zelfs de paar grijze haren die hier en daar haar zwarte haar oplichtten, maakten haar niet ouder. Ze was een opmerkelijke vrouw, maar ook Emma was tot op hoge leeftijd nog mooi gebleven.
Philip dronk net zijn laatste slokje cognac op toen Daisy naar de woonkamer terugkeerde.
'De groeten van Jason, Pip. Ik vertelde hem wat je zei over Paula's bezoek aan Coonamble, en hij is het met je eens dat we haar niet mogen opjagen. Misschien geven we een dineetje ter ere van haar op zaterdag. Schikt je dat? Je komt toch ook?'
'Natuurlijk! Ik zou het gezelschap van die ouwe Bonestaak niet graag missen. Luister, moeder, ik wil graag dat je nu even kijkt naar de financiële overzichten die ik bij me heb. Ik wil ze met je doornemen...'
'Je weet heel goed dat dat niet nodig is, Philip,' onderbrak Daisy hem. 'Ik heb er absoluut geen verstand van, en toch duw je me steeds die stukken onder mijn neus.'
'Maar de McGill Corporation is van *jou,* moeder.'
'Onzin, Philip, het bedrijf is van jou en Paula, al staat het anders op papier, dat weet je best. En ik vertrouw blindelings op je. Lieve hemel, jongen, mijn moeder heeft je al die jaren opgeleid om je het vak goed te leren. Zij had groot vertrouwen in je beoordelingsvermogen en zakelijk inzicht, en ik dus ook.'
'Bedankt voor je vertrouwen, ma, maar toch moet je even naar die stukken kijken. Ik zal ze even gaan halen.' Al pratend haastte hij zich naar de gang en kwam algauw weer terug met zijn aktentas.
Met tegenzin pakte Daisy de stukken aan die hij haar aanreikte. Ze leunde achterover tegen de kussens en begon langzaam te lezen, al was het maar om haar zoon een plezier te doen.
Philip zat haar intussen te bestuderen. Hij vond dat ze er opvallend mooi uitzag in de zijden japon die ze droeg. De stof had een wonder-

lijke blauwpaarse tint, als de blauwe regen die in haar tuin bloeide, waardoor haar blauwe ogen des te beter uitkwamen. Dat gold ook voor de saffieren in haar oren en om haar hals; die had ze pas van Jason gekregen, had ze aan tafel verteld. Jason Rickards is een gelukkige kerel, dacht Philip. Toen zijn moeder haar donkere hoofd ophief en hem aankeek, glimlachte hij en overhandigde haar nog een stapel papieren.
'O god, nee toch,' steunde Daisy terwijl ze een vies gezicht trok. 'Dit heeft totaal geen nut, weet je, voor mij is het abracadabra.'
Philip glimlachte alleen maar. Dit was inmiddels een ritueel tussen hen geworden.
'Ik zal het je uitleggen,' zei hij en ging naast haar zitten. Een half uur lang nam hij geduldig de stukken met haar door. Hij deed zijn uiterste best om alles in eenvoudige bewoordingen uit te leggen, zoals hij al jaren deed.

Hij keerde die avond niet meer naar kantoor terug. In plaats daarvan ging hij naar zijn huis in Point Piper. Eerder had hij zijn huishoudster gebeld om te zeggen dat hij laat thuis zou zijn, maar dat ze niet op hem hoefde te wachten. Toen de chauffeur hem om elf uur afzette, waren zij en de rest van het personeel al naar bed.
Hij liep regelrecht naar zijn werkkamer, legde zijn aktentas op de bank en beende naar de bar, waar hij een glas cognac inschonk. Hij liep ermee naar het terras en tegen de balustrade geleund dronk hij de cognac op terwijl hij uitkeek over de oceaan, die zich nu pikdonker uitstrekte onder een maanloze hemel.
De woorden van zijn moeder spookten door zijn hoofd.
Ze wilde dat hij trouwde, want ze wilde niet dat hij een eenzame man zou worden. Wat een lachwekkende redenering. Getrouwd zijn was geen afdoende remedie tegen eenzaamheid. Soms werd je eenzaamheid er nog erger door. Hij was nooit getrouwd geweest, maar hij had wel eens met een vrouw samengewoond. Hij wist heel goed dat de aanwezigheid van een ander mens absoluut niets uitmaakte. De spoken werden er zeker niet door op afstand gehouden.
Hij leefde nu al jaren een ongebonden bestaan. Daisy maakte zich daar zorgen over, dat begreep hij best. Maar hij kon er niets aan veranderen. Hij zuchtte eens. De laatste tijd hadden er té veel vrouwen té kort deel uitgemaakt van zijn leven, zelfs voor mijn doen, dacht hij, opeens vol zelfverachting.
Nu hij zijn handel en wandel met een nieuwe objectiviteit bekeek, zag hij in dat zijn leven zo dor was als een woestijn. Een bevredigende relatie met een vrouw had hij nooit bereikt. Hij zou die ook nooit be-

reiken. Maar dat deed er toch niet toe? Lang geleden al had hij uitgemaakt dat het eenvoudiger was genoegen te nemen met louter seks. Een verhouding met alleen een lichamelijke basis was een stuk minder gecompliceerd. Trouwens, hij was een echte eenling. In ieder geval kon hij uitstekend met zichzelf leven.
Terwijl hij zijn laatste druppel cognac dronk, zich omdraaide en het huis binnenliep, kon Philip McGill Amory niet weten dat zijn leven op het punt stond drastisch te veranderen, in positieve en in negatieve zin. Maar wel voorgoed.

15

'Ik wil de aandelen Sitex verkopen.'
Paula's woorden sloegen in als een bom. De rust in de elegante salon met zijn zachte tinten was verstoord en ze besefte dat ze zichzelf net zo had verrast als haar moeder en haar broer.
Daisy en Philip waren zichtbaar verbijsterd. Geen van beiden zei een woord, ze staarden haar alleen maar strak aan.
Paula keek van de een naar de ander. Het was niet haar bedoeling geweest het hun vanavond al te vertellen, en ook had ze het niet zo plompverloren willen doen. Nu ze haar woorden echter toch niet meer kon terugnemen, moest ze wel afmaken waar ze aan begonnen was.
Ze haalde eens diep adem, maar voordat ze verder kon gaan, verbrak haar moeder de korte, pijnlijke stilte.
'Ik begrijp het niet, Paula,' zei Daisy. 'Waarom wil je die aandelen opeens van de hand doen?'
'Om een aantal redenen, mammie, maar vooral omdat de olieprijzen aanzienlijk zijn gedaald. Bovendien is er op het ogenblik een overschot op de wereldmarkt, dus ik heb zo'n idee dat de prijzen nog verder zullen zakken. Trouwens, je weet dat Sitex al een paar jaar problemen geeft, dus het lijkt me verstandig om er voorgoed uit te stappen. We moeten onze veertig procent verkopen, dan zijn we ervan af.'
'Zo zo,' zei Daisy zachtjes. Ze fronste haar wenkbrauwen en keek eens naar Philip.
Philip beantwoordde zijn moeders vragende blik, maar hij deed er het zwijgen toe.
Hij stond op, liep naar de tuindeuren en keek uit over Rose Bay naar de lichtjes van Sydney, die in de verte schitterden. De McGill Tower, die omhoogtorende naar de sterrenhemel, domineerde zelfs bij don-

ker het silhouet van de stad.
Paula's onverwachte aankondiging stelde hem voor een raadsel en hij vroeg zich af wat er werkelijk achter stak. Hij draaide zich langzaam om en zijn ogen gleden over haar heen terwijl hij weer ging zitten. Ondanks haar gebruinde huid zag ze er betrokken en moe uit. Volgens hem hoorde ze thuis in haar bed in plaats van dat ze op dit uur van de dag met hen over zaken sprak. Maar aan haar ogen zag hij dat ze commentaar van hem verwachtte.
'Het zit er dik in dat de situatie weer verandert, Paula, zo gaat dat meestal,' zei Philip ten slotte. 'De olieprijzen schommelen altijd, soms zelfs met grote dalen en pieken, en naar mijn mening zouden we *eventueel* op een gunstiger tijdstip moeten verkopen dan nu, dan kunnen we er een betere koers uitslepen, denk je ook niet? Bijvoorbeeld als er vraag naar olie is en de prijzen zijn gestegen.'
'En wanneer is dat, Philip? Ik vertelde je net al, er is een overschot aan olie op de wereld, maar dat weet jij net zo goed als ik.' Paula zuchtte en schudde vermoeid haar hoofd. 'Honderdduizenden vaten worden opgeslagen, en toch is de vraag naar olie met vijftien procent gedaald, sinds die kunstmatig hoge prijzen in 1979 door de kartels werden afgedwongen. Die vraag zal steeds verder dalen, steeds verder. Je zult het zien, deze trend zal zich nog járen voortzetten... naar mijn schatting tot 1985.'
Philip begon te lachen. 'Kom kom, zusjelief, wat een somber vooruitzicht.'
Paula zei niets. Ze leunde achterover op de bank, wreef over haar nek en voelde zich doodop. Opnieuw wenste ze dat ze er niet over begonnen was.
Daisy, die nog steeds een bezorgde blik in haar blauwe ogen had, wendde zich tot haar dochter. 'Maar ik heb mijn moeder beloofd dat ik onze Sitex-aandelen nooit zou verkopen, Paula. Dat heeft zij Paul zovele jaren geleden ook beloofd. Mijn vader zei tegen haar dat ze ze moest vasthouden, hij drong erop aan dat ze ze nooit van de hand zou doen, wat er ook gebeurde, en...'
Paula onderbrak haar. 'De tijden zijn veranderd, mammie,' mompelde ze.
'Ja, dat is ook zo, en ik ben de eerste om dat toe te geven. Aan de andere kant zou het me een eigenaardig gevoel geven als ik ons belang in Sitex verkocht. Een naar gevoel, eerlijk gezegd.'
Paula keek Daisy indringend aan. 'Als Grandy nog leefde, zou ze het vast met míj eens zijn, dat wil ik wedden,' beweerde ze met stelligheid. Ze onderdrukte een geeuw. Ze voelde zich duizelig en licht in haar hoofd. Opeens was het alsof de kamer voor haar ogen danste.

Als ze niet gauw ging liggen, zou ze ter plekke omvallen. Maar Philip had nu het woord genomen en dus deed ze haar best zich te concentreren op wat hij zei.
'Wat doet het er toe dat de aandelen misschien een paar jaar wat minder dividend opbrengen,' zei hij, 'al duurt het drie of vier jaar. Moeder heeft die inkomsten niet nodig.'
'Dat klopt, ik heb het geld niet nodig,' beaamde Daisy. 'Hoe dan ook, lieve Paula, dit lijkt me niet het geschikte moment om erover te praten. Je ziet er belabberd uit en volgens mij val je om van de slaap. Dat verbaast me allerminst, want zoals gewoonlijk heb je veel te veel hooi op je vork genomen sinds je gisteren aankwam,' zei ze zacht vermanend.
Paula knipperde met haar ogen. 'Je hebt helemaal gelijk, moeder, en de tweede avond is de jet-lag altijd op z'n ergst, hè?' Ze deed haar best haar ogen open te houden terwijl ze werd overmand door vermoeidheid. 'Ik geloof dat ik naar bed moet. Nu meteen. Het spijt me vreselijk, ik had er niet over moeten beginnen... We zullen een andere keer nog eens over Sitex praten.'
Paula duwde zich overeind en kuste haar moeder welterusten.
Philip, die ook was opgestaan, legde zijn arm om haar heen en loodste haar mee naar de hal. Onder aan de trap bleven ze even staan.
'Moet ik je naar boven duwen, Bonestaak?' vroeg hij met een vriendelijke uitdrukking van broederlijke genegenheid in zijn ogen.
Paula schudde haar hoofd. 'Doe niet zo gek, Pip, ik ben nog niet zó afgepeigerd dat ik niet zelf naar mijn slaapkamer kan lopen.' Ze legde een hand over haar mond en geeuwde een paar keer achter elkaar. Toen pakte ze de trapleuning en zette haar voet op de eerste tree. 'O jé, ik hoop dat ik het haal... Ik had geen wijn bij het eten moeten drinken.'
'Daar slaap je lekker op.'
'Poe, daar heb ik niets voor nodig,' zei ze zachtjes. Ze kuste hem op zijn wang. 'Welterusten, broertjelief.'
'Welterusten, Paulalief. Laten we morgen samen gaan lunchen. Om half één zie ik je wel in de Orchideeënzaal. Goed?'
'Afgesproken, broeder.'
Op haar kamer gekomen bleek Paula zo doodop dat ze nauwelijks de kracht had zich uit te kleden en haar make-up te verwijderen. Maar op de een of andere manier speelde ze het klaar; enkele minuten later trok ze een zijden nachtjapon over haar hoofd en stapte dankbaar in bed.
Toen ze haar hoofd op het kussen legde, moest ze zichzelf bekennen

dat ze een tactische fout had gemaakt. Dat was het verkeerde moment geweest om het onderwerp Sitex aan te roeren. In een flits van helder inzicht begreep ze dat haar moeder nooit zou instemmen met de verkoop van de aandelen, wat voor argumenten zij ook zou aanvoeren. En dat zou haar plannen drastisch in de wielen rijden.
Was dat wel zo? Haar laatste gedachte voordat ze in slaap viel was gewijd aan haar grootmoeder. 'Er bestaan meerdere manieren om een kat te villen,' was een van Emma's geijkte uitdrukkingen. Toen ze daaraan dacht glimlachte Paula in het donker, waarna haar oogleden knipperden en dichtvielen.

De volgende morgen heerste er stilte in het kantoor achter de Harteboetiek in het Sydney-O'Neill Hotel. Paula en Madelana zaten tegenover elkaar aan het grote bureau over twee grootboeken gebogen. Madelana keek als eerste op. 'Ik kan maar niet begrijpen hoe Callie Rivers kans heeft gezien er zo'n puinhoop van te maken,' zei ze tegen Paula. Met een ongelovig gezicht schudde ze haar hoofd. 'Je hebt er een soort pervers maar geniaal brein voor nodig om een chaos van deze omvang te scheppen.'
Paula keek Madelana aan en trok een grimas. 'Of ze kon het niet aan en ik heb haar verkeerd ingeschat toen ik haar in dienst nam, of ze heeft door haar ziekte de afgelopen maanden niet meer geweten wat ze deed.'
'Het heeft vast aan haar ziekte gelegen, niet aan jou, Paula. Jij hebt meteen in de gaten of iemand geschikt is voor een bepaalde taak of niet,' zei Madelana vol vertrouwen. Met een gedecideerd gebaar sloeg ze het grootboek dicht. 'Ik heb deze cijfers nu drie keer gecontroleerd... Twee keer met de rekenmachine en eenmaal zonder. Ik vrees dat je gelijk hebt. We zitten in het rood, diep in het dieprood.'
Paula haalde diep adem, zuchtte, stond op en begon met een peinzend gezicht te ijsberen. Toen ze weer bij het bureau was pakte ze de grootboeken, legde ze in de kast en deed die op slot. De sleutel verdween in haar grijslinnen jasje.
'Kom mee, Maddy, we gaan nog eens naar het magazijn om te kijken of we daar orde op zaken kunnen stellen.'
'Goed idee,' antwoordde Madelana en ze stond meteen op om met Paula mee te lopen naar de hal van de boetiek, waar drie verdiepingen op uitkwamen.
'Wij zijn beneden, Mavis,' zei Paula tegen de assistent-bedrijfsleidster, waarna ze zonder stil te staan doorliep naar de zware glazen deur die toegang gaf tot de lounge van het hotel.
'Ja, mevrouw O'Neill,' antwoordde Mavis rustig. Ze keek Paula na;

haar sombere gezicht weerspiegelde haar bezorgdheid.
Madelana knikte de jonge vrouw alleen maar toe.
Maar toen zij en Paula door de donkergroen marmeren lounge liepen, vertrouwde ze haar toe: 'Volgens mij is er met Mavis niet zoveel aan de hand, Paula. Ze kan het alleen niet aan. Callie Rivers had haar nooit assistent-bedrijfsleidster mogen maken. Ze heeft niet de nodige kwaliteiten om een boetiek van dit formaat te leiden, en ook ontbreekt het haar aan fantasie. Maar eerlijk is ze wel, en dat pleit voor haar, denk ik.'
'Je hebt helemaal gelijk,' beaamde Paula terwijl ze energiek de lege lift inliep toen de deur openschoof. Ze drukte op het knopje voor een verdieping lager. 'Callie heeft een grote puinhoop voor haar achtergelaten en ik begrijp nu wel dat zij geen idee had hoe ze daar orde in moest scheppen.' Paula keek Madelana van opzij aan. 'Ik stel Mavis heus niet verantwoordelijk. Ik wou alleen dat ze zo verstandig was geweest me alles eerder te vertellen. Ze wist toch dat ze me kon opbellen of telexen, ik ben altijd beschikbaar.'
De twee vrouwen stapten de lift uit en Paula vervolgde: 'Laten we eerlijk zijn, als de manager van het hotel het er niet toevallig met Shane over had gehad, een paar weken geleden, zou ik nog steeds van niets weten.'
'Ja, gelukkig heeft hij ontdekt dat er problemen waren en dat Mavis panisch rondliep. Ik denk dat we nog net op tijd zijn om een regelrechte ramp te voorkomen.'
'Laten we dat hopen,' zei Paula zachtjes.
Het magazijn van de Harte Boutique bevond zich op een tussenverdieping van het hotel en bestond uit een paar vertrekken die met elkaar verbonden waren. Er was een kantoortje met archiefkasten, een bureau, stoelen en telefoons bij de ingang, en enkele grote opslagruimten daarachter. Daar werden rekken met kleding opgeslagen, samen met kasten vol accessoires, variërend van sieraden, sjaals, hoeden en ceintuurs, tot tassen en schoenen.
Madelana trok een wanhopig gezicht terwijl zij en Paula langs de volgestouwde rekken liepen. Ze bekeken de boel voor de tweede keer sinds hun aankomst, maar nu pas gingen ze echt inventaris opmaken. Kreunend keek Madelana naar haar baas. 'Het zal een enorm karwei worden om dit allemaal te sorteren. Het is nog erger dan ik gisteren dacht.'
'Inderdaad,' antwoordde Paula somber. 'En ik moet er niet aan denken wat voor afschuwelijke geheimen die kasten daar bevatten.' Ze schudde haar hoofd; haar ergernis en misnoegen kregen weer de overhand. 'Het is gedeeltelijk mijn eigen schuld. Ik had me niet door

Callie moeten laten bepraten om een paar goedkopere merken te gaan voeren, naast Lady Hamilton Clothes. Maar ze heeft me weten over te halen, ze zei dat ze deze markt beter kende dan ik. En ik was zo dom om haar de vrije hand te laten. Dus zitten we nu met al die kleren die ze van andere fabrikanten heeft gekocht en die nog niet van de rekken zijn geweest.'
'Volgens mij moeten we een uitverkoop houden, zoals jij gisteren al voorstelde,' opperde Madelana.
'Ja. We moeten die oude spullen kwijt, evenals het restant van de Lady Hamilton-collectie van vorig seizoen. Schoon schip maken, dat is het enige dat erop zit. Daarna kunnen we met een schone lei beginnen. Ik zal Amanda vanmiddag een telex sturen. Ze moet zoveel mogelijk Lady Hamilton-voorraad leveren als ze kan missen. Ze mag die per vliegtuig verzenden. We hebben uiteraard voorjaars- en zomerkleding nodig, want die seizoenen staan hier in Australië voor de deur.' Ze zweeg en staarde naar al de kleren aan hun hangertjes, en haar gezicht nam een zorgelijke uitdrukking aan.
'Wat is er?' vroeg Madelana, die altijd meteen opmerkte als Paula iets dwarszat.
'Ik hoop dat we van al die kleren afkomen in een uitverkoop en er nog íets op verdienen, al is het nog zo weinig.'
Madelana riep uit: 'O, ik weet zeker dat het lukt, Paula. Weet je wat... Als we er eens een Grootscheepse Uitverkoop van maken. Hoofdletter G, hoofdletter U. In de advertenties zetten we dan dat deze uitverkoop alleen vergelijkbaar is met die van Harte in Knightsbridge. Dat is de beroemdste uitverkoop ter wereld... Laten we er ons voordeel mee doen. Het kantoor hier in Sydney bedenkt vast wel een briljante tekst voor de kranteadvertenties.' Maddy dacht even na, waarna ze er enthousiast uitgooide: 'Ik denk dat we de mensen ongeveer de volgende boodschappen moeten overbrengen... *Je hoeft niet naar Londen te vliegen om naar dè uitverkoop van Harte te gaan. De koopjes liggen híer voor het grijpen.* En, wat vind je daarvan?'
Voor het eerst die ochtend speelde er een gemeende glimlach om Paula's lippen. 'Schitterend, Maddy! Ik zal vanmiddag bellen met Janet Shiff van de exploitatieafdeling, dan kan zij een pakkende tekst uitwerken. Kom, laten we die kleren maar eens gaan sorteren en er zoveel mogelijk voor die opruiming uitvissen.'
Madelana liet zich dat geen twee keer zeggen. Ze stortte zich op een van de rekken en begon kritisch met uitzoeken en weggooien.

De Orchideeënzaal van het Sydney-O'Neill Hotel werd beschouwd

als een van de mooiste plekjes om in de stad te lunchen of te dineren. Het was ook dè plek waar de mensen heen gingen om naar anderen te kijken en om door anderen bekeken te worden, en zodoende had het in de hogere kringen een zeker cachet verworven.
Het restaurant lag op de bovenste verdieping; twee van de wanden bestonden geheel uit ramen, van de grond tot aan het plafond, waardoor het restaurant leek te zweven, alsof het tussen de blauwe hemel en de zee daar ver onder hing. Het uitzicht tot in de wijde omtrek was overweldigend.
Indrukwekkende, gigantische muurschilderingen van witte, gele, roze en kerserode orchideeën, met de hand aangebracht, wedijverden met de vele echte orchideeën die overal stonden, geschikt in hoge ronde glazen vazen, als planten in Chinese porseleinen potten en in bloemstukjes op alle tafeltjes.
Paula was bijzonder trots op deze ruimte, omdat Shane het eerste ontwerp ervoor had gemaakt en een belangrijk aandeel had gehad in het bouwoverleg met de architect. Hij paste graag inheemse dieren, vogels of bloemen toe als motief in een lounge, eetzaal of bar in de buitenlandse hotels, en aangezien orchideeën in de Australische wouden en vlakten welig tierden, had deze bloemsoort hem bijzonder geschikt geleken. Bovendien leende de bloem zich vanwege de variëteit in vormen en grootten en door de prachtige levendige kleuren, voor allerlei artistieke effecten en decoratieve thema's.
Paula zat in het chique, zonnige restaurant een glaasje mineraalwater voor de lunch te drinken. Ze keek bewonderend om zich heen, beseffend dat ze was vergeten hoe schitterend de echte orchideeën eigenlijk waren en hoe deskundig de bloemist van het hotel ze had neergezet, zodat ze het best uitkwamen. Omdat ze zelf talent voor tuinieren had, wenste ze onwillekeurig dat ze deze exotische bloemen ook in Engeland zou kunnen kweken.
'Waar zit jij helemaal met je gedachten?' vroeg Philip terwijl hij haar bestudeerde.
'Sorry, ik zat mijlenver weg... Ik overwoog net of ik orchideeën zou kunnen kweken op Pennistone Royal, maar dat lijkt me niet haalbaar.'
'Dat kan anders best. Je kunt een kas laten bouwen, net als voor tomaten.' Hij lachte zachtjes en zijn blauwe ogen stonden plagend. 'Per slot van rekening heb jij tegenwoordig vrije tijd zat.'
Paula keek hem glimlachend aan. 'Was het maar waar... Toch vind ik tuinieren altijd heel ontspannend. En waarom zou ik geen kas laten neerzetten? Dat is een heel goed idee van je.'
'O hemel, wat heb ik nu weer aangericht?' steunde haar broer, quasi

boos op zichzelf. 'Shane vermoordt me nog.'
'Nee, dat doet hij niet, want hij vindt het prachtig als ik me met de tuin bezighoud en van alles verbouw. Hij geeft me altijd nieuwe tuincatalogussen, pakjes zaad en bollen, dat soort dingen. Ik vraag hem een orchideeënkas voor Kerstmis. Wat vind je daarvan?' besloot ze lachend. Haar ogen stonden even vrolijk als die van haar broer.
'Als híj je die niet geeft, krijg je hem van míj.' Philip ging gemakkelijker zitten en vervolgde: 'O ja, voor ik het vergeet, moeder belde me net voordat ik van kantoor wegging. Ze vindt het enig dat je het weekend meegaat naar Dunoon. *Ik* bleek er dus helemaal naast te zitten.'
'Hoezo?'
'Toen ma me vertelde dat ze wou dat je meeging, zei ik dat je vast geen zin zou hebben vlak nadat je een vlucht van veertien uur uit Los Angeles achter de rug had.' Hij keek Paula even onderzoekend aan. 'En ik moet toegeven dat ik een beetje verbaasd was dat je instemde. En je had er nog zin in ook, zei ze. Ik dacht dat je zaterdag hard aan de slag zou gaan in de boetiek. Je wilt me toch niet vertellen dat je die chaos al hebt weggewerkt?' Hij trok vragend zijn wenkbrauwen op.
'Nog niet helemaal, Philip, maar ik ben een heel eind.'
'Goed gedaan! Kom, vertel me het hele verhaal maar eens, Bonestaak.'
Paula bracht hem snel op de hoogte, waarna ze uitlegde: 'En na die uitverkoop van volgende week, maak ik nieuwe etalages met de Lady Hamilton-collectie die ik met spoed uit Londen laat komen. Ik ondersteun het geheel met een nieuwe advertentiecampagne. Nu het zomerseizoen voor de deur staat, kan ik de boetiek vast wel weer in goede banen leiden, zelfs in betrekkelijk korte tijd.'
Philip knikte. 'Jij hebt verstand van dat soort dingen. En als jíj het niet kunt, kan niemand het, zusjelief. En hoe zit het met die bedrijfsleidster? Die neem je toch zeker niet terug?'
'Nee, dat kan ik niet doen, Pip, al geloof ik dat ze fouten heeft gemaakt omdat ze lichamelijk niet in orde was. Maar ik heb vanzelfsprekend mijn vertrouwen in haar verloren en ik weet zeker dat ik me reuze bezorgd zou maken als zij weer de leiding kreeg.'
'Ik kan het je niet kwalijk nemen. Hoe gaat het met de boetieks in de hotels in Melbourne en Adelaide? Die hebben hier toch geen last van?'
'Gelukkig niet. Die lopen goed, volgens de berichten van de bedrijfsleiders die ik gisteren heb gesproken. Callie had daar niets meer mee te maken, god zij dank. Weet je nog wel, ik heb het systeem een

poosje geleden gewijzigd, zodat elke bedrijfsleider zelfstandig werd en alleen aan mij verantwoording schuldig was. Maar nu ik hier toch ben, vlieg ik er later volgende week heen om met eigen ogen te zien of alles goed gaat.'

'Prima. Je vindt vast zó weer een bedrijfsleider voor de boetiek hier in Sydney. Er lopen genoeg bekwame lui rond.'

'Ja, dat heb ik gehoord. Ik praat maandag met de eerste kandidaten en mocht ik nog niemand hebben gevonden als ik over een paar weken wegga, dan neemt Madelana O'Shea voor me waar. Ze blijft hoe dan ook een tijdje, om contact te houden met de reclameafdeling en om deze boetiek weer op poten te zetten. Ik vertrouw haar volkomen.'

'Dat heb je al eens eerder gezegd. Ik wil graag eens met haar kennismaken.'

'Dat gebeurt dit weekend, Pip, want ik heb haar gevraagd mee te gaan naar Coonamble. Vlieg je morgenavond met ons mee?'

'Nee, dat kan niet. Jij gaat met moeder in Jasons toestel, ik kom zaterdagochtend. Ik verheug me op ons weekend samen, en het zal je goed doen. Je kunt twee dagen echt bijkomen en frisse lucht opsnuiven.'

Paula boog zich glimlachend naar haar broer toe en keek hem indringend aan. Haar stem kreeg een wat andere klank toen ze vroeg: 'Denk jij dat mammie nog van gedachten verandert wat die aandelen Sitex betreft?'

'Nee,' antwoordde Philip prompt. 'Ma's houding tegenover die aandelen is hecht verweven met haar emoties rond haar vader. Jij weet net zo goed als ik dat ze hem adoreerde en ze kan het niet over haar hart verkrijgen om tegen zijn wensen in te gaan. En naar haar overtuiging zou ze dat doen als ze die aandelen zou verkopen. Het klinkt misschien vergezocht, maar het is toevallig de waarheid.'

'Maar dat wilde Paul veertig jaar geleden, verdorie!' riep Paula op heftige toon uit. 'Nu zou hij heel anders tegen de zaak aankijken, Grandy ook, trouwens.'

'Wie zal het zeggen, maar ik weet zeker dat moeder bij haar standpunt blijft.' Philip keek Paula onderzoekend aan. 'Maar waarom wil jij die aandelen eigenlijk van de hand doen? *Waarom* is het zo belangrijk voor je?'

Paula aarzelde een fractie van een seconde, zich afvragend of ze haar broer de waarheid zou vertellen, maar ze besloot dat niet te doen. 'Dat heb ik gisteravond al gezegd,' antwoordde ze op neutrale toon. 'Al moet ik bekennen dat ik ook schoon genoeg begin te krijgen van Marriott Watson en zijn trawanten in het bestuur. Die doen alles om

mij in de wielen te rijden en om mij het leven zo moeilijk mogelijk te maken.'
Philip keek haar verwonderd aan. 'Maar Paula, dat doen ze al tijden! Dat is toch niets nieuws, is het wel? Bovendien hadden ze ook altijd al schermutselingen met Grandy.' Hij zweeg, fronste zijn wenkbrauwen en streek peinzend met zijn hand over zijn kin. 'Maar als het echt te gek wordt wat ze doen, zou ik dat ma kunnen uitleggen en. . .'
'Nee, nee, doe dat maar niet,' onderbrak Paula hem snel. 'Hoor eens, laten we die aandelen Sitex maar vergeten. Ik red het wel met Marriott Watson en het bestuur.'
'Ja, dat weet ik,' zei Philip. 'Jij hebt je tot nu toe altijd gered. Jij lijkt op mij. Het is je onmogelijk om je plicht te verzaken, dat is de aard van het beestje.' Hij glimlachte haar vol genegenheid toe. 'Kom, laten we eens wat te eten bestellen.'

16

Madelana werd wakker van zonlicht dat gefilterd door de gordijnen viel.
Ze kwam met een ruk overeind in het antieke hemelbed, knipperde met haar ogen en voelde zich verbaasd en gedesoriënteerd. Waar was ze ook alweer? Toen haar ogen aan het zachte, wazige licht gewend waren keek ze om zich heen en nam de details van de mooie kamer in zich op. Toen herinnerde ze zich dat ze op Dunoon was, de schapenfokkerij bij Coonamble van de McGills.
Ze draaide haar hoofd om en keek op het klokje op het tafeltje naast haar bed. Het was nog vroeg, pas zes uur. Maar dat gaf niet, ze was eraan gewend om bij het krieken van de dag op te staan. Bovendien had Daisy haar de vorige avond gezegd dat ze mocht opstaan wanneer ze wilde en dat ze volkomen vrij was. Vanaf kwart over zes was de huishoudster in de keuken bezig, en dan stonden er dingen als vers vruchtesap, koffie, thee, toost en fruit in de eetkamer klaar. Na zeven uur, wanneer een van de twee koks arriveerde, kon ze iets warms bestellen als ze daar zin in had, had Daisy er nog aan toegevoegd.
Madelana gooide het laken van zich af en sprong uit bed, waarna ze zich naar de aangrenzende badkamer haastte om een douche te nemen.
Tien minuten later kwam ze weer te voorschijn, in een witte badstof badjas gehuld. Ze liep naar het raam, trok het rolgordijn op en keek naar de tuin die zich onder haar uitstrekte. Ze zag veel felgroen, spec-

taculaire bloemenborders met een weelde aan bonte, bloeiende planten, en een groot middenperk in het glooiende gazon. Het was een stralende dag, heel zonnig; aan de helderblauwe hemel dreven hier en daar wat bolle, witte wolkjes die eruitzagen als zachte plukjes watten. Opnieuw doorstroomden haar de opwinding en vreugde die ze de vorige avond bij aankomst ook had ervaren. Ze kon nauwelijks wachten om naar buiten te gaan en haar onmiddellijke omgeving te verkennen. Haar belangstelling ging vooral uit naar die uitnodigende tuin; ze wist dat Paula enkele jaren terug een belangrijk aandeel in de aanleg ervan had gehad.
Aan de niervormige toilettafel, die tussen de twee hoge ramen stond, begon Madelana haar volle, kastanjebruine haar te borstelen, voordat ze haar make-up aanbracht. Terwijl ze de borstel hanteerde, bleven haar gedachten bij dit unieke oord, waar ze met Paula en Daisy en Jason Rickards heen was gegaan om er het weekend door te brengen.
Dunoon leek in niets op wat Madelana had verwacht of wat ze zich had voorgesteld. Het lag op ongeveer vijfhonderdvijftig kilometer van Sydney, in de noordwestelijke vlakte van New South Wales. De vlucht met Jason Richards' bedrijfsjet was vlot verlopen. Ze waren de vorige middag om vijf uur uit Sydney vertrokken en even na zessen op het privé-vliegveld op Dunoon geland.
Tim Willen, de bedrijfsleider, had hen afgehaald en hen joviaal begroet. Lachend en grapjes makend had hij de vlieger en de steward geholpen om hun bagage in de stokoude stationcar te laden.
Tien minuten later, toen ze er wegreden, had Madelana tot haar verbazing een paar toestellen van verschillende typen zien staan in de grote hangars waar ze langskwamen, evenals twee helikopters die op een vlakbij gelegen baan stonden.
Ze had haar verbazing uitgesproken tegenover Daisy, die had uitgelegd dat het hier eenvoudiger was om je via de lucht te verplaatsen, vooral als er snel moest worden gehandeld. Tijdens hun vlucht had Daisy verteld dat de op volle toeren draaiende fokkerij duizenden hectaren besloeg. Vanuit de lucht had het net een klein koninkrijk geleken. Nu ze die vliegtuigjes en helikopters had gezien, drong het nog eens goed tot Madelana door hoe uitgestrekt alles hier was.
De villa lag een kilometer of zeven van het vliegveld en onderweg had Madelana met haar neus tegen het raam gedrukt gezeten, steeds weer met ontzag kijkend naar alles wat ze zag. Daisy had als gids gefungeerd en haar op allerlei bijzonderheden gewezen terwijl de stationcar voortreed over de brede geasfalteerde weg die de ranch doorsneed en omringde.

Op een gegeven moment waren ze langs een groepje gebouwen gekomen dat een klein dorp scheen te vormen en Madelana had van haar gastvrouw gehoord dat daar onder andere de loodsen stonden waar de schapen werden geschoren en schuren waar de ruwe Merinowol van de op Dunoon gefokte schapen werd opgeslagen. Verder waren er schaapskooien, een smederij, een klein abattoir waar het vee werd geslacht voor consumptie op de fokkerij, een vriesinstallatie om het lams-, schape- en rundvlees te bewaren en een reeks andere grote loodsen waar voer, hooi en granen lagen. Verder stonden er nog een watertoren en een generator die het geheel van eigen elektriciteit voorzag.
Op korte afstand van deze gebouwen bevonden zich enkele omheinde weiden, gedeeltelijk overschaduwd door prachtige oude iepen en wilgen. Daar graasden het vee en de paarden tevreden in het weelderige gras. Enkele aantrekkelijke huizen keken uit over deze landelijke taferelen; ze stonden op een licht glooiende heuvel tegen een achtergrond van goudkleurige iepen en knoestige, oude eiken.
Tim had vaart geminderd zodat zij alles goed kon zien en hij had haar verteld dat hij en zijn vrouw daar woonden, samen met de arbeiders en enkele huishoudelijke medewerkers van de villa. Naast de woningen lagen tennisbanen en een zwembad, die alleen door de werknemers en hun gezin werden gebruikt.
Een paar honderd meter verderop langs de hoofdweg reden ze langs een manege waar de paarden werden gedresseerd, met daarbij enkele grote stallen.
Vooral deze hadden Madelana's aandacht getrokken. De stallen waren laag en maakten een vrij primitieve indruk; de donkergrijze en zwarte natuursteen was gedeeltelijk overdekt met klimop. Ze kreeg de indruk dat ze al oud waren. Toen ze dat tegen Daisy zei, had deze uitgelegd dat de stallen uit de jaren twintig dateerden en dat ze nog door haar vader, Paul McGill, waren neergezet.
Het landschap had diepe indruk op Madelana gemaakt tijdens de rit van de luchthaven naar de villa. Om de een of andere reden had ze niet verwacht dat het er zo mooi zou zijn, zo weelderig groen. Tot ze het met eigen ogen had gezien, had ze Australië altijd beschouwd als een dor en droog continent, dat, als je de grote kuststeden eenmaal achter je had gelaten, vrijwel geheel bestond uit ruig achterland.
Maar Dunoon was schitterend gelegen te midden van lieflijk, glooiend heuvelland, waar de golvende hellingen uitkwamen in groene dalen, met enorme weiden en uitgestrekte bossen. Het was er zonder meer landelijk te noemen, met de rivier de Castlereagh, die de donke-

re, rijke aarde doorstroomde, terwijl alles er even welvarend uitzag. De oprijlaan naar de villa was wel vijftienhonderd meter lang en zodra ze daarop reden had Daisy het raampje opengedraaid. Meteen stroomde een doordringende citroengeur de auto binnen. 'Dat is de *Eucalyptus citriodora,*' had Daisy verteld, met een gebaar naar de bomen die boven hen uit torenden en de oprijlaan omzoomden. 'Die staan tot aan de villa, ze ruiken heel sterk.' En Paula had eraan toegevoegd: 'Iedere keer dat ik citroengeur ruik, waar ter wereld ik ook ben, moet ik meteen aan Dunoon denken.' Madelana had instemmend geknikt. 'Dat begrijp ik,' had ze zachtjes gezegd, terwijl ze de heerlijke pittige citroenlucht had opgesnoven.

De villa was vrolijk verlicht om hen welkom te heten in het al afnemende schemerlicht. Toen Madelana was uitgestapt en naar het huis had opgekeken, was ze heel even verblind geweest en ze had zich in gedachten in het oude Kentucky gewaand. Ze werd overspoeld door nostalgie en een stroom herinneringen; haar keel werd dichtgeknepen en ze moest de tranen terugdringen. De villa in Dunoon was gebouwd in een classicistische stijl die deed denken aan de grote huizen op de plantages in het zuiden van Amerika, afkomstig uit een andere tijd – ronduit schitterend.

De voorgevel bestond voornamelijk uit wit hout, met hier en daar heel donkerrode baksteen. Brede veranda's liepen langs de vier zijden, zodat de muren 's zomers werden afgeschermd terwijl 's winters de zon naar binnen kon schijnen. Aan weerszijden van de voordeur stonden vier elegante witte pilaren, gemaakt van glanzend mahoniehout. De pilaren waren hoog en statig en reikten tot voorbij de eerste verdieping, als ondersteuning van een terras dat de gehele tweede etage besloeg.

Het groene gebladerte van de blauweregen die langs het witte hout groeide versterkte de koele sereniteit, wat ook gold voor de vele bladerrijke bomen die het huis aan de achterkant overschaduwden. Gazons omzoomd met enorme roze en witte azaleastruiken glooiden omlaag, terwijl de bloemperken deze gladde, groene vlakten omsloten.

Eenmaal binnen had Madelana ontdekt dat het interieur de architectuur van de buitenkant eer aandeed. De vertrekken waren ingericht met prachtige antieke meubels, kristallen kroonluchters, mooie oude tapijten en schitterende schilderijen, waaronder veel Franse impressionisten. Later hoorde ze dat die collectie aan Emma Harte had toebehoord en dat er werk van Monet, Van Gogh, Gauguin, Cezanne en Degas bij was.

Paula had haar naar deze charmante slaapkamer, die naast de hare

lag, gebracht. Het was een ruim vertrek, ingericht in tere tinten abrikoos, limoen en lichtblauw; het plafond was hoog, de schoorsteenmantel wit en er hingen waterverfschilderijen van Dunoon aan de wanden. Het antieke hemelbed nam er de ereplaats in, terwijl een tweezitsbankje en twee stoelen bij de open haard waren neergezet. Overal stonden versgeplukte bloemen, die de kamer vulden met de vele geuren uit de tuin. Vooral in de ochtend geurden de bloemen sterk, maar dat vond Madelana niet erg.
Ze bekeek zichzelf in de spiegel van de toilettafel, haalde nog een keer de borstel door haar haar en liep toen naar de klerenkast, waar ze een grijze flannel broek uit pakte, een witzijden overhemdblouse en een gebreid jasje van blauwgrijze mohair.
Nadat ze zich had aangekleed, trok ze een paar bruinleren mocassins aan, gespte haar gouden horloge om en deed gouden oorbelletjes in. Toen liep ze de slaapkamer uit.
Het was even over half zeven toen ze de deur van de eetkamer openduwde en naar binnen keek.
De huishoudster, mevrouw Carr, met wie ze de vorige avond had kennisgemaakt, was nergens te bekennen, maar Madelana snoof goedkeurend de verleidelijke aroma's van verse koffie, warm brood en rijp fruit op. Ze zag dat dit alles op de tafel aan de wand tegenover haar was klaargezet, onder een schilderij dat een clown voorstelde. Op de ronde tafel in het midden van de achthoekige kamer lag een smetteloos wit organdie kleed; er was voor vier personen gedekt met aantrekkelijk porselein met een bloemetjesmotief.
Madelana liep erheen en schonk een kop zwarte koffie in. Ze keek naar het schilderij van de clown. O, dat is een Picasso, dacht ze, terwijl ze zich zonder verbazing afwendde. Niets hier verbaasde haar nog langer. Het was een betoverd paradijs.
Ze nam haar kopje mee naar buiten, ging op de verandatrap zitten en dronk de koffie langzaam op, intussen genietend van de geur van gras en ander groen, de citroenlucht van de eucalyptusbomen die de atmosfeer vervulde en de stilte van de natuur. Die stilte werd alleen verbroken door het gekwetter van vogeltjes en het zachte geritsel van de bladeren in de zachte bries.
Wat was het hier vredig. Hier heerste het soort rust dat je alleen buiten aantrof, een sereniteit die ze bijna was vergeten. Wat een weelde, dacht ze en ze sloot haar ogen om de rust diep tot zich te laten doordringen en in zich op te nemen. Opeens realiseerde ze zich dat ze sinds haar kinderjaren deze vrede niet meer had meegemaakt.
Even later ging Madelana weer naar binnen, zette haar kop en schotel in de eetkamer en wandelde naar de grote hal. Toen ze daarnet met

haar make-up bezig was, had ze zich voorgenomen om een wandeling te maken door de tuin voor het huis, maar nu aarzelde ze.
Aan het andere eind van de gang lag de portrettengalerij. Paula had haar die gisteravond gewezen toen ze naar boven gingen, maar toen hadden ze geen tijd gehad om er een kijkje te nemen, omdat ze zich gauw moesten verkleden voor het eten. Terwijl ze samen de grootse, gebogen trap opliepen, had Paula gezegd: 'Er hangen portretten van onze voorouders McGill, maar er hangt ook een bijzonder schilderij van Emma. Dat moet je gezien hebben voor je hier weggaat, Madelana.'
Haar nieuwsgierigheid van de avond ervoor was weer gewekt en Madelana besloot eens naar Emma's portret te gaan kijken. Haar wandeling kon wel even wachten.
De galerij was veel langer dan ze had vermoed; het plafond was er hoog en aan het eind van de galerij was een hoog raam. Er lagen geen kleden op de glanzend gewreven houten vloer, de wanden waren wit geschilderd en in het midden stond een donkere, eikehouten kloostertafel. Een paard van Chinees porselein, behoorlijk groot van formaat, stond op de tafel, en ook dit leek Madelana een antiek stuk van onschatbare waarde.
Ze haastte zich de lange galerij door, waarbij ze de McGills nauwelijks een blik waardig keurde, want haar belangstelling ging vooral uit naar het portret van Emma Harte.
Toen ze er ten slotte voor stond, stokte de adem haar in de keel. Het was een heel bijzonder portret, zoals Paula al had gezegd. Het leek sprekend, veel beter dan de portretten die ze in de Harte-filialen had zien hangen, en het was zelfs mooier dan het exemplaar in Pennistone Royal, in Yorkshire.
Ze bleef er een hele tijd naar staan kijken, zich verwonderend over de levendigheid van het schilderij en het bijzondere penseelgebruik. Het was kennelijk gemaakt in de jaren dertig; de avondjapon die Emma droeg, gemaakt van witte satijn, was afkomstig uit die periode. Madelana had het idee dat ze, als ze haar hand uitstak, de stof zo kon voelen. Smaragden sierden stralend Emma's hals, oren en polsen, terwijl ze aan haar linkerhand een vierkante smaragd droeg. De stenen weerspiegelden de kleur van haar fonkelende ogen.
Wat had ze een kleine handen, dacht Madelana terwijl ze nog een stapje dichterbij ging staan. Zo klein dat het wel kinderhandjes lijken.
Het portret naast dat van Emma stelde een donkere, knappe man voor, elegant gekleed in jacquet met witte das. Hij had doordringend blauwe ogen, zoals ze nog nooit eerder had gezien, een krachtig, zeer

boeiend gezicht, een zwarte snor en een diep kuiltje in zijn kin. Clark Gable, dacht Maddy. Ze glimlachte bij zichzelf, want ze wist dat het onmogelijk de beroemde filmster kon zijn. Het stelde ongetwijfeld Paul McGill voor.
Ze hield haar hoofd een beetje scheef en bestudeerde het schilderij aandachtig en nauwgezet, zich afvragend wat voor soort man hij was geweest. Hij was aan Emma Harte gewaagd, daar twijfelde ze niet aan.

Toen de staande klok in de grote hal zeven sloeg, kwam Philip de trap afrennen.
Hij liep de hal door, in de richting van de eetkamer, toen het hem opviel dat de mahoniehouten deuren naar de galerij op een kier stonden. Hij liep erheen om ze dicht te doen en zag toen meteen de jonge vrouw staan. Ze stond helemaal aan het eind en ze boog zich naar het portret van zijn grootvader toe dat ze bestudeerde. Dat moest Paula's Amerikaanse assistente zijn.
Ze draaide zich met een ruk om, alsof ze zijn aanwezigheid had gevoeld. Toen ze hem in de deuropening zag staan, gingen haar ogen wijd open en er gleed een verbaasde uitdrukking over haar gezicht. Ze keek hem aandachtig aan. Onwillekeurig staarde hij terug.
En in dat ene ogenblik nam zijn leven een andere wending.
In Philips ogen was alles om haar heen even licht. Dat lag niet alleen aan het heldere zonlicht dat door het grote raam binnenstroomde, maar aan het licht dat ze van binnenuit uitstraalde. Ze was een stralende persoonlijkheid.
Hij wist onmiddellijk dat hij haar wilde hebben en dat hij haar zou krijgen. Philip begreep niet hoe hij dat kon weten, maar de wetenschap flitste als een bliksemschicht door hem heen. Voor hem was het de onbetwistbare waarheid.
Langzaam liep hij naar haar toe. Zijn rijlaarzen klosten luid tegen de houten vloer. Het geluid kwam hem overweldigend voor, een verstoring van de volmaakte stilte die haar omringde. Ze stond op hem te wachten, roerloos, alsof ze haar adem inhield, terwijl ze hem aandachtig bleef opnemen. Zijn ogen lieten haar gezicht niet los.
Hij had haar nog nooit eerder gezien, maar niettemin had hij het gevoel dat hij haar allang kende en hij ervoer dit alsof ze door het lot voor elkaar bestemd waren. Ten slotte bleef hij voor haar stilstaan. Ze keek naar hem op, met een langzame, aarzelende glimlach. Hij was zich ervan bewust dat hem iets heel ingrijpends overkwam en wat hem het meest verbaasde was dat het hier gebeurde, in zijn eigen thuis, op de enige plek ter wereld waar hij echt van hield. Ze bleef

hem glimlachend aankijken. Hij had het gevoel alsof er een last van zijn schouders viel, terwijl alle pijn en verdriet naar de achtergrond verdwenen en een gevoel van diepe vrede in hem neerdaalde.
Gedempt, als van grote afstand, hoorde hij zijn eigen stem. 'Ik ben Philip, Paula's broer,' zei hij. Het verbaasde hem dat het er zo gewoon uitkwam.
'Ik ben Madelana O'Shea.'
'Dat had ik al begrepen.'
Ze legde haar hand in de zijne en hij omvatte hem stevig. Hij wist dat hij zijn hele leven op haar had gewacht.

17

Het kostte Philip grote moeite om Madelana's hand los te laten, maar uiteindelijk deed hij het.
Onmiddellijk stopte Madelana haar hand snel in haar zak. Ze voelde zijn sterke vingers er nog omheen, alsof ze een blijvende indruk hadden achtergelaten. Ze schoof met haar voeten en wendde haar blik af. Philip McGill Amory maakte haar onzeker.
Philip bestudeerde haar. 'Je keek nogal verbaasd toen ik binnenkwam. Het was niet mijn bedoeling je aan het schrikken te maken.'
'Ik dacht even dat Paul McGill weer tot leven was gekomen.'
Zijn schallende lach echode door de rustige galerij. Hij keek schuins naar het schilderij, maar leverde verder geen commentaar.
'Bovendien,' vervolgde ze, 'zei Paula dat je pas rond het middaguur uit Sydney zou komen.'
'Ik ben van gedachten veranderd en ik ben toch gisteravond gegaan. Ik ben om half twaalf aangekomen, maar toen lag iedereen al in bed.'
Ze knikte zonder iets te zeggen en staarde naar hem op.
'Je stond het portret van mijn grootvader heel aandachtig te bestuderen.' Hij schonk haar een scheef lachje en zijn vrolijke blauwe ogen dansten plagend. 'Ben je er iets wijzer van geworden? Heb je de geheimen van zijn karakter soms ontdekt?'
'Volgens mij moet hij een heel bijzondere, waarachtige man zijn geweest als je nagaat dat hij Emma Harte voor zich heeft gewonnen en met haar getrouwd is.'
'Uit wat mijn grootmoeder me over hem heeft verteld, was Paul McGill niet te overtreffen. En dat is dan nog zacht uitgedrukt,' antwoordde Philip. Het was even stil voordat hij vervolgde, iets zachter nu: 'Maar ze zijn nooit getrouwd geweest... Zijn vrouw wilde niet

scheiden. Ze zijn hun eigen weg gegaan, hebben zich van de fatsoensregels uit die tijd niets aangetrokken en hebben een jaar of zestien, zeventien samengewoond. Tot zijn dood in 1939 om precies te zijn. Ik geloof dat hun gedrag voor die dagen schandalig was, maar het liet hun onverschillig.' Philip haalde zijn schouders op. 'Ze waren waanzinnig verliefd op elkaar, dolgelukkig, en ze hebben er kennelijk nooit spijt van gehad. En uiteraard waren ze gek op hun enige kind, mijn moeder.' Weer was het stil, toen zei Philip: 'Ze is dus een onwettig kind.'
Madelana was overdonderd. 'Dat wist ik niet, daar had ik geen idee van. Paula heeft nooit iets gezegd over het privé leven van jullie grootmoeder. En wat ik heb gehoord of gelezen had altijd betrekking op haar zakelijke prestaties.'
'Ja, het is een prachtig verhaal, vol successen, hè? Ze was haar tijd ver vooruit. Ze was een briljante, waarachtig geëmancipeerde vrouw, die een heleboel andere vrouwen is voorgegaan... naar het zakenleven en het grote geld. Daar ben ik blij om. Ik zelf zou niet weten wat ik zonder de vrouwelijke directieleden in ons bedrijf zou moeten beginnen.'
Philip lachte zachtjes en keek weer ontspannen. 'Maar ik weet zeker dat niemand meer aan Emma's privé-leven denkt. Per slot van rekening is het zo lang geleden gebeurd. Een legende. En in de familie zowel als daarbuiten zijn genoeg mensen die het licht brandende houden... die niet willen dat haar reputatie in enig opzicht wordt bezoedeld.' Hij kneep zijn lippen opeen en schudde zijn hoofd. 'Wat mij betreft is Emma's reputatie niet kapot te krijgen, dat spreekt vanzelf. Samenwonen zonder getrouwd te zijn met een man van wie ze oprecht hield, met haar hele hart, kun je nauwelijks een zonde noemen.'
'Dat ben ik met je eens. Maar waarom wilde die vrouw eigenlijk niet scheiden?'
'Haar godsdienstige opvattingen lieten dat niet toe, wat haar volgens míj goed uitkwam. Constance McGill was rooms-katholiek en *ik* heb het idee dat ze zich eenvoudigweg achter de Kerk en de Leer verschool om Paul dwars te zitten. Zij wilde hem zelf niet meer hebben, maar ze gunde hem ook niet aan een ander. Bovendien wilde ze niet dat hij gelukkig was, dat is absoluut waar. Daarom haalde ze er een stel priesters en allerlei bespottelijke religieuze schijnargumenten bij om de zaak te vertroebelen, dat is mijn mening.'
'O...'
Philip was zich Madelana's aanwezigheid sterk bewust en hij merkte direct de eigenaardige blik in haar ogen op. Daar hij gevoelig was en

mensen gemakkelijk doorzag, wist hij instinctief dat hij een blunder had begaan. 'Ik heb je gekwetst... Je bent zeker rooms-katholiek?'
'Ja, inderdaad, maar je hebt me niet gekwetst, heus niet.'
'Wat spijt me dat nou.'
'Het geeft niet, heus niet, Philip...' Haar stem stierf weg. Ze keek naar hem op.
Hun ogen ontmoetten elkaar. Geen van beiden kon de blik afwenden. De stilte tussen hen verdiepte zich.
Toen hij in haar stralende, zilverkleurige, eigenaardig transparante ogen keek, begreep Philip dat het er inderdaad niet toe deed. Ze meende precies wat ze zei, ze zou altijd goudeerlijk zijn. Want zij was altijd recht-door-zee, open en eerlijk – wat hem voor haar innam. Opnieuw ervoer hij dat wonderlijke gevoel dat hij haar al jaren kende. Het was alsof hij haar vroeger had gekend, van haar gescheiden was en haar had weergevonden. Hij voelde zich op zijn gemak bij haar, hij kon zichzelf zijn, wat hij nog nooit bij een andere vrouw had meegemaakt. *Ik wil haar hebben,* dacht hij voor de tweede keer die ochtend. *En ik ben van plan mijn zin te krijgen.* Maar pak het voorzichtig aan, overhaast niets, sprak een waarschuwend stemmetje.
Madelana, als gebiologeerd door zijn blauwe ogen, was ook vervuld van wonderlijke, ongekende gevoelens. Haar keel zat dichtgeschroefd, ze had een felle pijn in haar borst en ze trilde inwendig. Ze reageerde sterk op Philip, zowel fysiek als emotioneel, zoals haar nog nooit eerder was overkomen, zelfs niet bij Jack Miller. Maar ze had dan ook nog nooit eerder iemand als Philip McGill Amory ontmoet. Hij was zo mannelijk, zo krachtig, en bovenal zo charmant. Dodelijk charmant. Hij bracht haar uit haar evenwicht. Erger nog, ze was bang voor hem.
Om onverklaarbare redenen had Madelana het idee dat ze op het punt stond in huilen uit te barsten. Ze wendde snel haar hoofd af en verbrak hun oogcontact. Ze beefde helemaal en omdat ze niet wilde dat hij dat merkte, liep ze naar de andere kant van de galerij.
Ze schraapte haar keel en zei, zonder om te kijken: 'En, welke voorvader is dit?'
Philip was met haar meegelopen. Hij stond vlak achter haar en snoof de geur van haar haar en haar parfum op. Een kruidig, bijna muskusachtig aroma dat hem prikkelend voorkwam. Hij had de neiging zijn armen om haar heen te slaan en het kostte hem grote moeite zich te beheersen.
Met ingehouden stem antwoordde hij: 'O, dat is Andrew, de Schotse zeekapitein. Die is in 1852 naar Australië geëmigreerd. En dat is zijn

vrouw, Tessa, die naast hem hangt. Andrew was de aartsvader, hij heeft zich hier op dit stuk land gevestigd, hij is de schapenfokkerij begonnen en hij heeft de fundering van dit huis gelegd. Hij noemde het Dunoon, naar het Schotse dorp waar hij vandaan kwam.'
'Het is een heel mooi huis,' zei Madelana met hese stem. Ze was zich Philips nabijheid zo bewust dat ze nauwelijks een woord kon uitbrengen.
'Dank je, dat vind ik ook. Maar het was in feite Andrews zoon, Bruce, mijn overgrootvader, die aan het begin van de eeuw, na een reis naar Amerika, dat oude, koloniale beeld heeft opgeroepen. Hij heeft de nieuwe gevel gebouwd, met die pilaren, en hij heeft de sfeer van de plantages in Georgia en Virginia willen overbrengen.'
'En van Kentucky... Het doet me denken aan vroeger, thuis.'
Philip liep om haar heen zodat hij haar kon aankijken. Zijn donkere wenkbrauwen gingen verbaasd omhoog. 'Kom jij uit het land van de countrymuziek?'
Madelana knikte.
'Maar je hebt helemaal geen zuidelijk accent.'
'En jij hebt geen opvallend Australisch accent,' was haar weerwoord. Voor het eerst sinds hun ontmoeting begon ze te lachen, wat de spanning die zich in haar had opgebouwd deed afnemen. 'Ik ben in Lexington geboren en getogen.'
'Dan heb je vast altijd paarden om je heen gehad. Ja toch zeker? En je rijdt ook paard?'
'Ja.'
Zijn gezicht klaarde op en zijn stem klonk opgetogen toen hij spontaan uitriep: 'Ga mee, dan gaan we nu samen rijden! Ik wil je alles laten zien... Je hebt gisteravond vast niet veel kunnen bekijken, want het schemerde al toen je aankwam.' Hij keek naar haar kleren. 'We hebben vast wel een broek en laarzen die je passen.'
'Ik heb mijn eigen rijkleding bij me,' antwoordde Madelana. 'In New York al zei Paula dat we waarschijnlijk een weekend hierheen zouden gaan. Ze heeft me precies verteld wat ik allemaal moest meenemen.'
'Slimme tante, die zus van mij,' zei hij, weer met dat scheve lachje. 'Kom mee dan, waar wachten we nog op!'
Philip pakte haar bij haar hand en trok haar haastig de galerij uit, de hal in. 'Terwijl jij je verkleedt, drink ik even een kop koffie in de eetkamer. Daar wacht ik op je.'
'Ik ben zó klaar,' antwoordde ze rustig, overrompeld door de krachtige uitstraling van deze man.

En inderdaad was ze binnen tien minuten terug in de eetkamer. Toen ze zo snel in de deuropening verscheen trof hem dat aangenaam. Vrouwen die te lang over hun kapsel en hun make-up treuzelden en hem lieten wachten, irriteerden hem altijd. Hij was gewend aan de vrouwen uit de familie Harte, die zich nooit opdirkten maar er altijd goed uitzagen. Hij was blij dat Madelana uit hetzelfde hout gesneden was.
Terwijl hij opstond en haar tegemoetliep, kreeg zijn blik iets bewonderends. De manier waarop ze was gekleed beviel hem. Ze was kennelijk een echte amazone, geen amateur die paardrijdt vanwege het tenue en die de sport niet serieus neemt. Hij zag het aan haar kleren. Haar jasje met mannelijke snit, het rood met goudgeel geruite wollen overhemd en de beige rijbroek waren goed onderhouden maar allerminst nieuw en haar zwarte laarzen, even glanzend gepoetst als zijn eigen paar, waren veel gedragen en kennelijk jaren oud.
Met een brede glimlach pakte hij haar bij de elleboog en troonde haar mee naar buiten, via de binnenplaats naar de garage.
Terwijl ze langs de rij prachtige auto's liepen die onder een carport stonden, vroeg hij: 'Welke weg hebben jullie gisteravond van het vliegveld hierheen genomen?'
'Tim Willen heeft ons via de hoofdweg gebracht,' antwoordde Madelana. 'Ik heb al van alles gezien, de schaapskooien, de loodsen waar geschoren wordt en allerlei opslagplaatsen, en het woongedeelte.'
'Mooi zo, dan kunnen we meteen naar buiten gaan om echt te gaan rijden in plaats van een beetje rond te stappen,' kondigde hij aan terwijl hij het portier van zijn donkerblauwe Maserati voor haar openhield.
Terwijl zij zich aan het verkleden was, had Philip naar de stallen gebeld en toen ze bij de oude gebouwen kwamen die ze de avond tevoren zo had bewonderd, stonden hun paarden al gezadeld klaar.
De stalknecht stond hen al op te wachten en nadat Philip haar aan Matt had voorgesteld, nam hij haar mee naar de stallen. 'Dit is Gilda,' zei hij terwijl hij de deur van de box opende en de vos, een merrie, naar buiten leidde. Hij gaf Madelana de teugels. 'Ze staat tot je beschikking. Je zult merken dat ze meegaand is, maar dat ze genoeg pit heeft om niet saai te zijn.'
Philip stapte opzij. Hij moest zich beheersen, anders had hij Madelana geholpen met opstijgen.
'Dank je, wat is ze mooi,' zei Madelana terwijl ze de vos waarderend opnam. Ze streelde en liefkoosde de neus van de jonge merrie en fluisterde haar in haar oor om vriendschap met haar te sluiten, zoals de stalknechten in Kentucky haar jaren geleden hadden geleerd bij

een onbekend paard. Na een paar minuten kreeg Madelana het gevoel dat ze elkaar goed genoeg kenden. Ze zette haar linkervoet in de stijgbeugel en sprong met een zwaai in het zadel.
Philip had haar gadegeslagen terwijl ze met Gilda bezig was, goedkeurend knikkend omdat ze kennelijk wist hoe je zoiets moest aanpakken. Nu besteeg hij Black Opal, zijn glanzende, ebbehoutzwarte hengst en ging als eerste de met keitjes bestrate binnenplaats op. Hij stak de hoofdweg over en koos een zandpad dat omlaag helde naar struikgewas.
Ze reden stapvoets achter elkaar over het smalle pad dat overhuifd werd door goudgele iepen en wilgen. Algauw kwamen ze op een uitgestrekte weide waar het groene gras golfde onder de lichte bries. Even reden ze in handgalop naast elkaar, waarna Philip onaangekondigd overging in galop en Black Opal de sporen gaf, zodat Madelana achterbleef.
'Kom Gilda, meisje, kom, liefje,' vleide Madelana terwijl ze zich vooroverboog tegen de nek van de merrie en iets uit het zadel omhoogkwam. In galop ging ze achter Philip aan.
Ze haalde hem in, waarna ze samen door enkele ernaast gelegen weiden snelden, over hekken sprongen en nek aan nek raceten, tot Philip ten slotte vaart minderde en Black Opal intoomde.
Madelana volgde meteen zijn voorbeeld, wetend dat ze zich naar hem moest voegen aangezien zij zich op onbekend terrein bevond.
Terwijl ze op adem kwamen, keken ze elkaar aan.
'Dat was geweldig, je bent fantastisch,' zei Philip. 'Maar nu moeten we rustiger aan doen, want we komen in de buurt van de schapen en het vee dat staat te grazen.'
'Ja, dat begrijp ik,' antwoordde ze.

Ze reden stapvoets door de schitterende, landelijke omgeving, langs kudden vee en schapen die over de weiden en de lager gelegen hellingen zwierven. Ze kwamen langs bossen met de overal aanwezige iepen en eucalyptusbomen en trokken door een diepe, lieflijke vallei waar ze de kronkelende, zilveren draad van de rivier de Castlereagh volgden, om ten slotte langzaam de groene heuvels van Dunoon in te trekken.
Af en toe spraken ze met elkaar. Madelana stelde soms een vraag en soms vertelde Philip iets uit zichzelf, maar vaak zwegen ze.
Dat beviel Philip goed. Hij had niet altijd zin in praten, hij was vaak in zichzelf gekeerd en in gedachten met andere dingen bezig, en vrouwen die aan één stuk door kwebbelden, werkten hem op de zenuwen. Haar stilzwijgen was een verademing. Hij was zich in alle opzichten

van haar aanwezigheid bewust, maar toch maakte ze geen inbreuk op zijn privacy en ze hadden samen niets onwennigs, tenminste, niet wat hem betrof. Om zo rustig met haar voort te rijden gaf hem een licht, gelukkig gevoel dat hij in jaren niet had gekend.

Madelana koesterde soortgelijke gevoelens. De spanning die zich van haar meester had gemaakt in de portrettengalerij was afgenomen terwijl ze zich op haar kamer verkleedde en was vrijwel geheel verdwenen sinds ze samen buiten waren.

Hoewel New South Wales aan de andere kant van de wereld lag, voelde ze zich meer met Kentucky verbonden dan ooit sinds ze vier jaar geleden uit haar geliefde streek was weggegaan. De stilte in de tuin, die haar eerder die ochtend zo sterk was opgevallen, was hier, in dit uitgestrekte landschap, nog beter waarneembaar en de overweldigende vredigheid vervulde haar met een sereen gevoel. En omdat ze zo ontspannen was, voelde ze zich onverwacht goed op haar gemak in Philips gezelschap.

Bijna twee uur lang reden ze samen over zijn landerijen. Ten slotte kwamen ze aan de plek die hij zich als doel had gekozen. Het was het hoogste punt op Dunoon. Philip ging haar voor de steile helling op. Boven op de heuvel sprong hij van Black Opal en bleef naast zijn paard wachten op Madelana, die op korte afstand volgde.

Met de ervaren gebaren van de doorgewinterde ruiter kwam ze boven aan. Niettemin wilde hij haar helpen afstijgen, maar ook deze keer beheerste hij zich. Hij durfde haar niet aan te raken.

Toen ze uit het zadel sprong en veerkrachtig op het gras neerkwam, slenterde hij naar de enorme eik die als een gigantische parasol van groene kant zijn oude takken over de heuveltop uitwaaierde.

Toen Madelana zich bij hem voegde, zei hij: 'Mijn betovergrootvader heeft deze eik ruim honderd jaar geleden geplant. Dit is mijn lievelingsplek. Emma heeft me hier voor het eerst mee naartoe genomen toen ik nog klein was, ook zij vond het hier heerlijk. Je kunt kilometers ver uitkijken. Kijk maar!' riep hij uit terwijl hij een allesomvattend armgebaar maakte. Toen schermde hij met een hand zijn ogen af en tuurde over het golvende landschap. Zijn stem klonk trots en vol liefde. 'Op de hele wereld is geen plek zoals deze, ten minste, niet voor mij.'

'Het is overweldigend mooi,' antwoordde Madelana, en ze meende wat ze zei. Alles op Dunoon kwam haar scherper en levendiger voor... De hemel zag er oneindig veel blauwer, de wolken waren witter, het gras en de bomen groener, de bloemen weelderiger. Het was een paradijs, zoals hij al eens had gezegd toen ze nog door het

dal reden. Ze haalde een paar keer diep adem. De lucht hierboven was zuiver, heel puur en verkwikkend.
Philip zette zijn breedgerande hoed af, gooide hem op de grond en streek met zijn hand door zijn volle, zwarte haar. 'Laten we even uitrusten voor we teruggaan,' stelde hij voor. Hij wees op de grond en ging zitten.
Madelana knikte en ging naast hem zitten. Na hun lange rit door de zon genoot ze van de donkere, groene koelte onder de schaduwrijke boom.
Ze zwegen een poosje, toen zei Philip: 'Wat zij voelden moet een geweldig fijne ervaring zijn geweest, denk je ook niet?'
'Ja,' antwoordde Madelana, die meteen begreep dat hij op Paul en Emma doelde.
'Heb jij ooit zo van iemand gehouden?' vroeg Philip.
'Nee, jij?'
'Nee.' Hij zweeg, in gedachten verzonken. Madelana bleef rustig zitten.
'Ben je getrouwd?' vroeg hij opeens.
'Nee, nooit geweest ook.'
Philip keek haar van opzij aan. Hij wilde eigenlijk vragen of er iemand in haar leven was die veel voor haar betekende, maar hij durfde niet. Het gesprek had al een veel persoonlijker wending genomen dan zijn bedoeling was geweest.
Alsof ze voelde dat hij haar tersluiks opnam, keek ze hem met die rustige, grijze ogen vast aan.
Hij glimlachte naar haar.
Zij glimlachte terug. Toen trok ze haar knieën tegen haar borst, legde haar kin erop en staarde naar de blauw met witte nevel in de verte en naar de voorbijdrijvende cumuluswolken.
Philip leunde achterover, met zijn hoofd tegen de knoestige boombast. Intuïtief wist hij dat zij zijn reputatie van playboy kende. Hij onderdrukte een zucht. Vroeger had hij zich daar nooit druk om gemaakt. Nu zat de naam die hij zich had verworven hem dwars.

18

Het was die avond opeens fris geworden. Uit de heuvels rond Dunoon stak een harde wind op die de gordijnen deed opbollen en flapperen, zodat het koud werd in de slaapkamer.
Paula rilde, stond op van de toilettafel en ging het raam dichtdoen. Toen ze weer was gaan zitten pakte ze haar parelketting, hing hem

om haar hals en deed de *mabé*-oorringen bezet met parels en diamanten in. Ze richtte zich op en bekeek zichzelf in de spiegel. Niet slecht, dacht ze, voor een gestresste president-directeur en veel geplaagde echtgenote en moeder van vier kinderen die tegen de zevenendertig loopt.
Ze keek naar de kleurenfoto die op de toilettafel stond. Het was een kiekje van Shane en haar samen, met Lorne, Tessa, Patrick en Linnet, die Emily in het voorjaar op het terras van Pennistone Royal had gemaakt. Even ging er een steek door haar heen toen ze aan haar twee jongste kinderen dacht; elk kind was op zijn eigen manier kwetsbaar en ze hadden haar nodig.
Toen ze Shane die ochtend had gebeld, hadden ze allang in bed gelegen. Door het tijdsverschil tussen Australië en Engeland lag zij eigenlijk een dag voor en het was tegen twaalf uur 's avonds geweest toen ze hem die vrijdag op Pennistone Royal had opgebeld. Hij kwam net terug van een diner bij Winston in Beck House. Emily was al naar Hongkong vertrokken; ze was haar inkoopreis voor Genret begonnen, en kennelijk hadden de twee boezemvrienden een vrijgezellenavond gehouden, wat tegenwoordig nog maar zelden voorkwam.
Het was heerlijk geweest om zijn lieve, geruststellende stem te horen en te weten dat alles thuis goed ging. Lorne en Tessa waren inmiddels aardig gewend op hun respectieve kostscholen en Pat, de kinderjuffrouw, was terug na een week vakantie in het Merendistrict; ze zwaaide weer de scepter over de kinderkamer en haar pupillen.
'Alles loopt op rolletjes, lieveling,' had Shane gezegd. Het was alsof hij in de kamer ernaast zat, zo duidelijk klonk zijn stem. 'Ik blijf het weekend hier bij de kinderen. Zondagavond rij ik weer naar Londen. O ja, ik heb vandaag bericht gehad van vader. Hij belde om te zeggen dat hij en moeder definitief besloten hebben om met Kerstmis over te komen. De kleine Laura zal er dus ook bij zijn, en Merry en Elliot hebben de uitnodiging ook aangenomen. Het ziet er naar uit dat we een ware invasie krijgen hier in Yorkshire... Net als vroeger, toen Blackie en Emma nog leefden. Het zal een heerlijke tijd worden.'
Ze was dolblij geweest met zijn nieuws en ze hadden nog een half uur doorgepraat over hun kerstplannen, de kinderen en andere familieaangelegenheden. Shane had beloofd haar over een paar dagen op te bellen. Na dat gesprek had ze zich een stuk beter gevoeld. Ze miste hem en de kinderen enorm wanneer ze op reis was, want ze voelde zich nooit compleet als ze van haar dierbaren was gescheiden. Ze probeerde zich niet ongerust te maken, maar dat lukte haar nooit, dat zou wel nooit veranderen, vermoedde ze. Ze was nu eenmaal zoals ze was.

Paula keek op haar horloge en zag dat ze nog tien minuten de tijd had voordat ze naar beneden moest voor een aperitief. Ze stond op, streek de rok van haar zijden cocktailjurk glad en liep naar de schrijftafel om de paperassen te ordenen. Er was onder andere een lijstje bij met de kerstcadeaus, waaraan ze eerder die week in Sydney was begonnen. Shanes familie zou een groot cadeau krijgen, maar geen kleinigheidjes voor onder de boom. Nu ze toch naar Yorkshire kwamen, moest ze daar iets voor bedenken. Ze was immers van plan al haar kerstinkopen in Hongkong te doen, als ze over tien dagen Emily daar ontmoette.

Terwijl ze over het bureautje gebogen zat en snel een paar aantekeningen maakte, dwaalden Paula's gedachten naar de ouders van Shane. Ze was oprecht verheugd dat Bryan en Geraldine in december naar Engeland kwamen. Ze hadden namelijk een paar weken geaarzeld. Sinds Bryans hartaanval enkele jaren terug, woonden ze op Barbados. Bryan hield een oogje op een van de andere O'Neill-hotels in het Caribisch gebied, maar tegenwoordig deed hij het verder kalm aan. Op Shanes aandringen was hij gedeeltelijk met pensioen gegaan. Ze miste hen. Trouwens, de hele familie ervoer het als een gemis dat de O'Neills naar het buitenland waren gegaan. Miranda had ze ook allang niet meer gezien. Zij en Shanes zuster waren van kind af aan dikke vriendinnen geweest, en hoewel ze soms kans zagen een ontmoeting in New York te arrangeren, mopperden ze steeds dat ze tegenwoordig nooit ergens tijd voor hadden. Als hoofd van O'Neills Hotels International in Amerika leidde Merry een druk bezet leven en nu ze was getrouwd met de bekende Amerikaanse architect Elliot James, wilde ze haar schaarse vrije tijd met hem doorbrengen in hun huizen in Manhattan en Connecticut. Als gevolg daarvan kwam Merry de laatste tijd nog maar zelden in Engeland en zelfs haar zakenbezoeken hield ze kort. 'Even kritisch kijken en wegwezen,' zei Merry zelf altijd lachend.

Bij wijze van uitzondering zouden alle O'Neills bij elkaar komen, samen met de Hartes. Sir Ronald en Michael Kallinski hadden de uitnodiging voor het kerstdiner al aanvaard, zodat voor het eerst sinds jaren de drie families zouden zijn verenigd. Die gedachte ontlokte Paula een tevreden glimlach.

Met een paperclip zette ze een bundel papieren vast, waarna ze ze veilig in haar aktentas stopte. Als ze weer eens een vrij ogenblik had, later die avond of de dag daarop, zou ze nog wat aantekeningen maken: de kamers op Pennistone Royal moesten worden ingedeeld en ze moest de menu's voor de hele kerstvakantie samenstellen, evenals een lijst met de gasten die ze voor de diverse feestelijkheden wilde uitnodigen. Kerstmis was pas over drie maanden, maar dat was gezien haar werkschema helemaal niet zo ver weg. Ze had nog zoveel te doen. Vooruitplannen en alles tot in detail organiseren – dat was voor haar de enige manier om alles voor elkaar te krijgen. Zo was ze door haar grootmoeder opgevoed. Soms vroeg ze zich af of dat niet aan haar succes ten grondlag lag.

Toen ze een paar minuten later in de deuropening van de woonkamer stond, dacht Paula even dat ze als eerste beneden was. Er heerste een diepe stilte.
Maar toen kwam Jason Rickards via de veranda de kamer binnen. Hij deed de deuren dicht, sloot ze zorgvuldig af en draaide zich om. Zijn gebruinde, doorgroefde gezicht klaarde op toen hij haar zag staan.
'Hallo, kindje,' zei hij terwijl hij naar haar toe beende.
Jason, die mager en pezig was, had de gang van een man die jaren te paard had gezeten; zijn gezicht was verweerd door het vele buiten zijn en zijn donkere haar begon bij de slapen te grijzen. Hij was begin zestig, maar zag er jonger uit. Hij was gekleed in een marineblauw kasjmir colbertje op een donkergrijze broek, gecombineerd met een wit overhemd en een marineblauwe das. Hoewel hij er even verzorgd uitzag als anders, merkte Paula wel dat hij zich in nette kleding toch niet goed op zijn gemak voelde. Het was alsof de formele kledij hem hinderde in zijn bewegingen. Onwillekeurig moest ze eraan denken dat Jason veel liever een spijkerbroek, rijlaarzen en een overhemd-zonder-das zou dragen.
Toen hij voor haar stond pakte hij haar hand in de zijne en draaide haar rond. 'Tjonge, wat zie je er mooi uit, Paula. Rood staat je al net zo goed als je moeder.'
'Dank je, Jason.' Paula keek glimlachend naar hem op, stak haar arm door de zijne en loodste hem mee naar de open haard. 'Waar is mammie eigenlijk?'
'Boven, ze is zich aan het verkleden. Ze komt zo. Kom, kindjelief, laten we samen iets drinken. Waar heb je zin in?'
'Als ik het goed heb, zie ik daar een fles champagne in die zilveren emmer.'
'Mooi zo.' Hij stevende naar de bar waar een blad met flessen, glazen en een ijsemmer met de champagne op stonden, en begon de fles Louis Roederer Crystal open te maken.
Paula bestudeerde hem vol genegenheid. Ze was bijzonder op Jason gesteld geraakt en ze had bewondering voor zijn nuchtere levenshouding. Haar respect voor hem was immens groot, niet alleen omdat hij

een briljant zakenman was, maar ook omdat hij een geweldige persoonlijkheid was. Hij was vriendelijk en attent. Net als Philip was ze dolblij dat haar moeder met hem getrouwd was. Hoewel ze uit heel andere milieus kwamen, konden ze uitstekend met elkaar opschieten en Jason was een prima echtgenoot. Hij was een self-made man en was pas op latere leeftijd getrouwd; zijn eerste vrouw was al na zeven jaar aan kanker overleden, waarna hij kort maar zeer ongelukkig voor de tweede keer getrouwd was geweest. 'Drie maal is scheepsrecht,' was een van zijn leuzen en hij aanbad Daisy, net zo goed als zij hem adoreerde. Ze deden Paula wel eens denken aan een verliefd jong stel, wat haar vertederde.
Terwijl hij champagne in een kristallen Baccarat-kelk schonk en een whisky-soda voor zichzelf mixte, merkte Jason op: 'Het is akelig winderig vanavond, Paula. Ik wil wedden dat er in Sydney noodweer woedt.'
'Ik hoop maar dat wij ervoor gespaard blijven,' zei ze terwijl ze het glas van hem aanpakte.
'Hmm, dat weet ik nog zo net niet, maar als de regen ons bereikt, zal de bui gauw uitgewoed zijn. In het voorjaar valt hier wel eens een druppel, dat weet je. En wees maar niet bang, morgen wordt vast een mooie, zonnige dag.' Hij klonk met haar. 'Proost, kindje.'
'Proost, Jason.'
Samen stonden ze voor de open haard, volkomen op hun gemak in elkaars gezelschap en vol genegenheid voor elkaar.
Opeens nam Jason haar onderzoekend op. 'Je doet het weer, Paula! Je glimlacht en je kijkt zó tevreden over jezelf.' Hij lachte zachtjes. 'Je moeder zou zeggen dat je kijkt als een kat die van de room heeft gesnoept.'
Paula lachte met hem mee. Jason had veel van haar moeders uitdrukkingen overgenomen, die Daisy weer allemaal van haar moeder had geleerd, maar zonder Emma's gedecideerde stemgeluid klonken ze toch anders.
'Ik verheug me op de plannen voor Kerstmis,' zei ze. 'Dat is alles, Jason. Het wordt de grootste reünie in jaren nu Shanes ouders en zusters ook komen.'
'Je moeder maakt zich zorgen over...'
'Waar maak ik me zorgen over?' vroeg Daisy vanuit de deuropening. In een wolk van *Joy*-parfum en met veel geruis van paarse zijde kwam ze de kamer binnen.
'Schat, je ziet er grandioos uit!' riep Jason uit. Zijn donkerbruine ogen straalden liefde en bewondering uit. Hij haastte zich naar Daisy toe, pakte haar bij de arm en loodste haar mee naar de open haard.

'Wat kan ik voor je te drinken halen, schat? Champagne, of een wodka-tonic?'
'Champagne graag, lieveling.'
'Jason heeft gelijk, je ziet er vanavond inderdaad geweldig uit, mammie,' zei Paula. 'Ik heb je in geen jaren in paars gezien. De kleur staat je uitstekend, vooral bij die prachtige opalen. Zijn die nieuw?'
'Dank je voor het compliment, kindje, en ja, ze zijn nieuw. Ik heb ze donderdagavond van Jason gekregen. Ze komen uit zijn mijn in Coober Pedy.'
'Lightning Ridge,' verbeterde Jason breed glimlachend terwijl hij Daisy haar drankje gaf. 'Het zijn heel zeldzame zwarte opalen, Paula.'
'Dank je,' zei Daisy en nam het glas van hem aan. Ze herhaalde: 'En waar maakte ik me zorgen over, Jason?'
'Over Philip.'
Daisy fronste, ging op de bank zitten en hief haar glas. 'Proost.'
'Proost,' zeiden Paula en Jason gelijktijdig.
Daisy nam een slokje champagne en keek haar echtgenoot over de rand van haar glas vragend aan. 'En waarom maak ik me dan wel zorgen over hem?'
'Omdat hij nog steeds niet weet of hij met Kerstmis naar Engeland komt, hij wil zich nog niet vastleggen,' legde Jason uit. 'Paula vertelde net dat ze zich zo verheugt op de familiereünie en ik wilde net zeggen dat haar broer nog geen vaste plannen heeft.'
'Hmm, ik denk anders dat hij nú wel komt,' zei Daisy met een veelbetekenend lachje.
'O ja?' vroeg Jason verbaasd. Hij keek Daisy indringend aan. 'Hoe kom je op die gedachte, schat? Toen ik donderdagavond uit Perth terugkwam, was je nogal zeker van je zaak, en dat is pas twee dagen geleden.'
'Vanmiddag tijdens de lunch heeft Paula Madelana uitgenodigd om naar Londen te komen voor het diner-dansant in het Ritz, ter gelegenheid van het zestigjarig bestaan van Harte. En ook heeft hij gevraagd of ze met Kerstmis bij ons in Yorkshire komt logeren. En Madelana heeft ja gezegd, hè, Paula?'
'Eh, ja, inderdaad, mammie.' Paula keek verbaasd en fronste haar wenkbrauwen. 'Maar wat heeft dat er nou mee te maken?'
Daisy ging gemakkelijk zitten en keek eerst haar dochter en toen haar echtgenoot stralend aan. 'Het heeft alles te maken met Philips plannen om in december naar Engeland te gaan.'
Jason en Paula keken haar met open mond aan, maar zeiden niets.
'Heb je niet gezien hoe Philip naar Madelana kijkt?' vroeg Daisy

zachtjes. 'Als hij denkt dat niemand het ziet, natuurlijk. En is het jullie ook niet opgevallen hoe hij haar vandaag behandelde... bij het zwembad, tijdens de lunch en de thee? Zó attent en behulpzaam. En ze zijn de hele ochtend samen uit rijden geweest, weet je, Paula. Wel een uur of vier.'
'O mammie, wat ben je toch onverbeterlijk romantisch!' riep Paula uit. 'Hij is gewoon een goed gastheer. Per slot van rekening heb jij hem goede manieren bijgebracht. Hij is een echte heer.' Paula lachte spottend. 'Hij is hier pas één dag, nog niet eens! In hemelsnaam!'
'Nou en?' zei Daisy en nam nog een slokje champagne.
Paula keek haar moeder verstoord aan, waarna ze Jason met opgetrokken wenkbrauw een blik toewierp.
Jason lachte geamuseerd. 'Ik kende je moeder pas een uur toen ik al wist dat ik met haar wilde trouwen, en ik zal je vertellen dat ik van plan was er moeite voor te doen, Paula. Volgens mij weten een man en een vrouw het onmiddellijk als het op die bijzondere manier klikt, ze weten wat ze voor elkaar voelen. Het is iets... Het heeft iets met instinct te maken. En het tijdsaspcct doet er niet zoveel toe. Je kunt iemand jaren kennen zonder hem echt te kennen, en dan hoef je nog niets voor zo iemand te voelen. Of je leert onverwacht iemand kennen en – pats, boem! Raak!' Hij keek naar Daisy. 'Hoe is die Franse uitdrukking ook alweer, schat?'
'*Coup de foudre*... een donderslag bij heldere hemel... dat wil zeggen: liefde op het eerste gezicht,' antwoordde Daisy. 'Je hebt volkomen gelijk, Jason. Ik ben het helemaal met je eens.' Ze glimlachte hem liefdevol toe.
'Madelana en Philip,' zei Paula zachtjes. 'O nee toch!' riep ze wanhopig uit. Ze was dol op haar broer, maar het laatste dat ze wilde was dat hij zich voor Madelana ging interesseren. Het was beter voor Madelana als dat niet gebeurde. Ze wilde niet dat ze er verdriet van zou hebben. Bovendien had ze zelf belangrijke plannen voor de toekomst van haar assistente.
'Misschien heeft hij belangstelling voor haar, moeder,' zei Paula langzaam, 'maar je weet hoe hij met vrouwen is. Voor hem gaan er dertien in een dozijn. Dat heeft hij me al zo vaak gezegd, en jij weet beter dan wie ook dat hij er een punt achter zet zodra de relatie dieper dreigt te gaan dan een vluchtig contact.' Ze schudde haar hoofd. 'Ik spreek het niet graag uit, maar Philip heeft alleen belangstelling voor eendagsvlinders.'
'Hè, Paula, hoe kun je dat nou zeggen! Hij is bijna drie maanden met Veronica Marsden uitgegaan,' riep Daisy heftig uit, hoewel ze haar stem gedempt hield.

Paula steunde vol wanhoop. 'Ja, langer duurt een verhouding bij hem nooit. *Drie maanden*. Ik hoop echt dat hij niets met Maddy begint, want hij bezorgt haar alleen maar verdriet en dat zou ik niet kunnen verdragen. Ze heeft in haar leven al genoeg ellende meegemaakt. Moedig hem alsjeblieft niet aan, ma. Dat moet je me beloven.'
Daisy's gezicht betrok. 'Ach, je zult wel gelijk hebben, zoals gewoonlijk, Paula.' Ze slaakte een diepe zucht. 'O hemel, en ik mag haar zo graag. Ik was zo gelukkig vandaag toen ik zag hoe attent hij was...' Ze maakte haar zin niet af.
'Mammie,' drong Paula aan, je móet me beloven dat je Philip niet zult aanmoedigen. Ik meen het echt!'
Daisy knikte gauw. 'Ik beloof het, liefje.' Ze zag hoe streng Paula keek, bijna onverzoenlijk, en voegde eraan toe: 'Ik *beloof* het je, heus.' Daisy erkende dat haar dochter alleen maar had uitgesproken wat zij zelf die week eerder ook al had gedacht. Ze kreeg een akelig gevoel van binnen. Ze kon de gedachte dat haar zoon voorbestemd was zijn levenlang playboy te blijven, niet verdragen. Wat een leeg, oppervlakkig bestaan zou dat voor hem zijn.
'Laten we maar gauw van het onderwerp afstappen,' opperde Jason. 'Ik weet zeker dat ze dadelijk beneden komen.'
'Goed, Jason,' stemde Daisy meteen in. 'Het is ook niet aardig om zo over ze te roddelen, hè?'
'Nee,' antwoordde Paula zachtjes. Ze was nog van haar stuk gebracht en ze vroeg zich af hoe het kwam dat zij zelf niet had opgemerkt dat Philip zoveel belangstelling voor Madelana scheen te hebben. Daar ze bekend stond om haar scherpe oog – haar ontging nooit iets – vroeg ze zich opeens af of ze achteruitging.
Jason liep naar de bar om zijn glas bij te vullen en merkte op: 'Tussen twee haakjes, Paula, wanneer ga jij ook alweer naar Hongkong?'
'Pas over een dag of tien. Dat hangt er van af hoe de toestand in Melbourne en Adelaide is. Madelana en ik vliegen er woensdag heen, als de uitverkoop van de boetiek in Sydney op poten is gezet. Maar waarom wil je dat weten, Jason?'
'Een van mijn directeuren, Don Metcalfe, moet rond die tijd naar de kroonkolonie. Ik dacht dat je misschien met onze jet wilde meevliegen.'
'O Jason, dat zou geweldig zijn!' riep Paula uit. Ze glimlachte naar hem. 'Als we het eens kunnen worden over de datum, uiteraard.'
'Don kan kiezen uit 21, 22 of 23 september, kindje. Zeg maar wat jou het beste uitkomt.'
'Reuze bedankt. Ik zal het je nog wel laten weten.'

'Je hebt me nog niet verteld waarvoor je naar Hongkong gaat, kindje,' zei Daisy zachtjes terwijl ze Paula vragend aankeek.
'Ik heb er met Emily afgesproken, mammie. Zij zit er al, om inkopen te doen voor General Retail Trading. Het leek ons leuk om daar een paar dagen vakantie te houden en onze kerstcadeautjes in te slaan. Daarna reizen we door naar New York, blijven daar een dag of twee en gaan met de Concorde terug naar Londen.'
Daisy glimlachte weemoedig. 'Heus, Paula, nou ben je de president-directeur van een van de grootste warenhuizen ter wereld, en je moet je inkopen in Hongkong doen.' Ze schudde een tikje verbijsterd haar hoofd. 'Ik snap er niets van.'
Paula grinnikte. 'Het is veel leuker om in het buitenland inkopen te doen...' Ze maakte haar zin niet verder af, want Madelana stond in de deuropening. 'Aha, ben je daar, Madelana! Ik was net van plan om een reddingsteam te sturen,' plaagde Paula goedmoedig.
Als gevolg van de discussie even daarvoor werden drie paar onderzoekende, nieuwsgierige ogen werktuiglijk op Madelana gericht, die met de haar typerende elegantie binnenkwam. Haar soepele jurk viel sierlijk om haar lange benen.
'Neem me niet kwalijk dat ik zo laat ben,' verontschuldigde Madelana zich. 'Ik ging even rusten en ben toen prompt in slaap gevallen. Dat komt zeker door alle frisse lucht die ik vandaag heb opgesnoven... en door het paardrijden. Ik had in geen eeuwen op een paard gezeten.'
'Dat zul je morgen dan wel voelen!' waarschuwde Jason. 'Dan krijg je vreselijke spierpijn. Neem maar een lekker warm bad met Epsomzout vanavond, dat helpt een beetje. Volgens mij heeft mevrouw Carr meer dan genoeg in voorraad. We zullen voor je naar bed gaat wat voor je halen. En, wat kan ik je te drinken inschenken? Een glaasje champagne?'
'Nee, dank je, Jason. Ik heb liever mineraalwater,' zei Madelana zachtjes, waarna ze bij Paula voor de open haard kwam staan.
Paula bestudeerde Madelana's cocktailjurk. Het was een prachtig model, gemaakt van fluweel en zijden chiffon, in een tint lichtgrijs die de zilverkleurige lichtjes in haar ogen goed deed uitkomen. 'Die jurk staat je fantastisch, Maddy,' zei ze. 'Het is een model van Trigere, nietwaar?'
'Ja, inderdaad. Dank je voor het compliment.' Madelana glimlachte naar haar baas. 'Je ziet er zelf ook heel chic uit... dat is een Christina Crowther.'
'Ja, maar het is een oudje, dat ik hier jaren geleden heb laten hangen. Maar hij kan er nog best mee door, hè? Net als de kleren van Pauline

Trigere zijn die van Christina eigenlijk tijdloos.'
Daisy glimlachte Madelana goedkeurend toe. 'Paula haalt me de woorden uit de mond, Maddy. Je ziet er vanavond bijzonder mooi uit.' Ze klopte op de bank en voegde eraan toe: 'Kom eens naast me zitten, kindje.'
Madelana gehoorzaamde, waarna ze direct in een gesprek over kleren gewikkeld raakten en de voor en tegens van diverse modeontwerpers uit New York, Parijs en Londen bespraken.
Paula bleef bij de open haard staan en luisterde maar met een half oor naar Daisy en Maddy. Ze had het onbehaaglijke gevoel dat haar moeder Philip zou steunen als hij werk zou maken van Madelana – gesteld dat hij inderdaad belangstelling had – al had Daisy haar het tegendeel beloofd. Haar moeder wilde dolgraag dat hij zou trouwen en het was overduidelijk dat ze Madelana als dè kandidate voor het schoondochterschap beschouwde.
Jason bracht Madelana haar mineraalwater, waarna hij Paula en Daisy nog eens een glas champagne inschonk. Terwijl hij terugliep naar de bar, zei hij over zijn schouder: 'Philip is laat, Paula. Ik hoop dat alles in orde is. Er staat een fikse wind, eerder een orkaan, als je het mij vraagt.'
'Er is vast niets aan de hand, Jason,' antwoordde Paula. 'Kijk, daar is hij al.'
Philip kwam een fractie van een seconde later de woonkamer binnenslenteren. Hij maakte een ontspannen, zorgeloze indruk. Hij bood zijn excuses aan omdat hij zo laat was. 'Tim Willen belde, en dat gesprek liep een beetje uit.'
'Problemen met het weer?' vroeg Jason.
'Nee, helemaal niet,' stelde Philip hem gerust. 'Kom, schenk jij je ouwe makker eens een whisky met ijs in. Je staat toch pal naast de fles, hè Jason?'

19

De voorzichtigheid gebood Philip om Madelana niet te overhaasten. Op deze woensdagavond echter, tien dagen nadat hij haar op Dunoon had leren kennen, vroeg hij zich af of hij niet tè voorzichtig was geweest.
Hij liep de woonkamer door van zijn flat hoog boven in de McGill Tower en keek verstrooid uit het raam. Deze keer zag hij niets van het schitterende uitzicht over de haven, waar hij zo van hield. Zijn wervelende gedachten namen hem in beslag.

Instinctmatig had hij ingezien dat hij het rustig aan moest doen, want hij wist dat hij zijn reputatie van Don Juan ongedaan moest maken. Als Madelana de indruk had gekregen dat zij de zoveelste in een lange rij zou zijn, zou ze hem ongetwijfeld hebben ontlopen. Ze was zelden uit zijn gedachten. Hij was van haar bezeten en zijn verlangen haar beter te leren kennen had een enorme spanning in hem opgeroepen. Er waren de laatste tijd momenten dat hij het gevoel had te zullen ontploffen.
Ik had mijn bedoelingen eerder duidelijk moeten maken, dacht hij terneergeslagen. Het speet hem dat hij terughoudend was geweest, want hij wist dat de tijd in zijn nadeel werkte. Binnenkort zou ze naar Amerika terugkeren. Aan de andere kant, zelfs als hij sneller werk van haar had gemaakt, zou dat met Paula in de buurt niet zijn meegevallen.
Zijn zuster was tijdens dat weekend op Dunoon als vanzelf Madelana's chaperonne geworden. Ze had hen die zondag geen minuut met elkaar alleen gelaten. Waar zij heen gingen, daar volgde ook Paula, waarna ze Madelana het grootste deel van de week daarop had meegenomen naar Melbourne en Adelaide. Het tweetal was pas vrijdagavond naar Sydney teruggekomen.
Tijdens hun afwezigheid had hij het plan opgevat Madelana de bezienswaardigheden in Sydney te laten zien. Op die manier dacht hij haar beter, zij het niet intiemer, te leren kennen. Maar Paula was meegegaan op hun tochten door de stad en hoewel het gezellig was geweest, was het anders gelopen dan hij had gehoopt. Ofschoon het niet zijn bedoeling was geweest haar te verleiden, had hij gedacht dat een lichte flirtpartij hem in staat zou stellen het terrein te verkennen. Maar dat was onmogelijk geweest met Paula erbij.
Er speelde een wrang glimlachje om Philips mond toen hij terugdacht aan de afgelopen dagen. Terwijl Paula haar uiterste best had gedaan hen niet samen alleen te laten, had zijn moeder al het mogelijke bedacht om hem naar Madelana toe te drijven. Zonder het er al te dik op te leggen natuurlijk, maar hij had Daisy's listen wel doorzien. Helaas hadden ze geen van alle succes gehad omdat Paula zo goed oplette.
Eindelijk was zijn zuster die ochtend naar Hongkong vertrokken. Hij had haar zelf naar de luchthaven gereden en onderweg had hij haar verteld dat hij van plan was Madelana die avond mee uit eten te vragen.
'Ja, dat dacht ik wel,' had Paula gezegd.
Er was een korte stilte gevallen. Toen had hij uitgeroepen: 'Ze is zevenentwintig, Paula, een volwassen vrouw. Bovendien is ze bijzonder

intelligent, ze kan heel goed haar eigen beslissingen nemen. Jij mag niet voor haar beslissen... Wat jij hebt gedaan was niet eerlijk tegenover mij, tegenover haar ook niet, trouwens. En dat is niets voor jou, zusje-lief.'
Paula had direct haar verontschuldigingen aangeboden; ze had toegegeven dat hij volkomen gelijk had en had geprobeerd uit te leggen waarom ze zo'n beschermende houding had aangenomen. 'Ik mag Madelana erg graag,' had Paula gezegd. 'Ze is een van de uitzonderlijkste vrouwen die ik ooit heb ontmoet. Ik zou het niet kunnen verdragen als juist jíj haar verdriet zou doen.' Daarna had ze hem het een en ander over Madelana's verleden verteld, over de rampspoed die haar familie was overkomen, de afschuwelijke verliezen die ze had geleden. Dat alles had hem diep geroerd. Hij had Paula beloofd dat hij haar assistente geen verdriet zou doen en hij was vast van plan zich aan die belofte te houden.
Philip keek op zijn horloge. Het was tien over half acht, tijd om weg te gaan. Hij wendde zich van de grote ruit af en haastte zich door de ruime, moderne woonkamer, die geheel in tinten wit en beige was gehouden. Met dezelfde snelle pas liep hij de marmeren hal door. Eindelijk zou hij met Madelana alleen zijn, en hij kon nauwelijks wachten tot het zover was.
In zijn privé-lift, op weg naar beneden, bedacht hij opeens dat hij geen idee had of Madelana wel belangstelling voor hem koesterde. Aan haar gedrag was niets van haar gevoelens of gedachten te merken geweest; haar rustige, grijze ogen hadden hem niets onthuld. De enige zekerheid die hij had, was wat hij voor haar voelde. Het was heel goed mogelijk dat zij zijn avances zou afwijzen.
Weer kregen de koele, blauwe ogen een spottende uitdrukking. Hij zou gauw genoeg weten hoeveel kans hij bij haar maakte... *als* hij een kans maakte.

Madelana's suite in het Sydney-O'Neill lag op de dertigste verdieping van het hotel. Het was een hoekappartement, zodat ze naar twee kanten een imposant uitzicht had.
Ze stond voor een van de ramen uit te kijken naar Opera House op Bennelong Point en de Sydney Harbour Bridge daarachter. Het was bijna acht uur en de avondhemel was bezaaid met sterren, terwijl de talloze lichtjes van de stad zich begonnen af te tekenen tegen de lucht.
Ze was inmiddels vertrouwd met het schitterende uitzicht en ze begon zich hier al aardig thuis te voelen. Sydney en zijn bewoners hadden haar hart veroverd. Ze had algauw ontdekt dat ze van de Australiërs

hield; ze waren nuchter, openhartig en vriendelijk, en Philip had haar uitgelegd dat hun soms wat scherpe humor eenvoudigweg een afweermiddel was tegen hoogdravendheid. 'Het zit er al heel lang in, vanaf de eerste kolonisten, vooral de Cockneys hadden het.'
Madelana liep naar de bank en ging zitten. Op tafel lagen de foto's uitgespreid die vorig weekend tijdens hun tochten door de stad waren gemaakt. Ze begon ze te sorteren en koos de mooiste uit voor het album dat ze die middag had gekocht.
De herinneringen aan dat weekend ontlokten haar een glimlach. Hier had ze een foto van Paula en haar in Taronga Park Zoo. Ze stonden naast een kangoeroe met een jong in haar buidel en opnieuw viel het haar op hoezeer het dier haar deed denken aan een hert met zijn smalle, uitdrukkingsvolle kop en treurige ogen. Tot haar bezoek aan de dierentuin op zaterdagochtend had ze niet geweten dat het zulke zachtmoedige dieren waren. Het was een goede foto en ze legde hem opzij om later in te plakken.
Ze pakte een kiekje van Philip met Paula dat zij had genomen in de regenwoudvogeltuin in Taronga en weer verwonderde ze zich over de felgekleurde papegaaien en de andere schitterende exotische vogels op de achtergrond. Deze moest er beslist ook in komen. Toen pakte ze het stapeltje foto's gemaakt op Philips boot, de *Saraband*. Hij bezat twee jachten. De *Dunoon,* die genoemd was naar de schapenfokkerij, werd alleen voor wedstrijdzeilen gebruikt, de *Saraband* diende voor pleziertochtjes. Het was een prachtig uitgerust schip, met zes slaapplaatsen en een permanente bemanning.
Voor Madelana was zondag de mooiste dag van het weekend geweest. Wat had ze genoten van hun tocht langs de kust, langs Philips huis in Point Piper en dat van Daisy en Jason aan Rose Bay. Daar ze dol was op de zee, had ze een dag op het water bijzonder kunnen waarderen. Ze vond dat de zeiltocht het beste plaatsje in het album moest krijgen en zocht een handvol kiekjes van hun drieën uit aan boord van de *Saraband,* die ze voor zich uitspreidde.
Een foto van Philip trok haar aandacht. Ze pakte hem op en bestudeerde hem.
Voor hun vertrek uit New York had Paula niet zoveel over hem verteld en het weinige dat ze wist had ze in tijdschriften gelezen, waar ze ook wel eens foto's van hem in had zien staan. Nu ze naar het kiekje in haar hand keek, besefte ze dat niets haar had kunnen voorbereiden op de overweldigende lijfelijke aanwezigheid van Philip McGill Amory. Hij had iets dat haar trof en ontroerde zoals ze nog nooit door een ander menselijk wezen was geraakt. Vanaf het moment dat ze hem op Dunoon had ontmoet, had ze heftig op hem ge-

reageerd. Ze voelde zich onzeker als ze bij hem was, buiten adem, alsof ze een stomp in haar maag had gehad.
Toen ze het kiekje nauwlettender bestudeerde, moest het haar wel opvallen hoe charmant en vlot hij eruitzag, zoals hij daar op het dek van de mooie *Saraband* stond. Zijn witte zeilkleding benadrukte zijn gebruinde huid en zijn felblauwe ogen. Er had die zondag een flinke wind gestaan en zijn zwarte haar zat verward, zijn lachende ogen waren halfdicht geknepen tegen het felle zonlicht en de zee die dat schijnsel weerkaatste. Onweerstaanbaar leek hij.
Ze voelde zich zeer tot hem aangetrokken, wat haar om allerlei redenen verontrustte. Hij was de broer van haar werkgeefster, maar nog afgezien daarvan was het onwaarschijnlijk dat hij belangstelling voor haar zou koesteren. Hij was zo machtig en zo ontzettend welgesteld en dan ook nog zo aantrekkelijk dat het niet leuk meer was... Hij kon natuurlijk aan elke vinger tien vrouwen krijgen. Zijn reputatie van playboy bevestigde dit nog eens. Zij daarentegen was een vrouw die carrière wilde maken en die bovendien niet in zijn internationale, hoge kringen verkeerde, dus nauwelijks een geschikte kandidate was voor een van zijn vele korte romances. Daar voelde ze overigens ook niets voor. Het laatste waar zij op uit was, was een vluchtige affaire. Daar was zij niet geschikt voor. Nee, Philip McGill Amory was een man bij wie een vrouw als zij uit de buurt moest blijven. Hij was veel te gevaarlijk en zou haar gegarandeerd een gebroken hart bezorgen en hij zou haar leven op zijn kop zetten.
Ik zit niet te wachten op problemen met knappe, moeilijke mannen, dacht ze, terugdenkend aan haar recente ervaring met Jack Miller. Haar carrière kwam op de eerste plaats. Hoe dan ook, over tien dagen ging ze hier weg, punt, uit. Zij en Paula hadden gelukkig gisteren een bedrijfsleidster voor de boetiek aangenomen. De jonge vrouw voldeed aan al Paula's eisen en ze zou een week op proef komen. Vooropgesteld dat alles goed ging, zou Madelana algauw terugvliegen naar New York... ver, ver weg van meneer Amory.
De telefoon op de schrijftafel rinkelde schril. Ze nam op. 'Hallo?'
'Philip,' zei hij. 'Ik ben in de lounge.'
'Ik kom eraan,' antwoordde ze en legde de hoorn neer. Ze pakte haar tas, haar zijden sjaal en de sleutel, waarna ze de kamer uitliep.
In de lift vroeg ze zich af hoe de avond zou verlopen. Ze had zijn uitnodiging tegen beter weten in aangenomen, alleen omdat hij het zo aardig had gevraagd en die ochtend een beetje had aangedrongen. Bovendien had ze hem niet voor het hoofd willen stoten, hij was per slot van rekening de broer van Paula. Maar dit was de eerste keer sinds ze samen hadden paardgereden op de fokkerij dat ze alleen met

hem zou zijn. Bij het idee begon ze zenuwachtig te worden.
Zodra ze uit de lift stapte, zag ze hem staan. Hij droeg een donkerblauwe blazer, een lichtblauw overhemd en das, met een grijze broek. Door zijn lengte en interessante uiterlijk viel hij op in de lounge, waartoe ook zijn aangeboren zelfverzekerdheid en zijn ietwat autoritaire houding bijdroegen.
Toen hij haar zag stak hij ter begroeting zijn hand op en kwam met grote passen naar haar toe.
Meteen voelde ze diezelfde spanning als toen ze hem in de portrettengalerij had ontmoet. Bijna struikelde ze op de marmeren vloer. Toen vermande ze zich en glimlachte opgewekt. In het midden van de lounge stonden ze tegenover elkaar en ze stak hem nog steeds glimlachend haar hand toe.
Philip drukte haar hand even en liet haar meteen weer los. Hij keek op haar neer, beantwoordde haar glimlach en zei: 'Leuk je weer te zien, Madelana. Je ziet er zoals gewoonlijk heel mooi uit.' Goedkeurend gleed zijn blik over haar wijde, zwartwollen rok en de witte zijden overhemdblouse.
'Dank je. Je zei toch dat ik iets eenvoudigs moest aantrekken?'
'Ja,' zei hij terwijl hij haar meetroonde door de lounge. 'Ik heb een tafeltje bij Doyle besproken,' legde hij uit. 'Dat is een visrestaurant aan het strand. Heel ongedwongen, heel gezellig, maar ze hebben er de lekkerste gebakken vis met patat in heel Sydney, om nog maar niet te spreken van het mooiste uitzicht op de stad.'
'Dat klinkt geweldig.'
Ze liepen naar buiten. Zijn bordeauxrode Rolls-Royce stond vlak voor het hotel geparkeerd. Nadat hij haar had laten instappen, liep Philip om de auto heen, stapte in, startte en reed weg.
'Doyle ligt aan Watson's Bay,' vertelde hij haar. 'Dat is ongeveer een half uur rijden. Maak het je dus maar gemakkelijk en geniet van de muziek.' Al pratend zette hij een bandje op en de stem van Mel Torme die *Moonlight in Vermont* zong vulde de wagen.
Madelana probeerde zich te ontspannen, zoals hij had gezegd, en deed niet eens haar best om een gesprek op gang te houden. Ze wist niets te zeggen. Haar keel zat dichtgeschroefd van paniek. Ze had geen idee hoe ze deze avond moest doorkomen. Nu ze hier zo naast hem zat, zo dichtbij, werd ze overvallen door een diepe angst en ze wenste vurig dat ze zijn uitnodiging had afgeslagen.
'Ontspan je nou maar,' zei hij alsof hij haar gedachten kon lezen. Ze keek hem vanuit haar ooghoek aan en lachte nerveus.
'Ik ben ook ontspannen.'
'Daar geloof ik anders niets van.'

Ze zweeg en beet op haar onderlip.
Nu was het zijn beurt om te lachen, en zo te horen was hij net zo zenuwachtig als zij.
Ten slotte zei hij zachtjes: 'Ik denk dat we allebei veel te hard werken. Waarschijnlijk heb jij net zo'n drukke dag achter de rug als ik. Het duurt even voor je je dan kunt ontspannen... en ik ben niet erg attent geweest. Ik had je eerst moeten meenemen naar de bar van het hotel om iets te drinken.'
'Nee, het gaat heus wel,' antwoordde ze, wat niet helemaal bezijden de waarheid was. Haar paniek begon een beetje af te nemen. Trouwens, waarom deed ze zo gek? Hij kon toch niet weten hoezeer ze zich tot hem aangetrokken voelde? God zij dank niet. Ze had de afgelopen dagen gedaan alsof er niets aan de hand was en had niets laten blijken. Trouwens, hij nam haar natuurlijk alleen uit beleefdheid, vanwege Paula, mee uit eten. Wie weet had Paula hem dat gevraagd. Paula was altijd even attent, ze bekommerde zich altijd om haar welzijn.

De architectuur van Doyle vertoonde heerlijke Victoriaanse trekjes. Het gebouw, dat één verdieping had, was opgetrokken uit rode baksteen en beige natuursteen; de balkons waren getooid met randjes opengewerkt hout, die langs het portiek werden herhaald. Binnen waren de vertrekken vrolijk en eenvoudig ingericht; de sfeer deed denken aan die in een pub.
Het was er druk toen ze aankwamen, maar Philip werd meteen meegenomen naar een tafeltje aan het raam, in een rustig hoekje, met uitzicht over het strand en de donkere zee die naar de vaag zichtbare horizon deinde. Philip stond erop dat Madelana de stoel nam van waaruit ze de stad goed kon zien en zoals hij had voorspeld was het uitzicht over Sydney vanuit Watson's Bay adembenemend. De McGill Tower torende boven alles uit.
Hij bestelde een fles Pouilly Fuisse, droog, koel en verkwikkend, en terwijl ze daarvan dronken vroeg hij haar hoe het met de nieuwe bedrijfsleidster ging en hoe de Grootscheepse Uitverkoop in de boetiek verliep. Op dat terrein voelde ze zich thuis en terwijl ze over zaken spraken, kon ze zich nog verder ontspannen, wat ook voor hem gold. Hij beantwoordde haar vragen over hun opaalmijnen in Coober Pedy en Lightning Ridge, vertelde haar over het winnen van opaal in het algemeen en hij sprak honderd uit over de diverse afdelingen van het gigantische concern dat hij leidde. De McGill Corporation boeide haar en ze luisterde geconcentreerd, zoals altijd geïntrigreerd door de zakenwereld. Voor ze het wisten was er een uur verstreken.

'We moesten maar eens wat te eten bestellen,' zei Philip toen de serveerster voor de derde keer bij hun tafeltje kwam.
'Ik neem hetzelfde als jij,' zei Madelana zachtjes na een vluchtige blik op het menu.
Hij glimlachte. 'Gebakken vis en patat... Wat vind je daarvan?'
'Dat klinkt geweldig. Graag.'
Toen hij had besteld, vroeg hij haar wat ze nu precies voor Paula bij Harte New York deed en ze vertelde wat over haar werk, hoe ze de bijzondere evenementen voor het zestigjarig bestaan van de filialen had georganiseerd.
Toen ze uitverteld was begon hij hoofdschuddend te lachen. 'En ik dacht nog wel dat Paula aan haar werk verslaafd was! Mijn god, jij bent al net zo erg als zij!'
'Dat geloof ik ook,' beaamde Madelana lachend. Ze vond het prettig om met hem samen te zijn, haar eerdere angst was volkomen verdwenen.
'Vertel eens, hoe speel je het klaar om er nog een privé-leven op na te houden, als je zo hard werkt? Vind je vriend dat wel goed?'
'Ik heb geen vriend.'
'O.' Hij trok één zwarte wenkbrauw op. 'Een meisje zoals jij... zo mooi... zo intelligent...' Hij ging niet verder, maar keek haar aandachtig aan.
Ze negeerde zijn complimentjes. 'Ik heb net een mislukte verhouding achter de rug.'
'Ach, wat naar voor je.'
'Nee hoor. Het was beter zo... Ik had een beoordelingsfout gemaakt.'
Nu fronste hij zijn donkere wenkbrauwen. 'Hoe bedoel je dat?'
'Ik heb persoonlijkheid voor karaktervastheid aangezien.'
'Aha, ik begrijp het,' zei hij met waardering voor haar scherpzinnigheid. Hij werd plotseling verteerd door nieuwsgierigheid naar de man met wie ze zo onlangs een relatie had gehad. 'Wat doet hij voor werk?' viste hij.
'Hij is acteur. Een briljant acteur ook nog. Op Broadway.'
'Bekend? Heb ik van hem gehoord?'
'Misschien... waarschijnlijk wel. Jack Miller.'
'Ja zeker, ik heb hem een paar jaar geleden toen ik in New York was ergens in zien spelen. Een stuk van Eugene O'Neill, geloof ik.'
Madelana knikte.
'Wat is er tussen jullie scheefgegaan?'
Madelana beet op haar onderlip en wendde haar blik af. Even later keek ze hem weer aan en glimlachte flauwtjes. 'Mijn pappa zei altijd

dat er niets beters is dan alcohol om een eind te maken aan een romance en om een vrouw te genezen van te hoge verwachtingen van een stomkop. En gelijk had ie,' zei ze met een overdreven zuidelijk Amerikaans accent.
Philip glimlachte om die intonatie in haar stem, die daardoor heel betoverend en heel vrouwelijk klonk. 'Nu hoor ik echt dat je uit Kentucky komt,' zei hij. 'En ik moet zeggen, ik ben het met je pappa eens, wat dat drinken betreft.'
'Ach, het was niet alleen de drank,' zei ze, nu weer op normale toon. 'Jack was altijd een beetje vreemd... wat mijn werk betrof, bedoel ik. Hij is een echte seksist, dat gaf hij ook toe, en hij vond het vervelend dat ik carrière wilde maken. Maar goed...'
Op dat moment kwam de serveerster het bestelde eten brengen en Madelana stapte op een ander onderwerp over door hem iets te vragen over zeilen. Omdat dit Philips favoriete sport was en zijn enige echte hobby, ging hij daar graag op in. Toen hij ten slotte zweeg, vertelde ze hoeveel ze van de zee hield en over haar eerste zeiltocht met de familie Smith bij Nantucket.
'Ik leerde Patsy Smith kennen op de eerste dag dat ik in het tehuis woonde, en we werden meteen vriendinnen. En dat zijn we nog steeds, al zit zij nu weer in Boston.'
'Wat is het "tehuis"?' wilde Philip tussen twee happen vis in weten.
Ze vertelde hem over zuster Bronagh, de andere nonnen, het leven in het tehuis en over haar eerste tijd in New York.
Philip luisterde aandachtig, knikte af en toe en moest soms lachen om haar verhalen. Maar hij onderbrak haar geen enkele keer. Vanavond was ze heel erg open tegenover hem en onthulde voor het eerst veel meer over zichzelf, en dat wilde hij aanmoedigen. Hij wilde alles over haar weten. Ze had hem in haar ban.

Later, toen ze aan de koffie zaten, zei Philip opeens: 'Misschien heb je zin om dit weekend naar Dunoon te komen, Madelana. Dat zal je goed doen na al je geren en gevlieg met Paula, je hebt zó hard gewerkt. En het is je laatste kans, hè, want je gaat toch eind volgende week weg?'
'Ja.' Ze pakte haar kopje en nam een slokje koffie.
Hij wachtte even en drong toen aan: 'Zeg dat je meegaat, Madelana. Ik zou het heel erg fijn vinden.'
Een eigenaardige klank in zijn stem maakte dat ze hem aandachtiger bestudeerde. Ze zag een wonderlijke uitdrukking in zijn ogen, die ze niet helemaal kon doorgronden. Toen voelde ze intuïtief aan dat hij belangstelling voor haar had. Er ging een steek door haar heen. Ze

kon geen woord uitbrengen, weer zat haar keel dichtgeschroefd. Ook wist ze meteen dat met hem meegaan naar Dunoon gelijk stond aan spelen met vuur. Dus moest ze de uitnodiging afslaan. Om zichzelf in bescherming te nemen. Dat was de enige verstandige reactie.
'Ja, ik ga graag mee,' zei ze. 'Bedankt voor de uitnodiging, Philip.'
Toen ze die woorden had uitgesproken, ging ze verbaasd over zichzelf achterover in haar stoel zitten. Stomkop, dacht ze. Je vráágt gewoon om problemen.
Philip keek haar stralend aan. 'We kunnen morgenmiddag al met het vliegtuig gaan.'
'Nee, nee, dan kan ik nog niet!' riep ze meteen uit. 'Ik moet naar de boetiek. Ik kan echt pas zaterdag komen.'
'Vrijdag,' drong hij aan, terwijl hij haar strak aankeek. 'Je kunt vrijdagmorgen al komen. In de boetiek loopt alles op rolletjes, maak je toch niet zo druk.'
Ze slikte moeizaam, zich afvragend waarom ze ja had gezegd. 'Ik moet echt eerst een paar uur naar de boetiek,' stelde ze als compromis voor.
'Oké, als jij het zegt,' stemde Philip in. 'Maar Ken komt je daar om elf uur afhalen. Hij rijdt je wel naar de luchthaven. Mijn toestel staat daar op je te wachten. Als je om twaalf uur uit Sydney vertrekt, ben je op tijd voor de lunch op Dunoon.' Philip keek haar diep in haar ogen en glimlachte. Hij pakte haar hand en nam die in zijn beide handen.
Madelana knikte, want ze was bang dat ze geen woord kon uitbrengen.

20

Philip trok zijn doorweekte trui en overhemd uit en gooide ze op de grond. Hij zette zijn rechtervoet in de laarzenknecht, trok de ene laars uit, toen de volgende, kleedde zich tot zijn onderbroek toe uit en haastte zich naar de badkamer. Hij voelde zich tot op het bot verkleumd.
Hij nam een heel hete douche en liet het dampende water een paar minuten over zich heen stromen, tot zijn bloed tintelde en hij het wat warmer kreeg. Nadat hij uit de douchecabine was gestapt, droogde hij zich af, trok zijn badjas aan en liep naar de wastafel. Voor de spiegel kamde hij zijn natte haar en deed wat eau de cologne op. Intussen dacht hij aan Madelana.
Wat jammer dat die regenbui zich had ontladen, zo plotseling, een

uurtje geleden. Ze hadden er hun rit te paard voor moeten afbreken. Ze waren in de heuvels van Dunoon geweest en hij had gemerkt dat Madelana daarbuiten, in de vredige omgeving, wat meer ontspannen begon te worden. In ieder geval scheen ze vandaag meer op haar gemak bij hem. Toen ze gisteren rond de lunch was aangekomen, was ze heel stilletjes en zo gespannen geweest, dat hij het idee had dat ze op een bepaald moment zou knappen. Ze was de hele dag nerveus gebleven. 's Avonds leek het wat beter te gaan; kennelijk had het etentje met Tim en Anne Willen haar goed gedaan.
Toen ze vanmiddag uit rijden waren gegaan, was ze opgewekt, bijna vrolijk geweest en opnieuw stond ze wat opener tegenover hem. Hij voelde dat hij bezig was haar vertrouwen te winnen. Zozeer zelfs, dat hij op het punt had gestaan te bekennen hoe heftig zijn gevoelens ten opzichte van haar waren, toen het weer opeens was omgeslagen. De lucht was betrokken en donkere wolken hadden zich samengepakt. Een wolkbreuk was gevolgd en ze waren opgestegen en in galop naar de stal teruggekeerd. In totaal had hun dat wel twintig minuten gekost. Matt en een van de andere stalknechten stonden hen al op te wachten en zij hadden Gilda en Black Opal naar de zadelkamer gebracht. Hij was met Madelana naar de villa gereden, in de Maserati, beiden tot op de huid doornat en rillend van de kou. Ze was wit weggetrokken en haar tanden hadden onbeheerst geklapperd toen ze naar binnen reden. Nu hij naar zijn slaapkamer liep, hoopte Philip maar dat ze geen kou had gevat.
Een paar minuten lang warmde hij zich bij het vuur, daarna liep hij naar het zwarte Chinese lakkabinet dat een kleine, volledig uitgeruste bar bevatte. Hij schonk twee ballonglaasjes cognac in en dronk er een in één teug leeg, waarna hij zich ging aankleden. Hij trok een dikke wollen schipperstrui, sokken en een warme flannel broek aan. Zijn voeten schoof hij in een paar bruine instappers. Vervolgens pakte hij het tweede glas cognac en liep ermee de kamer uit.
Even later stond hij voor de deur van Madelana's kamer. Hij wilde al aankloppen, maar aarzelde even, zich afvragend of hij haar wel genoeg tijd had gegund om haar natte rijkleren uit te trekken, te douchen en iets anders aan te doen. Zijn conclusie was echter dat ze tijd genoeg had gehad en hij klopte zachtjes aan.
'Binnen,' riep ze.
Hij bleef op de drempel staan. Ze zat in elkaar gedoken voor het vuur op de grond, met haar rug tegen de bank, gekleed in een joggingpak en dikke sokken. Ze dronk van de thee die mevrouw Carr op zijn verzoek even daarvoor boven had gebracht.
'Ik dacht dat je hier wel zin in zou hebben,' zei hij terwijl hij het cog-

nacglas omhooghield. 'Daar word je door en door warm van.'
'Graag.' Ze zette het kopje op het schoteltje dat op een bijzettafeltje stond. 'Ja, heel graag, Philip.' Even was het stil. 'Dank je.'
Hij duwde de deur met zijn voet dicht, liep naar haar toe en reikte haar het glas aan. Toen ze het aanpakte, streken hun vingers langs elkaar. Ze schrok op, trok zich terug en ging nog iets dichter tegen de bank aan zitten. Toen sloeg ze haar ogen naar hem op.
Het regende nog steeds en het was donker buiten, maar ze had geen licht aan gedaan. In de schemerige kamer had ze iets onwerkelijks gekregen, verlicht als ze werd door het laaiende vuur. Haar gezicht straalde een doorschijnende, broze schoonheid uit, haar ogen waren groot en glanzend.
Hij kon zijn blik niet van haar afwenden.
Ze bleven elkaar aanstaren. Heel even had Philip het idee dat hij tot in haar ziel kon kijken. Ten slotte sloeg hij zijn ogen neer. Hij stond niet voor zichzelf in als hij bij haar was; hij draaide zich zonder een woord te zeggen om en liep terug naar de deur, met het plan haar tot het eten alleen te laten. Maar voor hij wegging móest hij nog een keer naar haar kijken, want zijn ogen werden onweerstaanbaar naar haar toe getrokken.
Ze beantwoordde zijn lange, doordringende blik vast en ernstig. Haar gezicht stond oneindig rustig. Ze verroerde zich niet, ze sprak geen woord. Er heerste een diepe stilte tussen hen.
Hij deed een stap in haar richting, en nog een. 'Ik wil bij je zijn,' zei hij met een stem die ongewoon hees klonk. 'Stuur me alsjeblieft niet weg.'
'Dat was ik ook niet van plan.'
Eerst dacht hij dat hij haar niet goed had verstaan en hij keek haar met half dichtgeknepen ogen aan.
Ze zette het cognacglas neer en stak haar hand naar hem uit.
Hij snelde naar haar terug, nam de tengere hand in de zijne, bracht hem naar zijn mond en streek met zijn lippen over haar lange vingers. Toen knielde hij naast haar neer.
'O Maddy,' zei hij, voor de eerste keer de afkorting van haar naam gebruikend. 'O Maddy.'
'Philip,' fluisterde ze zo zachtjes dat het nauwelijks hoorbaar was.
Hij trok haar naar zich toe. Ze lag in zijn armen, klampte zich aan hem vast en sprak steeds weer opnieuw zijn naam uit. Hij hield haar dicht tegen zich aan; zijn greep verstevigde zich. Met één hand streek hij over haar haren. Zijn mond vond de hare en hij kuste haar zoals hij haar die eerste dag al had willen kussen, indringend, fel, hartstochtelijk, zoekend met zijn tong alsof hij met zijn mond bezit

van haar nam. Ze beantwoordde zijn kussen, waarbij haar tong langs de zijne gleed. Haar hartstocht kon zich meten met de zijne, besefte hij, een wetenschap die hem een rilling van opwinding bezorgde. Nu was er geen weg terug meer, dat wist hij. Ze moesten elkaar meteen beminnen, nu, hier, op het kleed voor de open haard. Er was geen tijd te verliezen... er was al te veel tijd verspild. Hij trok haar onder zich en zijn handen dwaalden onder haar wijde sweatshirt. Toen zijn hand zich om haar borst sloot, slaakte ze een lange zucht en hij liefkoosde haar met zijn vingertoppen over haar tepel. Bijna onmiddellijk voelde hij het topje onder zijn strelende hand opspringen, wat hem nog verder opwond. Hij sjorde aan haar sweater om hem over haar hoofd te trekken.

Ze ging rechtop zitten en trok haar trui uit. Hij rukte zich zijn eigen kleren van het lijf en gooide ze opzij. Nu lagen ze languit naast elkaar op het kleed, geheel naakt. Ze kusten elkaar verder, onbeheerst, indringender nog dan eerst; ze konden niet van elkaar afblijven. Ze reikten hunkerend en verlangend naar elkaar, om aan te raken, te verkennen, te liefkozen, op te winden. Het verlangen bouwde zich op naarmate hun opwinding toenam.

Zijn begeerte had iets gewelddadigs in zich, maar hij voelde in haar een zelfde felheid. Ze verlangde even wanhopig naar hem als hij naar haar, dat maakte ze glashelder duidelijk. Hij ging op haar liggen en drong in haar binnen. Even voelde hij haar verstrakken en hijgen, toen ontspande ze zich.

Hij steunde zijn handen op de grond naast haar, richtte zich een eindje op en keek op haar neer. Haar gezicht was een en al verlangen en begeerte, en de gloed in haar ogen weerspiegelde precies zijn eigen gevoelens. Zijn adem stokte hem in de keel van verrassing en genoegen. Philip begon te bewegen, heel langzaam, bedreven, zij welfde haar lichaam omhoog om hem te ontmoeten en ze klampte zich aan hem vast.

Hun ritme werd sneller en hun hartstocht ging over in een totale overgave. Ze stegen samen tot duizelingwekkende hoogte, hoger en hoger... Hij had dagenlang over haar gedroomd. Nu die droom werkelijkheid was geworden, kon hij zich niet langer inhouden. Hij stortte zich in haar uit, hij gaf zichzelf aan haar over, waarna zijn mond zich op de hare drukte. En zij reisde met hem mee op die duizelingwekkende vlucht. Ze riep zijn naam en verstrakte plotseling, waarna ze langzaam de drempel overschreden, naar een verschroeiende, gloeiende hitte.

Haar armen en benen lagen om hem verstrengeld en hielden hem in hun zijdeachtige greep. Hij zat aan haar vastgeklonken, hij was één met haar en zij met hem. Het was een wonder: ze waren één wezen geworden...

Volkomen voldaan lagen ze roerloos in elkaars armen. Het was stil, op hun zwoegende ademhaling, het geknetter van de houtblokken in de haard en het zachte getik van een klok op de achtergrond na.
Philip bewoog zich als eerste. Hij begroef zijn gezicht in haar volle, kastanjebruine haar en mompelde tegen haar hals: 'Ik verlangde al naar je sinds ik je in de portrettengalerij beneden zag, Maddy.'
Toen ze niet reageerde, vroeg hij: 'Wist je dat niet?'
'Nee, dat wist ik niet,' fluisterde ze. Met een glimlachje bekende ze.
'Ik verlangde ook naar jou.'
'Dat heb je dan uitstekend verborgen weten te houden,' riep hij zachtjes uit.
'Dat geldt ook voor jou,' zei ze.
Ze lachten samen, maar werden meteen weer stil, gevangen als ze waren in de warwinkel van hun eigen gedachten. Even later liet Philip haar los, stond op, nam haar handen in de zijne en trok haar overeind. Hij sloeg zijn arm om haar heen, waarna ze samen voor het vuur stonden en elkaar als gebiologeerd aanstaarden. Hij pakte haar bij haar kin, boog zijn hoofd en kuste haar op haar mond, licht en teder, en pakte toen het glaasje cognac. Hij hield het haar voor. Ze schudde haar hoofd. Hij nam een paar slokjes, zette het glas op tafel en loodste haar mee naar het grote hemelbed. 'Ik hoop niet dat je denkt dat ik ook aan de drank ben.'
Madelana begon te lachen, maar ze zei niets terwijl ze tussen de lakens gleed. Philip kwam naast haar liggen en sloeg zijn armen om haar heen. Ze nestelde zich tegen hem aan, met haar schouders tegen zijn brede borst, vervuld van een ongekende vreugde die zowel voortkwam uit het genot dat zij Philip had kunnen schenken als uit de bevrediging die hij haar had gegeven. De spanning die zich dagenlang in haar had opgebouwd, was verdwenen. Ze had het gevoel alsof ze in een cocon van vrede, voldoening en geluk gesponnen zat. En ze wist dat dat kwam door hem en alles wat hij vertegenwoordigde.
Philip hield haar stevig tegen zich aan en duwde zijn gezicht in het holletje van haar hals, tegen haar haar en het plekje tussen haar schouderbladen. Tot zijn verbazing kwam zijn opwinding weer opzetten. Hij gooide de dekens opzij, steunde op een elleboog en keek op haar neer.
Met een stralend gezicht keek Madelana glimlachend naar hem op. Hij beantwoordde haar glimlach en begon haar wang te strelen. Zijn ogen spraken boekdelen. Hij hield van haar, dat was de waarheid.

Die allereerste dag al was hij verliefd op haar geworden. Hij was blij dat het op Dunoon was gebeurd en dat ze elkaar hier het eerst hadden bemind. Het leek hem heel toepasselijk dat zoiets belangrijks als dit zich bij hem thuis had afgespeeld. Hij wist dat hij altijd van haar zou blijven houden. Dit was geen bevlieging. Nu was er geen plaats meer voor welke andere vrouw ook in zijn leven. Nooit, nooit meer.
'Wat kijk je ernstig,' zei ze en keek hem vragend aan.
Hij boog zich over haar heen en antwoordde zachtjes: 'Het is veel te snel gegaan, Maddy. Het spijt me... Ik was te ongeduldig, vrees ik.' Hij lachte zacht en weemoedig. 'Maar ik verlang dan ook al dagen naar je... Ik heb van je gedroomd.'
'Je was geweldig.'
'Misschien ben je bevooroordeeld, lieveling.'
Zijn mond zocht haar borsten en kuste ze, terwijl hij met zijn handen haar hele lichaam streelde. Haar huid voelde aan als satijn en in het schijnsel van de open haard lag er een mooie, rozige gloed over. Hij verwonderde zich over de schoonheid van haar soepele lichaam, zo slank, zo tenger gebouwd, over haar lange benen en de volle, weelderige borsten, die zich nu spanden onder zijn aanraking.
Hij legde zijn mond op de hare en kuste haar intens terwijl hij met een vinger over haar buik streelde tot zijn hand tussen haar dijen rustte. Hij liefkoosde haar zacht en bedreven, zodat zij op haar beurt hem begon te strelen. Toen hij voelde dat ze zich spande, duwde hij haar hand weg en drong in haar binnen. Meteen werden ze weer weggevoerd door de intensiteit en de hartstocht die ze voor elkaar voelden.
Ze lagen nog lange tijd bij elkaar. Ten slotte stond hij op en stapte uit bed. Hij liep naar de open haard, waar hij zijn kleren had laten liggen, en begon zich aan te kleden.
Ze keek toe hoe hij zich voor het vuur bewoog en dacht: Wat is hij toch een mooie man, met een prachtig lichaam. Hij was ruim één meter negentig en had brede schouders en een gespierde borst, terwijl hij geen onsje te zwaar was. Doordat hij veel buiten in de zon liep, was hij mooi gebruind.
Madelana werd overvallen door het eigenaardige gevoel dat ze hem al lang kende... van heel lang geleden al. Hij had iets zo vertrouwds voor haar, dat ze er versteld van stond. En toch waren ze vreemden voor elkaar... maar nu wel *intieme* vreemden.
Hij ging op de rand van het bed zitten en streek een lok haar uit haar ogen. Hij boog zich over haar heen, kuste haar licht en zei: 'Dit is pas het begin, Maddy, lieveling.'
'Het begin van het einde...' Ze zweeg abrupt en staarde hem aan,

met ogen die groot werden van verbazing om haar eigen woorden. Hij fronste. 'Waarom zeg je zoiets eigenaardigs? Wat bedoel je?'
'Ik weet het niet!' riep ze uit. 'Die gedachte flitste door mijn hoofd. Ik zei het zonder erbij na te denken.'
'Ik wil het woord *einde* niet meer horen.' Hij lachte zelfverzekerd en trok haar stevig in zijn armen. Toen liet hij haar los en ging staan. 'Ik zie je dadelijk wel beneden. Trek iets gemakkelijks aan, lieveling, we zijn met ons tweeën.'
'Goed,' antwoordde ze.
Nadat hij was weggegaan bleef ze nog even liggen. In het kussen naast haar was de afdruk van zijn hoofd nog zichtbaar. Ze raakte die plek aan, gleed naar zijn kant van het bed en begroef haar gezicht in het kussen. Het rook nog naar hem... naar zijn haar en zijn eau de cologne. Ze begon zachtjes te huilen.
Ze werd overspoeld door het afschuwelijke gevoel dat ze iets had verloren en ze werd bang.

21

Hongkong glinsterde en schitterde. De stad was een en al kleur, licht, beweging en lawaai.
Vanaf het ogenblik dat de privé-jet van Jason Rickards vijf dagen terug met donderend geweld op de baan bij Kai Tak Airport was geland en Paula was uitgestapt, was ze in de ban geraakt van de Britse kroonkolonie.
Ze was er in geen veertien jaar geweest en ze was vergeten hoe het er precies was: overweldigend in alle betekenissen van het woord. Visueel deed Hongkong haar denken aan Manhattan, met de torenhoge wolkenkrabbers, air-conditioned winkelcentra, boetieks, banken en kantoren, chique restaurants en hotels. Toch kende Hongkong een geheel eigen ritme, een uniek tempo – snel, levendig, vol opwinding en drukte.
Overal om zich heen voelde Paula bedrijvigheid. Waar ze ook keek, alles was voortdurend in beweging. Enorme vliegtuigen stegen op naar de nevelige blauwe lucht boven Victoria Peak; zeilbootjes en sampans, jachten en jonken, draagvleugelboten en veren doorploegden de drukke wateren bij Central en Kowloon. Auto's, trams, bussen en riksja's raasden door de straten, terwijl de mensen zich in dichte zwermen verdrongen en haastig op hun doel af gingen. Het was overbevolkt. Ruimte was schaars, te land zowel als ter zee, en Paula begon zich door het gekrioel en oorverdovende lawaai een

beetje overdonderd te voelen.
In tegenstelling tot dit alles ontdekte ze tot haar verrassing hier en daar kleine oases van rust: de heuvels van de New Territories, het landelijke gebied tussen Kowloon en China, de tempels en graftombben en zelfs een plekje bij de Star Ferry Pier, waar elke ochtend een groep Chinese mannen de langzame, meditatieve bewegingen van de Tai-Tsji uitvoerde.
Vooral de contrasten deden Paula versteld staan en die maakten dan ook de diepste indruk op haar.
Nergens ter wereld vond je zulke grenzeloze rijkdom en diepe armoede op hetzelfde kleine oppervlak, nergens stond adembenemende schoonheid zo dicht naast de walgelijkste ellende. Het glorieuze leven van de rijken bevond zich gevaarlijk dicht bij het zwoegende leven van de armen. Voorname, oude families woonden zij aan zij met wanhopige vluchtelingen. Hongkong was de zetel van oud kapitaal en tai-pans, ruim honderdveertig jaar Britse overheersing en koloniale tradities, pas verworven rijkdom, verbijsterende verhalen over mensen die het 'gemaakt' hadden en onvoorstelbare staaltjes van zakelijke risico's. Het aantal zelfmoorden was er het hoogst van de hele wereld.
Paula werd er intens door geboeid en ze kon heel goed begrijpen dat zowel inwoners als toeristen vielen voor de buitengewone allure van Hongkong.
Tot Paula's komst had Emily op het schiereiland in het Tsimshatsui gelogeerd, aan de kant van Kowloon. In dat hotel verbleef ze altijd als ze hier inkopen kwam doen. Het was gunstig gelegen met het oog op haar zakelijke transacties met China, omdat ze dicht bij de bedrijven zat die de verschillende produkten fabriceerden die zij voor Genret inkocht.
De avond voordat Paula met Don Metcalfe van Rickards International aankwam, was Emily naar de kant van Hongkong verhuisd. Ze had zich geïnstalleerd in de ruime, schitterende suite die ze had gereserveerd in het befaamde Mandarin Hotel, in het hartje van het Central District.
'Ik ben klaar met mijn werk, en Central ligt veel gunstiger voor ons en wat we van plan zijn,' had ze Paula uitgelegd toen deze haar koffers aan het uitpakken was. 'Wat winkelen betreft is dit het Mekka van Azië. Trouwens, het lijkt me voor jou veel interessanter om op het eiland Hongkong zelf te zitten.' Paula had instemmend geknikt. 'Jij mag het zeggen, Emily. Jij bent de baas.'
Emily had een programma opgesteld dat hun nauwelijks een adempauze gunde. Niettemin had Paula er enthousiast mee ingestemd; ze

wilde alles doen en zien. Met grote energie had ze zich gestort op de bezienswaardigheden, het winkelen, de bezoeken aan diverse restaurants en enkele andere chique hotels, om nog maar te zwijgen van hun ronde langs de nachtclubs in Wanchai.
De eerste avond dat ze er was, had Emily haar voor het diner meegenomen naar Gaddi. Dat werd beschouwd als het beste Europese restaurant in Hongkong en Rolf Heiniger, de befaamde maître d'hôtel, had zijn reputatie eer aan gedaan wat kennis en bediening betrof; hij had de verrukkelijkste schotels aanbevolen, gecombineerd met de beste wijnen.
De volgende ochtend waren ze gaan snuffelen in Emily's favoriete boetieks, winkels, markten en galerietjes. 'Vergeet niet dat ik een ouwe rot in het vak ben,' had ze glimlachend en vertrouwelijk tegen Paula gezegd. 'Laat mij m'n gang maar gaan, dan krijg je waar voor je geld. Goeie spullen voor een zacht prijsje.'
Paula had gelachen en had uitgeroepen: 'O, ik vertrouw volkomen op jou, Emily! Als kind al had je het onderhandelen in je vingers. Volgens mij is dat een van de redenen dat Grandy Genret aan jou toewees.'
In enkele razend drukke dagen deden ze al hun kerstinkopen, de grote cadeaus zowel als de kleinigheden voor onder de boom. Ze kochten parels, jade sieraden en manchetknopen voor de mannen in de familie, geborduurde zijde en brokaat, Chinese jasjes en kimono's, met kraaltjes bezette avondtasjes, originele houten speeltjes, goudemail, met de hand geborduurde stoffen en siervoorwerpen.
Emily had voorgesteld om een bezoekje te brengen aan Hollywood Road, even ten noorden van Central; ze legde uit dat je daar geweest móest zijn, en Paula ontdekte algauw dat ze gelijk had. Vele van de belangrijke antiekwinkels en kunstgalerieën hadden zich daar gevestigd en al rondneuzend had Paula enthousiast gereageerd op de kunstvoorwerpen die er uitgestald waren. Ze had een antieke vaas van nefriet voor Jason, die oosterse kunst verzamelde, op de kop getikt en een prachtig antiek halssnoer van jade voor haar moeder.
Verder had Emily tussen de winkelescapades en allerlei exotische maaltijden in unieke eetgelegenheden nog een paar andere boeiende excursies ingelast. Ze had Paula meegenomen naar Aberdeen Harbour, waar duizenden bootvluchtelingen woonden en werkten op jonken en sampans. Ze hadden een uitstapje gemaakt naar de New Territories bij Kowloon, ze waren naar de nevelige top van Victoria Peak gereden om van het spectaculaire uitzicht te genieten, en ze hadden diverse tempels en pagoden bezocht.
Tijdens de vlucht vanuit Sydney had Paula's reisgenoot, Don Metcal-

fe, gezegd dat hij haar en Emily graag een keer mee uit eten wilde nemen voordat ze naar New York vertrokken. Dat was de avond ervoor gebeurd. Ze waren samen met de draagvleugelboot naar Macau gegaan, de Portugese enclave aan de monding van de Pearl River, een kwartiertje verderop. Daar hadden ze uitgebreid gedineerd om vervolgens een paar beroemde casino's te bezoeken. Het was een onvergetelijke avond geweest. Ze hadden uitstekend overweg gekund met Don, die hen steeds aan het lachen had weten te maken. Vooral Emily had genoten van de trip naar Macau, waar ze nog nooit was geweest; een oude wens was in vervulling gegaan.
In de vroege uurtjes, toen Paula ten slotte uitgeteld in bed was geploft, bedacht ze dat ze in een paar dagen meer hadden gedaan dan ze ooit voor mogelijk had gehouden. Haar verblijf in Hongkong was van de eerste tot de laatste minuut een plezierige belevenis geweest, vooral omdat ze er samen met Emily was. Het herinnerde haar aan de reizen die ze vroeger hadden gemaakt, en ze voelde zich weer jong en bijna zorgeloos.

Vandaag was hun laatste dag in Hongkong; ze zouden de avondvlucht naar New York nemen. Emily had Paula per se het prachtige Regent Hotel in Kowloon willen laten zien, en het ongeëvenaarde uitzicht vandaaruit op Hongkong Island. Dus waren ze daar gaan lunchen. Paula had heel vroeg moeten opstaan omdat ze eerst had moeten pakken, maar het was de moeite waard geweest. De lunch en het uitzicht zouden haar nog lang bijblijven.
Meteen na de lunch waren ze met de Star Ferry naar Central teruggegaan. Emily was naar het hotel gereden om haar koffers verder te pakken, Paula was teruggekeerd naar de juwelier waar ze een paar beeldige oorringen had gezien die ze Emily met Kerstmis wilde geven. Paula had net zo onderhandeld als ze Emily de afgelopen dagen had zien doen en tot haar verbazing en haar grote vreugde had ze de oorringen weten te bemachtigen tegen een veel lagere prijs dan ze had verwacht. Nu ze de korte afstand naar het hotel lopend aflegde, voelde ze zich immens voldaan over dit succesje.
Paula haastte zich door de lounge van het Mandarin, in het besef dat ze twintig minuten te laat was voor haar afspraak om met haar nicht thee te drinken. Ze liep dan ook regelrecht naar het afgesproken punt, de Clipper Lounge, die zich op een tussenverdieping boven de lounge bevond. Met lichte tred rende ze de trap op.
Emily zag haar en zwaaide ter begroeting. Paula wuifde terug en even later ging ze in een comfortabele stoel tegenover Emily zitten.
'Sorry, ik ben te laat. Het laatste uur is gewoonweg omgevlogen,' zei

Paula verontschuldigend glimlachend.
'Geeft niet, hoor. Ik zit hier nog niet zo lang en je weet dat ik het hier heerlijk vind. Door die koperen patrijspoorten en al dat mahonie heb ik het idee dat ik op een schip zit. O ja, voor ik het vergeet...'
Emily deed haar tas open, rommelde erin en overhandigde Paula twee envelopjes. 'Die lagen in de suite op je te wachten toen ik na de lunch terugkwam.'
'O, telexberichten! Dank je, Emily-lief.' Paula nam ze aan, maakte het eerste bericht open, las het snel door en toen het tweede. Ze kneep teleurgesteld haar lippen opeen. De ene telex was van Michael Kallinski in Londen, de andere van Harvey Rawson in New York. Beide berichten kwamen ongeveer op hetzelfde neer: Peale and Doone, de kleine winkelketen in het Midden-Westen, was onder hun neus weggekaapt door een andere geïnteresseerde. Pech gehad, dacht ze. Jammer, want het zou een mooi begin zijn geweest voor mijn uitbreidingsplannen. Aan de andere kant was ze over de ligging van de panden nooit zo enthousiast geweest als Michael. Die gedachte troostte haar een beetje.
Emily zat Paula te bestuderen. 'Is er iets mis thuis?'
'Nee hoor, helemaal niet,' antwoordde Paula meteen geruststellend. 'Het gaat over zaken.'
'O. Van wie zijn die berichten?' viste Emily, nieuwsgierig als altijd.
'O, het ene is van Michael, het andere van een jurist in Wall Street, die een onderzoekje voor me deed.' Paula glimlachte vaag. 'Een transactie waar we onze zinnen op hadden gezet gaat niet door. Kom, laten we eens bestellen. Ik denk dat ik die moerbeithee nog eens neem, die ben ik echt lekker gaan vinden.'
'Goed, ik neem hetzelfde.' Emily draaide haar blonde hoofd om en wenkte de ober.
Toen ze had besteld, boog ze zich over de tafel heen, terwijl ze haar nicht met haar schrandere groene ogen opnam. 'Wat voor soort transactie is niet doorgegaan?' Toen Paula niet meteen antwoord gaf, merkte Emily op: 'Het was vast belangrijk voor je, want ik zag hoe teleurgesteld je keek.'
Paula knikte. 'Eerlijk gezegd wàs ik ook teleurgesteld, Emily. Ik wilde een kleine winkelketen in Amerika kopen. Jammer genoeg is de zaak aan onze neus voorbij gegaan.'
'Waarom zou je nog meer winkels willen aankopen?' Emily fronste verbijsterd haar wenkbrauwen.
'Ik ben al een tijdje van plan om Harte in Amerika uit te breiden. Een bestaande winkelketen opkopen leek me de beste manier, Emily.'

'Eén winkel in Amerika was voor Gran voldoende. Waarom wil jíj er dan nog meer bij?'
'De tijden zijn radicaal veranderd. Dat weet jij net zo goed als ik. Ik móet wel uitbreiden, liefje, dat is de enige manier om tegenwoordig het hoofd boven water te houden.'
'Als je het mij vraagt,' zei Emily op de haar eigen openhartige wijze, 'neem je veel te veel hooi op je vork.'
Paula begon te lachen. 'Hoe vaak heeft onze grootmoeder niet verteld dat iedereen dat altijd tegen haar zei, haar leven lang, en dat zij zich daar nooit iets van heeft aangetrokken!'
Emily ging daar niet op in, maar zei met nadruk: 'Ik wil wedden dat Shane het met me eens is. Wat vindt hij van die expansiedrift van jou?'
'Hmm, eerlijk gezegd, Emily, heb ik nog geen gelegenheid gehad het hem te vertellen. Van de zomer was het in Zuid-Frankrijk zo chaotisch en druk, dat het me zinloos leek erover te beginnen terwijl er nog geen winkelketen op de markt was. Bovendien was die week dat we samen waren, voordat ik naar Australië vertrok, ontzettend rommelig, weet je.'
'Volgens mij ziet hij er niets in, Paula. Je hebt al genoeg te doen, méér dan genoeg, met Harte in Londen, Parijs en Yorkshire, Sitex Oil en de boetieks in de hotels.'
'Grandy zei altijd tegen ons dat een goede organisatie de sleutel tot succes was, en dat een goed georganiseerde vrouw de hele wereld aankon.'
'Dat is waar, dat zei ze altijd. Niettemin zal Shane niet staan te juichen. En nog iets anders, Paula. Ik geloof nooit dat Gran als ze nog leefde met je idee zou instemmen.'
'Onzin! Natuurlijk wel! Ze zou inzien dat het verstandig is wat ik van plan ben!' riep Paula geëmotioneerd uit. Ze was een en al zelfvertrouwen. Ze boog zich dichter naar Emily toe en begon haar plannen voor de toekomst van de Harte-vestigingen in de Verenigde Staten te schetsen.
Emily luisterde aandachtig. Zo nu en dan knikte ze.
Ze waren zo verdiept in hun gesprek dat ze geen van beiden zagen dat een man hen vanaf de trap die naar de Clipper Lounge leidde, nauwlettend gadesloeg.
Dat hij de twee vrouwen daar zag zitten verbijsterde hem. Even stond hij als aan de grond genageld. Hij herstelde zich pijlsnel, draaide zich om, rende de trap af, de lounge door en liep door de voordeur naar buiten.

Het bloed steeg de man naar zijn hoofd en een kokende woede welde in hem op terwijl hij terugrende naar Pedder Street, steeds heen en weer zwenkend en zich in zijn haast tussen de mensen doordringend, zo graag wilde hij de afstand tussen zichzelf en het Mandarin vergroten.
Precies twee minuten nadat hij uit het hotel was weggegaan, stond hij in de lift op weg naar de bovenste verdieping van de wolkenkrabber waar zijn bedrijf, Janus and Janus Holdings Ltd., gevestigd was. Hij meed de hoofdingang en daarmee de grote kantoren waar zijn personeel werkte, haastte zich door de lange gang en liet zich via de privé-deur binnen.
Deze gaf toegang tot een hal, fraai gemeubileerd met Chinees antiek, die via mahoniehouten deuren leidde naar zijn heiligdom, dat luxueus was ingericht en een spectaculair uitzicht over Victoria Harbour bood.
Hij liep regelrecht naar de kleine bar, waarachter zich een spiegelwand bevond, om zich een wodka-puur in te schenken. Tot zijn ergernis trilde zijn hand toen hij het glas naar zijn mond bracht. Hij dronk het in één teug leeg, liep met grote passen naar zijn bureau en drukte op de intercom.
'Ja, meneer?' vroeg zijn Engelse secretaresse.
'Vraag of Lin Wu de Daimler voorrijdt, Peggy. Ik ga vandaag vroeg weg. Kan ik de post nu vast tekenen?'
'Ja, meneer. Ik kom er zo aan.'
Hij zette zijn gezicht in een gepast ondoorgrondelijke plooi en ging zitten, terwijl hij zichzelf dwong zijn woede te beteugelen.

22

Zijn woede liet zich niet beteugelen. Zijn boosheid smeulde nog steeds binnen in hem terwijl hij in de Daimler naar zijn huis op de Peak werd gereden. En smeulde door nu hij in de bibliotheek van zijn chique maisonette zijn privé-post zat door te nemen. De woede was van een intensiteit zoals hij in lange tijd niet had ervaren en het feit dat hij zo heftig had gereageerd toen hij de twee vrouwen had zien zitten, bracht hem van zijn stuk. Hij kookte inwendig, en met reden. Niettemin was het hem duidelijk dat hij zich moest beheersen. Emoties mochten zijn oordeelsvermogen niet vertroebelen.
Zuchtend legde hij het stapeltje brieven en uitnodigingen voor recepties en diners opzij, schoof de bewerkte rozehouten stoel die bij het antieke rozehouten bureau stond achteruit en ging naar de galerij.

Vanuit deze lange, ruime hal waren de andere vertrekken bereikbaar; een trap leidde naar de volgende verdieping. Hij liep naar de salon, intussen bedenkend hoe heerlijk rustig het hier was na de bedrijvigheid op zijn kantoor. Iedere keer weer kon hij ervan genieten. De vloer was van gebeitst, glanzend gewreven ebbehout, de wanden waren wit en hingen vol met zijn verzameling schitterende Chinese schilderijen van grote meesters, daterend uit de vijftiende eeuw tot de huidige.
Even stond hij stil bij een pentekening van Sun Kehong, gedateerd 1592, en hing hem recht. Hij nam een beetje afstand en keek ernaar. Glimlachend knikte hij uit waardering voor het raffinement, de sierlijkheid en de eenvoudige schoonheid.
Langzaam liep hij de galerij verder af, de kunststukken bewonderend die hij zo liefderijk had verzameld. De galerij was schaars gemeubileerd; er stond alleen een ebbehouten tafel met daarop een celadon-vaas met een stolp uit de Qianlong-periode, geflankeerd door twee witte nefriet rammen, uitgesneden in de Song-stijl. Tegen een korte wand hingen glazen planchettes aan koperen kettinkjes aan het plafond, zodat het leek alsof ze zweefden; daarop prijkte zijn fraaie collectie zeldzame bronzen voorwerpen uit de Ming-tijd.
Verzonken spotjes, discreet en strategisch geplaatst, lichtten de kunstwerken aan; daar dit de enige lampen waren, was dit gedeelte van het appartement schemerig en rustig. Hij liet de vredige sfeer tot zich doordringen om zijn turbulente gedachten te kalmeren, zoals hij dat vele jaren geleden had aangeleerd.
Even later ging hij de salon binnen. Zijn gezicht klaarde op en werd minder gespannen. Hij bleef even in de deuropening staan.
Het was vroeg in de avond. De nevel stulpte zich over de Peak naar beneden. Door de enorm brede ruit strekte zich het enigszins wazige uitzicht over Hongkong, Victoria Harbour en Kowloon uit. Vertrouwde beelden waren vaag geworden, omhuld door wazige tinten blauw en wit; de kleurencombinatie deed hem denken aan het sleetse glazuur op een stuk antiek Chinees porselein. Ah Qom, de Chinese amah die al vanaf het begin voor hem en zijn huis zorgde, had de jade lampen met hun zijden kappen aan gedaan en ze had de open haard aangestoken, zodat deze ruime, volmaakt geproportioneerde kamer baadde in een warme gloed. Het vertrek verwelkomde hem.
Grote banken en stoelen met dikke kussens, overtrokken met lichtblauwe, lavendelkleurige en grijze zijde uit Thailand, vonden hun tegenwicht in Chinese kasten, kisten en tafeltjes van allerlei gelakt hout. Waar hij ook keek, rustten zijn ogen op een voorwerp van zeldzame schoonheid. Zijn bezittingen betekenden veel voor hem. Ze

koesterden hem en brachten hem in een betere stemming als hij zich terneergeslagen voelde.
Ook nu voelde hij die invloed, waardoor hij tot rust kwam. Hij liep over het antieke tapijt van Chinese zijde en ging op de bank zitten. Hij wist dat het nichtje van Ah Qom, Mee-Seen, zo dadelijk zijn jasmijnthee zou binnenbrengen, wat ze gewoonlijk deed als hij een halfuur thuis was, op welke tijd van de dag hij ook van kantoor wegging. Het was een ritueel, zoals zoveel dingen hier een ritueel waren.
Deze gedachte had hem nauwelijks door het hoofd gespeeld of het knappe, tenger gebouwde Chinese meisje in haar zwartzijden kimono haastte zich met het dienblad naar binnen. Glimlachend en buigend zette ze het op het lage tafeltje dat voor hem stond.
Hij bedankte haar met een beleefde hoofdknik.
Glimlachend en buigend liep ze de kamer uit.
Hij schonk de geurige thee in het flinterdunne porseleinen kommetje, dronk het snel leeg, schonk zich nog eens in en dronk nu wat langzamer. Zijn geest ontspande zich en hij drong alle gedachten naar de achtergrond. Na genietend een derde kommetje thee te hebben gedronken, zette hij het terug op het donkerrood gelakte blad, leunde met zijn hoofd tegen de rugleuning en sloot zijn ogen.

Toen de antieke pendule op de schoorsteenmantel zes uur sloeg, werd hij met een schok wakker uit zijn hazeslaapje.
Hij kwam overeind en rekte zich in volle lengte uit. Het werd tijd om naar boven te gaan om te douchen en iets anders aan te trekken, want hij moest naar het diner van lady Susan Sorrell in Recluse Bay.
Meteen stond hij op en liep snel door de salon, maar voor het dressoir naast het kamerscherm van gestreept ebbehout stond hij even stil. De in zilveren lijstjes gevatte foto's weerspiegelden het licht van de lamp die ernaast stond. Hij tuurde naar het portret van zijn vader, waarna zijn blik naar de kleinere foto van de vrouw dwaalde.
Zijn haat voor haar was nooit verflauwd. Ook nu weer laaide de emotie heftig op. Ongeduldig verdrong hij het gevoel. Niets mocht inbreuk maken op zijn herwonnen kalmte, niets mocht de avond die voor hem lag en waar hij zich al dagen op verheugde, bederven.
Het was nooit de bedoeling geweest om een foto van *haar* in huis te hebben, te midden van al die volmaakte voorwerpen, juist vanwege die volmaaktheid uitgekozen door hem, de perfectionist. Maar toen hij jaren geleden die foto in een koffer vol oude spullen had gevonden, had zijn nuchterheid het gewonnen van zijn emoties. Hij had op het punt gestaan hem weg te gooien, toen hij inzag dat het ding hem van nut kon zijn.

Hongkong was een oord waar status en zelfbeheersing beide van het allergrootste belang waren. Derhalve kon het geen kwaad om bekend te staan als de kleinzoon van wijlen de grote internationale zakenvrouw, Emma Harte. Vanavond echter kon hij dat diabolische oude-vrouwengezicht niet aanzien en hij duwde de foto achter de grotere lijst waarin een portret van zijn vader zat, gemaakt voor het gebouw van het Lagerhuis. Ook het feit dat hij de zoon was van Robin Ainsley, alom gerespecteerd Labourpoliticus, parlementslid en voormalig minister, had hem geen windeieren gelegd. Door zijn familiebanden was hij overal zonder meer geaccepteerd en binnen de kortste keren omhooggeschoten in de plaatselijke society.
Jonathan Ainsley liep terug naar de bibliotheek, ging aan zijn bureau zitten, haalde een sleutelbos uit zijn jaszak en deed de onderste la open. Hij pakte de map waar HARTE op stond eruit en sloeg hem open. Zijn ogen dwaalden over het bovenste vel papier, waarop diverse kolommen cijfertjes in zijn keurige handschrift waren genoteerd.
Een triomfantelijke glimlach speelde om zijn lippen en hij begon zachtjes te lachen. Meestal stemde het hem tevreden als hij deze lijst bekeek en zich realiseerde hoeveel aandelen in de Harte-vestigingen hij nu precies bezat. Aandelen Harte werden op de Londense beurs verhandeld en jarenlang had hij aandelen opgekocht via tussenpersonen, onder andere via zijn Zwitserse bank en andere financiële instellingen. Tegenwoordig was hij een van de grootste aandeelhouders van de Harte-vestigingen, al was hij de enige die dat wist.
Hij sloeg de map dicht en leunde achterover in zijn stoel. Met zijn vingertoppen tegen elkaar genoot hij van wat hij had weten te bereiken. Eens, op een dag, zou Paula O'Neill een foutje maken. Niemand was onfeilbaar. Zelfs zij niet. En dan zou hij toeslaan.
Jonathan pakte nog een map uit de la. Hier stond niets op geschreven. Hij haalde er een bundeltje papieren uit. Het waren gedetailleerde rapporten van het Londense detectivebureau dat hij al enkele jaren voor zich liet werken.
Sinds 1971 had Jonathan zijn nicht Paula O'Neill geregeld laten schaduwen. Er was nooit iets ontdekt dat niet door de beugel kon, maar dat had hij ook niet verwacht. Aan de andere kant kwam het hem goed uit zoveel mogelijk te weten over haar en haar leven, haar gezin, haar vrienden en haar zakelijke transacties.
Van tijd tot tijd had hij ook Alexander Barkstone en Emily Harte laten volgen. Net als bij Paula was er op hen niets aan te merken. Maar ach, hij interesseerde zich niet bijzonder voor hen. Zolang zijn familie Harte Enterprises maar goed bleef runnen en hij elk kwartaal zijn

vette cheque met dividend kreeg, was het hem goed. Per slot van rekening had hij het speciaal op Paula O'Neill voorzien.
Hij keek naar het laatste rapport dat het Londense bureau had uitgebracht. Eind augustus was ze naar Villa Faviola geweest. Hij vermoedde dat dat de reden was dat hij zo verbaasd had gestaan haar vandaag in de Clipper Lounge van het Mandarin Hotel te zien. Kennelijk was ze òf op weg naar Australië, òf op weg naar Engeland. Rotmens, dacht hij. Hij legde de mappen in de la, deed die op slot en haastte zich naar boven, naar zijn slaapkamer. Hij voelde er niets voor om weer boos te worden. Alleen al als hij aan dat kreng dacht, begon zijn bloed te koken.
Op de overloop bleef hij staan en haalde eens diep adem om haar beeltenis, waar hij gek van werd, uit zijn gedachten te verdrijven.
Toen Jonathan zijn kamer binnenging, verwachtte hij daar zijn huisknecht aan te treffen. Tot zijn verbazing was Tai Ling nergens te bekennen, al lagen zijn geplooide avondoverhemd, zwarte das en zwarte zijden sokken al klaar op bed. Tai Ling zou wel beneden zijn, in de wasruimte, om zijn smoking te persen. Hij kon elk moment verschijnen. Neuriënd slenterde Jonathan naar een Ming-kast, leegde zijn zakken – sleutels, creditcard-mapje en geld – en begon zich uit te kleden.
Evenals de andere vertrekken was de slaapkamer met goede smaak ingericht, met de nadruk op typische Chinese en unieke oosterse kunstvoorwerpen. Zonder overdrijving was het een herenkamer, een tikje koel en streng, en de vrouwen die er met hem naar bed gingen kwamen er algauw achter dat die sfeer een afspiegeling was van Jonathans aard.
Nadat hij een donkerblauwe zijden kimono uit de kast had gepakt en aangetrokken, ging hij naar de aangrenzende badkamer. Intussen vroeg hij zich af wie Susan speciaal voor hem te eten had gevraagd. Ze had laatst heel geheimzinnig gedaan door de telefoon. Maar het zou wel een interessante vrouw zijn, want Susan kende zijn smaak. Hij zuchtte, nogmaals overdenkend hoezeer hij de verhouding miste die ze bijna een jaar hadden gehad. Het was een puur seksuele relatie geweest, wat hen beiden uitstekend schikte. Hoewel ze elkaar ook intellectueel verstonden, waren er geen emotionele bindingen geweest die de verhouding belastten. Alleen seks en een intelligent gesprek. Naar zijn opvatting een volmaakte regeling.
Drie maanden geleden, toen ze hem had verteld dat haar man argwaan begon te koesteren en dat ze er een punt achter moesten zetten, had hij haar geloofd. Hij had zich onmiddellijk naar haar wensen geschikt. Toentertijd had hij niet beseft dat er zo'n leegte in zijn leven

zou ontstaan toen zij niet meer beschikbaar was. Het was niet zozeer de seks die hij miste, hoewel ze heel goed was in bed, want seks was een behoefte die tegenwoordig overal ter wereld gemakkelijk te bevredigen was. Hij miste eerder hun gesprekken, de gevatheid, hun beider Engelse opvoeding en achtergrond.
Maar hij had niet geprobeerd Susan te achtervolgen of de affaire nieuw leven in te blazen. Het laatste dat hij wilde, was betrokken te raken bij een echtscheidingszaak of in de schijnwerpers te staan als een van de hoofdrolspelers in een onfris schandaaltje in de kroonkolonie. Per slot van rekening was hij hier een vooraanstaand man en hij voelde zich hier thuis.
Hij bekeek zichzelf in de spiegel boven de wastafel en streek over zijn kin. Hij was heel vroeg opgestaan om nog squash te kunnen spelen voordat hij om zeven uur een zakelijke ontbijtafspraak had en nu alweer vertoonde zijn kin vage blonde stoppeltjes. Het elektrische scheerapparaat lag voor het grijpen en hij bewerkte er zijn opkomende baard mee. Terwijl hij daarmee bezig was, dacht hij aan zijn nichten Paula O'Neill en Emily Harte, zij het heel vluchtig. Met een plotseling opkomend gevoel van trots complimenteerde hij zichzelf met alles wat hij in elf jaar had bereikt. Het was niet eenvoudig geweest.

Toen Jonathan Ainsley in 1970 in Hongkong aankwam, wist hij meteen dat hij zijn thuishaven had gevonden. Er hingen opwinding, geheimzinnigheid, avontuur en intrige in de lucht. Alles, maar dan ook alles leek er mogelijk. Bovendien kon hij het geld gewoonweg ruiken. Veel, heel veel geld.
Hij was naar het Verre Oosten gekomen om zijn wonden te likken, nadat hij bij Harte Enterprises oneervol was ontslagen. Hij was daar hoofd van de afdeling Onroerend Goed geweest. Alexander had hem de laan uit gestuurd; Paula had hem uit de familie verbannen. En sindsdien gaf hij haar van alles de schuld, want hij geloofde dat Alexander het lef niet had gehad om hem zonder haar steun en aanmoediging aan te pakken.
Voordat hij uit Engeland was vertrokken had Jonathan drie dingen gedaan. Hij had een eind gemaakt aan zijn zakelijke verbintenis met Sebastian Cross, hij had zijn belang bij Stonewall Properties voor een mooie prijs aan Sebastian verkocht en hij had zijn onroerend-goedmaatschappijen in Londen en Yorkshire van de hand gedaan. Al met al had hij een aardige winst geboekt.
Zijn reis had een tweeledig doel gehad: hij wilde een groot kapitaal verwerven en hij wilde wraak nemen op zijn nicht Paula, die hij verafschuwde.

Jonathan voelde zich al sinds zijn jeugd tot de Oriënt aangetrokken. De religie, filosofie en de gewoonten boeiden hem. De kunst, siervoorwerpen en meubelstukken schonken hem een esthetisch genoegen. En daarom besloot hij dit deel van de wereld te bereizen voordat hij zich in Hongkong zou vestigen, wat volgens hem voor de hand lag als thuisbasis van zakelijke ondernemingen. Gedurende de eerste zes weken van zijn zelfgekozen verbanning had hij rondgereisd en hij had ervan genoten toerist te zijn. Hij had Nepal en Kasjmir bezocht, hij was gaan jagen in Afghanistan en had op zijn gemak heel Thailand bekeken voordat hij doorreisde naar de kroonkolonie.
Voordat hij uit Londen wegging, had hij uit voorzorg aanbevelingsbrieven gevraagd van vrienden die in de City en in het onroerend goed werkten. Binnen een paar dagen nadat hij in het Mandarin Hotel was gearriveerd, had hij gebeld met degenen aan wie die brieven waren geadresseerd. Aan het eind van zijn tweede week had hij gesproken met zeker tien bankiers, zakenlui, landeigenaars en aannemers, evenals met enkele gladde jongens die hij niet vertrouwde en met wie hij niets te maken wilde hebben.
Twee van de mannen die hem bijzonder aanspraken, waren een landgenoot en een Chinees. Onafhankelijk van elkaar hadden ze besloten Jonathan in het zadel te helpen, elk om zijn eigen redenen en met zijn eigen voordeel voor ogen. Zij zouden voor hem van onschatbare waarde blijken. De Engelsman, Martin Easton, was projectontwikkelaar, de Chinees, Wan Chin Chiu, was een alom gerespecteerd bankier. Beiden waren bijzonder invloedrijk in hun eigen kring, zowel zakelijk als sociaal, maar het was Jonathan die hen samenbracht.
Precies vier weken nadat hij op Kai Tak Airport was geland, was hij een eigen zaak begonnen. Met behulp van zijn nieuwe partners had hij een klein maar aantrekkelijk kantoor in Central gevonden, een Engelse secretaresse, een Chinese bouwdeskundige en een Chinese boekhouder in dienst genomen en een naam voor zijn bedrijf gekozen: Janus and Janus Holdings Ltd. Janus was in de Griekse mythologie de god van de toegangspoorten en de beschermheilige van begin en einde. Jonathan had die naam gezien de omstandigheden zeer toepasselijk gevonden.
Het geluk was met hem toen hij in Hongkong voor zichzelf begon. Het zou ruim tien jaar met hem zijn.
Dat goede gesternte en de wijze raad en bescherming van zijn twee machtige vrienden en steunpilaren, waren de belangrijkste factoren in zijn immense succes. Bovendien speelde timing een grote rol.
Toen Jonathan in 1970 in de kroonkolonie arriveerde, zaten de bouw en de handel in onroerend goed toevallig in de lift. Omdat hij op die

gebieden deskundig was, wist hij dat hij, met meer geluk dan wijsheid, op zijn pootjes terecht was gekomen. Daar hij zag dat de kansen voor het grijpen lagen, stortte hij zich in het plaatselijke zakenleven met het gokkersinstinct voor de Grote Kans. Bovendien was hij niet laf, want hij zette bijna alles wat hij had op het spel, plus het geld dat in Janus and Janus was geïnvesteerd door Martin Easton en Wan Chin Chiu.

Naderhand zou hij beseffen dat hij, figuurlijk gesproken, niet verkeerd had kùnnen dobbelen. Zijn geluksgetal kwam onveranderlijk boven.

Het eerste halfjaar maakte hij een aanzienlijke winst en in 1971, toen de prijzen van onroerend goed in Hongkong tot ongekende hoogten stegen, zat hij op rozen. Opeens was er grote bedrijvigheid op de Hang Seng Index, de belangrijkste index bij de Hongkong-aandelenhandel. Net als vele anderen deed Jonathan zijn voordeel met die activiteit, onder andere door met zijn bedrijf de beurs op te gaan.

Zijn twee adviseurs, die hem, onafhankelijk van elkaar, aldoor goede raad hadden gegeven, waarschuwden hem een paar maanden later om het kalm aan te doen. Tot eind 1972 bleef hij op grote schaal doorscharrelen, maar begin 1973 had hij zijn investeringen op de aandelenmarkt van Hongkong aanzienlijk teruggebracht. Wan Chin Chiu, die overal contacten had en alles scheen te weten, was nog voorzichtiger geweest dan Easton, en wijselijk had Jonathan zijn raad naar de letter opgevolgd.

Hoe dan ook, hij had al grof winst gemaakt en hij was bezig die winst om te zetten in een enorm privé-kapitaal. Vanaf dat moment keek hij nooit meer om naar het verleden.

Rond 1981 was hij iemand geworden met wie rekening gehouden moest worden in Hongkong en de Aziatische zakenwereld. Hij was multi-miljonair, eigenaar van de wolkenkrabber waar zijn kantoor gevestigd was, het appartement op de Peak, diverse luxe auto's en een heel stel volbloedpaarden die hij op de renbaan Happy Valley in Hongkong liet draven.

Enkele jaren later had hij Martin Easton uitgekocht, die had besloten zich in Zwitserland te vestigen, maar hij was tot diens dood, twee maanden terug, in nauw contact gebleven met Wan Chin Chiu. Tony Chiu, bankierszoon en opgeleid in Amerika, was zijn vader opgevolgd en Jonathans relatie met de bank bleef floreren. Zijn investeringen elders waren veiliggesteld en Janus and Janus Holdings was zo solide als een huis.

Afgezien van zijn zakelijke successen was hij in de society een vooraanstaand man, een van de meest begeerde Europese vrijgezellen in

die kringen, en hij werd beschouwd als een goede vangst. Alleen had nog geen enkele vrouw ook maar enige kans gemaakt hem in haar netten te verstrikken.
Soms verwonderde Jonathan zich over zijn eigen ongebondenheid, dan vroeg hij zich af of hij niet veel te kieskeurig en veel te perfectionistisch was wat het soort vrouw betrof dat hij zou willen trouwen. Misschien bestond zo'n vrouw wel helemaal niet. Hij was echter tot de ontdekking gekomen dat hij zijn houding niet meer kon veranderen.

Volmaakt, dacht Jonathan opeens toen het woord hem te binnen schoot dat Susan Sorrell had gebruikt voor de jonge vrouw die vanavond zijn tafeldame zou zijn.
'Ze is geknipt voor jou, Jonny, lieveling,' had Susan gezegd, en zo te horen had ze het oprecht gemeend. 'Ze is goddelijk. Eenvoudigweg *volmaakt.*' Hij had gelachen en had geprobeerd meer uit haar los te krijgen, maar Susan had alleen nog zachtjes gezegd: 'Nee, nee, ik vertel je helemaal niets. Ik zeg zelfs niet hoe ze heet. Wacht maar af, dan kun je haar met eigen ogen zien.' Nu, dat zou dan binnenkort gebeuren.
Hij deed een stapje naar achteren en bekeek zich nog één keer in de spiegel die aan de kastdeur zat. Hij trok zijn vlinderdasje recht, schikte het zwartzijden doekje in de borstzak van zijn witte smokingjasje goed en schudde zijn manchetten iets verder uit zijn mouwen. Jonathan, die nu vijfendertig was, leek heel erg op zijn grootvader, Arthur Ainsley, die Emma's tweede echtgenoot was geweest. Hij had Arthurs blonde haar en lichte ogen geërfd, evenals zijn fijnbesneden trekken; net als Arthur was hij lang, slank en typisch Engels. Hij had er zelden beter uitgezien. Zijn leeftijd had hem aantrekkelijker gemaakt, en daar was hij zich van bewust.
Hoewel hij blond en knap was, was Jonathans karakter in de tien jaar die waren verstreken weinig veranderd. Hij was nog even slinks en sluw als vroeger en ondanks zijn onbetwistbare succes voelde hij zich diep verbitterd vanwege het feit dat hij Harte Enterprises gedwongen had moeten verlaten. Niettemin was hij in staat zijn gevoelens te verbergen achter een façade die een combinatie was van zijn pokerface – een ondoorgrondelijkheid die hij van zijn Chinese vrienden had overgenomen – en zijn zorgeloze, charmante manier van doen.
Hij keek op het flinterdunne Patek Philippe-horloge aan zijn pols. Het was bijna zeven uur; over een paar minuten moest hij weg. Over een half uur zou hij bij Susan in Recluse Bay zijn en dan zou hij ein-

delijk de geheimzinnige vrouw ontmoeten die zij voor hem had ontdekt.
Glimlachend haastte hij zich de slaapkamer uit en snelde de trap af. Hij hoopte dat Susan niets te veel had gezegd en dat ze inderdaad volmaakt was. Zo niet, dan was er nog geen man overboord. Hij zou in ieder geval een paar keer met haar uitgaan en afwachten wat er gebeurde. Bovendien was ze kennelijk nieuw in Hongkong. *Een vreemdelinge.* En vreemdelingen waren altijd fascinerend, nietwaar?

23

Hij zag haar meteen.
Ze stond aan de andere kant van de woonkamer, vlak bij de openslaande deuren naar het terras, te praten met Elwin Sorrell, Susans man. Elwin was een Amerikaans bankier.
Op de drempel bleef hij een ogenblik aarzelend staan om haar nauwlettend op te nemen. Hij zag haar *en profil* en ze stond in de schaduw, zodat het moeilijk vast te stellen was of ze knap was of niet.
Opeens zag Susan hem staan en ze liep met soepele tred naar hem toe om hem te begroeten. Opnieuw viel het hem op, zoals in het verleden al zo vaak was gebeurd, hoe mooi *zij* was. Haar rode haar omkranste licht en stralend haar beeldschone gezichtje, waar een grote rust uit sprak; haar ogen waren vanavond levendig blauw en ze dansten van onderdrukte vrolijkheid.
'Jonny, schat!' riep ze uit terwijl ze naar hem toe liep. 'Ik begon me net af te vragen waar je bleef.'
Ze hief haar gezichtje op om gekust te worden. Plichtmatig kuste hij haar wang, maar gaf haar arm een intiemer kneepje. 'Ik ben maar een paar minuten te laat,' antwoordde hij. Iets zachter fluisterde hij: 'Kun je er niet iets op verzinnen om een middagje naar mijn appartement te komen? Of naar kantoor?'
Ze schudde meteen haar hoofd en keek met een opgewekte glimlach de kamer rond. 'Dat durf ik niet,' mompelde ze toen ze weer zijn richting uit keek. Ze stak haar arm door de zijne en lachte vrolijk, waarna ze op normale toon zei: 'O ja, Jonathan, ik had je nog niet verteld dat Elwin en ik overmorgen naar San Francisco gaan voor een paar maanden. Dat is eigenlijk de reden dat we vanavond dit diner geven. Een soort afscheidsfeestje voor een paar goede vrienden.'
'We zullen je allemaal missen,' zei Jonathan op dezelfde beleefde, afstandelijke toon als zij, want hij voelde dat de andere gasten op hen letten.

Een van de Chinese bedienden hield hem een blad met champagne voor; hij pakte er een glas af, bedankte en wendde zich weer tot Susan. '*Cheers*,' zei hij en nam een slokje. 'Kom, vertel me nu eens over de geheimzinnige vrouw. Is het die daar bij de deur, die met Elwin staat te praten?'
'Ja, maar veel kan ik je niet vertellen, want ik ken haar niet erg goed. Ik heb haar pas één keer ontmoet, vorige week bij Betsy Androtti. Ze viel me meteen op. Ze is bijzonder aantrekkelijk, charmant, knap en intelligent. Uiteraard dacht ik direct aan jou.'
'Over de telefoon gebruikte je het woord "volmaakt".'
'Volgens mij is ze ook volmaakt. Tenminste, voor jou. Ze heeft iets dat je bijzonder zal aanspreken.' Susan zweeg even en nam hem aandachtig op. 'Ik ken je toevallig erg goed, weet je, Jonny.'
Hij moest een glimlach verbijten. 'Heeft Betsy je helemaal níets over haar verteld?' vroeg hij.
'Betsy kent haar ook niet. Ze was de introducée van een bankier die uitgenodigd was voor het diner. Een Duitser, geloof ik. Het schijnt dat hij haar vorige zomer in Zuid-Frankrijk heeft ontmoet. Of was het op Sardinië? O hemel, ik weet het niet precies meer.'
'Ze is dus echt een mysterieuze vrouw?'
Susan begon te lachen. 'Ik geloof het wel. Aan de andere kant, dat maakt het toch juist spannender? Trouwens, een vreemde in ons hechte groepje roept altijd veel nieuwsgierigheid op, vind je ook niet?' Ze wierp hem een veelbetekenende blik toe, maar voordat hij kans had te reageren, ging ze snel verder: 'Sommige vrijgezellen hebben vast belangstelling voor haar. Daarom wilde ik haar meteen voor dit dineetje strikken. En voor mijn dierbare Jonny.'
'Wat ontzettend attent van je.' Hij keek haar onderzoekend aan, toen mompelde hij zachtjes: 'Toch heb ik jou veel liever.'
'Maar ik ben getrouwd, Jonny,' pareerde ze prompt, op even zachte toon als hij. 'Met Elwin. En dat blijft zo.'
'Ik heb je toch niet ten huwelijk gevraagd? Ik deed je alleen een oneerbaar voorstel, liefje.'
Zijn reactie amuseerde haar, maar ze trok alleen een pruilmondje, zonder commentaar te leveren.
Jonathan vervolgde: 'Wat doet de mysterieuze vrouw overigens in Hongkong? Is ze hier als toeriste?'
'Ze woont hier tegenwoordig. Ze heeft me verteld dat ze een kleine antiekzaak annex galerie aan Hollywood Road heeft geopend.'
'O ja!' riep hij uit. Hij spitste zijn oren en keek Susan belangstellend aan. 'Wat voor soort antiek?'
'Jade, geloof ik. Ik kreeg de indruk dat ze er heel wat van afweet.

Dat is nòg een reden dat ik dacht dat het wel zou klikken tussen jullie. Kom mee, schat, laten we hier niet bij de deur blijven rondhangen. Ik zal je aan haar voorstellen. Daarvoor heb ik haar immers uitgenodigd? Speciaal voor jou. Voordat een van die andere jonge kerels haar voor je neus wegkaapt.'
'Ga jij maar voor,' zei hij en liep achter zijn gastvrouw – en zijn ex-minnares – de kamer door.
Elwin Sorrells gezicht klaarde op toen hij Jonathan zag. Ze waren goede vrienden en Jonathan was ervan overtuigd dat de Amerikaan geen flauw vermoeden had van het feit dat hij iets met zijn vrouw had gehad.
De twee mannen begroetten elkaar hartelijk, waarna Susan zei: 'Arabella, mag ik je voorstellen aan Jonathan Ainsley? Jonathan, dit is Arabella Sutton.'
'Hallo,' zei ze en stak haar hand uit. 'Wat prettig om kennis met u te maken.'
Hij nam haar hand in de zijne en schudde hem. 'Het is me een waar genoegen om kennis met je te maken, Arabella,' zei hij glimlachend. En hij voegde er nog aan toe: 'Je bent Engelse.'
'Inderdaad.'
Ze keken elkaar strak aan en elk probeerde de ander in te schatten. Ze had zilverblond haar, volkomen steil, dat in het midden was gescheiden en glad om haar gezicht viel, tot op haar schouders. Haar gezicht was heel bleek, zonder enige kleur op de wangen. Het was alsof het uit albast was gesneden; de trekken waren delicaat. Ze had een smalle neus, hoge jukbeenderen, een rond kinnetje met een gleufje erin, en een brede sensuele mond die felrood was aangezet. Op het eerste gezicht maakte dat een wat eigenaardige indruk in dat bleke gezichtje, maar niettemin paste het bij haar. De jonge vrouw was middelmatig van lengte, slank, en gekleed in een elegante witzijden jurk waar hij met zijn kennersblik duidelijk aan kon zien dat de creatie een haute-couturemodel uit Parijs was.
Dertig, tweeëndertig, iets in die richting, dacht Jonathan. Zijn conclusie was dat ze er eerder interessant dan beeldschoon uitzag. Het waren haar ogen die hem boeiden. Ze waren groot, op een eigenaardige manier langgerekt, bijna maar niet helemaal amandelvormig. Doordat ze heel donker waren, leken ze ondoorgrondelijk.
Arabella bestudeerde Jonathan al even aandachtig. Ze had veel over hem gehoord; ze wist dat hij uit een beroemde familie stamde en dat hij een kleinzoon van de legendarische Emma Harte was. Niettemin verraste het haar dat hij zo fascinerend was. Zijn blonde, knappe uiterlijk boeide haar. Hij zag er goed verzorgd uit, was duur gekleed,

en hij had iets ondefinieerbaars over zich. Opeens besefte ze dat het wèl te definiëren was. Hij had de houding van iemand die gewend was aan autoriteit, macht en geld, en aan de dingen die voor geld te koop waren.
Wat ze zag stond haar wel aan.
Datzelfde gold voor Jonathan.
'Waarom praten jullie niet even samen, dan kunnen jullie elkaar beter leren kennen,' zei Susan. 'Kom mee, Elwin, we gaan even naar onze andere gasten toe.'
Opeens stonden Arabella en Jonathan alleen. Hij legde zijn hand onder haar elleboog en loodste haar mee naar het lege terras. 'Wat heb je een uitzonderlijk mooie hanger om, Arabella,' zei hij.
Ze keek neer op de grote, uit jade gesneden hanger die aan een snoer jade kralen hing. 'Hij dateert uit de Daoguang-periode,' vertelde ze. 'Hij is zeer, zeer oud.'
'Dat weet ik. Susan vertelde me dat je een antiekzaak hebt en dat je in jade handelt.'
'Ja, jadeïet sieraden en uit nefriet gesneden voorwerpen.'
Hij glimlachte bij zichzelf, want het viel hem meteen op dat ze onderscheid maakte tussen die twee soorten jade, iets dat alleen een echte deskundige deed. 'Hoe kom je aan je jade?' vroeg hij. 'Koop je het hier in Hongkong van andere dealers? Of haal je het uit China?'
'Allebei. Ik heb een paar prachtige stukken in Sjanghai gevonden, vooral jade sieraden zoals dit...' Ze zweeg even en betastte de hanger. 'En snuifdoosjes en vazen. Vorige week heb ik een paar oude nefriet ceintuurgespen op de kop getikt, uit de Qing-periode, en ik verzamel dat veelkleurige Peking-glas. Vooral die diepgele tint.'
'Heel slim... Dat je glas inkoopt, bedoel ik. De prijzen lopen op omdat het zo moeilijk te fabriceren is. Overigens heb ik wel belangstelling voor die nefriet gespen. Ik wil graag eens in de zaak komen kijken. Morgen misschien?'
'O, maar ik ben nog niet eens echt open! Ik ben druk aan het inkopen, om een collectie op te bouwen. Maandag over een week ga ik officieel open.' Toen ze zag hoe teleurgesteld hij keek, voegde ze eraan toe: 'Kom morgen toch maar. Het is allemaal nog wat rommelig, maar ik wil je graag de echt zeldzame kunstvoorwerpen laten zien die ik de afgelopen maanden heb weten te verzamelen.'
'Dat zou ik heel leuk vinden, Arabella. Heb je zin om na afloop met me te gaan dineren?'
Ze aarzelde nauwelijks merkbaar. Toen zei ze: 'Ach ja, Jonathan, dat is goed. Hartelijk bedankt voor de uitnodiging.'
Hij knikte. 'Geef me straks het adres maar. Ik kom om een uur of

zes.' Hij schuifelde met zijn voeten en keek op haar neer. 'Ik heb van Susan begrepen dat je deskundig bent op het gebied van Chinese jade en antiek. Waar heb je gestudeerd?'
'O, maar ik heb niet echt gestudeerd... Alles wat ik weet heb ik mezelf geleerd, en ik heb heel veel gelezen. Bovendien heb ik de afgelopen drie jaar af en toe cursussen gevolgd bij Sotheby's in Londen.' Ze schudde lachend haar hoofd. 'Ik ben echt geen deskundige. Ik weet er alleen aardig wat van af. En ik hoop hier in Hongkong nog meer te leren.'
'O, dat lukt je wel. Vast,' zei hij zachtjes. Hij wendde zijn gezicht af, want hij wilde niet dat ze de roofzuchtige glans in zijn ogen zou opmerken.
'Susan heeft me verteld dat je zelf ook een mooie collectie Chinees antiek bezit, Jonathan. Onder andere prachtige bronzen voorwerpen.'
'Ja, dat klopt. Wil je er eens naar komen kijken? Voordat we morgen gaan eten, kunnen we in mijn flat eerst wat gaan drinken. Zou je dat leuk vinden?'
'Prima. Dank je.'
'Waar kom je vandaan, Arabella?' vroeg hij, abrupt van onderwerp veranderend.
'Hampshire. Mijn vader is arts. En jij komt uit Yorkshire, nietwaar?'
'Onder andere.' Jonathan glimlachte flauwtjes, legde zijn hand op haar arm en troonde haar mee naar binnen. 'Het lijkt me beter om ons onder de anderen te mengen, vind je ook niet? Ik heb nog niemand gedag gezegd. Bovendien, ik mag niet al te veel beslag op je leggen.'
Arabella keek glimlachend naar hem op, bedenkend hoe gemakkelijk het was gegaan, veel gemakkelijker dan ze had verwacht. Het succes steeg haar even naar het hoofd. Heel even bleven haar ogen op hem rusten. Daarna ging ze praten met Vance en Marion Campbell, die ze oppervlakkig kende en die haar een lift hierheen hadden gegeven. Ze was vast van plan om aan het eind van de avond ook weer samen met hen te vertrekken.

Susan had Arabella tegenover Jonathan aan tafel gezet, zodat hij haar tijdens het diner ongemerkt kon gadeslaan.
Hij zat tussen Elwin, die aan het hoofd van de tafel aan zijn linkerkant was gezeten, en Marion Campbell, rechts van hem. Hij besteedde net genoeg aandacht aan beiden om niet onbeleefd te zijn.
Het merendeel van de tijd echter keek en luisterde hij naar Arabella

Sutton. In velerlei opzicht raakte hij onder de indruk. Haar stem boeide hem door het hese, verlokkelijke geluid. Bovendien had ze een biologerende aanwezigheid. Elwin leek volkomen in haar ban, evenals Andy Jones, die aan haar andere kant zat.
Het viel Jonathan op hoe zelfbeheerst haar houding was; ze kon over van alles een woordje meepraten, niet alleen over Chinese kunst. Haar intelligentie en haar wereldwijsheid bevielen hem. Het was duidelijk dat ze veel had gereisd en intens had geleefd, en ook dat sprak hem aan. Hij gaf niets om vrouwen die schuchter of onervaren waren, in bed noch daarbuiten. Hij gaf de voorkeur aan vrouwen die zijns gelijken waren. Die hem tegenspel boden.
Hoe meer Jonathan haar bestudeerde, hoe meer het tot hem doordrong dat ze echt beeldschoon was. Het was een ongebruikelijk soort schoonheid, anders, intrigerend. Bij kaarslicht had haar gezicht iets vreemd geheimzinnigs gekregen, iets heel sensueels.
Het kwam door de volmaakte ronding van haar wang, de diepbruine ogen, de volle rode mond en de zijdeglans van het zilverblonde haar. Voor hem had ze iets bijzonder erotisch en die seksualiteit was niet alleen zichtbaar in haar gezicht en in het ogenschijnlijk volmaakte lichaam onder de witte jurk, maar zelfs in haar handen.
Jonathan had nog nooit zulke handen gezien. Ze waren heel ongewoon: slank, in en in wit met spits toelopende vingers terwijl de lange, onberispelijke nagels felrood gelakt waren, in dezelfde tint als haar verlokkelijke mond.
Hij verlangde ernaar dat die handen hem aanraakten; hij verlangde naar haar. Maar het was te riskant om te denken aan het spel van lokken en afstoten; die spanning was op dit moment te gevaarlijk. En toen, voordat hij aan iets anders kon denken, welde er tot zijn grote verbazing intense begeerte in hem op. Sinds zijn schooltijd was het hem niet meer overkomen dat hij aan tafel een erectie had gekregen. Niet te geloven, dacht hij, terwijl zijn boord hem begon te knellen. Hij maakte zijn blik los van de boeiende en oppermachtige Arabella en richtte zijn aandacht op Andy Jones, met wie hij een gesprek over sport aanknoopte.

'Waarom doe je dit eigenlijk?' fluisterde Jonathan Susan in haar oor toen ze na het eten door de woonkamer liepen. Ze stonden stil bij de open haard, waar ze wachtten tot de Filippijnse butler met de koffie langskwam.
'Wat bedoel je?' vroeg ze, terwijl haar ogen de kamer ronddwaalden om er zeker van te zijn dat Elwin zo druk bezig was dat hij niets merkte.

'Je hebt voor een plaatsvervangster gezorgd,' antwoordde Jonathan en liet ongemerkt voor de anderen zijn hand over haar rug glijden, tot op het holletje boven haar billen.
'Niet doen, Jonny, straks ziet iemand het nog,' fluisterde ze.
'Kom, beken het maar. Daar geil je op, hè?'
'Natuurlijk niet!' siste ze. Ze was zo boos dat ze zich abrupt naar hem omdraaide. Maar ze had zichzelf bijna meteen weer in de hand. Haar gezicht stond weer normaal, ze haalde eens diep adem en zei met vaste stem: 'Misschien komt het omdat ik me nog steeds schuldig voel over de manier waarop ik een eind aan onze verhouding heb gemaakt. Ik had iets goed te maken, Jonny. Ik heb altijd een zwak voor je gehad en je was een fantastische minnaar. De beste die ik ooit heb gehad. Trouwens, dit is de eerste keer dat ik je aan een meisje koppel. Ik heb jullie overigens alleen maar aan elkaar voorgesteld.'
Hij glimlachte zwijgend, zich afvragend hoe het zou zijn om beide vrouwen in bed te hebben. Arabella en Susan zouden vast een bijzonder interessante en opwindende combinatie vormen. Maar hij wist wel dat ze daar geen van beiden voor voelden. Als het seks betrof, waren Engelse vrouwen allesbehalve avontuurlijk. En deze twee vooral niet, de dochter van een graaf en van een arts. Vergeet het maar.
'Maar ik had gelijk, hè, Jonny?' zei Susan. 'Arabella is volmaakt, nietwaar?'
'Zo op het oog wel, ja.' Hij wachtte even, nam haar indringend op en vervolgde zachtjes en veelbetekenend: 'Maar ik kan je pas een definitief oordeel geven als ik haar van die elegante kleren heb ontdaan en als ik met haar naar bed ben geweest.'
Zijn blik liet Susans gezicht niet los en hij zag even iets in haar ogen flikkeren. Sprak er jaloezie uit? Boosheid? Of misschien een mengeling van die twee? Het idee dat hij haar had geraakt, een beetje verdriet had gedaan, stond hem wel aan. Hij was niet graag bij een echtscheidingsschandaal betrokken geraakt, maar diep in zijn hart zat het hem nog steeds niet lekker dat ze hem zomaar aan de kant had gezet. Er viel een pijnlijke stilte.
Ten slotte zei ze op geamuseerde toon: 'Wat jammer dat ik niet lang genoeg in Hongkong blijf om je verslag aan te horen.'
'Misschien nog net lang genoeg.'
'O?' Nu sprak er verbazing uit haar ogen.
'Ik ga morgen een kijkje nemen in Arabella's antiekzaak. Eind van de middag. En daarna gaan we bij mij thuis wat drinken. Voor het eten... een intiem dineetje. En misschien komt het later die avond wel van iets nòg intiemers. Ik heb goede hoop. Echt waar.'

'Rotzak,' zei ze zachtjes maar zo hard dat hij het kon horen.
'Maar liefje, jíj bent begonnen,' was zijn weerwoord. Hij glimlachte breed, want in zijn hart was hij blij dat zij dit had geëntameerd. Arabella Sutton was een uitdaging. En een uitdaging was hij in lange tijd niet tegengekomen.

Veel later die avond zat Jonathan aan zijn slaapkamerraam stil te peinzen. Zijn ogen waren gericht op de wolkeloze nachthemel, die bezaaid was met talloze sterren. De kamer was volkomen donker; de enige verlichting kwam van de helder schijnende maan, die een zilveren glans over alles legde.
In zijn handen had hij een steen van jade die hij om en om keerde tussen zijn vingers. Het was zijn talisman, zijn gelukssteen, die al in zijn bezit was sinds hij in de Britse kroonkolonie woonde.
Lange tijd zat hij in gepeins verzonken, denkend aan de twee vrouwen die hij vandaag had ontmoet.
Zijn nicht, Paula O'Neill.
De vreemdelinge, Arabella Sutton.
Ieder op haar eigen manier achtervolgde hem. In gedachten bekeek hij hen afzonderlijk, en terwijl hij dat deed nam hij zich plechtig twee dingen voor.
De eerste zou hij vernietigen.
De tweede zou hij voor zich winnen en bezitten.
Nu die beloften waren gemaakt zuchtte hij diep, vervuld van een eigenaardig voldaan gevoel. Hij stond op, gooide zijn blauwzijden Chinese kimono uit en liep langzaam naar het bed. Hij kon een zelfingenomen glimlach niet onderdrukken. Hij twijfelde er niet aan of hij zou in zijn voornemens slagen.
Het was slechts een kwestie van tijd.

Heiligen en zondaars

Een sterkere verlokking, een vagere wens,
maakt een monster van de ene, een heilige van de andere mens.
WALTER LEARNED

Alleen het kinderoog is bang voor een beeltenis van de duivel.
WILLIAM SHAKESPEARE

Rijkdom en macht zijn slechts de gaven van het blinde lot, goedheid daarentegen is het resultaat van iemands eigen verdiensten.
HÉLOISE

24

Het succes was bijna tastbaar. Vanaf het ogenblik dat het bal was begonnen, had Paula geweten dat het een betoverende avond zou worden.

Alles was precies zoals het moest zijn.

De grote balzaal van het Claridge Hotel was volgens haar gedetailleerde instructies door het personeel van Harte versierd. Het resultaat was verbijsterend. Buitengewoon. Het geijkte, het traditionele, was gelaten voor wat het was, en ze had een kleurenschema laten ontwerpen van zilver en wit kristal; er waren zilverlamé tafelkleden, witte kaarsen in zilveren houders en kristallen schalen gevuld met gemengde witte bloemen. Nog meer witte bloemen – lelies, orchideeën, chrysanten en anjers – waren geschikt in bloemstukken die in enorme vazen het hele vertrek sierden.

In Paula's ogen zag de balzaal eruit als een winters ijspaleis, helemaal zilverachtig en glinsterend, maar toch heerste er een neutrale sfeer die een prachtig decor vormde voor de schitterend uitgedoste gasten – de vrouwen in hun kleurrijke, stijlvolle avondjaponnen en fantastisch mooie juwelen, de mannen in hun onberispelijke, goed gesneden zwarte smokings.

Ze was verrukt dat iedereen die ze had uitgenodigd naar dit heel bijzondere feest was gekomen. De aanwezige gasten waren een mengeling van familie en intieme vrienden, hoge functionarissen van de Harte-vestigingen en Harte Enterprises, en bijzondere genodigden en beroemdheden.

Toen ze nog eens om zich heen keek, kwam als vanzelf de gedachte op dat vooral de vrouwen uit de familie er vanavond extra mooi uitzagen.

Haar nicht Sally, de gravin van Dunvale, beeldschoon in ridderspoorblauwe taft en met de befaamde Dunvale-saffieren precies in de kleur van haar ogen... Emily, een visioen in donkerrode zijde en een fraai halssnoer van robijnen en diamanten en de oorringen die Winston haar voor Kerstmis had gegeven... Emily's halfzusters, de tweeling Amanda en Francesca, pittig mooi in diepblauwe chiffon en vuurrode brokaat... haar levendige, roodharige schoonzuster Miranda, die wat mode betrof haar eigen wetten opstelde, opvallend in een roodbruine, strak aansluitende, eenvoudige strapless japon, gecombineerd met een lange, bijpassende cape en een antiek halssnoer van topazen en diamanten, dat als een ragfijn spinneweb op haar borst prijkte.

Paula's blik gleed over de drie zusters. Ze zaten aan een tafeltje vlak

bij haar met elkaar te praten. Haar moeder, Daisy, opvallend in donkergroene chiffon en de schitterende McGill-smaragden die Paul bijna een halve eeuw terug voor Emma had gekocht... Tante Edwina, de douairière, gravin van Dunvale, al in de zeventig, wit van haar, broos maar toch met een koninklijke élégance in zwarte kant en om haar hals de Fairley-diamanten, die ze van Emma had gekregen op het laatste kerstfeest dat deze had meegemaakt.
Zij waren de jongste en de oudste dochter van Emma Harte, beiden buitenechtelijke kinderen, vooral verbonden door de overeenkomst in de omstandigheden rond hun geboorte en door haar moeders diepe genegenheid voor de oudere vrouw. En tussen hen in de wettige dochter, de middelste... tante Elizabeth. Nog steeds een schoonheid met ravezwart haar, die je haar leeftijd absoluut niet aanzag... Ze zag er werkelijk verbijsterend mooi uit in zilverlamé en een weelde aan robijnen, diamanten en smaragden.
De drie zusters waren de enige kinderen van Emma Harte die hier vanavond aanwezig waren. Paula had geen uitnodiging gestuurd aan Emma's zoons, Kit Lowther en Robin Ainsley en hun echtgenotes. Die waren al jaren *persona non grata* vanwege hun verraad tegenover Emma en het verraad van hun eigen kinderen, Sarah en Jonathan. Addergebroed, dacht ze, terugdenkend aan iets dat haar grootmoeder haar eens had verteld. Dat oordeel was helaas maar al te waar gebleken. Paula schudde de gedachten aan die verachtelijke familieleden van zich af – tijdverspilling. Ze bracht haar glas naar haar mond en nam een slokje champagne.
De avond liep op zijn eind en opeens bedacht ze dat dit diner-dansant, het eerste evenement van vele die ze had gepland om te vieren dat zestig jaar geleden de zaak in Knightsbridge was geopend, morgen overal besproken zou worden. De kranten zouden er bol van staan. De schitterende entourage, het verrukkelijke eten, de voortreffelijke wijnen, de uitgelezen kleding en fantastische juwelen, de beroemde gasten, Lester Lannin en zijn orkest... dat alles bij elkaar had voor glamour met een hoofdletter G gezorgd, iets waar de pers en het publiek niet buiten konden.
Paula was in haar nopjes. Positieve publiciteit deed de zaak immens veel goed. Ze glimlachte bij zichzelf. Het was oudejaarsavond. Het einde van 1981. Het begin van een nieuw jaar. En naar ze hoopte het begin van een nieuw, groots tijdperk voor de winkelketen waar haar grootmoeder de grondslag voor had gelegd.
Ze leunde achterover in haar stoel en maakte een goed voornemen: *de komende tien jaar zouden de winkels grootser worden dan ooit.* Dat beloofde ze plechtig aan haar grootmoeder, die zoveel vertrou-

wen in haar had gehad, en aan haar eigen dochters, die eens de keten van haar zouden erven.
Shane, die met Jason Rickards en sir Ronald Kallinski had staan praten, onderbrak haar overpeinzingen toen hij zich onverwacht tot haar wendde en fluisterde: 'Zo te zien zit je mijlenver weg met je gedachten, lieveling.' Hij pakte haar hand in de zijne en boog zich dichter naar haar toe. 'Je kunt gerust zijn. De avond is een eclatant succes; iedereen vermaakt zich kostelijk. Het is een geweldig feest, Paula.'
Ze glimlachte haar man stralend toe. 'Ja, hè! Ik ben zo blij dat ik de balzaal in het Claridge heb genomen in plaats van een paar privé-vertrekken in het Ritz. Dit is uitstekend uitgepakt!'
Shane knikte. Toen begon hij half te steunen en half te lachen. 'Oho!' riep hij uit. 'Daar komt Michael! Het zit er dik in dat ik je weer moet afstaan, en je zit nèt!'
'Ze houden me vanavond wel bezig, hè? Eerlijk gezegd is het knap vermoeiend, maar ik ben nu eenmaal de gastvrouw, Shane, en ik mag mijn plicht niet verzaken.' Er speelde een glimlach om haar mond. 'Ik heb nu al genoeg gedanst voor heel 1982. Ik hoop dat we voorlopig niet meer hoeven. Herinner me eraan dat ik geen bal meer op de agenda zet, lieveling.' Ondanks haar woorden was haar gezicht nog een en al glimlach en sprankelden haar ogen.
Shane keek vol liefde naar haar. Bewondering stond op zijn gezicht te lezen. Volgens hem had ze er in al de jaren dat hij haar kende nog nooit zo oogverblindend mooi uitgezien als vanavond. Ze droeg een elegante avondjapon van nachtblauw fluweel, prachtig van model maar sober, met lange mouwen, een ronde hals en een rechte rok. Hij was speciaal voor haar ontworpen door Christina Crowther en haar lange slanke gestalte kwam er bijzonder voordelig in uit. Op een schouder prijkte de grote broche die hij Alain Boucheron, de Parijse juwelier, had laten maken. Het viooltje, dat geheel uit saffieren bestond, weerspiegelde het helderblauw van haar ogen; hetzelfde gold voor de bijpassende saffieren oorringen. Hij had haar de set op de avond voor Kerstmis gegeven en hij had aan de uitdrukking op haar gezicht gezien hoe mooi ze ze vond, hoe blij ze ermee was, al had ze geprotesteerd dat het veel te gek was. 'Per slot van rekening heb je die orchideeënkas al voor me laten bouwen. Dat is genoeg,' had ze gezegd. Lachend had hij haar geantwoord dat de kas ook een cadeau van de kinderen was. 'Ze hebben allemaal wat bijgedragen, lieveling,' had hij uitgelegd.
Michael stond bij Paula stil. 'Kom, voetjes van de vloer, Paula... Je hebt mij het eerste langzame nummer beloofd, en ik heb zo'n idee

dat dit het gaat worden. Misschien is het m'n laatste kans.' Hij legde zijn hand op Shanes schouder. 'Je vindt het niet erg, hè?'
'Ik vind het afschuwelijk,' reageerde Shane ad rem maar opgewekt. 'Maar ach, jij bent het, dus ga je gang maar.'

'Philips echtgenote is een beeldschone vrouw,' zei Michael terwijl hij met Paula de dansvloer rondzwierde. 'Hij is een geluksvogel.'
'Nou en of,' beaamde Paula.
'Hij boft, maar jij hebt pech.'
Paula begon te lachen. 'Je hebt volkomen gelijk, Michael, in bepaalde opzichten.' Ze keek over zijn schouder naar Philip en zijn jonge vrouw, die vlak bij hen dansten op 'Strangers in the Night'. 'Maar ik heb hem nog nooit zo gelukkig gezien. Hij aanbidt haar. En zij hem. Misschien ben ik de beste assistente kwijt die ik ooit heb gehad, maar ik heb er een mooie, heel aardige schoonzus bij gekregen.'
'Mmm,' bromde Michael terwijl hij Paula wat dichter naar zich toe trok. Meteen beheerste hij zich en trok zich terug toen hij besefte dat hij risico nam door haar zo intiem te omvatten. Haar aanwezigheid wond hem steeds weer op en met haar dansen bracht bepaalde gevaren met zich mee. Fysieke risico's voor hem in ieder geval. Ze waren veel te dicht bij elkaar. Bovendien bracht het wellicht de tongen in beweging. Trouwens, Shane had daarnet misschien een grapje gemaakt, maar het was alsof hij hem de hele avond in de gaten had gehouden. Als Shane al vermoedde dat hij bepaalde gevoelens voor Paula koesterde, zíj had niets in de gaten. Zij was zich niet bewust van zijn romantische belangstelling voor haar en ze bleef hem behandelen als een meubelstuk, de jeugdvriend, vertrouwd en betrouwbaar. En zo wilde hij het houden.
'Hoe dan ook,' zei Paula, 'Maddy blijft werken als ze weer in Sydney terug zijn. Ik heb haar manager gemaakt van de Australische Harte-vestiging. Zij beheert de boetieks in Shanes hotels. Maar ik zal haar in New York node missen, Michael, geloof dat maar. Aan de andere kant is hun geluk zo belangrijk voor me... dat moet op de eerste plaats komen.' Ze boog zich een beetje achterover, keek hem glimlachend aan en besloot: 'Ze zijn waanzinnig verliefd op elkaar, weet je.'
'Dat kun je wel zien.'
Zwijgend dansten ze verder.
Michael verzuchtte inwendig dat hij graag net zo gelukkig zou willen zijn als Philip Amory. Maar het geluk was hem wat de liefde betreft niet gunstig geweest en hij was nooit iemand tegengekomen die aan de voorwaarden voldeed. Hij vroeg zich vervolgens af of hij verliefd

was op Paula of dat ze hem alleen opwond. Er was geen twijfel aan, hij voelde zich tot haar aangetrokken en hij zou dolgraag met haar naar bed willen. Maar was het liefde? Hij wist het niet zeker.
Hij verdrong die gedachte meteen naar de achtergrond en zei: 'Daisy lijkt me dolgelukkig nu Philip Madelana heeft.'
'Reken maar. Natuurlijk was het wel een teleurstelling voor haar dat ze begin december in New York zijn getrouwd en dat ze dat naderhand pas aan de familie hebben verteld. Eerlijk gezegd vonden we het geen van allen leuk. Maar moeders teleurstelling wordt helemaal goedgemaakt door de wetenschap dat haar recalcitrante zoon, de playboy, eindelijk in het huwelijksbootje is gestapt. Dat weet ik honderd procent zeker.'
'Ik had nog een diner voor ze willen geven, maar Philip vertelde me daarnet dat ze over een paar dagen al weggaan. Op huwelijksreis.'
'Ja, naar Wenen, West-Berlijn en naar Villa Faviola in Zuid-Frankrijk.'
'Daar is het vrij koel op het ogenblik. Ik zou hebben gedacht dat ze een warmer oord hadden gekozen. Shanes hotel op Barbados bijvoorbeeld.'
'Philip heeft een zwak voor het Imperial in Wenen sinds Grandy ons daar als kinderen mee naartoe heeft genomen. Volgens hem en Emily is het een van de beste hotels ter wereld en hij wil het aan Madelana laten zien. Ze logeren in de Koninklijke Suite, die is schitterend. Maddy kwam op het idee om naar Berlijn te gaan, en ten slotte naar Faviola. Ze heeft er van mij en Emily al zoveel over gehoord. Maddy schijnt bezeten te zijn door Grandy; ze is wild nieuwsgierig naar alle huizen die zij heeft gehad. Faviola is dan ook een *must*.'
Michael begon te lachen. Hij begreep heel goed waarom Emma Harte een obsessie voor Madelana was. Dat gold voor zoveel mensen, haar leven lang, en na haar dood ook nog, waardoor ze een legendarische vrouw was geworden. Onverwacht voelde hij de spanning die zich bij hem had opgekropt wegebben. 'Ik heb nog geen gelegenheid gehad het je te vertellen, Paula, maar ik vind dat je tante Emma vanavond eer hebt aangedaan,' zei hij. 'Het is een fantastisch feest, een van de beste bals die ik in tijden heb meegemaakt en...'
'Mag ik even, kerel?' zei Anthony met een brede grijns.
'Elke keer dat ik met je dans, komt een van je mannelijke familieleden me aftikken,' mopperde Michael terwijl hij Paula overdroeg aan de graaf van Dunvale. 'Je bent de belle van het bal, Paula, geen twijfel mogelijk.'
Paula begon te lachen en knipoogde schalks naar hem.
Michael slenterde weg en ging op zoek naar de jonge Amanda.

Anthony nam Paula in zijn armen en loodste haar mee naar het midden van de dansvloer. Even later zei hij, met zijn mond vlak bij haar haren: 'Zit het er nog in dat jij en Shane naar Ierland komen, voor een lang weekend? Het is eeuwen geleden dat jullie op Clonloughlin zijn geweest. Sally en ik verheugen ons op jullie komst. Patrick en Linnet kunnen ook meekomen.'
'Wat een enig idee, Anthony, bedankt voor de uitnodiging. Misschien past het nog ergens tussen... eind januari of zo. Ik zal het er met Shane over hebben. Voor zover ik weet hebben we geen van beiden een buitenlandse reis op het programma staan.'
'Dat mag wel in de krant!' antwoordde Anthony op geamuseerde toon. 'Jullie zijn tegenwoordig nog erger dan een stel zigeuners... Jullie reizen aldoor de hele wereld af, en maar onderhandelen... Ik kan het nauwelijks bijhouden waar jullie zitten.'
Voordat ze de kans had gehad om te reageren, tikte Alexander Anthony op de schouder. 'Je houdt haar veel te veel voor jezelf!' riep hij uit. 'Mijn beurt, neef.'
Met die woorden manoeuvreerde Sandy haar in zijn armen en ze dansten bij Anthony weg. De laatste stond hen met een beteuterde blik op zijn gezicht na te kijken.
Aanvankelijk dansten ze zonder iets te zeggen, genietend van hun samenzijn. Als kinderen al hadden ze graag samen gedanst en ook toen al volgden ze hetzelfde ritme.
Ten slotte zei Alexander rustig: 'Reuze bedankt, Paula.'
Ze keek hem vragend aan. 'Bedankt waarvoor, Sandy?'
'Kerstmis op Pennistone Royal, en nu deze avond. Heel even heb je voor mij de klok teruggezet. Er zijn zoveel heerlijke herinneringen bovengekomen... aan het verleden... aan de mensen van wie ik echt heb gehouden. Gran... mijn lieve Maggie... je vader...'
'O Sandy, doe niet zo melancholiek!' riep Paula uit. 'Ik wilde juist dat de feestdagen en dit bal gelukkige herinneringen zouden worden. Het was niet mijn bed...'
'Daar ben je dan op bewonderenswaardige wijze in geslaagd, Paula! Het waren heerlijke dagen. En ik ben helemaal niet melancholiek. Integendeel.'
'Weet je het zeker?' vroeg ze bezorgd.
'Heel zeker,' jokte hij glimlachend met een stalen gezicht.
Paula op haar beurt glimlachte hem warm en vol liefde toe, waarna ze dichter tegen hem aan ging dansen en even zijn schouder drukte. Haar neef Sandy was altijd een van haar favorieten geweest en ze had zich voorgenomen hem in de toekomst niet meer zo te verwaarlozen. Hij had haar net zo nodig als hij zijn zuster Emily nodig had. Eigen-

lijk was hij heel eenzaam, dat besefte ze nu meer dan ooit.
Sandy keek strak voor zich uit, blij dat ze zich op de dansvloer bevonden, waar de verlichting gedempt was en waar ze in de massa opgingen, want hij kon de sombere blik niet langer uit zijn ogen weren, noch de grimmige stand van zijn mond. Maar Paula kon zijn gezicht niet zien en alle anderen hadden het veel te druk om iets te merken, en voor die kleinigheden was hij dankbaar. Ze dansten het hele nummer uit, en tot zijn opluchting struikelde hij geen enkele keer.
Sandy had niet lang meer te leven en het zou slechts enkele weken duren of de anderen zouden het ook weten. Ze moesten het weten. Er zat niets anders op, hij moest het hun vertellen. Hij zag vreselijk tegen dat moment op.

'En, Paula, wat vind jij? Kan de moderne vrouw *alles* hebben?' vroeg sir Ronald terwijl hij haar met twinkelende ogen vragend aankeek. 'Je weet wel wat ik bedoel: een carrière, een huwelijk èn kinderen?'
'Alleen als ze een van de kleindochters van Emma Harte is,' antwoordde Paula gevat.
Sir Ronald en de anderen die aan het tafeltje zaten begonnen te lachen en Paula vervolgde: 'Ik meen het. Grandy heeft ons geleerd om alles goed te organiseren, en dat is mijn geheim en ook dat van Emily. Dus ik zeg *ja,* de moderne vrouw kan *alles* hebben, vooropgesteld dat ze haar leven op de juiste manier uitstippelt en een meester is in het organiseren.'
'Veel mensen zijn het niet met je eens, Paula,' weerlegde sir Ronald, 'want die zeggen dat je *twee* dingen tegelijk kunt hebben, maar geen drie. Maar begrijp me goed, kindje, ik juich het van harte toe hoe jij en Emily het doen. Jullie zijn allebei bijzondere vrouwen, heel bijzonder.'
'We zullen Maddy vragen wat zij ervan denkt,' zei Paula. 'Daar komt ze net... en als één vrouw de verpersoonlijking is van de jaren tachtig, dan is zíj het wel.'
Diverse ogenparen werden op Madelana en Philip gericht, die naar het tafeltje toe liepen. Zij zag er stralend gelukkig uit in een avondjurk van Pauline Trigere, gemaakt van dieppaarse chiffon met applicaties van paars fluweel. Ze droeg er een schitterend halssnoer van diamanten en parels bij en lange oorbellen, een huwelijkscadeau van Philip. Haar haar droeg ze opgestoken, en ze zag er opvallender uit dan ooit. Haar aangeboren gratie en natuurlijke pose werden overheerst door een nieuwe sereniteit, die haar nog mooier maakte.
Ze klampte zich aan de arm van haar man vast alsof ze hem nooit

meer zou loslaten. Philip had hetzelfde bezittersair; het was zichtbaar dat hij trots op haar was.
'Kom bij ons zitten,' zei Paula vriendelijk toen ze bij het tafeltje stilstonden.
Nadat ze hadden plaatsgenomen, zei Philip: 'Mijn complimenten, zusjelief. Het is een fantastische avond geweest, echt heel bijzonder. Wat een goed idee van je om Lester Lannin uit Amerika te laten overkomen.'
'Dank je, Pip.' Paula wendde zich tot Madelana en vervolgde: 'Luister eens, Maddy, oom Ronnie vroeg me net of de moderne vrouw alles kan hebben... een huwelijk, een carrière èn kinderen. En ik zei dat jij de aangewezen persoon bent om zijn vraag te beantwoorden. Jij bent immers het pasgetrouwde carrièrevrouwtje?'
'Ik hoop van harte dat *ik alles* kan hebben,' antwoordde Madelana lachend terwijl ze Philip schuins aankeek. 'Philip wil dat ik blijf werken en ik denk dat ik, ook als ik een kind heb, aan mijn carrière wil blijven denken.'
'Alles wat mijn vrouw gelukkig maakt, maakt mij gelukkig,' verkondigde Philip om haar woorden kracht bij te zetten. Hij pakte haar hand met de platina trouwring en de dertigkaraats diamant die in het kaarslicht schitterde.
Madelana drukte op haar beurt Philips hand. Terwijl ze van Paula naar sir Ronald keek, zei ze rustig: 'Ik vind het zonde en jammer als een vrouw die gestudeerd heeft haar carrière opgeeft als ze een baby krijgt. Volgens mij kun je het combineren; het is een kwestie van goochelen. En natuurlijk hangt het tot op zekere hoogte van de bewuste vrouw af.'
'Dit is 'm!' riep Shane opeens uit. 'De laatste wals!'
Hij sprong op, liep om de tafel heen en pakte Paula bij de arm. Terwijl hij haar meeloodste naar de dansvloer, zei hij: 'Deze dans laat ik me niet ontnemen, lieveling.'
'Ik zou alle anderen hebben geweigerd.'
Ze omarmden elkaar en Shane hield haar al walsend dicht tegen zich aan. Paula ontspande zich want ze voelde zich veilig en tevreden bij hem, zoals ze zich al sinds hun jeugd bij hem had gevoeld. Ze boften, zij en Shane. Zij hadden zoveel gemeenschappelijks. Hun diepe, duurzame liefde. Hun kinderen. Hun gezamenlijke belangstelling en een soortgelijke achtergrond. En hij begreep haar zo goed, hij begreep haar grote behoefte om haar rol als erfgename van Emma Harte te vervullen. Ze wenste dat ze daarnet tegen sir Ronald had gezegd dat een vrouw alleen alles kon hebben als ze met de juiste man was getrouwd. Dat ging voor haar in ieder geval op.

Ze dacht heel even aan Jim. Hij was een vage figuur in haar herinneringen geworden, herinneringen die fragmentarisch waren, vervaagd door de gebeurtenissen die hadden plaatsgehad sinds zijn dood, waarbij de mensen van wie ze hield betrokken waren, de mensen die nu, zovele jaren later, haar leven bepaalden. Het was alsof ze zich de tijd niet meer kon heugen dat ze niet Shanes echtgenote was. De jaren sinds hun huwelijk waren voorbijgevlogen. Die gedachte maakte dat ze zich een beetje terugtrok en naar hem opkeek.
Hij keek op haar neer en zijn donkere wenkbrauwen fronsten.
'Wat is er?'
'Niets, lieveling. Ik dacht alleen dat er dadelijk een nieuw jaar begint en ik verwacht dat ook dat, net als alle andere, voorbij is voor je het weet.'
'Dat is maar al te waar, lieveling. Maar je kunt het ook zó bekijken: 1982 is pas het *eerste* van de komende vijftig jaar die we samen hebben.'
'O Shane, wat lief van je om dat te zeggen. Het is een mooie gedachte om het nieuwe jaar mee te beginnen.'
Zijn lippen streken even langs haar wang; hij verstevigde zijn greep, zwierde haar een paar maal rond en nam haar mee naar het midden van de balzaal. Paula gloeide van liefde voor hem. Toen keek ze om zich heen, zoekend naar haar familieleden, haar beste vrienden en vriendinnen. Het was een ware reünie van families... de Hartes, de O'Neills en de Kallinski's waren die avond allemaal vertegenwoordigd.
Ze zag dat haar moeder met Jason danste; ze keek al even verliefd als Madelana, die dromerig voorbijzweefde in Philips armen. Haar schoonvader, Bryan, voerde Shanes moeder mee in een energieke, ouderwetse wals en Geraldine knipoogde naar haar toen ze sierlijk voorbijzwierden. Emily en Winston kwamen ook de dansvloer op, op de voet gevolgd door Michael en Amanda. Ze zag haar tante Elizabeth opkijken naar haar Franse echtgenoot, Marc Deboyne, die zich kennelijk uitstekend amuseerde. En zelfs haar oude tante Edwina danste dapper mee; ze werd galant begeleid door sir Ronald.
Opeens stopte de muziek en zei Lester Lannin in de microfoon: 'Dames en heren, het is bijna middernacht. Via de radio van het hotel zijn we verbonden met de BBC. Hier komt de Big Ben... het aftellen begint.'
Iedereen luisterde naar de orkestleider en het werd doodstil in de balzaal. De slagen van de grote klok in Westminster galmden en galmden. Toen de laatste slag ten slotte had geklonken, volgde er een energiek tromgeroffel. Shane omhelsde Paula, kuste haar en wenste

haar een gelukkig nieuwjaar. Philip en Madelana volgden zijn voorbeeld.
Paula beantwoordde Madelana's liefdevolle omhelzing.
'Nogmaals, Maddy, welkom in de familie. Ik hoop dat dit het eerste van vele gelukkige jaren wordt voor jou en Philip.'
Paula's lieve woorden roerden Maddy, maar voordat ze had kunnen reageren, zette het orkest *Auld Lang Syne* in.
Paula en Philip pakten haar bij de hand en trokken haar mee terwijl ze begonnen te zingen.
Te midden van haar nieuwe familie voelde Maddy haar hart naar hen uitgaan en ze vroeg zich af hoe het kwam dat ze ooit het geluk had gehad bij hen te mogen horen. Maar zo was het gegaan en daar zou ze altijd dankbaar voor blijven. Jarenlang waren droefheid en ellende haar deel geweest. Nu was eindelijk alles veranderd.

25

Madelana lag met haar hoofd tegen Philips schouder genesteld. De slaapkamer was in schemering gehuld en het was er stil, op zijn gelijkmatige ademhaling, het zachte geritsel van de zijden gordijnen en het getik van de pendule op de antieke Provençaalse kast na.
Voor januari was het zacht buiten, bijna lenteachtig, zodat Philip daarnet het hoge raam had opengezet. De avondlucht die binnenwaaide was fris en koel, bezwangerd met de pittig zilte geur van de Middellandse Zee en de frisheid van alles wat er groeide in de uitgestrekte tuin rond Villa Faviola.
Madelana gleed uit het bed, liep naar het raam, leunde tegen de vensterbank en keek uit over het terrein, genietend van de lieflijke stilte die op dit late uur over de omgeving lag. Ze keek omhoog. De hemel was zo diepblauw dat hij bijna zwart leek, als een fluwelen uitspansel dat zich als een reusachtige boog boven de aarde uitstrekte, bezaaid met twinkelende sterren. Eerder hadden wolken de maan verhuld, maar ze waren weggetrokken en ze zag dat het volle maan was, een volmaakte, heldere schijf.
Een diepe zucht van tevredenheid ontsnapte haar. Ze waren nu tien dagen in de villa en deden na hun reizen naar Wenen en Berlijn rustig aan. Ze hadden nog maar weinig gedaan sinds hun komst hier, behalve elkaar beminnen, uitslapen, wandelen in de tuin en op het strand en ritjes maken langs de kust. Het merendeel van de tijd brachten ze door in de villa, waar Solange als een moederkloek over hen waakte en Marcel fantasierijke, verrukkelijke maaltijden op tafel zette;

steeds weer bedacht hij een nieuw gerecht om hun gehemelte te strelen.
Verder lazen ze en luisterden naar muziek, en soms speelde Madclana gitaar voor Philip en zong haar favoriete volkswijsjes. Hij luisterde geboeid en het verheugde en vleide Madelana dat hij haar muziek onderhoudend vond. 'Dit waren tien zalige dagen, we hoefden niets te doen en ik had je helemaal voor mij alleen,' had Philip die ochtend tegen haar gezegd. Zij had geantwoord dat zij er precies zo over dacht.
Er heerste hier op Faviola een bijzonder soort rust, net als op Dunoon. Ze ontleende grote kracht en genoegen aan de rust en schoonheid van beide oorden. *Dunoon.* Dat was nu haar thuis, net zo goed als het appartement boven in de McGill Tower in Sydney haar thuis was. Maar het huis op de schapenfokkerij in Coonamble had haar voorkeur. Daar was ze op het eerste gezicht verliefd op geworden. Net als op Philip. En hij op haar.
Madelana huiverde en ze kreeg kippevel op haar armen toen ze terugdacht aan de eerstc keer dat ze elkaar hadden bemind. Nadat hij de kamer had verlaten had ze in zijn kussen liggen huilen, want toen ze had geprobeerd zich de toekomst samen met hem voor te stellen, had ze helemaal geen toekomst gezien. Wat had ze dwaas gedaan die dag... en ze had cr helemaal naast gezeten. Ze had wel degelijk een toekomst samen met Philip McGill Amory. Ze was zijn vrouw. En zoals Paula had gezegd, 1982 was pas het eerste van vele gelukkige jaren die nog zouden volgen. Een heel leven strekte zich voor hen uit. Ze hield van hem... Ze hield zoveel van hem dat het soms ondraaglijk scheen. Als hij niet bij haar was, voelde ze zich afschuwelijk verloren, als een echte lichamelijke pijn, een band om haar borst die pas wegtrok als hij terugkwam. Gelukkig waren ze niet vaak gescheiden geweest sinds hij haar vorig jaar oktober naar New York was gevolgd. Twee weken nadat zij uit Sydney was vertrokken, had hij onaangekondigd voor haar neus gestaan. Met een brede grijns was hij zomaar haar kantoor bij Harte op Fifth Avenue binnengestevend. Maar zijn ogen hadden onzeker gestaan, dat had ze meteen opgemerkt.
Hij had haar meegenomen om in '21' te gaan lunchen, daarna waren ze die avond in Le Cirque gaan dineren en het was geweldig geweest om weer met hem samen te zijn. Op het moment dat ze hem op de luchthaven van Sydney had achtergelaten, had ze opeens geweten hoeveel ze om hem gaf. Tijdens de lange vlucht naar huis werd haar hart vervuld van een verlangen naar hem dat nooit meer zou verdwijnen, dat wist ze zeker. Nooit, zolang als ze leefde. De liefde die ze

voor Philip voelde steeg uit boven alles wat ze in haar leven, of in haar carrière, belangrijk vond.
Later die avond, toen ze in elkaars armen lagen nadat ze in de geborgenheid van haar flatje naar bed waren geweest, had hij haar ten huwelijk gevraagd. Ze had geen moment geaarzeld en zijn aanzoek aangenomen.
Ze hadden tot diep in de nacht liggen praten en ze hadden plannen voor de toekomst gemaakt. Hij had hun verloving per se geheim willen houden. 'Maar alleen omdat ik geen toestanden wil,' had hij nadrukkelijk uitgelegd. Daar ze in bepaalde opzichten even vasthoudend was als hij, had ze geprobeerd hem over te halen Paula in vertrouwen te nemen. 'Want zij moet een plaatsvervangster voor me zoeken. Ik kan haar niet in de steek laten, dat wil ik niet, Philip. Daarvoor is ze veel te goed voor me geweest. Bovendien, zo ben ik niet. Ik ben dat tegenover haar en mezelf verplicht.'
Philip had begrip gehad voor haar standpunt. Niettemin had hij erop gewezen dat ze vast een vervangster kon zoeken zonder Paula op de hoogte te brengen en hij had zo aangedrongen, dat ze wel had moeten instemmen. Vreemd genoeg had ze uiteindelijk niet eens ver hoeven zoeken. Cynthia Adamson, die op de afdeling marketing werkte, was al een poosje haar protegée en Paula's favoriet. De jonge vrouw was bijzonder veelbelovend; ze was vlot, intelligent en ijverig en ze was bereid zich volledig voor Paula en Harte in te zetten.
Maddy had ingezien dat Cynthia haar werk grotendeels kon overnemen als zij wegging, en dat ze de kwaliteiten had om uiteindelijk Paula's assistente te worden. Tot op zekere hoogte had haar dat gerustgesteld en zolang ze nog op de zaak was, had ze Cynthia nadrukkelijk bij al haar activiteiten betrokken.
Philip was tot het eind van die maand gebleven, waarna hij voor twee weken naar Australië was teruggekeerd om wat zaken te regelen. Eind november was hij weer in New York aangekomen.
Meteen had hij aangekondigd dat ze onmiddellijk zouden trouwen. Een grootse bruiloft, met al zijn familie erbij, zou veel te veel tijd kosten om te organiseren, had hij uitgelegd, en zou veel te veel opwinding meebrengen. 'Maar we moeten ze de kans geven erbij te zijn. En we moeten het in ieder geval aan je moeder vertellen. En aan Paula,' had Maddy aangedrongen. Het zinde haar niet dat ze zo buitengesloten werden.
Philip was niet te vermurwen geweest. 'Nee, ik wacht niet af tot zij hun eindeloze plannen hebben gesmeed en ons alles uit handen nemen. We trouwen nú.' Lachend had hij op luchtige toon gezegd: 'Ik ben bang dat ik je kwijtraak, snap je dat niet? Ik moet meteen met

je trouwen.' Ondanks zijn lachende gezicht en de zorgeloze toon, had ze opgemerkt dat er onzekerheid uit zijn helderblauwe ogen sprak. Ze had met al zijn wensen ingestemd... als die paniekerige blik maar wegging. Ze kon het niet aanzien als hij zo bezorgd en ontdaan keek. En dus waren ze begin december in stilte getrouwd, met een rooms-katholieke plechtigheid in de St.-Patrick's Cathedral aan Fifth Avenue. Alleen haar vriendin uit Boston, Patsy Smith, en Miranda O'Neill en haar man Elliot James, waren erbij geweest. Ze had een elegante witwollen japon gedragen met een bijpassende mantel, ontwerp Trigère, met een bruidsboeket van roze en gele orchideeën. Na afloop had Philip hen allen meegenomen naar Le Grenouille voor de lunch.

'Het lijkt me beter om de huwelijksdaad meteen te voltrekken,' zei hij plagend toen ze later die dag naar hun ruime suite in het Pierre Hotel waren teruggekeerd. Pas nadat ze elkaar hadden bemind, stemde hij er eindelijk in toe om zijn familie in Engeland te bellen. Ze hadden eerst gesproken met Daisy, die op Pennistone Royal in Yorkshire logeerde, en vervolgens met Paula, die in het huis aan Belgrave Square verbleef. Zijn moeder en zijn zuster hadden niet bijzonder verrast gereageerd, maar ze waren wild enthousiast geweest, al waren ze teleurgesteld dat ze de bruiloft hadden gemist. Beiden hadden haar hartelijk welkom geheten in de familie en zelfs ondanks de grote afstand had ze gevoeld dat ze dat oprecht meenden.

En toen was het begonnen... een heel nieuw leven.

Philip hield net zo intens en wanhopig van haar als zij van hem. Dat bleek niet alleen uit zijn lichamelijke hartstocht voor haar en uit zijn tederheid en vriendelijkheid, maar ook uit de manier waarop hij haar bedolf onder cadeaus en haar op talloze manieren vreselijk verwende. De gave diamanten verlovingsring en het halssnoer van parels en diamanten met de bijpassende oorbellen waren pas de eerste van vele kostbare sieraden geweest die hij haar had gegeven. Er waren nog andere geschenken geweest... bontjassen, Hermès-tassen en couturekleding. Of hij kwam aanzetten met een paar handschoenen, een zijden sjaal, een boek of een plaat die hij mooi vond en haar wilde laten horen, een flesje parfum, een bosje viooltjes of een ander klein maar betekenisvol bewijs van liefde.

Maar het belangrijkste in haar nieuwe leven was haar echtgenoot zelf. Philip vulde alle lege plekjes in haar hart en hij verschafte haar een gevoel van geborgenheid. Ze hoorde weer ergens bij en ze was niet langer zo eenzaam.

Soms moest ze zichzelf in de arm knijpen om zich ervan te overtuigen dat het geen droom was. Dit was echt, hij was echt...

Ze had Philip niet uit bed horen komen en ze schrok toen hij zijn armen om haar heen sloeg. Ze keek naar hem op.
Hij kuste haar kruintje. 'Wat doe je hier bij het raam? Straks vat je nog kou, lieveling.'
Madelana draaide zich om zodat ze met haar gezicht naar hem toe stond. Ze streelde zijn wang. 'Ik kon niet in slaap komen, daarom ben ik opgestaan om naar de tuin te kijken. Die ligt er zo mooi bij in het maanlicht. En toen dacht ik...'
'Wat dacht je toen?' Hij keek op haar neer.
'Ik dacht aan alles wat er de afgelopen paar maanden is gebeurd. Het is net een droom, Philip. En soms heb ik het afschuwelijke gevoel dat ik een keer wakker word en dat alles niet echt is geweest, en dat jij ook niet echt bent.'
'O, maar ik ben heel echt, lieveling van me, en dit is geen droom. Dit is de werkelijkheid. *Onze werkelijkheid.*' Hij trok haar dicht tegen zijn blote borst en streelde haar haren. Het was even stil tussen hen, toen zei hij: 'Dit gevoel van vrede is nieuw voor me. Deze diepe liefde ook. Ik aanbid je, mijn mooie Maddy. En je moet weten dat ik er altijd zal zijn. Nooit, nooit meer zal er een andere vrouw in mijn leven komen.'
'Dat weet ik, Philip. O lieveling... Ik hou zoveel van je.'
'God zij dank! En ik hou ook van jou.'
Hij kuste haar teder op haar lippen. Ze klampte zich aan hem vast. Als vanzelf gleden zijn handen over haar rug naar haar prachtige ronde billen. Het satijn van haar nachtjapon voelde glad, koel en ongekend erotisch aan. Hij drukte zich steviger tegen zijn vrouw aan en toen ze besefte dat hij naar haar verlangde, wilde ook zij hem weer bezitten, al hadden ze elkaar nog maar kort daarvoor bemind. Zo ging het aldoor tussen hen; ze konden niet van elkaar afblijven. Ze had deze pijnlijke, alles verterende lichamelijke begeerte, die overweldigende hartstocht, die voortdurende behoefte tot bezitten en bezeten te worden nooit eerder gekend. De diepte en de kracht van haar gevoelens voor hem waren anders dan alles wat ze ooit in haar leven had meegemaakt.
De warmte doorstroomde haar, steeg op vanuit haar dijen, uit haar diepste wezen, en verspreidde zich naar haar hals en gezicht. Haar wangen gloeiden. Ze kuste zijn borst en sloeg haar armen om hem heen. Haar vingers drukten op zijn schouderbladen en streelden zijn brede rug.
Philip merkte op dat de begeerte haar doorstroomde; het was alsof hij zich eraan brandde. Hij liefkoosde een van haar borsten en kuste tegelijkertijd haar hals, waarna zijn lippen de hare zochten. Hun kus-

sen waren intens en sensueel. En zo stonden ze voor het raam in een hartstochtelijke omhelzing, versmolten alsof ze nooit meer afzonderlijke wezens zouden worden. Ten slotte kon hij zich niet langer beheersen, tilde haar op en droeg haar naar het bed.
Nadat ze hun nachtkleding hadden uitgetrokken gleden zijn sterke handen teder over haar slanke lichaam. Opnieuw verwonderde hij zich over haar schoonheid. Maanlicht stroomde de kamer binnen en in het zachte, gedempte schijnsel kreeg haar huid een zilverachtige glans, zodat ze er etherisch uitzag, alsof ze van een andere wereld was.
Hij boog zich over haar heen en kuste haar tussen haar borsten, waarna zijn mond lager dwaalde en ze zich huiverend voor hem opende. Snel en zonder veel omhaal nam hij bezit van haar, verenigde zich met haar, en ze beminden elkaar lange, lange tijd.

Ze vertelde het hem twee dagen later.
Het was een stralende dag, het licht was schel en hard als diamant. De hemel zag fel azuurblauw; er was geen wolkje te bekennen. De schitterende Middellandse Zee had de kleur van lapis lazuli, de zon was een gouden bol, al gaf hij nog weinig warmte. Ondanks het mooie weer was het bijtend fris, alsof er nog sneeuw vanuit de Alpen zou komen.
Ze zaten op het terras met uitzicht over de uitgestrekte, zonovergoten tuin van Faviola, dik ingepakt in truien en warme jassen. Ze hadden al een lange wandeling gemaakt en zaten nu aan een aperitief voor de lunch. Philip had hun reisplannen voor de komende paar weken uiteengezet. Maddy had geluisterd maar weinig gezegd, al had hij haar nu de kans gegeven waarop ze had zitten wachten. Het was even stil tussen hen.
'Ik geloof niet dat we naar Rome moeten doorreizen, Philip. Het lijkt me beter als we naar Londen teruggaan.'
Hij keek haar verbaasd aan, want haar stem had iets gespannens, wat in geen weken was gebeurd. Hij trok vragend een zwarte wenkbrauw op. 'Waarom, lieveling?'
Madelana schraapte haar keel en zei zachtjes: 'Er is iets dat ik je wil vertellen... al een paar dagen... Ik heb het eigenaardige idee...' Ze zweeg en besloot na een lichte aarzeling: 'Ik geloof dat ik zwanger ben.'
Hij keek haar even verbijsterd aan, toen plooide zich een glimlach om zijn lippen en zijn levendige blauwe ogen sprankelden van vreugde. Zijn opgewonden stem echode de uitdrukking op zijn gezicht toen hij uitriep: 'Maddy, wat een geweldig nieuws! Sinds je "ja" te-

gen me zei, is dat het mooiste dat ik van je hoor.'
Hij nam haar in zijn armen en kuste haar teder. Daarna legde hij haar hoofd tegen zijn borst en streelde haar haren. Even later zei hij zachtjes: 'Maar je zei: *ik geloof*. Weet je het nog niet zeker, lieveling?'
Ze maakte zich los, keek naar hem op en knikte. 'Zo goed als zeker. Alle tekenen wijzen erop en ik weet zeker dat een dokter ze zal bevestigen. Daarom wil ik liever terug naar Londen in plaats van door te reizen naar Italië.'
'Natuurlijk, lieveling. Je hebt gelijk. Dat moeten we doen. O Maddy, wat geweldig!'
'Je bent er dus blij mee?' Haar stem klonk zacht.
'Ik vind het fantastisch.' Hij keek haar verbaasd aan en fronste zijn wenkbrauwen. 'Jij dan niet?'
'Natuurlijk... Ik dacht alleen dat jij het misschien wat aan de vroege kant zou vinden.'
'Ik krijg een zoon en erfgenaam! Kom nou toch, ik ben opgetogen, engel.'
'Het kan net zo goed een meisje worden.'
'Dan wordt het een dochter en erfgename. Vergeet niet dat ik een kleinzoon ben van Emma Harte, en zij maakte nooit onderscheid tussen mannen en vrouwen als het op nalatenschap aankwam. Mijn grootvader Paul trouwens ook niet. Hij heeft mijn moeder alles nagelaten, dat weet je.'
Madelana knikte en glimlachte flauwtjes.
Toch maakte haar teruggetrokkenheid dat Philip even zweeg. Hij bestudeerde haar en vroeg toen: 'Wat is er toch, lieveling?'
'Niets. Echt niet, Philip.'
Hij was nog niet overtuigd. 'Maak je je zorgen over je werk? Over je positie bij Harte in Australië?'
'Nee hoor.'
Nog steeds niet helemaal overtuigd vervolgde hij snel: 'Want als dat zo is, moet je dat van je afzetten. Ik maak geen problemen als jij blijft werken. Mijn grootmoeder werkte ook gewoon door als ze zwanger was. Paula en Emily ook, en Shane en Winston hebben ook nooit bezwaren gemaakt. Zo zijn de mannen in deze familie nu eenmaal, want we zijn opgevoed en opgeleid door de beroemde matriarch.'
'Dat weet ik allemaal wel, lieveling.'
'Dan is er toch niets aan de hand? Je bent zo stilletjes, je maakt een vermoeide indruk.'
Ze pakte zijn hand stevig in de hare. 'Ik heb er dagen mee rondgelo-

pen voordat ik het je vertelde. Ik was bang dat je het nog te vroeg vond in ons huwelijk, dat we eerst nog wat met z'n tweeën moesten zijn om elkaar beter te leren kennen. Ik denk dat ik bang was dat je boos zou zijn, omdat ik nonchalant was geweest.'
'Daar zijn er twee voor nodig,' zei hij zachtjes.
'Ja.' Ze zweeg even en glimlachte onzeker. 'Ik hou zoveel van je, Philip... Jij bent alles voor me. En ik wil dat je gelukkig bij me bent... Ik wil alles doen om het jou naar de zin te maken... altijd.'
Opeens zag hij tranen glinsteren in haar mooie grijze ogen en er voer een steek door zijn hart. Hij legde zijn hand tegen haar wang en streelde haar teder. 'Je maakt het me ook naar mijn zin. In alle opzichten. En je maakt me heel gelukkig. Jij bent mijn leven, Maddy. En de baby zal daar ook deel van zijn.'
Opeens gooide hij zijn hoofd achterover en barstte in lachen uit, wat de stemming tussen hen deed omslaan.
Ze keek hem niet-begrijpend en nieuwsgierig aan. 'Wat is er?'
'Denk je eens in! De door de wol geverfde, internationale playboy is nu een getrouwd man en aanstaand vader! Wie zou dat ooit hebben geloofd?' vroeg hij terwijl hij haar vrolijk lachend aankeek.
Maddy lachte met hem mee. Hij zag altijd kans haar zorgen weg te nemen en haar op te beuren.
Hij sprong op, pakte haar hand in de zijne en trok haar overeind. 'Kom mee, schat, dan gaan we naar binnen. Ik wil een paar mensen opbellen.'
'Wie dan, lieveling?'
'De familie natuurlijk.'
'Goed.'
Ze liepen met de armen om elkaar heen geslagen over het terras naar de openslaande deuren. Opeens bleef Madelana staan en draaide zich naar Philip toe.
'Als ik bij de gynaecoloog in Londen ben geweest en we een paar dagen bij je moeder in Yorkshire hebben gelogeerd, zoals beloofd, wil ik het liefst naar huis, Philip... Naar Australië, naar Dunoon.'
Hij trok haar tegen zich aan. Door dat te zeggen, hield hij eens te meer heel veel van haar. 'Ja lieveling van me, we gaan naar huis,' zei hij, 'om ons voor te bereiden op ons eerste kind...'

Een half uur later zat hij nog te telefoneren in de bibliotheek. Hij had eerst met Daisy en Jason in Yorkshire gesproken, en vervolgens met Paula op de zaak in Londen, om hun het nieuws over Madelana's zwangerschap door te geven.
Er volgden vele gelukwensen en vooral Daisy was dolgelukkig dat ze

weer grootmoeder zou worden. Nu sprak Philip met zijn neef Anthony op Clonloughlin in Ierland.
Madelana was hier niet op voorbereid geweest; ze had niet verwacht dat hij op deze manier hun nieuws van de daken zou schreeuwen. Philip was over zijn privé-leven altijd erg gesloten en per slot van rekening had hij hun verloving en huwelijk eerst stil willen houden. Opeens zag Maddy helder in waarom hij zijn familie niet op hun bruiloft had willen hebben. Het was ter wille van haar geweest, om haar onnodig verdriet te besparen, om de balans in evenwicht te houden. Hij had een uitgebreide familie, terwijl zij niemand meer had. Hoe pijnlijk had haar trouwdag kunnen zijn... Philip zou omringd zijn geweest door zijn dierbaren, terwijl zij alleen zou zijn geweest, zonder één familielid om getuige te zijn van die heel bijzondere en belangrijke dag in haar leven. En ze zou hebben verlangd naar haar ouders en de kleine Kerry Anne, en naar Joe jr. en Lonnie.
Philip had dat begrepen. Natuurlijk. Opeens was alles haar glashelder.
Madelana nestelde zich op de grote, comfortabele bank. Ze luisterde en keek naar hem, intussen bedenkend wat een bijzondere man hij toch was. Intelligent, briljant, hard in het zakendoen, maar zo gevoelig en teder als het zijn gevoelens voor haar betrof.
Ze knipperde met haar ogen, leunde achterover en hield haar hoofd een beetje scheef. Ze probeerde heel even hem objectief te bekijken. Wat een knappe man was hij toch. Vooral de contrasten in zijn uiterlijk boeiden haar vaak – dat donkere, glanzende haar, de zwarte snor, het gebruinde gezicht, en daarbij zulke onnatuurlijk blauwe ogen. Hij leek meer dan levensgroot, en hij was zo ontzettend levendig en vitaal, en op dit moment straalde hij gewoonweg een gevoel van welzijn uit.
Zo moet hij altijd blijven, zoals hij vandaag is, dacht ze. Een en al vrolijkheid, levendigheid en vreugde. En ik mag nooit degene zijn die hem verdriet bezorgt.

26

Arabella twijfelde er niet aan: Sarah beschouwde haar als een soort dievegge. Nee, dat is te sterk uitgedrukt, dacht ze terwijl ze ongeduldig het tijdschrift dat ze had zitten lezen van zich af gooide; ze kon zich niet meer concentreren. Ik ben een... *indringster*. Ja, dat was het goede woord. Tot ik zijn leven binnenkwam, had Sarah hem helemaal voor zich alleen als hij in Europa was. Die vrouw vindt het heerlijk om in het middelpunt van de belangstelling te staan. Dat was vandaag tijdens de lunch maar al te duidelijk.

Arabella stond op, liep door de woonkamer van het gastenverblijf op de boerderij in Mougins en bleef even uit het raam staan kijken. Het was een prachtige dag geweest. Het begon net te schemeren, zodat de tuin een dicht, mysterieus en bijna griezelig aanzien kreeg. Een dunne nevel hulde alles in een mantel van grijze nuances en opaaltinten, en de bomen in de appelboomgaard achter het witte hek kregen iets vaags, iets onwezenlijks.

Ze huiverde. Er bekroop haar een melancholiek gevoel, dat haar onverwacht droevig stemde. Ze schudde die gevoelens van zich af voor dat ze haar in hun greep kregen. Ze had geen reden om melancholiek te zijn. Ze had alles. Arabella glimlachte een beetje geheimzinnig. Nou ja, niet *alles*. Maar dat kwam nog wel.

Ze draaide zich om en installeerde zich opnieuw op de bank bij de open haard, genietend van de warmte van de opgewekt laaiende vlammen. Ze hield van vuur. Het had iets troostrijks... Misschien omdat het haar deed denken aan haar kinderjaren in Hampshire, aan het grote oude huis waar ze was opgegroeid.

Nadat ze in gedachten enkele wijzigingen in haar plannen voor de komende weken had gemaakt, keek ze voor de zoveelste keer sinds ze die ochtend waren aangekomen, bewonderend de kamer rond.

Hier en in de aangrenzende slaapkamer waren de oude, donkere balken, de witte, half betimmerde wanden en de oude stenen haarden intact gelaten. In combinatie met het licht hellende plafond kreeg deze bovenste verdieping onder de hanebalken iets gezelligs, met een geheel eigen, knusse sfeer. Hoogpolig wollen tapijt lag van muur tot muur, en de *café-au-lait*-tint vormde de volmaakte achtergrond voor de prachtige Engelse bekledingsstoffen op de grote bank en de stoelen en het Provençaalse boerenmeubilair van oud hout dat diepglanzend gewreven was. Hetzelfde koffiekleurige tapijt liep door naar de slaapkamer, waar Porthault-stof was gebruikt voor de sprei, voor de bekleding van het antieke hoofdeind en voor de gordijnen.

De suite leek wel een bloementuin door de vele bloemenpatroontjes, die het goed bij elkaar deden, en het was er ontegenzeggelijk gezellig. Er moest een kapitaal zijn besteed aan de hele boerderij; alle kamers waren even smaakvol ingericht, door iemand die oog had voor kleur en stijl.

Wat je verder van Sarah Lowther Pascal mag zeggen, ze is een uitstekend binnenhuisarchitecte, was Arabella's conclusie. Ze had wonderen verricht met het grote boerenhuis op een helling hoog boven Cannes; ze had het met flair ingericht, zodat het onmiskenbaar cachet en

charme had gekregen. Op het terrein eromheen had ze een stel krakkemikkige schuren verbouwd tot een grote, schitterende studio voor Yves, waar door het gedeeltelijk glazen dak een grote hoeveelheid licht binnenviel.
De schilderijen van Yves Pascal hingen overal. Ze waren uitdagend modern, wat niet Arabella's smaak was, want zij gaf de voorkeur aan oude meesters en traditionele afbeeldingen. Maar de kunstenaar was een belangrijke, inspirerende figuur in de internationale kunstwereld en zijn schilderijen vonden gretig aftrek. Kennelijk hielden anderen wel van zijn werk. Tegenwoordig brachten ze exorbitant hoge prijzen op.
Aan de andere kant had ze meteen genegenheid opgevat voor de kleine, pezige Fransman. Hij was wat hanig, een beetje erg macho, maar niettemin bezat hij een onbehoorlijke grote portie typisch Franse charme. Zijn verhouding tot Sarah was haar nog niet helemaal duidelijk. Zo op het oog leken ze elkaars tegenpool. Toch was hij dol op zijn vrouw en hun dochtertje Chloe, dat had ze onmiddellijk gemerkt.
Jonathan had haar verteld dat het meisje qua uiterlijk op zijn grootmoeder leek. In de vier maanden dat ze hem nu kende had hij niet veel losgelaten over de legendarische Emma Harte, maar uit een opmerking die Sarah tijdens de lunch had gemaakt had Arabella geconcludeerd dat zij beiden onenigheid hadden met hun nicht, Paula O'Neill. Later die middag had ze Jonathan gevraagd of er een familievete bestond en hij had iets gemompeld in de trant van dat Paula hun grootmoeder tegen hen had opgezet, zodat ze bepaalde wijzigingen in haar testament had gemaakt. Hij had opeens een geïrriteerde indruk gemaakt, hij was zelfs boos geworden, en na een paar gepaste woorden had ze de kwestie wijselijk verder onaangeroerd gelaten. Ze had zijn ongekende ergernis niet nog groter willen maken. Zo had ze hem nog nooit meegemaakt.
Haar gedachten concentreerden zich op Jonathan. Ze had van anderen begrepen dat hij moeilijk te strikken zou zijn. Maar dat was niet het geval gebleken. Hij was onmiddellijk voor haar gevallen, en hoe, en had haar in Hongkong ijverig het hof gemaakt. Aanvankelijk had ze zich in alle opzichten ongrijpbaar opgesteld. Daarna had ze zich geestelijk en lichamelijk geleidelijk aan gewonnen gegeven. Ze had hem laten zien hoe intelligent ze was, hoeveel verstand ze had van kunst en antiek en hoe goed ze zich overal wist te bewegen, terwijl ze hem met haar lichaam had aangelokt. Hun broederlijke avondkusjes hadden geleid tot langere, intensere kussen, vervolgens tot steeds heftiger vrijpartijen, tot ze zich ten slotte had overgegeven aan zijn

seksuele aantrekkingskracht en had goedgevonden dat hij met haar naar bed ging.
Intussen had ze nooit de indruk gewekt maagd te zijn; ze had laten doorschemeren dat hij niet de eerste was. Maar ze had er met nadruk op gewezen dat ze kieskeurig was en niet met Jan en alleman naar bed ging. Ze wilde eerst zeker zijn van haar gevoelens, en van de zijne, voordat ze een relatie aangingen. Hij had haar openhartigheid toegejuicht en haar toevertrouwd dat hij alleen belangstelling had voor vrouwen die even ervaren en wereldwijs waren als hij. En hij was geduldig geweest.
Er kwam een tevreden blik in Arabella's diepzwarte ogen. Zij had kennis van zaken. Zij wist hoe ze hem genot moest schenken, op talloze manieren... manieren waar hij nog geen idee van had. Hij mocht niet weten hoeveel ervaring ze wel had in de kunst van de liefde. Ze wilde dat hij tot over zijn oren verliefd op haar was. Pas dan zou ze hem meenemen naar hoogten waar hij nog nooit van had kunnen dromen en die zij alleen kende.
En zo hield ze hem voorzichtig aan het lijntje en stukje bij beetje maakte ze vorderingen... en met de dag raakte hij meer aan haar gebonden. Er bloeide een nieuwe warmte in hem op en hij kon maar niet genoeg van haar krijgen. In bed en daarbuiten. Hij wilde haar voortdurend bij zich hebben.
Arabella keek neer op de eenvoudige gouden trouwring aan de ringvinger van haar rechterhand. Hij blonk fel op bij het licht van de open haard. Jonathan had haar een met diamanten bezette ring willen geven. Zij had gevraagd om deze eenvoudige, ouderwetse gouden ring, omdat die zo symbolisch was. Hij had verrast gereageerd, maar kennelijk hadden haar gevoelens hem ontroerd.
Tony was verbijsterd geweest toen Jonathan zo snel met haar was getrouwd, vlak voor Kerstmis, in Hongkong, en haar daarna had meegenomen op huwelijksreis naar Europa. Het was opeens tot hem doorgedrongen dat ze een paar maanden niet te bereiken zou zijn. Hij was eerlijk gezegd nogal ontdaan geweest. Het had haar grote voldoening geschonken dat zíj nu eens kans had gezien Tony's stuitende gelijkmoedigheid te verstoren.
Haar nieuwbakken echtgenoot had haar willen meenemen naar Parijs, maar die stad maakte zo onverbrekelijk deel uit van haar verleden en riep zoveel droeve herinneringen op, dat het idee daar haar wittebroodsweken door te brengen haar niet zo erg aansprak. Ook voelde ze er niet zoveel voor om misschien toevallig iemand tegen het lijf te lopen die haar vroeger had gekend. Ze had geen behoefte aan vrienden die allang geen deel meer uitmaakten van haar leven, noch

aan herinneringen die allesbehalve prettig waren. En dus had ze Jonathan ervan overtuigd dat ze Rome veel leuker zou vinden en ze had voorgesteld om daarna door te reizen naar Mougins, in Zuid-Frankrijk, om zijn nicht Sarah op te zoeken, over wie hij zo aardig had gesproken. Dat idee had hem wel aangesproken en hij had zich algauw naar haar reisplannen geschikt.
Rome was enig geweest. Omdat ze de stad als haar broekzak kende, had ze hem de bezienswaardigheden kunnen laten zien en ze had hem meegenomen naar de chicste restaurants en clubs, waar de toeristen geen weet van hadden en waar alleen de plaatselijke en internationale rijkelui kwamen.
Bovendien was ze heel lief geweest, had zich naar zijn seksuele wensen geschikt en aan al zijn verlangens toegegeven, zodat hij bijzonder gelukkig was geweest.
In Rome had hij nog een huwelijksgeschenk voor haar gekocht, een heel bijzonder halssnoer dat hij haar op hun laatste avond in de Eeuwige Stad had gegeven, voordat ze naar Frankrijk vertrokken. Het bestond uit een enkel snoer grote zwarte parels waaraan één crèmekleurige, traanvormige parel aan een tienkaraats diamant in het midden hing.
Hoewel ze zelf al een mooie collectie juwelen bezat, was het snoer zwarte parels niet alleen zeldzaam, maar het deed alles wat ze bezat in het niet verzinken. Behalve natuurlijk de grote Burmese ring met robijnen en diamanten die Jonathan haar voor hun verloving cadeau had gedaan.
Het slaan van de klok wekte Arabella uit haar dromerijen. Ze keek op de klok en zag tot haar verbazing dat het al zeven uur was. Jonathan, die met Yves naar Cannes was gegaan, had gezegd dat hij tegen half acht terug zou zijn. Ze moest zich op zijn komst voorbereiden. Ze haastte zich naar de slaapkamer, pakte een doorzichtig nachthemd van zwarte chiffon, afgezet met koffiekleurige kant, uit de kast, waarna ze zich in de badkamer ging uitkleden en verfrissen.
Een paar minuten later, gekleed in het luxe nachthemd en de bijpassende zwarte chiffon peignoir die haar als een wolk omhulde, ging Arabella aan de toilettafel zitten. Ze had haar zilverblonde haar de hele dag in een strenge wrong gedragen; nu trok ze de spelden eruit en liet het los om haar gezicht en over haar rug hangen. Ze borstelde het tot het glansde.
Ze leunde voorover en bekeek zichzelf aandachtig in de spiegel. Soms stond ze versteld van haar eigen schoonheid, van het ontbreken van rimpels in haar ooghoeken en andere tekenen die op naderende ouderdom wezen, van haar soepele huid en van haar gave teint. Het le-

ven had op haar gezicht nauwelijks sporen achtergelaten; niets scheen afbreuk te doen aan haar jeugd en schoonheid. Zelfs als ze verkouden was, of een beetje ziek, zag ze er nog blakend van gezondheid uit. Ze bofte. Haar vierendertig jaar waren haar niet aan te zien.
Nadat ze met een tissue haar felrode lippenstift had verwijderd, nam ze iets van haar natuurlijke blos weg door een crèmekleurige foundation aan te brengen, met doorschijnende poeder, zodat ze er bleek, heel bleek uitzag. Ze deed nog wat extra eyeliner om haar oogleden om hun natuurlijke amandelvorm te accentueren. Daarna bracht ze zwarte schaduw aan om vervolgens de huid onder haar wenkbrauwen aan te tippen met paars en zilver, zodat haar ogen opeens als donkere kolen opvielen. Nadat ze haar lippen had gebet, deed ze er een kleurloze crème op en ze bestoof zich royaal met de muskusparfum, waar Jonathan het meest van hield. Toen pakte ze het zwarte parelsnoer uit zijn leren foudraal en maakte hem om haar hals vast. Jonathan had graag dat ze in bed sieraden droeg. Dat was een fetisj van hem.
Haastig liep ze naar de kast, maakte hem open en bekeek zichzelf in de lange spiegel. Wat ze zag beviel haar wel. Ze zag er heel jong uit, net een meisje van zestien, haar gezicht een en al onschuld – en belofte. In tegenstelling daarmee was haar lichaam dat van een verlokkelijke vrouw, gevuld, sensueel, en uitdagend in de alles onthullende nachtjapon.

De zwarte chiffon spande om haar borsten. Haar tepels en de donkere tepelhoven waren vaag zichtbaar door het doorschijnende chiffon en de dunne kant. Ze had het gewaad in Hongkong laten maken en de naaister had het zo geknipt dat het haar als gegoten zat en heel verleidelijk om de juiste plaatsen spande.

Nadat ze in een paar hooggehakte, zwartsatijnen muiltjes was gestapt, liep ze naar de woonkamer, waar ze zich even voor het vuur warmde. Daarna strekte ze zich op de Chesterfieldbank uit en wachtte op haar echtgenoot.

Naarmate de minuten verstreken, begon Arabella te beseffen dat ze hoopte dat Jonathan gauw zou komen; ze verheugde zich erop hem weer te zien, al was hij maar een paar uur weg geweest. Ze hoopte maar dat hij zou willen vrijen voor ze gingen dineren.

Deze gedachten verrasten haar. Met een ruk ging ze rechtop zitten en fronste. Ze pakte een sigaret en stak hem aan.

Al rokend werkte haar brein op volle toeren en het begon haar te dagen hoeveel ze was gaan houden van Jonathans blonde, knappe uiterlijk, zijn prettige manier van doen, zijn hang naar perfectionisme en zijn typisch Engelse trekjes. Het was een aangename verandering om na de vele buitenlanders die ze had gekend met een Engelsman samen

te leven. Bovendien genoot ze van de grote aandacht die hij aan haar schonk, zijn hartstocht voor haar, zijn seksuele bedrevenheid. Jonathan Ainsley, haar man, was misschien wel de beste van alle minnaars die ze ooit had gehad.
Ze kreeg zo'n vermoeden dat ze bezig was verliefd op hem te worden, wat haar van zichzelf hogelijk verbaasde.

Een kwartier later kwam Jonathan haastig de woonkamer binnen. De verlichting was schemerig, maar het laaiende vuur in de open haard zette het vertrek in een rossige gloed.
Arabella stond bij de schoorsteenmantel en hij vond dat ze er die avond wel bijzonder bekoorlijk uitzag. Hij stond er even voor stil. Midden in de kamer sloeg hij haar gade, met waardering voor haar schoonheid, haar sensualiteit. Wat zag ze er verleidelijk uit in dat negligé van zwarte chiffon. Door de tere stof heen zag hij haar figuur afgetekend... de hoge, volle borsten, de slanke taille, de blonde venusheuvel wat lager. Zwart stond haar goed. Haar roomkleurige, ongeëvenaarde huid kwam er mooi in uit, evenals de zilverglans in haar schitterende blonde lokken.
Na een vaag glimlachje strekte ze haar armen naar hem uit.
Het was alsof haar zwarte ogen hem doorboorden; bovendien was de manier waarop ze naar hem keek volkomen nieuw voor hem. Maar het was vreemd, wat die uitdrukking ook inhield, hij raakte er opgewonden van. Toen hij naar haar toe liep voelde hij zijn begeerte al opwellen.
'Ik heb je gemist, lieveling,' zei ze met haar zachte, hese stem.
'Zó lang ben ik toch niet weg geweest,' antwoordde hij. Niettemin was hij blij met haar woorden. Hij nam haar in zijn armen en kuste haar op haar mond. Toen ze zich ten slotte losmaakten, hield hij haar op armlengte en met zijn handen stevig om haar schouders gesloten keek hij haar indringend aan.
'Wat is er?' vroeg ze.
'Je ziet er vanavond heel, héél mooi uit, Arabella. Mooier dan ooit, geloof ik.'
'O, Jonathan...'
Hij boog zich naar haar toe, kuste het holletje bij haar keel en duwde intussen de peignoir van haar schouders. Het kledingstuk gleed op de grond. Vervolgens trok hij aan de gestrikte schouderbandjes van het nachthemd en toen die losraakten, viel ook dat in een wolk van chiffon aan haar voeten.
Ze stond voor hem, naakt, op de zwarte parels na die om haar slanke nek hingen.

Jonathan deed een stapje achteruit. Van alle vrouwen die hij ooit had gehad, had zij in sensueel opzicht de meeste ervaring, en daardoor was ze de opwindendste, de begeerlijkste... Van alle kunstvoorwerpen in zijn verzameling was zij het allermooiste, het pronkstuk... Zijn dierbaarste bezit. Zij was de volmaaktheid zelf. En ze was van hem. Helemaal van hem. Nee, dat was niet waar. Ze hield nog steeds iets achter, wat een bron van verbazing voor hem was. Maar het zou niet lang duren of ze zou zich voor honderd procent aan hem geven. Hij had alle vertrouwen in zijn kunnen... en in zijn macht over haar.
'Jonathan, is er iets?' vroeg Arabella langzaam. 'Je kijkt zo eigenaardig naar me.'
'Nee, natuurlijk is er niets,' antwoordde hij. 'Ik sta je alleen maar te bewonderen. Wat ben je toch mooi... met alleen die zwarte parels van mij. Wat is je lichaam mooi wit vergeleken daarmee.' Intussen streelde hij met een vinger over een van haar borsten.
Opeens kreeg hij het gevoel dat hij zou barsten. Hij was verschrikkelijk opgewonden. Het bloed steeg hem naar het hoofd en toen hij dichter bij haar kwam staan, beefde hij. Hij legde zijn handen om haar hals en maakte het parelsnoer los.
'Zo, dat is veel beter,' zei hij terwijl hij het in zijn zak liet glijden. 'Jij hebt geen sieraden nodig, Arabella. Jij bent zelf al volmaakt... als een Grieks beeld dat met zorg uit het mooiste albast is gehouwen.' Hij trok zijn colbertje uit, gooide het op een stoel, pakte haar bij de hand en troonde haar mee naar de bank. 'Kom, laten we hier even samen gaan liggen. Laten we elkaar beminnen en van elkaar genieten,' zei hij. 'Ik wil je nog intiemer leren kennen, ik wil nog meer van je bezitten. En nòg meer... steeds meer. Help je me daarbij, Arabella?'
'Ja,' fluisterde ze hees. 'Als jij hetzelfde doet.'
'Ach, Arabella, wij lijken heel erg op elkaar, jij en ik, op alle denkbare manieren.' Hij begon zachtjes te lachen. 'Een stel zondaars, dat zijn we.'
Jonathans ogen lieten haar niet los. Er gleed een veelbetekenende uitdrukking over zijn gezicht. Met de ene hand duwde hij haar achterover in de kussens, met de andere begon hij zijn overhemd los te knopen.

27

'Ik weet niet goed hoe ik jullie dit moet vertellen,' begon Alexander. Hij keek van zijn zuster Emily naar zijn nicht, Paula O'Neill, en zijn neef, Anthony Standish, de graaf van Dunvale.
Ze zaten gedrieën op de twee banken bij de open haard. Even tevoren had hij hun iets te drinken ingeschonken.
'Eerlijk gezegd,' vervolgde Alexander, 'pijnig ik mijn hersens al wekenlang; ik zoek de goede woorden, de beste manier om uit te leggen...'
Hij maakte zijn zin niet af, stond op en liep door de salon naar de grote erker die uitzicht bood over de kleine tuin achter zijn huis in Mayfair.
Hij wenste opeens dat hij hen niet had gevraagd hierheen te komen, dat hij het hun niet hoefde te vertellen... Hij wenste *vurig* dat hij alles op zijn beloop kon laten. Maar dat was ondenkbaar. Onredelijk van hem. Bovendien, er moesten te veel dingen worden beslist, er waren zoveel formaliteiten te vervullen.
Alexander was gespannen: hij stond stram, met zijn schouders een beetje opgetrokken. Hij haalde eens diep adem om moed te verzamelen. Misschien was dit wel het moeilijkste dat hij in zijn hele leven had moeten doen.
Emily, die hem nauwlettend gadesloeg, had meteen toen ze binnenkwam al opgemerkt hoe gespannen zijn stem klonk. En nu zag ze hoe stram hij daar stond. Ze waren hun levenlang al ongebruikelijk gevoelig voor elkaars stemmingen, en zij kende hem even goed als ze zichzelf kende. Intuïtief voelde ze aan dat er iets heel ernstigs aan de hand was.
Ze onderdrukte haar paniek. 'Wat klink je ernstig, Sandy.'
'Ja,' was zijn reactie, waarna hij naar buiten bleef staren, zich afvragend hoe hij moest beginnen. In de invallende duisternis van deze januari-avond zag de tuin er droefgeestig en kaal uit met de zwarte, skeletachtige bomen en de lege bloemperken waar nog wat sneeuw op lag, die door het Londense vuil grauw was geworden. Dit stukje grond scheen zijn sombere stemming te weerspiegelen.
De drie familieleden wachtten tot Alexander verder ging en zou uitleggen waarvoor hij hen had uitgenodigd, waarom hij erop had gestaan dat ze vanavond hier kwamen. Achter zijn rug wisselden ze bezorgde blikken.
Paula keek Anthony met een vragend opgetrokken wenkbrauw aan. De graaf haalde zijn schouders op en maakte een hulpeloos handgebaar om zijn eigen onwetendheid aan te geven.

Vervolgens keek Paula naar Emily, die op de bank tegenover haar zat. Emily kneep haar lippen opeen en schudde snel haar hoofd, kennelijk zelf een en al verbijstering. 'Ik heb geen idee,' zei ze met geluidloos bewegende lippen. Even later schraapte ze haar keel en waagde hardop: 'Sandy, jongen... Gran zei altijd dat als iemand iets moeilijks moest uitleggen of iets onprettigs moest vertellen, hij het maar het beste ronduit kon zeggen. Waarom doe jij dat ook niet?'
'Dat is niet zo gemakkelijk als het klinkt,' antwoordde haar broer rustig.
'Wat je problemen ook zijn, je weet dat je zonder meer op onze steun kunt rekenen,' merkte Anthony op geruststellende toon op.
Alexander draaide zich abrupt om, ging met zijn rug naar het grote raam staan en keek het drietal peinzend aan. 'Ja, dat weet ik, Anthony, dank je,' zei hij ten slotte. Er speelde een aarzelend glimlachje om zijn mond – heel even maar.
Paula, die hem aandachtig bestudeerde, las iets ongekends in die lichtblauwe ogen; ze stonden zo leeg, zo uitdrukkingsloos, dat het haar bang te moede werd. 'Er is iets heel ernstigs, nietwaar, Sandy?'
Hij knikte. 'Ik ging er altijd prat op dat ik alles aankon, Paula. Maar dit...' Hij bleek niet bij machte zijn zin af te maken.
En toen schoot het Paula te binnen, toen herinnerde ze zich het telefoongesprek dat ze eind augustus vorig jaar met hem had gevoerd. Die ochtend had ze het gevoel gehad dat hij ergens mee zat, maar toen had ze het van zich afgezet omdat ze had gedacht dat haar verbeelding haar parten speelde. Maar ze had uiteindelijk gelijk gehad, ze wist het zeker. Ze vouwde haar handen stevig samen, opeens onberedeneerd nerveus en angstig.
Alexander zei langzaam: 'Ik heb gevraagd of jullie vanavond hierheen kwamen... vanwege onze hechte verbondenheid door de jaren heen en de bijzondere relatie die ik met elk van jullie heb.' Hij zweeg even en haalde diep adem. 'Ik zit met bepaalde problemen. Het lijkt me dat we er nuchter over kunnen praten en dat jullie me misschien kunnen helpen tot een besluit te komen.'
'Natuurlijk,' zei Anthony. Zijn neef gedroeg zich anders dan ze van hem gewend waren en hij maakte zich diep bezorgd. Hij richtte zijn heldere, vaste blik op Alexander, als om hem zijn genegenheid en toewijding duidelijk te maken. Ze hadden elkaar in het verleden door moeilijke tijden heen geholpen, en dat zou ook nu ongetwijfeld gebeuren.
Anthony leunde gespannen voorover. 'Heeft het met de zaak te maken?' vroeg hij, 'of is het een familiekwestie?'
'Het is eigenlijk een persoonlijk probleem,' antwoordde Alexander.

Hij liep bij het raam vandaan, beende langzaam door de stijlvol ingerichte salon en liet zich zakken in de stoel waar hij kort daarvoor uit was opgestaan. Hij wist dat het geen zin had het nog langer uit te stellen. Ze moesten het toch weten.
Alexander slaakte een diepe, vermoeide zucht. Op beheerste toon zei hij: 'Ik ben ernstig ziek... Ik heb niet lang meer te leven.'
Emily, Paula en Anthony keken hem met open mond aan. Geen van hen had verwacht zoiets rampzaligs te zullen horen. Ze waren met stomheid geslagen.
Alexander ging haastig verder. 'Neem me niet kwalijk dat ik het zo plompverloren zei, maar ik heb Emily's raad opgevolgd. En Gran had gelijk, het is echt de enige manier... Gooi het er maar uit, zeg het maar zonder lange inleiding.'
Paula was zo geschokt dat ze niets kon terugzeggen. Blindelings tastte ze naar Anthony's hand.
Hij sloot zijn hand troostend om de hare. Hij was even overdonderd als zij; hij wist niet wat hij hiermee aan moest. Hier waren geen woorden voor. Een gevoel van diepe droefheid doorstroomde hem. Wat vreselijk dat dit die arme Sandy moest overkomen; hij was in de kracht van zijn leven. Hij vooral zou zijn neef ontzettend missen. Sandy was altijd zo'n rots in de branding geweest als hij in de problemen zat, vooral toen Min verdronken in het meer van Clonloughlin was gevonden. Anthony pakte zijn glas whisky-soda van het bijzettafeltje. Hij had behoefte aan een borrel.
Emily was wit weggetrokken. Ze zat volkomen roerloos ongelovig naar haar broer te staren; haar ogen stonden donker van het plotselinge verdriet. Ze had het gevoel alsof al haar bloed uit haar was weggestroomd. Toen vermande ze zich, stond wankelend op en ging naar hem toe. Ze knielde bij zijn stoel, pakte zijn hand in de hare en klampte zich eraan vast.
'Sandy, het is niet waar! Het kàn niet waar zijn!' riep ze zachtjes maar heftig uit. 'O, zeg alsjeblieft dat het niet waar is...' Emily's stem begaf het en haar groene ogen schoten vol tranen. '*Jij* niet, Sandy, o, alsjeblieft, *jij* niet.'
'Toch is het waar, vrees ik,' zei hij zo beheerst mogelijk. 'En aan dit probleem kan ik niet veel doen, Dumpling. Dit ligt buiten mijn macht.'
Toen hij haar oude koosnaampje gebruikte, kreeg ze een brok in haar keel. Lang vergeten herinneringen kwamen als vanzelf boven; ze zag hun kindertijd weer voor zich en ze herinnerde zich hoe hij haar had beschermd en hoe hij voor haar had gezorgd. Opeens had ze het gevoel alsof er een band om haar hart werd gelegd. Ze sloot

heel even haar ogen om te proberen dit tragische en angstaanjagende nieuws over haar broer te verwerken.
'Je zegt dat je n-niet lang meer te l-leven hebt.' Ze struikelde over haar woorden en moest een paar keer diep ademhalen voor ze verder kon gaan. 'Maar wat heb je dan? Wat is er met je, Sandy? In mijn ogen zie je er uitstekend uit. Wat heb je?'
'Ik heb acute mergcelleukemie. Het komt erop neer dat zich overmatig veel korrelcellen vormen.'
'Maar daar kun je toch voor behandeld worden!' riep Anthony uit. De hoop die oplaaide, klaarde zijn bezorgde gezicht op. 'Er is zoveel vooruitgang geboekt in de medische wetenschap, vooral bij de behandeling van kanker, en misschien...'
'Het is ongeneeslijk,' onderbrak Alexander hem.
'Wat is het precies?' wilde Emily weten. Haar stem sloeg over van bezorgdheid, zodat hij schriller klonk dan gewoonlijk. 'Wat is de oorzaak in hemelsnaam?'
'Een kwaadaardige verandering in de cellen die granulocyten produceren, een van de soorten witte bloedlichaampjes die in het beenmerg worden aangemaakt,' legde hij uit. Hij was zo goed op de hoogte van zijn ziekte dat de bijzonderheden hem moeiteloos over de lippen kwamen. 'Ze vermenigvuldigen zich en leven langer dan normale cellen. Eenvoudig uitgedrukt: ze vernietigen. Naarmate ze in aantal toenemen, dringen ze het beenmerg binnen, komen in de bloedbaan en beschadigen uiteindelijk de organen en het weefsel.'
'O god, Sandy...' begon Paula. Ze zweeg. Ze werd overweldigd door haar gevoelens. De woorden die ze had willen uitspreken werden in haar keel gesmoord. Ze vermande zich; op de een of andere manier moest ze haar zelfbeheersing zien te bewaren. Even later ging ze verder: 'Ik vind het vreselijk, heel vreselijk voor je, lieve Sandy. Ik wil je helpen, wij willen je allemaal helpen, wanneer je ons maar nodig hebt, of het nu overdag of 's nachts is.'
'Ja,' zei hij, 'dat weet ik. Eerlijk gezegd reken ik daar op, Paula.'
'Is er geen enkele mogelijkheid om die leukemie tot staan te brengen?' vroeg Paula door, vriendelijk, haar ogen vol medeleven en medelijden.
'Nee,' antwoordde Alexander.
Emily zei opeens op felle toon: 'Ik neem aan dat je naar de beste artsen in Londen bent geweest, maar we moeten blijven zoeken. Heus. Amerika? Sloane Kettering in New York bijvoorbeeld? We kunnen niet machteloos toezien, Sandy. We moeten iets *doen*.'
'Ik ben het met je eens, Emily,' zei Anthony. 'Er moet toch inmiddels een of andere geavanceerde techniek bestaan. Waar dan ook. Ik

kan me er niet zomaar bij neerleggen, Sandy. Dat vertik ik.' Hij wendde zijn hoofd af; hij worstelde met zijn emoties.
Alexander schudde zijn hoofd, met een beslistheid die onmiskenbaar was. 'Ik begrijp heel goed hoe jullie ertegenover staan. Ik was in het begin precies zo. Ik zocht hoopvol naar een remedie, maar die hoop maakte al snel plaats voor frustratie, boosheid en ten slotte voor aanvaarding. Jullie moeten goed begrijpen...' Hij zweeg, haalde een paar maal diep adem en vervolgde toen langzaam: 'Er valt absoluut niets meer voor me te doen. En geloof me, ik ben heus naar de allerbeste specialisten geweest, in Londen, New York en Zürich. Wat ik heb, is dodelijk. Uiteraard krijg ik medicijnen, maar die halen nauwelijks iets uit.'
Een sombere stilte viel in de salon.
Alexander ging achterover zitten, opgelucht nu hij het dan eindelijk had verteld. Hij had zich enige tijd terug al bij zijn lot neergelegd, maar hij had zich grote zorgen gemaakt over zijn familie en hoe die het nieuws zou opvatten, met name Emily.
De andere drie op hun beurt probeerden het hartverscheurende nieuws te verwerken; ze probeerden het tot zich te laten doordringen en hun gevoelens onder controle te houden. Elk hield op zijn eigen manier van Alexander en hoewel ze dat van elkaar niet wisten, dachten ze op dit ogenblik precies hetzelfde. Alle drie vroegen ze zich af waarom het Alexander moest zijn die hierdoor werd geveld. Hij was zo'n goed mens, zo'n aardige, zorgzame man. De beste van hen allemaal. Hij had altijd voor hen klaargestaan als ze hem nodig hadden, om wat voor probleem het ook ging, en dat was al vanaf hun jeugd zo geweest. Ze beschouwden hem als de enige werkelijk goede man die ze kenden. Als iemand een heilige was, dan was het Alexander.
Uiteindelijk nam Paula het woord. 'Je weet het al een paar maanden, hè?'
Alexander knikte en nam een slokje witte wijn.
'Hoorde je eind augustus vorig jaar dat je ziek was?' vroeg ze.
'Nee, in oktober. Maar je zit er dichtbij, Paula.' Hij keek haar onderzoekend aan. 'Hoe wist je dat?'
Paula's ernstige gezicht stond verstild. 'Ik wist het niet echt. Maar ik had het eigenaardige gevoel dat er iets met je was toen je me vanuit Leeds belde... die dag dat we elkaar in Fairley waren misgelopen. Je stem had zo'n wonderlijke klank en daarom vroeg ik je of je problemen had. En je zei nee, als je je dat nog herinnert. Toen heb ik het van me afgezet, want ik dacht dat mijn verbeelding me parten speelde.'
'Je had een scherp gehoor die ochtend,' zei Alexander zachtjes. 'Ik

was onrustig, ik wilde met je praten. De symptomen waren er al, ik werd snel moe. Daar tobde ik over en ik ontdekte dat ik gemakkelijk blauwe plekken kreeg en gauw bloedde... gewoon, als ik me stootte of zo.'
Alexander stond op om de fles wijn te pakken. Hij vulde de glazen van Paula en Emily bij en dat van zichzelf, waarna hij de fles weer in de zilveren ijsemmer op de bar zette.
De anderen wachtten zwijgend af, vrezend voor wat hij nog meer te vertellen had.
Hij ging zitten en vervolgde: 'Eind september werkte ik veel op het landgoed in Nutton Priory. Ik wist niet hoe ik het had. Ik vroeg me af of ik van de ene dag op de andere bloederziekte had gekregen, of dat mogelijk was. Toen kreeg ik begin oktober last van afschuwelijke zweren in mijn mond. Ik was nog nooit zo bang geweest, en daarom heb ik onze lunchafspraak afgezegd, Paula. Uiteindelijk ben ik naar mijn huisdokter gegaan. Die stuurde me onmiddellijk door naar een specialist in Harley Street. De proeven en het beenmergonderzoek lieten geen twijfel bestaan.'
'Je zegt dat je medicijnen krijgt,' zei Anthony. 'Die moeten toch iets uitrichten, Sandy. Je ziet er niet doodziek uit. Je bent misschien een tikje bleek, wat magerder, maar...'
'Het enige wat die medicijnen doen, is me op de been houden – voorlopig,' onderbrak Alexander hem.
Emily bestudeerde haar broer aandachtig. 'Wat voor soort behandeling is het?'
'Bloedtransfusies met rode bloedcellen, en bloedplaatjes als ik die nodig heb. Af en toe neem ik ook antibiotica, om de kans op infecties terug te dringen.'
'Ik begrijp het.' Emily beet zenuwachtig op haar onderlip. 'Je zei net dat die medicijnen je op de been houden... hoe... hoe lang nog?' vroeg ze met bevende stem. Ze was vervuld van angst om haar broer.
'Hoogstens een maand of vier, vijf, geloof ik. Er zijn niet veel mensen die het veel langer uithouden dan een jaar nadat dit type leukemie is vastgesteld.'
Emily's lippen trilden. 'Ik kan het niet verdragen. Waarom *jij?* Het is niet eerlijk. O Sandy, het kan niet waar zijn dat je stervende bent!'
Ze deed haar best haar tranen terug te dringen, want ze wist dat hij wilde dat ze sterk was en net zoveel moed toonde als hij aan den dag legde. Ze kon het niet.
Ze sprong op en haastte zich de salon uit, want ze wist dat ze op het punt stond haar zelfbeheersing te verliezen.

28

Emily stond onder aan de trap in de hal. Ze moest zich vasthouden aan de leuning, zo beefde ze inwendig. Langzaam rolden de tranen ongehinderd over haar wangen; geluidloos huilde ze om haar broer. Hij was pas zevenendertig. Ze verzette zich tegen het idee dat hij er binnenkort niet meer zou zijn. Het was onaanvaardbaar voor haar. Een paar tellen later ging de deur van de salon open en hij werd zachtjes weer gesloten. Emily voelde Alexanders armen om zich heen. Hij draaide haar om, zodat ze tegenover hem stond, haalde een zakdoek uit zijn zak en bette de tranen van haar gezicht.
'Kom, Dumpling, hou je taai. Voor mij,' zei hij. 'Ik kan het niet aanzien dat je zo overstuur bent. Daar help je mij niet mee. Ik weet heel goed dat dit een grote schok voor je is, maar aan de andere kant bestaat er geen *gemakkelijke* manier om zoiets aan te kondigen. Hoe moet je degenen die je dierbaar zijn nu vertellen dat je stervende bent?'
Emily kon geen antwoord geven. Haar ogen schoten weer vol en ze begroef haar gezicht tegen zijn borst, terwijl ze zich stevig aan hem vastklampte.
'Ik vond het fijn dat je me aan Grans opvatting herinnerde,' zei hij zachtjes. 'Toen kon ik het er inderdaad uitgooien. Ik heb het wekenlang voor me uitgeschoven.'
Alexander streek met zijn hand over haar haren. Hij was even stil, toen merkte hij op: 'Ik heb mijn ziekte een hele tijd voor je verborgen gehouden, zusjelief. Maar binnenkort merkt iedereen het toch. Je moest het dus wel weten. En er zijn een heleboel dingen die goed geregeld moeten worden. Nu meteen. Die kunnen niet langer worden uitgesteld... De tijd vliegt, vooral als je probeert hem vast te houden.'
Emily slikte moeizaam. Ze wilde zo graag sterk zijn, maar dat viel haar moeilijk. Ze stond heel stil en sloot haar ogen. Toen ze even later haar zelfbeheersing enigszins had hervonden, zei ze: 'Nu is voortaan alles anders, Sandy. Als jij... er niet meer bent. Wat moeten we allemaal beginnen? Wat moet *ik* doen?' Terwijl ze dat zei, drong het tot haar door hoe egoïstisch ze was, maar ze had de woorden al uitgesproken; ze kon ze niet meer inslikken. Als ze zich verontschuldigde, maakte dat de zaak alleen maar erger.
'Jij redt je wel, Emily,' zei hij zachtjes en vertrouwelijk. 'Jij gaat gewoon door, jij bent sterk en moedig... Jij hebt net zo'n geestkracht als Gran. Zij heeft je als klein meisje al geleerd hoe je moet doorvechten, en jij hebt Winston en je gezin.' Er voer een diepe zucht door

Alexander, en alsof hij hardop dacht, fluisterde hij met zijn mond tegen haar haren: 'Francesca redt zich ook wel nu ze met Oliver is getrouwd, maar ik maak me zorgen over Amanda. Ze is zo'n kwetsbare jonge vrouw, ze is zo gevoelig. Jij houdt haar in de gaten, hè?' Voor het eerst klonk Alexanders stem ietwat onvast. Hij wendde zijn blik af zodat ze zijn gezicht niet kon zien en kuchte achter zijn hand.
'Natuurlijk, lieve, dat weet je toch,' antwoordde Emily.
Ze bleven nog een paar minuten dicht bij elkaar staan.
Alexander trok haar nog dichter tegen zich aan om zoveel mogelijk van zijn tanende moed te verzamelen, want hij wist dat hij het komende half uur veel te zeggen had. Hij keek er bepaald niet naar uit. Maar het moest gebeuren en hij had voor zichzelf al uitgemaakt dat een zakelijke benadering het beste was.
Emily voelde Sandy's botten door zijn kleren heen en het drong tot haar door hoe mager hij was geworden. Ze maakte zich los en wierp hem een tersluikse blik toe. Toen ze opmerkte hoe bleek hij zag en dat hij donkere kringen onder zijn ogen had, zonk de moed haar in de schoenen. Ze kon maar niet begrijpen dat ze niet eerder had gemerkt dat hij ziek was en ze was boos op zichzelf dat ze de laatste maanden niet beter had opgelet.
Alexander liet haar gaan, pakte zijn zakdoek en droogde nog een keer haar vochtige wangen. Hij glimlachte eventjes. Wat was ze toch blond en tenger. Ze deed hem altijd denken aan een breekbaar porseleinen poppetje. Niettemin bezat ze een grote innerlijke kracht en ze had iets onverzettelijks dat hem aan hun grootmoeder deed denken. Hoe ontdaan ze nu ook was, hij wist dat ze op de lange duur een steunpilaar voor iedereen zou zijn. Op zijn zuster kon hij rekenen. Net als Emma Harte vóór haar, had ze karakter.
Emily merkte dat Alexander haar aandachtig bestudeerde. 'Ik red me wel, Sandy,' zei ze alsof ze zijn gedachten had kunnen lezen.
Alexander knikte en glimlachte haar toe.
Na een korte stilte vervolgde Emily langzaam en zachtjes: 'Je bent niet alleen een geweldige broer voor me geweest, maar ook een moeder, vader en vriend. Jij bent... *alles* voor me geweest, Sandy. Dat heb ik je nog nooit met zoveel woorden gezegd, maar nu moet je weten wat ik voel...'
'Dat weet ik heel goed,' onderbrak hij haar gauw, want hij kon op dit moment geen emotionele ontboezemingen meer verdragen. 'En ik hou ook van jou, Emily. Kom, laten we maar weer naar de salon gaan, naar de anderen, vind je ook niet? Er moet van alles geregeld worden. Met het oog op de toekomst.'

'Ik wil het eerst hebben over de zakelijke aspecten. Over Harte Enterprises om precies te zijn,' begon Alexander toen ze eenmaal weer bij de open haard zaten.
'Ja, natuurlijk, zoals je wilt,' zei Paula. Haar ogen zagen rood en betraand, wat ondanks haar kalmte haar emoties verried. Het was duidelijk dat ze had gehuild toen Alexander en Emily de kamer uit waren, maar nu leek ze zichzelf weer in de hand te hebben.
'Ik heb de tijd gehad om alles uit te stippelen,' zei Alexander, 'en ik wil eerst met jullie van gedachten wisselen, voordat ik definitieve beslissingen neem. Ik heb graag dat jullie je bijdragen leveren, daarna voer ik mijn plannen pas uit.'
'Maar ik ben helemaal niet betrokken bij het familiebedrijf,' bracht Anthony hem meteen in herinnering. 'Weet je zeker dat je mij erbij wilt hebben?' Hij keek Alexander vragend aan.
'Natuurlijk. Je bent de oudste van de kleinkinderen van Emma Harte, dus...'
'Paula is toch hoofd van de familie,' weerlegde Anthony. 'God zij dank. Ik moet je bekennen dat ik niet graag in haar schoenen zou staan.'
Alexander glimlachte een beetje wrang. 'Ik weet wat je bedoelt. Maar goed, jij bent mijn eerste vriend en ik wil gewoon dat je erbij bent. Laten we maar zeggen vanwege je mooie steun, hè, ouwe kerel?'
De graaf knikte, stond op en beende naar de bar, waar hij zijn whisky-soda bijvulde. Hij keek naar Paula en Emily. 'Willen jullie nog iets drinken?'
Beide vrouwen schudden van nee.
'En jij, Sandy?'
'Nee, ik hoef op dit moment niets, dank je.'
Alexander wachtte tot Anthony weer op de bank zat, toen wendde hij zich tot Emily. 'Het spijt me dat ik deze bijeenkomst heb belegd terwijl Winston in Canada zit, maar het moest deze week gebeuren, want morgen moet ik voor therapie naar het ziekenhuis. Hij had er uiteraard bij moeten zijn, als hoofd van Yorkshire Consolidated Newspaper Company en van onze Canadese kranten. Aan de andere kant zijn de afdelingen die hij runt niet van groot belang voor dit gesprek.'
'Daar heeft hij heus wel begrip voor, Sandy.' Emily boog zich naar voren en keek haar broer met haar groene ogen indringend aan. 'Hoe lang moet je naar het ziekenhuis?' vroeg ze openlijk bezorgd.
'Een paar dagen maar, maak je er maar geen zorgen over. De behandeling heeft effect. Nu, ik wil graag verder. Ik begrijp heel goed dat het niet leuk is om erover te praten, maar wees alsjeblieft niet verdrie-

tig. Het moet allemaal worden gezegd, en ik wil mijn zaken in goede orde achterlaten... een typisch Harte-trekje, denk ik.'
Alexander keek van de een naar de ander en ging toen voort met zijn uiteenzetting. 'Ik heb de afgelopen weken op alle denkbare manieren een analyse gemaakt van Harte Enterprises, om uit te maken wat er met het bedrijf moet gebeuren. Ik heb overwogen het te verkopen, want het zou honderden miljoenen ponden opbrengen, die we opnieuw zouden kunnen investeren. Vervolgens heb ik overwogen alleen bepaalde afdelingen af te stoten en andere aan te houden. Maar toen bedacht ik hoe onredelijk dat tegenover jou was, Emily.'
Voordat ze kans had gehad wat te zeggen, ging hij snel verder: 'Per slot van rekening heb jij de leiding van Genret, een van onze winstgevendste divisies, en jij bent de enige andere aandeelhoudster...'
'Op Jonathan en Sarah na,' onderbrak Emily hem. 'Maar ik geloof niet dat die belangrijk zijn.'
'Dat zijn ze niet,' beaamde Alexander. 'In ieder geval, Emily, ik besefte dat het nogal eigengereid van me was om beslissingen te nemen zonder jou erin te kennen. En het was zeker verkeerd van me om aan te nemen, zoals ik aanvankelijk deed, dat jij Harte Enterprises niet zelf zou willen leiden. Maar een paar dagen geleden bedacht ik nog iets anders... Wat zou Grandy van ons verwacht hebben ten aanzien van Harte Enterprises, gezien mijn ziekte? Meteen concludeerde ik dat zij niet gewild zou hebben dat we het bedrijf verkochten. Het is te solide, te winstgevend en te belangrijk voor de familie als geheel om op te geven. Ben je het daarmee eens?'
'Ja,' antwoordde Emily moeizaam, want ze was zich heel goed bewust wat de toekomst zonder haar broer zou betekenen.
'Paula, wat vind jij?' vroeg Alexander.
'Je hebt volkomen gelijk, wat alles betreft,' zei Paula. Ze deed haar best om gewoon te doen. 'Grandy stond heel emotioneel tegenover Harte Enterprises. Zij zou willen dat Emily het bedrijf in jouw plaats voortzette. Dat is toch zeker je bedoeling?'
'Ja, ik vind dat Emily voorzitster van het bestuur en hoofddirecteur moet worden. Dat moeten we de komende weken regelen. Op die manier gaat de leiding soepel in andere handen over en kan ik me terugtrekken. Betrekkelijk gauw, hoop ik.'
'Je wilt zeker dat Amanda Genret gaat leiden?' opperde Emily voorzichtig.
'Als jij het goedvindt. De enige afdeling die volgens mij moet worden afgestoten is Lady Hamilton Clothes.'
'Aan de Kallinski's waarschijnlijk,' onderbrak Paula hem.
'Ja.' Alexander schraapte zijn keel, pakte zijn glas en nam een slokje

wijn. 'Als iemand aanspraak op Lady Hamilton Clothes mag maken, is het oom Ronnie wel. Om sentimentele redenen en vanwege de zeventig jaar dat onze families al met elkaar te maken hebben. Ik vind dat we alles binnen de drie clans moeten houden. Zoals jullie alle twee weten' – hij keek van Emily naar Paula – 'is oom Ronnie bereid te betalen wat we vragen. Daar maak ik me geen zorgen over. Mijn enige echte zorg is dat jullie je in die deal kunnen vinden, Paula. Hoewel jij niet betrokken bent bij de leiding van Harte Enterprises, levert Lady Hamilton wel collecties aan de Harte-warenhuizen en de boetieks.'

'Oom Ronnie verzekert me dat dat zo blijft, op exclusieve basis zelfs. We hebben vorig jaar augustus al over het idee gesproken,' vertelde Paula.

'En, Emily?' Alexander keek haar vragend aan.

'Ja, ik vind het goed. Maar Amanda? Zij heeft een zwak voor die afdeling, Sandy.'

'Dat weet ik. Maar onder deze onverwachte omstandigheden zal ze heus wel begrip hebben voor het feit dat er bepaalde veranderingen optreden; het bedrijf moet in zekere zin gestroomlijnd worden. Grandy's filosofie was dat we het bedrijf als geheel trouw moeten blijven, niet alleen de afdelingen op zich. Ik geloof daar ook in, zoals jij en Amanda weten. Hoe dan ook, Genret zal een uitdaging voor Amanda zijn, net als voor jou toen je het twaalf jaar geleden van Len Harvey overnam.'

'Dat is waar... ja...'

'Wat is er, Emily?' wilde Alexander weten. Hij keek haar fronsend aan. 'Je doet zo aarzelend.'

'Eigenlijk aarzel ik niet. Alleen ben ik niet zo goed op de hoogte van de onroerend-goedafdeling van Harte Enterprises. Daar zit ik mee.'

'Dat is niet echt een probleem, zusjelief. Thomas Lorring is mijn rechterhand op die afdeling, en hij leidt die in feite al enkele jaren. Dat weet jij ook wel, Emily.' Hij keek haar lang en indringend aan. 'Hij zal voor jou hetzelfde doen als jij het van me overneemt... en dat doe je toch?'

'Natuurlijk.' Emily leunde bevend achterover, in haar hart wensend dat ze niet in haar broers voetsporen hoefde te treden. Kon alles opeens maar weer zo zijn als gisteren. Ze verlangde naar Winston en betreurde het dat haar man hier niet bij was, dat hij pas over een week naar Engeland terugkwam. Die gedachte maakte haar nog neerslachtiger.

'Je hebt de zaak goed op een rijtje gezet,' merkte Paula op.

Sandy stond op, liep naar het raam en staarde met nietsziende ogen

uit over de tuin. Zonder zich om te draaien, zei hij: 'Volgens mij zijn het, gezien de situatie, voor de hand liggende veranderingen.' Hij bleef nog even roerloos in de erker staan.
Niemand zei een woord.
Ten slotte liep Alexander terug naar de open haard en ging met zijn rug naar het laaiende vuur staan om zich te warmen.
Zonder verdere plichtplegingen ging hij energiek en op zakelijke toon verder: 'Nu wat mijn testament betreft. Ik ben van plan dit huis aan Francesca na te laten en Nutton Priory aan Amanda. Uiteraard is Villa Faviola voor jou, Emily.'
'O Sandy...' Ze zweeg abrupt, want haar keel werd dichtgesnoerd. Ze moest de opwellende tranen wegknipperen.
Sandy ging meedogenloos verder. 'Vijftig procent van mijn privé-vermogen wordt verdeeld tussen jullie drieën, en de andere vijftig procent gaat naar de kinderen in de familie. Niet alleen naar mijn neefjes en nichtjes, maar ook naar jouw kinderen, Paula, en de jouwe, Anthony.'
Ze knikten beiden begrijpend.
Anthony wendde zich af, want hij wilde niet dat Alexander zag hoe zijn gezicht vertrok van emotie. Hij keek strak naar het schilderij tegenover hem.
Paula draaide nerveus haar trouwring om en om; ze staarde neer op haar handen, bepeinzend hoe onzeker het leven was. Diezelfde middag nog had ze zichzelf een compliment gemaakt met de vele dingen die ze de laatste tijd had verwezenlijkt, en ze was gelukkig geweest. Nu voelde ze zich opeens ellendig, bezorgd en ongerust, en ze moest de ontijdige dood van een geliefde neef onder ogen zien, een neef die ook een dierbare vriend en een belangrijke zakenpartner was. De gevolgen van Sandy's dodelijke ziekte waren op diverse niveaus verstrekkend.
'En nu, Emily,' vervolgde Alexander, vastbesloten om vanavond nog alles af te ronden opdat dit soort discussie niet meer nodig zou zijn, 'komen we op mijn belangen in Harte Enterprises. Om precies te zijn, de tweeënvijftig procent die Grandy me heeft nagelaten. Ik geef tweeëndertig procent aan jou en twintig procent aan Amanda. Ik laat geen van mijn aandelen na aan Francesca, want zij werkt niet voor het bedrijf.'
'Ja, ik begrijp het... Dank je,' zei Emily zo gewoon mogelijk. 'Alleen vraag ik me af... Is dat wel fair tegenover Amanda, Sandy?' Ze vroeg het zachtjes, want ze wilde niet tegen hem in gaan, maar tegelijkertijd wilde ze dat haar halfzuster voor de volle honderd procent bij Harte Enterprises betrokken werd. Per slot van rekening

zouden zij het bedrijf uiteindelijk met z'n tweeën leiden.
'Ik vind het meer dan redelijk,' antwoordde Alexander prompt. 'Grootmoeder vond dat de leiding in handen moest zijn van een van ons om te voorkomen dat we onenigheid kregen, en zo wil ik het ook. Daarom heb ik mijn aandelen op die manier verdeeld. Jij wordt de grootste aandeelhoudster en het hoofd van Harte Enterprises, wat ik nu nog ben.' Zijn stem klonk voor zijn doen flink en hij duldde geen tegenspraak; twijfel over zijn gevoelens en ruimte voor verdere discussie ontbraken.
Emily onthield zich van commentaar en keek in het vuur, worstelend met de haar overweldigende droefheid. Ze kon nog steeds niet bevatten dat haar broer niet veel langer in hun midden zou verkeren, dat hij volgend jaar om deze tijd dood zou zijn. Het was haar droef te moede en opnieuw verlangde ze naar haar echtgenoot om de troostende aanwezigheid en de emotionele steun die Winston haar gaf.
Anthony nam ten slotte het woord. 'Als je behandeling achter de rug is, wil ik dat je op Clonloughlin komt logeren, Sandy. Zolang je wilt en kunt.'
'Ja, dat wil ik heel graag. Het zal me goed doen bij jullie te zijn. Daarna, Emily, wil ik een paar weken uittrekken om alle aspecten van het werk met je door te nemen. Begrijp me goed, ik geloof dat je het blindelings zou kunnen.'
Emily beet op haar lip, knikte even en keek naar Paula. Haar ogen waren een stille smeekbede.
Paula overbrugde dit moment van spanning en zei hartelijk en opgewekt: 'Kan ik nog iets voor je doen, Sandy? Om het je gemakkelijker te maken?'
'Eigenlijk niet, Paula, maar bedankt voor je aanbod. O, wacht eens even! Ja, er is iets wat jullie *allemaal* voor me kunnen doen!' Zijn intelligente, lichtblauwe ogen keken hen aan en hij ging er iets gemakkelijker bij staan. 'Ik zou het nieuws over mijn ziekte graag stil willen houden, als jullie het niet erg vinden. Ik voel er niets voor om hèt gespreksonderwerp in de familie te worden. En ik wil zeker niet worden geconfronteerd met droefenis en medelijden, of met allemaal lange, treurige gezichten om me heen.'
Emily keek hem diep geschokt aan. 'Ik heb alle begrip voor je opvatting,' zei ze, en zweeg. Met trillende stem ging ze verder: 'Ik zal proberen het niet aan Winston te vertellen, maar het zal me niet meevallen...'
'O, maar natuurlijk moet je het hèm wel vertellen!' riep haar broer uit. Hij keek naar Paula en Anthony. 'En jullie moeten het natuur-

lijk aan Shane en Sally vertellen. Het was niet mijn bedoeling hen erbuiten te houden, dat geldt alleen voor jullie kinderen. En de jouwe, Emily, en onze halfzusters. Ik wil niet dat Amanda en Francesca het horen... tenminste, nog niet.'
'En mammie?' vroeg Emily opeens zorgelijk. 'Moeten we het ook voor haar geheim houden?'
Alexander knikte. 'Ja, heel graag zelfs. Het is beter dat moeder van niets weet. Ze heeft toch al de neiging om van een mug een olifant te maken. Ze zou mij alleen maar van streek maken.'
Hij liep met grote passen naar het antieke dressoir, pakte de fles witte wijn en ging ermee naar Paula en Emily. 'Nu, dat was het wel zo'n beetje,' zei hij terwijl hij hun kristallen glazen bijvulde. 'Ik geloof dat ik alles heb gezegd. O ja, Emily, John Crawford is op de hoogte van de situatie. Hij is mijn juridisch adviseur, dus hij moest het wel weten. Hij helpt je met alle eventuele juridische kwesties nadat ik... eh... als ik er niet meer ben.'
'Goed,' zei ze met een heel klein stemmetje. Ze wrong haar handen samen op haar schoot, wensend dat hij het niet steeds over zijn naderende dood zou hebben.

'Dit moet een afschuwelijke last voor je zijn geweest om alleen te dragen, Sandy,' zei Anthony korte tijd later.
Emily en Paula waren samen vertrokken en de twee mannen zaten nog even iets te drinken in de salon voordat ze zouden gaan eten. Terwijl hij zijn neef aandachtig opnam, voegde de graaf er nog aan toe: 'Je had het me eerder moeten vertellen.'
'Misschien,' gaf Alexander toe. 'Maar eerlijk gezegd moest ik eerst zelf in het reine komen met mijn ziek-zijn. Zoals ik al uitlegde, heb ik een scala aan emoties doorgemaakt: ongeloof, boosheid, frustratie en aanvaarding. Toen kwam de woede weer opzetten, en de frustratie, en dat gevoel van absolute hulpeloosheid. Ik ben een hele tijd tussen al die emoties heen en weer geslingerd, en uiteraard kon ik niemand in vertrouwen nemen zolang ik er zelf nog niet mee kon omgaan. Vanzelfsprekend wilde ik alles proberen om genezing te zoeken, als die er was. Ik ontdekte algauw dat er niets anders opzat dan me te laten behandelen en nog iets van de tijd af te knabbelen.'
Alexander glimlachte flauwtjes en haalde zijn schouders op. 'Ik heb me er nu bij neergelegd, Anthony. Ik heb mezelf volledig in de hand. Daarom kon ik het jullie vanavond eindelijk vertellen. Nu die beproeving achter de rug is, kan ik me ontspannen en de komende paar maanden zo gewoon mogelijk doorgaan. Ik ben van plan er alles uit te halen wat erin zit...'

'Ja,' zei Anthony, maar hij ontdekte dat hij niet meer verder kon gaan. Hij nam gauw een slokje whisky. Zonde en jammer, dacht hij en hij vroeg zich af of hij onder gelijke omstandigheden net zo moedig en verstandig had kunnen optreden als zijn neef. Daar was hij nog niet zo zeker van. Er was karakter voor nodig om zo stoïcijns je eigen naderende dood onder ogen te kunnen zien.
'Kom, Anthony,' zei Alexander, 'kijk niet zo somber. En doe alsjeblieft niet sentimenteel tegen me. Dat kan ik niet verdragen... Ik heb het vanavond al moeilijk genoeg gehad met Emily's gevoelens. Ik besef heel goed hoe moeilijk het voor jullie allemaal is... Maar heus, voor mij is het nog moeilijker.'
'Sorry, sorry. Neem me niet kwalijk, ouwe jongen.'
'Natuurlijk niet... Ik wil dat alles zo gewoon mogelijk gaat. Dat maakt het voor mij een stuk gemakkelijker. Ik moet nu proberen mijn ziekte te negeren en zo goed en rustig mogelijk mijn werk te doen. Anders wordt het een ware hel.'
'Maar je komt toch naar Clonloughlin?'
'Ja, over een week of twee.'
'Geweldig. Sally en ik verheugen ons erop. Hoe lang denk je te kunnen blijven?'
'Een dag of tien, misschien twee weken.' Alexander dronk zijn laatste slokje wijn en zette het glas op het bijzettafeltje vlak bij de open haard. 'Ik heb voor negen uur een tafel besproken in Mark's Club. Misschien kunnen we daar zo meteen heen wandelen, en nog iets aan de bar drinken...?'
De telefoon rinkelde in de bibliotheek, die aan de salon grensde. Alexander stond op. 'Neem me niet kwalijk,' zei hij terwijl hij zich erheen haastte. Even later kwam hij terug. 'Het is voor jou, Anthony... Sally, vanuit Ierland.'
'O ja, dat verwachtte ik al. Dank je.'
'Vertel haar nu nog niets. Niet over de telefoon,' zei Sandy.
'Ik pieker er niet over,' stelde Anthony hem gerust terwijl hij door de dubbele deur naar de bibliotheek beende.

Toen hij alleen was ging Alexander op een bank zitten en sloot zijn ogen.
De afgelopen uren waren vermoeiend geweest en hadden hun tol geëist. Hoewel de anderen hun best hadden gedaan hun gevoelens te verbergen om dapper te zijn, waren ze toch vreselijk ontdaan geweest. Dat had hij van tevoren geweten. Daarom had hij er zo tegenop gezien om het hun te vertellen. Hij had de beproeving alleen kunnen doorstaan door zich uiterst afstandelijk en nuchter op te stellen.

Hij had zich inmiddels bij zijn dood neergelegd; hij was in het reine gekomen met zijn lot. Daardoor had hij zijn dierbaarsten in vertrouwen kunnen nemen, want hij kon hen helpen hetzelfde te doen. Uiteraard zou Emily het 't moeilijkst hebben. Ze waren sinds hun jeugd al onafscheidelijk. Ze waren in zekere zin op elkaar aangewezen. Hun moeder was toentertijd zo wispelturig geweest; ze was van de ene man naar de andere gerend en ze had aldoor de verkeerde getrouwd. En hun lieve maar willoze vader, die gebukt ging onder zijn liefdesverdriet, was zich hun bestaan nauwelijks bewust geweest. Alexander zuchtte zachtjes. Wat een ramp was het leven van zijn vader geweest. En dat van zijn moeder ook. Maar was het hele leven eigenlijk geen ramp?
Alexander zette die gedachte onmiddellijk uit zijn hoofd, want hij wilde zich niet verliezen in diep-filosofische overpeinzingen, wat de laatste tijd een gewoonte was geworden. Dat zou Grandy niet goedkeuren, zei hij tegen zichzelf, en glimlachte bij de gedachte aan Emma Harte. Zij was onoverwinnelijk geweest, tot het allerlaatst toe. Voor haar was het leven een grote triomftocht geweest. Daar ging hij met zijn theorieën... Maar ach, voor sommige mensen was het leven misschien wel gebaseerd op kommer en kwel.
Hij sloeg zijn ogen op en keek de kamer rond. Het vertrek zag er die avond sfeervol uit in het schijnsel van de lampen en de gloed van het vuur. Maggie had de salon vlak na hun huwelijk ingericht en hij moest er altijd aan een Engelse lente denken, in welk seizoen ook, met de primula- en narcisgele tinten, het zachte blauw en de vele nuances groen. Steeds wanneer er behangen en geverfd moest worden, had hij opdracht gegeven hetzelfde kleurenschema aan te houden. Dat deed hij al sinds haar dood...
Zijn neef onderbrak zijn overpeinzingen. 'Zeg Sandy, is alles goed met je?' Anthony stond over hem heen gebogen, met een bezorgde blik op zijn gezicht.
Alexander ging overeind zitten. 'Ja hoor, prima. Ik nam het er eventjes van... De afgelopen uren waren wat vermoeiend.'
'Dat begrijp ik. Kom, laten we naar Mark's gaan.'
Nog geen tien minuten later vertrokken de twee neven uit Alexanders huis op Chesterfield Hill en gingen op weg naar Charles Street, waar de club gevestigd was.
Het was een kille, winderige avond en Alexander zette de kraag van zijn jas op en stak zijn handen rillend in zijn zakken. 'Hoe gaat het eigenlijk met Sally?' vroeg hij terwijl hij zijn tempo naar dat van Anthony regelde.
'Uitstekend, zoals altijd. Je moest de groeten hebben. Ik heb verteld

dat je komt logeren... Maar meer heb ik niet gezegd.'
'Uitstekend.'
Zwijgend liepen ze verder. Opeens merkte Anthony op, als sprak hij tot zichzelf: 'Toch was er iets eigenaardigs...'
'O, hoezo?' vroeg Alexander, hem nieuwsgierig aankijkend.
'Sally vertelde me dat Bridget aldoor wilde weten wanneer ik weer naar Clonloughlin kwam... Volgens Sally wil ze graag met me praten. Sally zei dat ze vandaag zelfs wat geagiteerd deed.'
'Dat is zeker vreemd. Aan de andere kant, ik heb je huishoudster altijd al een tikje excentriek gevonden, als je me de uitdrukking vergeeft.'
'O ja, meen je dat? Hmmm. Misschien is ze dat wel... en een beetje overdreven emotioneel ook, zoals zoveel Ieren. Ach, het zal wel niets belangrijks zijn,' concludeerde Anthony terwijl ze Charles Street overstaken.
Maar hij had ongelijk. Gebeurtenissen van tien jaar terug zouden hem komen achtervolgen.

29

Het regende op de eerste ochtend dat Anthony terug was op Clonloughlin en er hing een dunne nevel die de skeletachtige boomsilhouetten en de hoge schoorstenen die zo somber tegen de loodgrijze lucht afstaken, verzachtte.
Terwijl hij het middenpad tussen de weidse gazons afliep, bepeinsde hij hoe prachtig het huis eruitzag, zelfs op deze donkere winterdag. Die symmetrische, harmonische proporties, die hoge ramen en de vier witte Palladiaanse zuilen aan de voorkant... Het statige landhuis dateerde uit de periode van koning George en was gelegen op een licht glooiende heuvel midden in een schitterend park en het uitzicht uit alle ramen was spectaculair. Het waren er driehonderdvijfenzestig bij elkaar, één voor elke dag van het jaar, een mooi soort waanzin bij zijn voorvader die het huis in de achttiende eeuw had laten bouwen. Maar het was een gekte waar Anthony inwendig altijd bewondering voor had gehad. De vele ramen waren uniek; ze gaven de gevel een zekere élégance, boden van binnenuit een blik op de landelijke omgeving en lieten het hele jaar door licht en lucht in die prachtige vertrekken binnen en tijdens de zomermaanden gedempt zonlicht.
Anthony hield van Clonloughlin met een heftige, duurzame hartstocht. Het was zijn voorvaderlijk thuis en hij had nooit ergens anders willen wonen. Vijfenveertig jaar geleden was hij hier geboren

en als het zijn tijd was, zou hij hier sterven. En zijn zoon Jeremy zou zijn plaats innemen, zodat het geslacht Standish eeuwenlang zou blijven heersen.
Zijn gedachten dwaalden naar Alexander en hij werd door droefheid overspoeld, net als de vorige avond, toen hij met Sally had gesproken. Hoewel ze hem van Cork Airport had afgehaald, had hij haar het ernstige nieuws niet tijdens de rit naar huis willen vertellen. Hij had ook nog niets gezegd toen ze op Clonloughlin waren aangekomen, maar had gewacht tot ze alleen waren in hun slaapkamersuite. De brute feiten over Sandy's ziekte hadden Sally danig van streek gemaakt. Ze had gehuild en hij had haar getroost. Om haar wat op te vrolijken en te proberen een zo positief mogelijke houding aan te nemen, hadden ze uitgebreid plannen gemaakt voor de periode dat Sandy na zijn verblijf in het ziekenhuis bij hen zou komen logeren. Maar later, toen Sally in zijn armen in slaap was gevallen, waren haar wangen opnieuw nat geweest van tranen. Zij en haar broer Winston waren met Sandy en Emily in Yorkshire opgegroeid. Ze hadden een ongewoon hechte band gehad en Sandy was een van de peetvaders van Giles, hun negenjarige zoon.
Toen hij dichter bij het huis kwam, sloeg Anthony linksaf, wandelde eromheen en ging via de achterdeur naar binnen. In de bijkeuken ontdeed hij zich van zijn regenjas en tweed pet, die beide doorweekt waren, en hing ze aan de kapstok. Daarna ging hij op de houten stoel zitten, trok zijn groene rubberlaarzen uit, stapte in een paar bruine, lage schoenen en haastte zich door de gang naar de bibliotheek.
Er heerste nog een diepe rust in huis.
Het was nog vroeg, pas zeven uur, en Sally sliep nog, evenals de kinderen een verdieping hoger. Nadat hij zich had geïnstalleerd aan het bureau voor het raam, trok hij een stapel correspondentie naar zich toe en begon de post te sorteren, die zich had opgehoopt tijdens de week dat hij voor zaken naar Londen was geweest.
Pas toen ze iets zei, hoorde hij dat de huishoudster de kamer was binnengekomen.
'Goedemorgen, *your lordship,*' zei Bridget O'Donnell. 'Ik had niet verwacht dat u al zo vroeg op zou zijn. U was gisteravond zo laat terug. Neemt u me niet kwalijk dat ik de haard nog niet had aangemaakt.'
'Aha, goedemorgen, Bridget,' zei Anthony met een vluchtig glimlachje terwijl hij opkeek van zijn bezigheden. 'Geeft niet hoor, ik heb het niet koud.'
'Het water kookt. Ik steek even de haard aan en dan breng ik u een pot thee en wat toost.'

'Graag,' mompelde hij, terwijl hij naar zijn paperassen keek, zich intussen afvragend of hij haar zou vragen wat ze met hem wilde bespreken. Maar hij bedacht zich. Het was veel beter om te wachten tot hij zich gesterkt voelde door een licht ontbijt. Bridget kon vreselijk wijdlopig vertellen, wat veel van zijn geduld vergde. Daar was hij vanmorgen niet voor in de stemming.
Hij hoorde dat er lucifers werden afgestreken, waarna een zacht geluid volgde toen het papier en de aanmaakhoutjes vlam vatten en het vuur de brede schoorsteen in vloog. Vervolgens klonk het geluid van de blaasbalg en een geknars toen ze het scherm voor de open haard zette, waarna ze eindelijk naar de keuken ging.
Anthony pakte de brief in het handschrift van zijn zoon. Jeremy was net teruggekeerd naar Eton, na de kerstvakantie, en terwijl hij de envelop opensneed vroeg hij zich af wat zijn oudste zoon en erfgenaam te zeggen zou hebben. Hij zou wel weer geld nodig hebben. Jongens van elf zaten altijd krap bij kas. Hij glimlachte. Jeremy leek sprekend op hem op die leeftijd. Toch maakte hij zich soms zorgen over de jongen. Jem was lichamelijk niet erg sterk; hij genoot niet die blakende gezondheid zoals zijn broer Giles en zijn zusje India. Anthony moest zich voortdurend beheersen, anders vertroetelde hij hem te veel, net als Sally.
Anthony keek de brief snel door. Zoals gewoonlijk was het een fragmentarisch verslag – met hiaten – over Jeremy's bezigheden van de afgelopen paar dagen sinds hij weer op school was, met een p.s., onderstreept, *stuur geld, het is dringend, pap, alsjeblieft, pap, alsjeblieft.*
Bridget kwam eerder dan hij had verwacht met het ontbijt aanzetten en toen ze naderde legde Anthony de brief weg.
'Waar wilt u het hebben, *your lordship?*'
'Zet het maar hier op het bureau,' antwoordde hij, terwijl hij de papieren die hij even tevoren had doorgenomen opzij schoof.
Ze deed wat hij had gevraagd, waarna ze naar de andere kant van het grote bureau liep en hem aankeek.
Hij pakte de theepot en schonk zijn grote mok vol, deed er melk bij en wierp haar toen een blik toe. 'Ja, wat is er, Bridget?'
'Ik moet met u praten, lord Dunvale. Het is belangrijk.'
'Nu?'
'Ja, *meneer,* het lijkt me wel... Ik moet het kwijt... vanmorgen nog.'
Anthony onderdrukte een zucht. 'Goed dan.' Hij smeerde zijn favoriete marmelade op de beboterde toost, nam een hap en vervolgens een slok thee. Toen de huishoudster bleef zwijgen, zei hij: 'Toe maar,

Bridget, steek van wal. En blijf daar niet zo rondhangen, je weet dat ik daar niet tegen kan. Ga alsjeblieft zitten.'
Ze ging tegenover hem zitten, friemelde zenuwachtig met haar handen in haar schoot en keek hem met haar donkerblauwe ogen strak aan.
De graaf at zijn toost op en wachtte tot ze begon. Ten slotte trok hij een wenkbrauw op.
Bridget begon langzaam: 'Ik weet niet goed hoe ik het u moet vertellen,' en zweeg weer.
Anthony, die net nog een slok thee wilde nemen, zette zijn mok abrupt neer en keek haar geschrokken aan. Dit was de tweede keer binnen enkele dagen dat iemand zo begon. Eerst Sandy, en nu Bridget. Het leek hem een slecht voorteken. 'Je kunt tegen mij toch alles zeggen, Bridget. Per slot van rekening kennen we elkaar al van kinds af aan.'
De huishoudster knikte. 'Eh, ja, *your lordship*... Wat ik wil zeggen... Nou ja, het gaat over lady Dunvale.'
'O ja?' zei hij verbaasd en hij kneep zijn ogen halfdicht.
'Niet déze lady Dunvale. De eerste.'
'Mijn moeder?'
'Nee, nee, niet de douairière. Uw eerste vrouw... die bedoel ik... lady Minerva, *meneer*.'
Verbaasd ging Anthony achterover zitten. Hij keek Bridget lang en onderzoekend aan. 'Wat is er dan wel met wijlen lady Dunvale?' vroeg hij ten slotte.
'Het... eh... eh... heeft te maken met haar dood.'
Een ogenblik lang kon hij niet spreken of zich verroeren. Instinctief wist hij dat hij iets afschuwelijks te horen zou krijgen en hij staalde zich voordat hij zachtjes opmerkte: 'Is het nog van belang om over haar dood te spreken... Zo lang nadat het is gebeurd?'
'Ja,' antwoordde Bridget bondig.
'Waarom?' vroeg hij onwillekeurig, al wilde hij helemaal niet horen wat ze te zeggen had.
'Omdat ik het niet langer met mijn geweten kan verenigen,' zei Bridget. 'Ik moet u vertellen wat er werkelijk is gebeurd... Het is een zware last voor me geweest. Het is nog steeds een nachtmerrie... zelfs na al die jaren.'
Zijn mond was heel droog geworden.
'Het was geen zelfmoord, al zeiden ze dat bij het gerechtelijk onderzoek.'
Hij fronste niet-begrijpend. 'Wil je me vertellen dat lady Dunvale in het meer is gevallen, dat het een *ongeluk* was, wat ik altijd heb be-

weerd? Dat ze zichzelf niet van het leven heeft beroofd?'
'Nee, dat heeft ze niet gedaan, ze...' Bridget maakte haar zin niet af, kneep haar lippen opeen en mompelde toen: 'Ze is erin *gegooid.*'
'Door wie?' Zijn stem was nauwelijks hoorbaar.
'Door Michael Lamont. Die noodlottige zaterdagavond hadden ze ruzie samen, en hij heeft haar geslagen. Ze is gevallen, met haar hoofd tegen het koperen haardscherm in zijn woonkamer. Ze had een verwonding aan haar gezicht, zoals u zich zult herinneren. De patholoog-anatoom en dokter Brennan hebben dat bij het onderzoek ter sprake gebracht. Maar goed, Lamont zag geen kans haar bij bewustzijn te brengen. Even later drong het tot hem door dat ze dood was. Hij zei dat ze een hartaanval of zoiets had gehad. Met alles wat ze die hele middag en avond had gedronken en die pillen die ze aldoor slikte... Die combinatie is haar dood geworden, zei hij. Lamont heeft haar dus in het meer gegooid om de zaak te verdoezelen en de volgende ochtend is hij erlangs gereden, en hij deed net alsof hij haar had gevonden... Toen is hij naar u toe gegaan om te zeggen dat er een ongeluk was gebeurd, en hij heeft de politie geroepen en niemand heeft *hem* er ooit van verdacht dat hij erbij betrokken was. Maar ze verdachten *u* wel. Tenminste, brigadier McNamara.'
Gebeurtenissen die ruim tien jaar terug hadden plaatsgevonden kwamen zo levendig opzetten dat Anthony zich alle bijzonderheden weer voor de geest kon halen. Hij had het gevoel alsof hij een paar fikse stompen in zijn maag had gehad en begon over zijn hele lichaam te beven. Hij vouwde zijn handen in elkaar om te verhinderen dat ze trilden en haalde een paar maal diep adem om zijn kalmte te herwinnen. 'En hoe weet jij dit allemaal, Bridget?' vroeg hij ten slotte.
'Ik had uw vrouw die midag gezien toen ze van Wateford naar Clonloughlin reed. U weet dat ze vaak naar het landgoed kwam, al had u haar dat verboden omdat u midden in die scheiding zat. Maar lady Min kon niet uit de buurt blijven, want ze was dol op Clonloughlin. Ze kwam me vaak opzoeken. En *hem* ook. Die middag hadden we samen thee gedronken en ze ging om een uur of vijf weg. Ze zei dat ze nog even naar het meer wilde... Daar kwam ze zo graag, zelfs toen ze nog een klein meisje was. Weet u nog wel dat we daar vroeger met z'n drieën gingen picknicken? Hoe dan ook, *meneer,* u zag haar rode autootje bij de oever van het meer staan, nadat uw landrover was afgeslagen en u bent naar huis gewandeld, met een omweg, om haar te ontlopen. En uw vrouw ging ook wandelen... naar het huis van Michael Lamont. Ze vertelde me dat ze bij hem ging eten, maar dat ze niet zou blijven slapen. Ziet u, *your lordship,* ze hadden...'
Bridget haalde diep adem en gooide er plompverloren uit: 'Ze had-

den een verhouding. Lady Min had me verteld dat ze om half elf nog even in de keuken bij me zou langskomen om me gedag te zeggen. Ze ging nooit van Clonloughlin weg zonder dat te doen. Toen ze om half twaalf nog niet was geweest, werd ik bezorgd en daarom ben ik haar bij Lamont gaan zoeken.'

Bridget zweeg even en aan haar gezicht was te zien dat ze op het punt stond haar zelfbeheersing te verliezen. Ze dacht terug aan hun jeugd; ze herinnerde zich hoe goed bevriend ze waren geweest... Zij en lady Minerva Glendenning, de dochter van graaf Rothmerrion, en de jonge lord Anthony Standish, nu graaf Dunvale. Wat was dat lang geleden. En toch stonden die dagen haar nog voor de geest alsof het gisteren was; het was de mooiste tijd van haar leven geweest.

Anthony sloeg haar gade en zag hoezeer Bridget het te kwaad had, hoe gekweld haar ogen stonden en hij stond op het punt een gebaar van medeleven te maken. Maar om onverklaarbare redenen bedacht hij zich. Een tikje bruusk zei hij: 'Ga door, Bridget, vertel me alles maar. *Ik moet het weten.*'

Ze knikte en slikte eens. 'Toen ik bij Lamont kwam, was de deur op slot en de gordijnen waren dicht, maar ik kon ze horen. Ze maakten elkaar uit voor rotte vis, ze zeiden de vreselijkste dingen en uw vrouw... nou ja, zo te horen was ze behoorlijk dronken. Ze had zichzelf niet meer in de hand. Opeens werd het heel stil. Doodstil. Ik werd bang. Ik bonkte hard op de deur en riep dat ik het was. Michael liet me binnen. Wat had hij anders moeten doen? Trouwens, hij wist dat lady Min en ik heel goed met elkaar waren. Toen ik haar op de grond zag liggen, stond mijn hart stil. Ik rende naar haar toe en probeerde haar bij te brengen. Maar ze was al dood. Toen bedacht Lamont dat hij haar in het meer kon gooien, om de indruk te wekken dat ze zichzelf had verdronken. Ziet u, hij wilde niet dat u wist dat hij al jaren met lady Min naar bed ging. Hij was bang dat u hem zou ontslaan als u erachter kwam. Hij kon het zich niet veroorloven zijn baan kwijt te raken. En hoewel het niet zijn schuld was dat lady Min dood was, zouden anderen dat wèl denken. Dat zei hij tegen me, *your lordship*. En hij herhaalde het steeds weer, en hij zei dat de omstandigheden heel verdacht waren.'

Anthony was verbijsterd en woedend. 'In godsnaam, waarom ben je me niet komen halen?' wilde hij op hoge toon weten. Hij verhief zijn stem, die boos én verachtelijk klonk. 'Waarom speelde je met Lamont onder één hoedje?'

Bridget kneep haar lippen op elkaar en zei niets.

Hij zag hoe koppig haar gezicht stond, hoe uitdagend de blik in die blauwe ogen was, en hij wist dat hij zich de moeite kon besparen. Als

kind al was ze onafhankelijk en recalcitrant geweest, en ze was in de loop der jaren maar weinig veranderd. Als zij geen zin had te vertellen waarom ze ten tijde van Mins dood had gezwegen, en ook al die jaren daarna, dan kon je het wel vergeten.
Hij leunde achterover in zijn stoel en bestudeerde haar peinzend. Het viel niet mee zijn woede en de neiging haar te slaan te beteugelen. Plotseling schoot er een afschuwelijke gedachte door hem heen, zo onaanvaardbaar dat hij probeerde haar te verdringen; hij kon haar niet onder ogen zien. Beheerst en weloverwogen hoorde hij zichzelf zeggen: 'Hoe wist je zo zeker dat lady Min dood was?' Hij boog zich naar voren en keek haar met zijn priemende ogen doordringend aan. 'Misschien was lady Min alleen *bewusteloos,* Bridget. En in dat geval heeft Michael Lamont haar wel degelijk vermoord, als hij haar in het meer heeft gegooid terwijl ze nog in leven was.'
'Nee, nee, ze was dood, ik weet zeker dat ze dood was!' riep Bridget opgewonden uit. Haar ogen stonden groot en wild. 'Ik weet dat ze dood was!' hield ze bijna hysterisch vol.
'Weet je nog wat er in het sectierapport stond? Dokter Stephen Kenmarr zei dat hij tijdens de sectie een bijzonder hoog gehalte aan alcohol en kalmeringsmiddelen in haar bloed had aangetroffen, en water in haar longen. Dat leidde tot de conclusie dat ze de verdrinkingsdood was gestorven. En omdat haar longen vol water zaten, kan ze nog niet dood zijn geweest toen ze in het meer werd gegooid. Volgens mij kan een lijk geen water inademen.'
Terwijl zijn woorden tot haar doordrongen, trok Bridget wit weg. Ze had Minerva liefgehad als een zuster, ze had over haar gemoederd vanaf het moment dat ze haar als kind had leren kennen.
'Nee!' schreeuwde Bridget. 'Ze leefde niet meer. Ze was dood. Ik zou haar nooit kwaad hebben gedaan. Ik hield van haar. Ik hield van haar. Dat weet u toch! Op de een of andere manier moet dat water naderhand haar longen zijn binnengekomen.'
Anthony vroeg zich af of dat mogelijk was. Wie weet... was zijn conclusie, misschien was het afhankelijk van de periode dat Min al dood was voordat ze in het water terechtkwam. Vermoeid streek hij over zijn voorhoofd, keek naar de huishoudster en vroeg haar rustig en heel beheerst: 'Was haar lichaam nog warm toen Lamont haar naar het meer droeg?'
Bridget knikte. Ze kon geen woord uitbrengen, zo geschokt was ze door de angstaanjagende theorie van de graaf.
'De rigor mortis treedt pas een paar uur na de dood in. Misschien heeft ze nog korte tijd na haar dood water kunnen opnemen. Een half uur misschien. Maar niet langer, daar ben ik absoluut zeker van.

Maar alleen een patholoog-anatoom kan me het juiste antwoord op die vraag geven,' zei Anthony zachtjes, bijna in zichzelf, alsof hij hardop zat te denken.
Bridget keek hem strak aan, haar handen wrongen samen op haar schoot.
Er viel een lange, dodelijke stilte. De spanning tussen hen was bijna tastbaar, de sfeer was verstikkend.
Ten slotte nam de graaf opnieuw het woord. Terwijl hij de huishoudster indringend aankeek, zei hij: 'Waarom besloot je opeens na zoveel jaar om me in vertrouwen te nemen? Vertel me dat eens, Bridget O'Donnell?'
'Maar dat heb ik u al verteld!' riep Bridget uit. 'Ik kon het niet langer met mijn geweten in overeenstemming brengen... U moest de waarheid weten, u kende de ware omstandigheden rond de dood van lady Min niet. Ik besefte dat het idee u plaagde... het idee dat ze zelfmoord had gepleegd terwijl ze zo onevenwichtig was. Jarenlang hebt u zichzelf de schuld gegeven, omdat u van haar wilde scheiden. En ik wist zeker dat u geloofde dat uw verhouding met uw nicht Sally Harte tot de dood van uw vrouw had bijgedragen.'
Anthony kromp ineen. In dat alles school een zekere waarheid.
Bridget keek Anthony strak aan. 'Ik wilde u geruststellen, *your lordship*,' zei ze ten slotte.
O ja? dacht Anthony, die haar allerminst geloofde. Opeens viel alles op zijn plaats en begreep hij hoe de vork in de steel zat. Hij twijfelde er niet aan of Bridget had een verhouding met Michael Lamont gehad. Maar Lamont vertrok over een paar dagen van Clonloughlin en zou nooit meer terugkomen. Hij ging naar Amerika om daar te werken voor mevrouw Alma Berringer, de jonge Amerikaanse weduwe die onlangs naar haar paardenfokkerij in Virginia was teruggekeerd, nadat ze een jaar lang Rothermerrion Lodge had gehuurd. Lamont en mevrouw Berringer konden goed opschieten, hóe goed had Anthony zich pas gerealiseerd toen Lamont een maand geleden had opgezegd en had aangekondigd dat hij naar Amerika ging verhuizen.
Anthony stond op, liep naar de grote gemetselde open haard, pakte de poker en porde in het vuur. Zijn gezicht stond peinzend. Hij was ervan overtuigd dat hij het bij het juiste eind had. Langzaam draaide hij zich om en bestudeerde Bridget nauwlettend. Hoewel ze nooit echt knap was geweest, was ze in haar jonge jaren aantrekkelijk geweest, met haar vlammend rode haar, roomblanke huid en korenblauwe ogen. Haar opvallende gezicht, lange benen en slanke figuur hadden altijd de aandacht van de mannen getrokken. Maar helaas was ze er met het klimmen der jaren niet mooier op geworden. Het

rode haar was gedoofd tot peper en zout en ze was niet langer zo slank als een den. Alleen die felblauwe ogen waren niet veranderd, die waren nog steeds levendig en jeugdig. En zeer berekenend, was zijn conclusie. Ja, Bridget O'Donnell was ook als kind al slinks geweest en had altijd geprobeerd iedereen naar haar hand te zetten. En o, wat had ze die arme Min op haar kop gezeten. Gek dat hij zich dat nu pas realiseerde.
'Er is een oud gezegde, Bridget,' merkte Anthony op ijzige, beheerste toon op. 'Niets is vernietigender dan de woede van een vrouw die haar zin niet krijgt.'
'Het spijt me, meneer, maar ik begrijp niet wat u bedoelt.'
'Je bent verliefd op hem. Je houdt al van hem sinds hij voor mij kwam werken. Daarom heb je hem geholpen, daarom heb je hem na de dood van mijn vrouw de hand boven het hoofd gehouden. En toen zij dood was, kreeg jíj een verhouding met hem. En nu hij bij je weggaat, nu hij je in de steek laat voor een andere vrouw, zoek je wraak. Je wilt Michael Lamont een hak zetten, nietwaar? Daar draait het allemaal om.'
Ze keek hem onbewogen aan. 'Nee,' antwoordde ze rustig. 'Dat is niet zo. Ik wilde u alleen geruststellen. Ik wilde niet dat u uzelf de schuld gaf van de dood van lady Min.'
'Maar dat doe ik helemaal niet,' zei Anthony op koele toon en naar waarheid, 'al jaren niet meer. Jij maakt Lamont zwart omdat hij een jongere, knappere vrouw heeft gevonden dan jij. Laten we eerlijk zijn, Bridget, je minnaar heeft je laten zitten.'
Het bloed steeg haar naar de wangen en ze sloeg haar ogen neer. Anthony wist dat zijn woorden doel hadden getroffen.
Even later vroeg ze zachtjes en onderdanig: 'Wat gaat u met Michael Lamont doen? Gaat u het met hem uitpraten?'
Anthony keek haar even strak aan, waarna hij langzaam naar zijn bureau terugliep en weer ging zitten. Hij boog zich naar voren en keek diep in die blauwe ogen die zijn indringende blik zo argwanend beantwoordden.
'Uiteraard zal ik Lamont de kwestie voorleggen. De feiten die je mij hebt verteld, moeten worden besproken. Dat kan niet anders, dat weet je. Daarom heb je me toch alles verteld?' Na een korte stilte vervolgde hij: 'Maar misschien ga ik ook wel naar de politie om een nieuw onderzoek naar de dood van mijn vrouw te laten instellen. En ik vraag me af, Bridget, of het wel eens bij je is opgekomen dat jij bewijs hebt verdoezeld aangaande een plotseling, verdacht sterfgeval. En dat je meineed hebt gepleegd. Bovendien, als mijn eerste vrouw inderdaad nog leefde toen Michael Lamont haar in het meer

gooide, ben je medeplichtig. *Medeplichtig aan moord.*'

Nadat Bridget naar de keuken was gegaan, belde Anthony naar Cork. Het gesprek duurde tien minuten en hij luisterde het meest. Toen hij de hoorn zachtjes op het toestel legde, zag zijn gezicht bleek en hij keek grimmig.
Na een blik op de klok die op de schoorsteenmantel stond, kwam hij overeind, liep de bibliotheek uit en ging naar de bijkeuken. Nadat hij zijn rubberlaarzen en zijn regenjas had aangetrokken, pakte hij zijn tweed pet van de kapstok en liep naar buiten.
Hij keek naar de lucht. Het regende niet meer, maar de hemel was nog steeds betrokken en er hing een lichte nevel. Met stevige passen volgde hij het pad dat naar het huis van Michael Lamont voerde. Het stond vlak aan het meer, bij een groepje bomen naast een akker. Bij de voordeur gekomen beende hij zonder kloppen naar binnen, liep de gang en de woonkamer door naar het aangrenzende kantoortje.
Lamont, een fors gebouwde, knappe man met donker haar, zat aan zijn bureau; hij was bezig een grote legger bij te werken. Hij keek verbaasd op toen de deur zonder plichtplegingen werd opengegooid, zodat de papieren op zijn bureau opdwarrelden door de luchtstroom.
'Goedemorgen, lord Dunvale,' zei hij vriendelijk. Er gleed een glimlach over zijn verweerde gezicht. Maar toen hij Anthony's grimmige gezicht en zijn boze houding zag, verdween die glimlach meteen.
'Is er iets aan de hand?' vroeg Lamont en stond op.
Anthony gaf niet direct antwoord. Hij stapte de kamer binnen, deed de zware eikehouten deur stevig achter zich dicht en leunde ertegenaan. Hij nam de rentmeester met een ijzige blik op. Lamont werkte al bijna twintig jaar voor hem en opeens vroeg hij zich af wat er eigenlijk in de man omging. Anthony had altijd aangenomen dat hij Lamont door en door kende, maar kennelijk was dat helemaal niet het geval. Hij had hem beschouwd als een betrouwbare, toegewijde werknemer en een goede vriend. Nu voelde hij niets dan verachting voor hem.
Ten slotte zei Anthony: 'Eerder vanmorgen kwam Bridget met een nogal vreemd verhaal bij me. Over de dood van wijlen lady Dunvale.'
Lamont was overrompeld en staarde hem met open mond aan. Hij deed zijn mond abrupt dicht, liep snel bij het bureau weg, naar het andere eind van het vertrek. Daar bleef hij bij de open haard staan, op veilige afstand van Anthony. Hij pakte een sigaret, stak hem op en draaide zich toen naar de graaf om.
Lamont keek onzeker en in zijn donkerbruine ogen stond een angsti-

ge uitdrukking te lezen. 'Wat is uw bedoeling?' vroeg hij ten slotte. 'Bridget heeft me alles verteld, tot in de kleinste details. Ik weet wat er die tragische avond hier in dit huis is gebeurd.' Anthony liep dichter naar de rentmeester toe en keek hem lang en indringend aan. Lamont kromp ineen onder die intense, strakke blik. Hij knipperde met zijn ogen en keek een andere kant op. Hij nam een lange trek van zijn sigaret en inhaleerde diep.
'Waarom was je er zo zeker van dat Min dood was toen ze neerviel?' wilde Anthony weten. Zijn stem klonk meedogenloos. 'Je bent geen dokter, Lamont.'
Lamonts gezicht liep rood aan en hij riep nijdig uit: 'Ze was echt dood! Ik verzeker u dat ze dood was!' Opeens begon hij vreselijk te hoesten, waar hij een paar minuten van moest bijkomen. Toen hij eindelijk weer op adem was gekomen, ging hij verder: 'Ik mag dan geen dokter zijn, maar ik weet heus wel wanneer iemand niet meer ademt.' Hij nam nerveus weer een trek van zijn sigaret. 'Ik heb geprobeerd haar bij te brengen!' riep hij met trillende stem uit. 'Ik heb mond-op-mond beademing toegepast, maar ze was al dood. Ik hield van Min. Dat kunt *u* niet zeggen!'
Anthony kwam nog een stap dichterbij. Zijn handen waren tot vuisten gebald, zijn knokkels lichtten op in het bleke ochtendlicht. Het liefst had hij zijn vuist in Lamonts rode gezicht geramd om het tot een onherkenbaar moes te slaan. Maar hij bedwong die neiging en wist zich te beheersen.
'Jij weet niet eens wat het woord *liefde* betekent, Lamont. Jij bent een onbetrouwbare schurk, een flirt, een bedreiging voor elke fatsoenlijke vrouw.'
'U noemt míj een flirt. En *u* dan!' snoof Lamont verachtelijk. 'Door al die jaren met andere vrouwen om te gaan en haar te verwaarlozen hebt u Min in mijn armen gedreven.'
Opnieuw zag Anthony kans zijn zelfbeheersing te bewaren. Weer was hij bang dat hij Lamont iets zou aandoen. 'Waarom ben je me niet komen halen toen mijn vrouw was gevallen?' vroeg hij langzaam. 'Of waarom heb je niet minstens een dokter gebeld? Waarom heb je de zaak in eigen hand genomen? Je hebt je gewetenloos gedragen; ondoordacht is nog een te mooi woord.'
Michael Lamont was niet bijzonder intelligent, maar hij was slim genoeg om te doorzien dat Bridget O'Donnell haar werk goed had gedaan. Hij kwam tot de conclusie dat het geen zin had eromheen te draaien en hij sprak dan ook de waarheid toen hij mompelde: 'Ik was bang. Bang dat u me de laan uit zou sturen als u erachter kwam wat er tussen ons was. Ik kon mijn baan niet verliezen. Bovendien dacht

ik dat u mij de schuld zou geven van haar dood. Er zijn wel vaker onschuldige mannen veroordeeld omdat de omstandigheden verdacht waren. Begrijpt u het dan niet,' besloot hij klaaglijk. 'Ik had geen keus, ik móest de sporen wel uitwissen.'
Walging en afkeer overweldigden Anthony terwijl hij de rentmeester met een keiharde blik bleef opnemen. 'Ik verwonder me erover dat je me al die jaren hebt durven aankijken, met die afschuwelijke wetenschap, terwijl je wist dat je iedereen had voorgelogen om je eigen hachje te redden. Wat een walgelijke kerel ben je toch, Lamont. Monsterlijk.'
Lamont reageerde niet. Wat stom van hem dat hij niet al jaren geleden van Clonloughlin was weggegaan. Hij was gebleven vanwege Bridget O'Donnell, die hem in haar macht had. Hij had haar nooit helemaal vertrouwd. Kennelijk was zijn wantrouwen terecht geweest. Toen ze met wederzijds goedvinden een eind aan hun verhouding hadden gemaakt, had hij geloofd dat hij eindelijk vrij van haar was. Ze had geen rancune gekoesterd, althans, dat had hij gedacht. Hij had verkeerd gedacht. Zodra hij een relatie met een andere vrouw was aangegaan had ze vals toegeslagen, had ze hem willen vernietigen. Dat was haar gelukt.
'Mijn vingers jeuken om je een ongekend pak slaag te geven,' zei Anthony. 'Maar ik kijk wel uit, ik laat de wet het vuile werk voor me opknappen.'
Lamont schrok op uit zijn gedachten. Hij tuurde Anthony strak aan. *'Wat? Wat bedoelt u?'*
'Ik ben vast van plan een nieuw onderzoek te laten instellen naar de dood van mijn vrouw. Ik geloof dat jij lady Dunvale hebt gedood. En ik ben van plan ervoor te zorgen dat je je verdiende loon krijgt,' zei Anthony op kille, weloverwogen toon.
'Je bent gek, hartstikke gek!' riep Lamont uit. Zijn donkere ogen puilden uit zijn hoofd, hij keek opeens doodsbang. 'Je weet niet waar je het over hebt, Dunvale. Min heeft haar lichaam verziekt met al die troep die ze slikte. Ze overleed een paar minuten nadat ze in elkaar was gezakt.'
'Je zit er volkomen naast,' zei Anthony dreigend zacht. 'Ze was diep bewusteloos, een toestand die inderdaad was veroorzaakt door overmatig alcoholgebruik en pillen. Maar toen jij haar in het meer deponeerde, leefde ze nog wel degelijk en...'
'Ik geloof je niet! Je liegt! Je verzint dit allemaal!'
'Helemaal niet!' reageerde Anthony fel. 'Toen Bridget me vanmorgen het hele verhaal toevertrouwde, was ik niet helemaal zeker van bepaalde medische feiten. Toen heb ik dokter Stephen Kenmarr in

het ziekenhuis in Cork gebeld. Hij was de patholoog-anatoom die sectie op Min heeft uitgevoerd; híj heeft ontdekt dat haar longen vol water zaten en dat ze de verdrinkingsdood is gestorven. Dat heeft hij tijdens het gerechtelijk onderzoek verklaard.'

Anthony zweeg even, waarna hij heel langzaam besloot, alsof hij zijn woorden extra kracht wilde bijzetten: 'Dokter Kenmarr bevestigde wat ik al vermoedde... dat iemand die al dood is, geen water kan binnenkrijgen. Min was dus nog in leven toen je haar in het meer gooide. Jij hebt haar verdronken.'

Michael Lamont voelde zijn nekharen overeind gaan staan, zo geschokt was hij. Hij was zo verbijsterd door Anthony's afschuwelijke beschuldiging dat hij nauwelijks overeind kon blijven. Hij wankelde licht en zocht steun bij de schoorsteenmantel. Het idee dat hij Mins dood op zijn geweten kon hebben, joeg hem grote angst aan. Het duizelde hem. Door de jaren heen had hij veel geleden; zijn bedrog had hem achtervolgd, evenals de leugens die hij had opgedist en de dekmantel die hij had opgeworpen, en hij had nooit met zijn schuldgevoelens en zijn geweten in het reine kunnen komen.

'Nee, Dunvale, nee!' protesteerde hij luid. 'Haar polsslag was weggevallen, haar hart klopte niet meer!' De woorden stokten hem in de keel, er schoten tranen in zijn ogen en hij stortte volledig in. 'Ik zou haar nooit pijn hebben gedaan,' snikte hij. 'Ik hield van haar. Praat nog eens met Bridget. *Alsjeblieft. Alsjeblieft.* Zij zal bevestigen dat ik de waarheid spreek. Min was dood... en Bridget O'Donnell weet dat ze dood was.'

'Ze leefde nog, Lamont!'

'Nee! Nee!' Lamont kwam als een dolleman op Anthony af, hij zwaaide met zijn armen en zijn gezicht zag vuurrood. Hij voelde opeens een vreselijke pijnscheut in zijn slaap en aan een kant van zijn gezicht, maar hij was niet meer te houden. Hij stortte zich op Anthony. Terwijl hij dat deed, voelde hij een nieuwe verblindende pijnscheut. Het bloed steeg hem naar het hoofd en het werd hem zwart voor de ogen. Hij viel languit op de grond en bleef roerloos liggen.

Verbaasd keek Anthony op hem neer en bleef even als aan de grond genageld staan. Hij had de angstaanjagende verandering opgemerkt terwijl Lamont op hem afkwam en had meteen beseft dat de man een soort attaque kreeg.

Anthony verzamelde zijn moed, bukte zich en voelde Lamonts pols. Die bleek flauw en onregelmatig, maar zijn hart klopte nog wel.

Anthony rende naar de telefoon en belde de kliniek in het dorp Clonloughlin.

'Met Dunvale,' zei hij tegen de dienstdoende verpleegkundige. 'Kunt

u onmiddellijk een ambulance sturen naar het huis van de rentmeester? Michael Lamont heeft net een beroerte gehad, geloof ik. Maar hij leeft nog. Als jullie opschieten, is hij misschien nog te redden.'
Om zijn gerechte straf te ondergaan, dacht Anthony terwijl hij de hoorn op het toestel legde.

30

'Ik móet die keten overnemen!' riep Paula uit, terwijl ze Michael Kallinski nog steviger bij zijn arm greep. 'Het zou gewoon misdadig zijn als ik me deze kans liet ontglippen.'
'Ja, dat weet ik wel.' Michael keek haar vanuit zijn ooghoek aan. 'Maar zeshonderdvijftig miljoen dollar is een verrekte hoop geld.'
'Dat is ook zo. Maar aan de andere kant valt het wel mee, als je nagaat wat ik ervoor krijg. Een keten van warenhuizen met een uitstekende naam, veel prestige, hoogwaardig onroerend goed en een verlies- en winstrekening zonder één rood cijfertje. Voor mij is het dè winkelketen, Michael. Ik ben je heel dankbaar dat je hem onder mijn aandacht hebt gebracht.' Ze boog zich dichter naar hem toe: 'De vestigingsplaatsen hadden niet beter kunnen zijn als ik ze zelf had uitgekozen. Westchester, Philadelphia en Boston aan de oostkust. Chigaco en Detroit in het Midden-Westen. Los Angeles en San Francisco aan de westkust. Wat mij betreft is het een volmaakte transactie.'
'Als het tot een transactie komt.'
Paula keek hem strak aan. 'Is er dan kans dat het nog afspringt?' vroeg ze hem op meteen geheel andere toon. Haar stem sloeg bijna over van bezorgdheid.
'Die kans zit er altijd in, Paula. Maar volgens mij hoef je je daar in deze situatie niet al te druk over te maken. Voor zover ik weet zijn er geen andere bieders en ik heb van Harvey in New York begrepen dat de voorzitter van het bestuur bereid is de onderhandelingen te openen wanneer jij er klaar voor bent. En wat Millard Larson zegt, gebeurt, want hij is behalve de grootste aandeelhouder ook de man die het er voor het zeggen heeft. Als ik jou was, zou ik zo gauw mogelijk plannen maken om naar New York te vliegen.'
'Dat ben ik met je eens, en ik wil ook zeker gaan. Maar ik kan niet weg, tenminste de komende twee weken nog niet. Lorne en Tessa komen morgen allebei van kostschool naar huis; het is paasvakantie. Ik kan echt niet op stel en sprong weg.'

'O hemel, ik was Pasen helemaal vergeten! Ik zit met hetzelfde probleem als jij, vrees ik, dus ik moet ook hier blijven.'
'O.' Verbaasd fronsend vroeg ze: 'Ben jij ook van plan om naar de Verenigde Staten te gaan, Michael?'
'Het leek me verstandig mee te gaan, voor het geval je me nodig mocht hebben,' legde hij uit met van enthousiasme trillende stem; zijn gezicht klaarde helemaal op. 'Per slot van rekening heb ik je bij Harvey Rawson geïntroduceerd, ik heb de keten van Larson voor je ontdekt en ik heb alles in gang gezet.' Hij glimlachte haar vertrouwelijk toe. 'Bovendien moet ik deze maand toch voor zaken naar New York en als we tegelijkertijd gaan, sla ik bij wijze van spreken twee vliegen in één klap.' Toen ze niet meteen reageerde, vroeg hij: 'Wat vind jij ervan?'
'Hmmm, ja... Je zult wel gelijk hebben.' Zc besefte hoe aarzelend dat klonk en knikte snel. 'Ja, goed, waarom ook niet,' voegde ze er wat positiever aan toe.
'Mooi zo, dat is dan afgesproken!' riep hij uit. Hij straalde en complimenteerde zichzelf met zijn slinkse manoeuvre. De gedachte dat hij alleen met haar in New York zou zijn vond hij opwindend. Zo neutraal mogelijk zei hij echter: 'Nu moesten we ons maar eerst concentreren op vaders tentoonstelling. Hij staat ons zeker al tien minuten verwonderd aan te kijken. Volgens mij is hij een beetje nijdig.'
Paula begon te lachen. 'Dat weet ik wel zeker. Het was ook heel onbeleefd wat we deden. We staan hier midden in de zaal diep in gesprek gewikkeld. Niet alleen negeren we hem en alle anderen, maar ook nog al deze schitterende kunstwerken. Kom, we gaan meteen naar hem toe. Hij wil me zelf rondleiden om me over alle Fabergé-stukken die hij bezit te kunnen vertellen. En ik moet bekennen dat ik diep onder de indruk ben. Zijn verzameling is veel groter dan ik had gedacht.'
'Niet alles is van hem,' legde Michael snel uit. 'De koningin en de koningin-moeder hebben ook enkele van hun Fabergé-voorwerpen geleend, net als Kenneth Snowman, de grote Engelse kenner van Peter Carl Fabergé, en Malcolm Forbes, die net als vader een verwoed verzamelaar is.'
'Ik weet het, je vader heeft het verteld. Maar toch heeft hij een schitterende collectie.'
'Nou en of. En de laatste jaren heeft hij daardoor naast zijn zakelijke belangen een werkelijk fascinerende hobby.'
Samen liepen ze de lange zaal door, een van de twee in de Royal Academy of Art in Burlington House, waar de receptie ter gelegenheid van de opening van de Fabergé-tentoonstelling deze aprilavond in

volle gang was. Het evenement was georganiseerd door sir Ronald Kallinski, ten bate van een van zijn favoriete liefdadigheidsinstellingen. In de galerie heerste een drukte van belang.
Een kelner stond voor hen stil. Michael pakte twee glazen champagne van het zilveren blad dat hem werd voorgehouden. Hij bedankte en overhandigde een kelkglas Dom Perignon aan Paula.
Toen sir Ronald hen zag aankomen, verontschuldigde hij zich en haastte zich bij het groepje mensen vandaan met wie hij had staan praten.
'Ik weet dat jullie alle twee harde werkers zijn en zelden aan iets anders dan de zaak denken, maar moeten jullie werkelijk op mijn receptie een conferentie houden?' vroeg hij, kennelijk ietwat verontwaardigd. Maar toen kregen zijn ogen een warme gloed en ze begonnen te twinkelen. Hij pakte Paula bij haar arm en loodste haar mee; zijn lichte irritatie was alweer vergeten.
'Kom, kindje,' zei hij, 'dan zal ik je alles laten zien. Ik heb een heleboel nieuwe aanwinsten, die je nog geen van alle hebt gezien. Jij trouwens ook niet, Michael,' zei hij terwijl hij achterom keek naar zijn zoon.
'Ik verheug me hier al weken op,' antwoordde Michael in alle oprechtheid. 'Neem me niet kwalijk dat onze zakenbespreking een beetje uit de hand liep. Mijn excuses, pap.'
'Laat maar, laat maar, jongen,' antwoordde sir Ronald bruusk terwijl hij door de galerie beende, met Paula en Michael gehoorzaam in zijn kielzog. Bij een vitrine bleef hij abrupt stilstaan.
Hij wendde zich tot Paula. 'Dit stuk behoort niet tot mijn collectie. Helaas, mag ik wel zeggen. Dit voorwerp is ter gelegenheid van deze tentoonstelling door Hare Majesteit de Koningin ter beschikking gesteld. Toevallig is het een van de mooiste die ik ken, het Mozaïek-ei, volgens mij misschien wel het ontroerendste van alle keizerlijke paaseieren. Tsarina Alexandra Feodorovna kreeg het op paasochtend 1914 van Nicolaas II. Je kunt wel zien dat het een ragdunne platina dop is die "versierd" is met bloemetjes van edelstenen... robijnen, saffieren, diamanten en smaragden, terwijl het geheel wordt omsloten door een snoertje parels. En kijk, op dat gouden standaardje zie je miniatuurtjes, profieltjes van de kinderen van de keizer.'
'Schitterend,' zei Paula bewonderend terwijl ze zich vooroverboog om het ei beter te kunnen bekijken. 'En als het ei niet tentoongesteld wordt, zit het steuntje erin verborgen, nietwaar?'
'Klopt.' Sir Ronald pakte haar bij de arm en met z'n drieën liepen ze langzaam verder, af en toe stilstaand om de andere tentoongestelde schatten te bekijken. 'Dat is juist het mooie en het geniale van Fa-

bergé's kunstvoorwerpen,' vervolgde hij, 'die bijzondere en heel vaak verrassende snufjes. Zoals dat schitterende gouden haantje dat uit dat doorzichtig blauwe geëmailleerde paasei komt dat je grootmoeder eens in haar bezit had,' bracht sir Ronald haar glimlachend in herinnering.
Paula beantwoordde zijn glimlach. 'O ja, dat is het allermooiste ei, tenminste, dat vind ik, oom Ronnie. Gelukkig zit het in uw collectie doordat u het bij die veiling hebt kunnen aankopen. Nu blijft het bij een van de drie clans.'
Hij begon zachtjes te lachen. 'Ik denk niet dat ik die dag bij Sotheby's ooit zal vergeten. Wat werd er hoog geboden voor dat ei! Maar opwindend was het. En wat was ik trots toen ik opeens doorkreeg dat *ik* het had gekocht. Natuurlijk zit dat ei ook bij deze tentoonstelling. Laten we er eens gaan kijken, dan lopen we daarna naar de andere zaal. Daar staan nog meer adembenemende voorbeelden van Fabergé's meesterwerken, gemaakt voor de keizerlijke familie voordat de Romanov-dynastie zo tragisch ten onder ging.'

'Ik wist niet dat Amanda ook zou komen!' riep Michael even later verrast uit toen hij haar in de deuropening zag staan. Ze keek om zich heen, kennelijk zocht ze hem.
'O, dat vergat ik je nog te vertellen,' mompelde Paula. 'Ik heb haar een kaartje gestuurd en ze zei dat ze haar best zou doen om er tijd voor te maken.'
'Ik ga haar wel even ophalen,' zei Michael en hij haastte zich naar haar toe.
Paula volgde hem met haar ogen en ze glimlachte bij zichzelf, waarna ze naar zijn vader keek en knipoogde.
Sir Ronald nam haar even aandachtig op, toen zei hij peinzend: 'Zit ik er ver naast als ik denk dat jij iets bekokstooft, Paula? Koppelaarster!'
'Waarom niet?' antwoordde ze lachend. 'Trouwens, zij is dol op hem... Zou het niet leuk zijn als Michael haar gevoelens beantwoordde, oom Ronnie?'
Aanvankelijk leek sir Ronald alleen maar verbaasd, maar opeens keek hij vergenoegd en knikte. 'Inderdaad. Amanda is een mooie jonge vrouw. En intelligent. Emily en Alexander hebben haar goed opgeleid. Zij heeft er zeker toe bijgedragen dat de overname van Lady Hamilton Clothes soepel is verlopen. Maar dat weet jij natuurlijk ook wel, kindje. Ik zei laatst nog tegen Emily dat mijn mensen diep onder de indruk van haar zijn. We vinden het allemaal jammer dat ze het bedrijf niet voor ons blijft leiden. Emily heeft uitgelegd dat ze

haar bij Harte Enterprises nodig heeft, en daar heb ik alle begrip voor. Maar niettemin...' Hij stokte en even gleed er een dieptreurige uitdrukking over zijn gezicht.
Paula wist dat hij aan Alexander dacht, die oom Ronnie in vertrouwen had genomen. Ook zij werd even door droefheid overmand. Sandy was begin maart teruggetreden. Emily was nu de hoogste baas geworden. Amanda was de top komen versterken als hoofd van Genret, terwijl Winston zijn eigen afdeling bleef runnen: Yorkshire Consolidated Newspaper Company met de dochterondernemingen, waarvan hij gedeeltelijk eigenaar was. Ze waren een hecht driemanschap geworden en Harte Enterprises draaide even efficiënt als altijd, maar Paula wist dat Alexander node gemist werd. Nu hij zich had teruggetrokken op Nutton Priory miste ze hem zelf ook, hoewel ze vaak met elkaar belden.
'Hallo, Amanda,' zei Paula hartelijk toen Amanda en Michael bij hen kwamen staan. 'Wat zie je er oogverblindend uit.'
'Dank je, Paula,' antwoordde Amanda. Ze glimlachte naar haar nicht en kuste haar vluchtig op de wang. 'Hallo, oom Ronnie. Neemt u me niet kwalijk dat ik zo laat ben, maar het verkeer zat hopeloos vast.'
'Geeft niets hoor, kindje,' zei sir Ronald. Hij pakte haar hand in de zijne en kuste haar. 'Kom, Michael, jongen, neem jij de honneurs eens waar en haal een glas champagne voor Amanda.'
'Graag. Ik ben zó terug.'
Amanda wendde zich tot Paula, wat sir Ronald de kans bood haar ongemerkt schattend op te nemen en te bestuderen. Amanda was lang, slank en blond, een beeldschone jonge vrouw die sprekend leek op haar halfzuster, Emily. Ze droeg een chic pakje van rode zijde met een Victoriaanse diamanten broche op een van de revers gespeld, en antieke diamanten knopjes in haar oren. Chic maar bescheiden, dacht sir Ronald, en uitstekend opgevoed. Opeens bekeek hij haar met nieuwe ogen. Als een eventuele schoondochter. Het idee sprak hem heel erg aan.
Amanda zou ideaal zijn voor Michael. Een intelligent, charmant en hartelijk meisje met volmaakte manieren, net als al Emma's kleindochters. Precies het soort vrouw dat zijn zoon nodig had. De mogelijkheid dat de Kallinski's en de Hartes misschien uiteindelijk verenigd zouden worden, trok hem aan. Hij zou deze vriendschap aanmoedigen, wat Paula kennelijk ook al van plan was. Ja, Amanda en Michael moesten man en vrouw worden. Hij zou straks eens lang en ernstig met Paula praten om samen een plan de campagne op te stellen. Michael moest met zachte hand in Amanda's richting worden ge-

loodst. Als het op vrouwen aankwam, neigde zijn zoon naar wispelturigheid. En sinds zijn scheiding was hij alweer veel te lang alleen.

31

De tuin was nog steeds de plek waar ze het liefste was. Al van kinds af aan had Paula bevrediging gevonden in planten, wieden, snoeien en schoffelen. Tuinieren bracht haar tot rust en onveranderlijk kwam ze erdoor in een betere stemming.
Bovendien had ze lang geleden ontdekt dat ze in haar tuin op Pennistone Royal het beste kon nadenken, en vandaag was daarop geen uitzondering. Het was een heldere aprilmiddag, vlak na Pasen, zonnig en fris, met een zacht briesje en een wolkeloos blauwe hemel. Terwijl ze bezig was in de nieuwe rotstuin die ze aan het aanleggen was, concentreerde ze zich in gedachten op haar werk, en in het bijzonder op de winkelketen van Larson in de Verenigde Staten. De eerste onderhandelingen werden al gevoerd en Millard Larson verwachtte haar volgende week in New York. Dan zouden ze aan de vergadertafel gaan zitten om alle aspecten van de transactie uit te werken. Toen het idee om haar belangen in Amerika uit te breiden nog in een pril stadium was – lang voordat Larson op het toneel was verschenen – had ze besloten om een eventuele winkelketen met haar eigen geld te kopen.
Zeshonderdvijftig miljoen dollar, dacht ze nu; het bedrag speelde steeds door haar hoofd terwijl ze druk bezig was met de plantjes voor de rotstuin. Het was inderdaad een heleboel geld, dat leed geen twijfel, en ze overwoog al enkele dagen welke financiële oplossing het beste zou uitpakken.
Paula slaakte een zachte zucht. Als haar moeder vorig jaar had ingestemd met de verkoop van de Sitex-aandelen, had ze nu niet in de problemen gezeten. Gezien de bepalingen in haar grootvaders testament zouden zij en haar broer Philip automatisch een derde van de opbrengst van die verkoop hebben ontvangen – honderden miljoenen dollars per persoon. Maar haar moeder had geweigerd de olieaandelen van de hand te doen, en op dat standpunt stelde ze zich nog steeds. Paula had al maanden geleden ingezien dat ze op een andere manier aan het geld moest zien te komen, als ze eenmaal de juiste keten had gevonden.
Er speelden haar diverse mogelijkheden door het hoofd, waarna ze al die mogelijkheden meteen van de hand wees als te ingewikkeld, om vervolgens haar oorspronkelijke plan weer te overwegen. Naar haar

mening was de beste oplossing om tien procent van haar Harte-aandelen, die Emma haar had nagelaten, te verkopen. Die zouden zo'n twee- tot driehonderd miljoen dollar opbrengen, terwijl haar greep op de zaak er niet wezenlijk door zou verslappen. Ze zou met eenenveertig procent nog steeds de grootste aandeelhoudster zijn, waarbij ze dan ook nog de hoogste posities in het bedrijf innam. De rest van het geld zou ze gemakkelijk bij de bank kunnen lenen, met de winkelketen als onderpand, want vooral qua onroerend goed was die zeer waardevol.
Na dagenlang de zaak van alle kanten te hebben bekeken, kwam ze opeens tot een besluit. Zó zou ze het doen. En ze zou de hele zaak meteen in gang zetten. Maandagmorgen, als ze op het kantoor van de zaak in Leeds aankwam, zou ze meteen met haar effectenmakelaar spreken.
Haar gezicht klaarde op, zodat de zorgelijke uitdrukking die er de hele dag op had gelegen verdween. Glimlachend voltooide ze haar werk en zette de laatste plantjes in de smalle spleten tussen de rotsblokken.
'Mammie! Mammie!'
Toen ze Patricks stem hoorde, keek ze meteen op. Hij en zijn zusje, Linnet, kwamen zo snel als hun beentjes hen konden dragen aanrennen over het grindpad dat van het lange terras aan de achterkant van Pennistone Royal naar de tuin liep.
Onder hun winterjassen en dassen droegen ze beiden een trui met spijkerbroek. Het viel haar op hoe gezond en energiek ze er vandaag allebei uitzagen. Vooral Patrick. De lege blik die zijn ogen zo vaak een doffe uitdrukking gaf, ontbrak al enkele weken. Daar was ze heel blij om, want dat wekte de nieuwe hoop dat hij geestelijk vorderingen maakte, al waren die nog zo gering. Ze hield dolveel van haar gevoelige, gehandicapte, maar mooie kind.
'Patrick! Wees voorzichtig! Dadelijk val je nog!' riep ze uit. 'En jij ook, Linnet! Niet zo hard, jullie! Ik ga heus niet weg, hoor.' Al pratend stond ze op, pakte de mand met tuingereedschap en klom behoedzaam naar boven.
Patrick gooide zich tegen haar aan en klampte zich hijgend aan haar vast; hij was helemaal buiten adem.
Ze streek zijn donkere haar uit zijn gezicht en zei zacht vermanend: 'Lieve help, jij bent me er een. Je liep zo hard dat ik...'
'Buiten adem, mammie,' onderbrak hij haar, met zijn ernstige gezichtje naar haar opgeheven. 'Linnet ook buiten adem.'
'Niet waar!' protesteerde Linnet terwijl ze hem fel en boos aankeek. Patrick besteedde geen aandacht aan haar. 'Paardje, mammie, Patrick wil paardje.'

Verbaasd keek Paula naar haar zes jaar oude dochtertje, zoals ze wel meer deed als Patrick in raadsels sprak en ze wilde weten wat hij precies bedoelde. Ze keek Linnet vragend aan.
Linnet legde het uit. 'Het paard op zolder, mammie. Dat wil Patrick hebben. Ik zei dat hij het eerst aan pappa moest vragen, en pappa zei dat we het jóu moesten vragen.'
'*Het paard op zolder?* Waar heb je het in hemelsnaam over, liefje?'
'Dat karresèlpaard... dat alsmaar ronddraait en ronddraait en ronddraait. Op muziek, mammie.'
'De carrousel, het paard op de carrousel! Nu snap ik het.' Paula keek het tweetal glimlachend aan. 'Maar ik kan me niet herinneren dat die op zolder staat. Maar als jullie hem hebben gezien, zal het wel zo zijn.'
'In een koffer,' vertelde Linnet opgewonden verder. 'We hebben het zelf gezien. Pappa zei dat we vanmiddag na de wandeling op zolder mochten spelen.'
'Zo zo.' Paula trok haar tuinhandschoenen uit, gooide ze boven in de mand en nam haar kinderen bij de hand, waarna ze hen meeloodste naar binnen.
Even later rommelde het drietal in de oude koffers die al zovele jaren op de zolder van Pennistone Royal stonden. Patrick had de carrousel die Paula hem meteen had gegeven al in beslag genomen, en hij draaide het sleuteltje rond, zoals zij hem had voorgedaan.
De paarden op de draaimolen wiegden op en neer op de melodie van de *Carrouselwals* en het jongetje ging er helemaal in op. Zijn gelukkige, attente gezichtje was voor Paula een genoegen om naar te kijken. Linnet en Paula lieten hem alleen met de carrousel spelen en zaten algauw diep gebogen over een andere koffer die Paula te voorschijn had getrokken en geopend.
Gretig zochten ze het speelgoed uit dat de koffer tot de rand toe vulde. Ze haalden er een grote, beschilderde houten soldaat uit, een doos blokken, een rafelige teddybeer met maar één arm en zonder ogen, allerlei lappenpoppen, legpuzzels, knuffelbeesten en een doos met tinnen soldaatjes.
Ten slotte pakte Paula een prachtige porseleinen babypop onder uit de koffer. Toen ze hem omhooghield, stokte haar adem van verrassing en genoegen. Wat kon ze zich die pop nog goed herinneren! Ze had hem van haar grootmoeder gekregen en was er heel voorzichtig mee geweest, want die pop was haar dierbaarder dan al haar andere bezittingen. Jaren geleden had ze hem zorgvuldig ingepakt toen ze na Jims dood van Long Meadow naar Pennistone Royal was verhuisd. Het was haar bedoeling geweest om de pop aan Tessa te geven, maar

om de een of andere reden was het er in dat zorgelijke jaar na de lawine niet van gekomen.
Op haar hurken gezeten hield ze de pop omhoog, streek de goudblonde krullen glad en trok het nette ecrukleurige kanten jurkje recht. Het verbaasde haar dat de pop nog in zo'n goede staat was en er zo goed als nieuw uitzag.
Linnet bestudeerde haar aandachtig; haar ogen dwaalden verlangend naar de pop. 'Is die van jou geweest, mammie?' vroeg ze ten slotte.
'Ja, liefje. Die heb ik van grootmoeder gekregen toen ik net zo oud was als jij.'
'Bedoel je Grandy Emma?'
Paula knikte.
'Die geef je dus nooit aan iemand anders, hè? Want je hebt hem van Grandy Emma gekregen,' zei Linnet ernstig, nog steeds strak naar de pop kijkend.
Paula begon te lachen. 'Hmm, misschien kan ik hem geven aan een meisje dat er heel goed voor zorgt, net als ik vroeger.'
'Tessa,' zei Linnet met een klein, ietwat gelaten stemmetje.
'Nee, ik denk dat ze Linnet heet.'
'O mammie, mammie!'
'Alsjeblieft, kindjelief, die is voor jou.' Paula gaf haar de pop. 'Ik noemde haar altijd Florabelle.'
'Dan doe ik dat ook.' Linnet stond op en pakte de pop. Haar ogen glansden en ze glimlachte stralend. 'Dank je, mammie, o, dank je wel.' Met de pop stevig in haar armen geklemd boog ze zich naar Paula toe en duwde haar neusje in haar moeders wang. 'Ik vind je heel lief, mammie,' fluisterde ze. 'Hmmm, wat ruik je lekker. Net een bos bloemen.' Linnet hield haar hoofdje een beetje scheef en bestudeerde Paula peinzend. Toen legde ze zachtjes haar handje op Paula's wang. 'Je verdwaalt toch niet, hè, mammie?' vroeg ze met een onverwacht weemoedig, bijna angstig stemmetje.
Paula's wenkbrauwen fronsten zich tot een rechte streep. 'Wat bedoel je, kindje?'
'Soms, als we wachten tot je thuiskomt, zegt pappie: "Jullie moeder is vast verdwaald. Ik heb geen idee waar ze zit." En dan gaat hij uit het raam staan kijken. En dan ben ik bang tot je thuiskomt, en Patrick ook. Tenminste, ik geloof dat hij ook bang is.'
'O maar liefje, dat *zegt* hij alleen maar. Dat betekent niet dat ik echt verdwaal,' zei Paula terwijl ze haar dochtertje geruststellend toelachte.
'Echt waar, mammie?'
'Echt waar.'

‘O. Nou, dan is het goed.’
Paula streek met haar hand over het goudglanzende rode haar van haar dochtertje. Ze ging op de grond zitten kijken hoe Linnet met de pop speelde. Wat zijn kinderen toch gemakkelijk, dacht ze op een gegeven moment. Zolang ze liefde krijgen, goed worden verzorgd en weten wat wel en niet mag, is alles in orde. Hun behoeften zijn nog zo simpel. Waren volwassenen ook maar zo...
‘Aha! Hier verstoppen jullie je dus allemaal!’ riep Shane uit. Hij stond opeens in de deuropening, zodat het drietal verrast opkeek. Paula krabbelde overeind. ‘We hebben zulk mooi speelgoed gevonden in de koffers,’ legde ze uit terwijl ze zich naar hem toe haastte. ‘Een carrousel voor Patrick en mijn oude pop Florabelle voor Linnet.’
Shane knikte en sloeg zijn arm om zijn vrouw heen. ‘Maar nu is het tijd om naar beneden te gaan, want Nanny heeft de thee klaarstaan in de kinderkamer... voor ons allemaal.’

‘Dat was heel gezellig en de kinderen vonden het ook prachtig,’ zei Shane later die middag terwijl ze zich verkleedden voor het eten. ‘Het is eeuwen geleden sinds we samen met ze hebben theegedronken in de kinderkamer. Dat moesten we vaker doen.’
‘Je hebt helemaal gelijk, lieveling,’ beaamde Paula. Ze boog zich voorover en keek in de spiegel van haar toilettafel terwijl ze haar zwarte haar glad borstelde. Nadat ze de zilveren borstel had weggelegd, bracht ze felrode lippenstift aan, om vervolgens Christina Crowthers Blue Gardenia-parfum op te doen, een van haar favorieten. ‘Ik ben erg te spreken over de vorderingen die Patrick maakt. Jij ook?’ Ze draaide zich half naar Shane toe om hem te kunnen aankijken.
‘Nou en of. Hij doet het in alle opzichten een stuk beter, hij begrijpt ook veel meer. Het komt door die nieuwe begeleider. Mark doet wonderen voor het kind.’
‘Zeker,’ antwoordde Paula.
Shane trok een donkerblauwe blazer aan, trok zijn das recht en liep de kamer door. Hij ging achter Paula staan, met zijn handen licht op haar schouders. Via de spiegel keek hij haar glimlachend aan.
‘Je ziet er prachtig uit, Bonestaak,’ zei hij met zijn scheve lachje. ‘Je hoeft je niet nòg mooier te maken. Kom, laten we naar de salon hiernaast gaan. Ik heb al een paar flessen champagne koel laten wegzetten, zodat we nog rustig iets kunnen drinken voordat Emily en Winston komen eten.’
‘Wat een leuk idee!’ riep Paula uit terwijl ze het krukje naar achteren

schoof, opstond en hem op zijn wang kuste. 'Maar jij hebt dan ook bijna altijd goeie ideeën.'
Ze stak haar arm door de zijne en samen liepen ze naar de aangrenzende kamer.
De salon op deze verdieping van Pennistone Royal was altijd Emma Hartes favoriete vertrek geweest en Paula kwam er al even graag als haar grootmoeder vroeger. De imposante architectonische details en schitterende inrichting waren eigenlijk in tegenspraak met de benaming *salon,* maar om de een of andere reden werd de kamer nu eenmaal altijd zo genoemd. Door het hoge plafond, waarvan het pleisterwerk druk versierd was in de stijl van Jacobus II, heerste er een sfeer van grandeur.
Hoge glas-in-loodramen flankeerden een ongebruikelijk erkervenster, de open haard had een schoorsteenmantel van geloogd eikehout en de vloer bestond uit parket. Emma had lang geleden een goed evenwicht gevonden tussen imposante details en charme, intimiteit en comfort, gecombineerd met haar eigen bescheiden élégance.
Paula had nooit behoefte gehad er iets te veranderen; ze beschouwde dat als een soort heiligschennis, zodat vijftig jaar lang alles hetzelfde was gebleven sinds de dag dat Emma het huis in de jaren dertig had gekocht. De lichtgele wanden werden elk jaar in dezelfde tint overgeschilderd en zo nodig werden bekledingstoffen en gordijnen vervangen, maar verder was alles nog precies zoals tijdens Emma's leven. Het kostbare landschap van Turner, met veel nevelig blauw en groen, hing boven de schoorsteenmantel; de enige andere schilderijen in de salon waren uitstekende portretten van een jonge edelman en zijn vrouw, door sir Joshua Reynolds. De drie olieverfdoeken harmonieerden volmaakt met het antiek uit de tijd van koning George, het Savonnerie-tapijt en het zeldzame porselein in het Chippendale-kabinet. De twee grote banken in het midden van de kamer waren bekleed met vrolijke gele sits; daartussenin stond een mahonie serveertafel. De antieke porseleinen lampen hadden kappen van crèmekleurige zijde en overal blonk zilver en kristal.
Het licht brandde en in de open haard laaide een vuur op. Door de warmte waren de narcissen en hyacinten die in vazen waren geschikt al opengegaan, zodat er een verrukkelijke bloemengeur hing.
Toen ze op een van de banken ging zitten, bedacht Paula dat de salon er nooit mooier had uitgezien dan vanavond. Het was al schemerig en het licht veranderde geleidelijk. Buiten de grote, hoge ramen kreeg de donkerblauwe hemel paarsrode strepen. De wind was flink aangewakkerd zodat de bomen ruisten, en een ver gerommel kondigde een regenbui aan.

Maar hier, in dit elegante vertrek, heerste vrede en rust. Voor Paula had de salon iets tijdloos, omdat er nooit iets veranderde. Hier lag haar verleden, haar hele leven eigenlijk, en zovele dierbare herinneringen... aan haar kindertijd, haar jeugd, de dagen dat ze opgroeide tot vrouw. En er hingen herinneringen aan de bijzondere mensen in haar leven... al dood of nog in leven... haar vader en Grandy... haar moeder... Philip... de speciale vrienden en vriendinnen uit haar jeugd... en Emily, Winston en Alexander. Ook Shane was verbonden met de herinneringen die deze kamer in zich borg. *Thuis,* dacht ze. Voor mij is de salon mijn thuis, hier liggen mijn wortels, zo dacht mijn grootmoeder er ook over. En daarom zou ik nooit ergens anders gelukkig kunnen zijn...
'Waar denk je allemaal aan?' vroeg Shane. Hij stond opeens voor haar, wat haar licht aan het schrikken maakte. Hij reikte haar een kristallen glas tot de rand gevuld met koele, sprankelende champagne aan.
'O, lieveling, dank je,' zei ze terwijl ze het glas aannam. 'Ik zat te denken dat dit toch zo'n heerlijke kamer is waar het verleden nog leeft, vind je ook niet?'
'Alle dagen van ons leven vind je hier terug,' zei hij, en klonk met haar. 'Sinds we heel klein waren.'
Ze keken elkaar glimlachend in de ogen, vol liefde. Toen liep Shane naar de andere bank, waar hij zich in de dikke kussens installeerde. Paula leunde naar voren en richtte haar violetblauwe ogen op hem.
'Over het verleden gesproken... Ik denk de laatste dagen veel aan de *toekomst,* Shane. Ik heb besloten die keten van Larson in Amerika aan te kopen.'
Shane nam haar indringend op. Er kwam even een andere, wat bezorgde uitdrukking in zijn donkere ogen, maar hij zei even beheerst als altijd: 'Als je dat graag wilt, dan vind ik het fijn voor je dat je hebt besloten je plan door te zetten, lieveling.' Eigenlijk vond hij in zijn hart dat ze te veel hooi op haar vork nam, maar hij bemoeide zich nooit met haar zaken; hij bleef neutraal. Dat was een van de redenen dat ze zo'n goed huwelijk hadden.
Ze zei langzaam: 'Zeshonderdvijftig miljoen dollar is een redelijke prijs, geloof ik.' Ze trok een welgevormde wenkbrauw op. 'Of niet soms?'
Hij knikte. 'Ja, ik ben het met je eens.'
'Maar goed... Ik heb besloten de keten zelf aan te kopen, met mijn eigen geld,' ging ze verder terwijl ze hem strak aankeek.
Een fractie van een seconde keek hij haar stomverwonderd aan, maar opnieuw klonk zijn stem vast en effen toen hij zei: 'Zo zo, heb je dat

besloten. En wat ga je dan wel verkopen om genoeg geld op tafel te kunnen leggen?'
'Ik leen bij de bank en ik neem hypotheek op het onroerend goed van Larson, met een van de zaken als onderpand. Daar kan ik waarschijnlijk zo'n driehonderd miljoen dollar op lenen. En om de rest van het geld bij elkaar te krijgen ben ik van plan tien procent van mijn Harte-aandelen te verkopen.'
'Paula!' riep hij geschokt. 'Moet dat echt?' Terwijl hij haar strak aankeek, vroeg hij verder: 'Is dat niet een beetje riskant? Ik bemoei me liever niet met jouw zaken, lieveling, maar die Harte-aandelen vormen een geweldig wapen; ze geven je zekerheid doordat ze je de absolute macht over het bedrijf geven. Als je tien procent van je eenenvijftig procent wegdoet, heb je minder greep op het bedrijf. Dat is vragen om moeilijkheden.'
'Gò, doe toch niet zo mal, Shane. Wie zou mij nou in moeilijkheden kunnen en willen brengen!' zei ze lachend. 'Mijn bestuur en mijn aandeelhouders steunen me ten volle. Ze staan achter me. Lieve god, die zaak is van *mij*. Niemand zou erover piekeren om tegen me in te gaan, de leden van het bestuur niet en de aandeelhouders ook niet. Ik *ben* Harte, net als Emma vroeger.'
'Hmmm... Ik weet het nog zo net niet...' begon Shane, maar hij zweeg. Hij had uiteindelijk toch de regel verbroken die hij zichzelf had gesteld toen hij met haar trouwde. Hij had zich voorgenomen haar nooit zakelijk van advies te dienen, en dat had hij nog nooit gedaan. Trouwens, ze leek veel te veel op Emma Harte om zijn raad aan te nemen. Paula was koppig en onafhankelijk. En gewoonlijk oordeelde ze feilloos, net als haar grootmoeder. Hij haalde eens diep adem en weerstond de verleiding om tegen haar plannen in te gaan.
'Ik zie wel aan je gezicht dat je hebt besloten om dit op jouw manier aan te pakken,' zei hij voorzichtig. 'Je bent vol zelfvertrouwen, je bent vastbesloten... een bewonderenswaardige houding, de enige houding om zo'n waagstuk tegemoet te treden.' Shane glimlachte haar toe en hij meende oprecht wat hij vervolgens zei: 'Ik sta helemaal achter je, Paula.'
'O, Shane, lieveling, dank je... Wat fijn dat je in me gelooft. Dat betekent heel veel voor me. Dat zei ik laatst nog tegen Michael.'
'O ja?'
Ze knikte. 'Ik zei tegen hem dat ik hoopte dat je mijn aanpak zou goedkeuren. O ja, hij zit ook in New York als ik daar volgende week heenga.'
'Wat toevallig... of niet?' Hij keek haar onderzoekend aan, zijn donkere ogen werden tot spleetjes geknepen.

'Nee, lieveling, het is niet toevallig. Michael moet deze maand toch naar New York, en hij heeft het zo geregeld dat onze plannen in elkaar passen. Hij vindt dat hij in de buurt moet zijn als ik soms hulp nodig mocht hebben bij de overname van Larson.'
Shane verstrakte en even reageerde hij niet. Toen schraapte hij zijn keel. 'In het verleden had je nooit hulp nodig bij je transacties. Van niemand. Waarom *nu* opeens wel?'
Ze haalde lachend haar schouders op. 'Ik heb geen hulp nodig, maar Michael heeft me bij Harvey Rawson geïntroduceerd, hij is die keten op het spoor gekomen, zoals je weet. *Hij* vindt dat hij in de buurt moet zijn en ik wil zijn gevoelens niet kwetsen door te zeggen dat hij niet speciaal voor mij hoeft te gaan.'
'Ik begrijp het.'
Shane sprong overeind en beende naar de bar, want hij wilde niet laten merken dat hij boos was geworden. Hij schonk zichzelf nog een glas Dom Perignon in, verdrong zijn jaloezie en deed zijn best gepast onbezorgd te kijken. Michael wekte de laatste tijd zijn irritatie. In zijn hart voelde hij instinctief dat de andere man een diepere belangstelling voor zijn vrouw had dan zij zich realiseerde. Hij vertrouwde Paula volkomen, want hij wist dat ze met heel haar hart van hem hield. Maar hij wist niet meer zo zeker of hij Michael Kallinski wel vertrouwde. Hij voelde er in ieder geval niets voor om Paula in een gênante situatie te brengen als ze in New York was, en dat zou best eens kunnen gebeuren. Of beoordeelde hij Michael nu verkeerd? Per slot van rekening was zijn oude vriend een heer, nietwaar?
Shane nam een impulsief besluit. Hij draaide zich om naar zijn vrouw en glimlachte haar stralend toe. 'Ik had het als een kleine verrassing willen bewaren, maar ik kan het je beter nu vertellen. Ik ga volgende week ook naar New York, lieve Paula,' improviseerde hij. 'Miranda heeft me daar nodig. Ik weet wel dat we altijd proberen niet tegelijk weg te zijn vanwege de kinderen, maar hier kan ik niet onderuit. Ik moet daar een paar netelige problemen uit de weg ruimen.'
'Maar ik vind het geweldig!' riep Paula uit. Haar gezicht straalde van geluk. 'Nanny en Mark zorgen uitstekend voor Patrick en Linnet...' Paula zweeg en begon zachtjes te lachen. 'Het toeval wil dat Amanda ook naar Amerika gaat om voor Genret in te kopen. Ik ben van plan een paar dineetjes te geven voor haar... en Michael. Zie je, Shane, Amanda is verkikkerd op hem en oom Ronnie en ik vinden dat ze een volmaakt paar zouden vormen.'
'Ik weet niet zeker of Michael wel belangstelling heeft voor een huwelijk,' merkte Shane op terwijl hij weer op de bank ging zitten. 'Het

debâcle met Valentine is nog te kort geleden. Maar ik ben geneigd het met jou en oom Ronnie eens te zijn. Amanda zou ideaal voor hem zijn.' Shane leunde achterover in de kussens, eigenaardig opgelucht. Peinzend voegde hij er nog aan toe: 'Het lijkt me beter om net als anders apart te reizen.'
'Ja, natuurlijk, dat is het verstandigste. O ja, Shane...' Paula maakte haar zin niet af, want op dat moment ging de deur open en kwam haar dochter, Tessa, de kamer binnen.
'Dag mam, dag pap.' Ze bleef in de deuropening staan en blies hun een kushand toe. 'Ik ga naar het feestje van Melanie. Haar broer komt me net ophalen.'
'Daar ga je toch niet zó heen!' riep Paula uit. Ze stond op.
Tessa fronste haar wenkbrauwen. 'Hoezo, mam?'
'Je weet heel goed wat ik bedoel.' Paula wenkte haar. 'Kom eens hier, Tessa, ik wil je even bekijken.'
'Het is alleen maar een beetje rouge,' mompelde Tessa terwijl ze haar moeder vijandig aankeek maar bleef staan waar ze stond. 'Dat doet iedereen tegenwoordig.'
'Dat ben ik niet met je eens. Kom eens hier, bij de open haard, Tessa.'
Wrevelig deed het meisje wat haar moeder vroeg. Paula pakte haar bij haar schouders en draaide haar rustig naar het licht van de schemerlampen die aan weerszijden op tafeltjes bij de open haard stonden. Ze schudde met een vies gezicht haar hoofd. 'Een beetje rouge, zei je. Maar je hebt ook mascara en lippenstift op.'
'Een hele *lichte* lipstick,' protesteerde Tessa.
'Maar je bent pas *dertien!*' Paula schudde misnoegd haar hoofd. 'Je mag je nog niet opmaken. Ga naar je kamer en ga je gezicht wassen.'
'Nee! Dat doe ik niet! Ik haal het er niet af! Weet je wat er met jou is? Je bent hartstikke ouderwets!' riep Tessa verontwaardigd uit en ze keek Paula boos aan, waarna ze het hoofd in de nek gooide.
'Kalm aan, Tessa!' waarschuwde Shane. Hij ging rechtop zitten en keek het meisje vermanend aan. 'Zo spreek je niet tegen je moeder. Je bent erg onbeleefd, dat kan ik niet tolereren.'
'Ze is *echt* ouderwets, pap. Hopeloos ouderwets. Alle meisjes uit mijn klas dragen na schooltijd make-up.'
'Dat waag ik te betwijfelen.' Paula deed een stapje achteruit en nam haar dochter objectief op. Mijn god, dacht ze, Tessa kan gemakkelijk voor zeventien doorgaan. Ze is opeens een jonge vrouw geworden. Waar zijn al die jaren gebleven? Het lijkt nog pas gisteren dat ze als baby in haar kinderwagen lag.
Ze nam een verzoenende houding aan en zei wat vriendelijker: 'Kom

kindje, doe wat ik zeg.'
Tessa kneep haar lippen tot een koppige streep samen en er kwam een uitdagende blik in haar ogen. 'Als ik mijn make-up moet afwassen ga ik niet naar het feest, want dan zie ik er kinderachtig uit, belachelijk. De andere meisjes dragen allemaal make-up, ze lachen me uit.'
Moeder en dochter keken elkaar strak aan.
Paula schudde langzaam haar hoofd. 'Nee, niet allemaal.'
'Moeder, alsjeblieft... Je bent stom!' klaagde Tessa.
'Nee, dat ben ik niet. En zolang je in dit huis woont en wij alles voor je betalen, houd jij je aan onze regels,' zei Paula rustig maar gedecideerd.
Tessa keek naar haar voeten en dacht hard na. Ze moest toegeven dat haar moeder de baas was, maar toch was ze vast van plan haar zin door te drijven. Ze gooide het over een andere boeg. 'We spreken iets af. Ik zal...'
'Er wordt niet over onderhandeld,' reageerde Paula prompt.
'Maar onderhandelen is vaak het geheim van zakelijk succes,' merkte Tessa op, waarmee ze Paula confronteerde met een van haar eigen uitspraken.
Haar moeder moest een glimlach verbijten en ze wendde haar blik af om de pret in haar ogen te verbergen. Shane kon zijn vrolijkheid niet zo goed onderdrukken en barstte in lachen uit.
Paula keek hem hoofdschuddend aan, toen wendde ze zich tot Tessa. 'Goed, je mag rouge op. Maar meer niet. En als tegenprestatie moet je beloven een uur extra piano te studeren. Want dat heb je de laatste tijd lelijk verwaarloosd.'
'Goed, dat beloof ik. Maar mag ik alsjeblieft de mascara ophouden? Mijn wimpers zijn zo licht. Ik zie er vreselijk uit. Zó bleek. Ik zal twee uur extra piano studeren en... en... als Nanny haar vrije dag heeft, pas ik op Linnet voor je.'
'Dat is morgen, weet je dat?' merkte Paula op. Ze liet zich vermurwen. 'Goed dan, afgesproken. Maar geen lippenstift. *Begrepen?*'
'Ja. Bedankt, mam.' Tessa lachte weer en ze danste lichtvoetig door de kamer, aldoor pirouetten makend tot ze bij de deur was.
'En niet te laat thuis,' beval Paula.
'Nee hoor. Daag.'
De deur ging met zo'n harde klap dicht dat Paula ineenkromp toen het porselein in het Chippendale-kastje rinkelde. 'Tess ziet er ouder uit dan dertien, vind je ook niet Shane?' zei ze zachtjes.
'Ja, ze is opeens een hele jongedame geworden, ze wordt een beetje sneller dan me lief is een jonge vrouw. Het wordt tijd om te overwegen haar van Harrogate College te halen, Paula, en haar naar Heath-

field te sturen, wat we altijd van plan zijn geweest.'
'Ik zal volgende week contact opnemen met de directrice. Ik ben het met je eens. Hoe eerder Tess daarheen gaat, hoe beter.'
'Ik zei jaren geleden al tegen je dat ze een kleine individualiste is, Paula. Zij en Lorne zijn heel anders, al vormen ze een tweeling. Zij zal de komende jaren een straffe leiding nodig hebben.'
Paula knikte, want ze besefte dat Shane volkomen gelijk had. Ze verviel in gepeins. Haar dochter was koppig, dreef graag haar zin door en nam risico's, en soms was ze zelfs uitdagend. Ze was een lief meisje, hartelijk, extravert, en ze kon goed leren. En toch kon ze onstuimig en onbeheerst reageren, wat Paula een negatieve eigenschap vond. Haar dochter was een echte Fairley; ze had veel van hun karaktertrekken geërfd, zeker hun ijdelheid en egocentriciteit, altijd al minpunten van de Fairleys. Ze heeft niet veel van de Hartes meegekregen, dacht Paula met iets van misnoegen. Ze lijkt zelfs uiterlijk op haar betovergrootmoeder Adèle Fairley, met haar lichtblonde haar en die zilvergrijze, raadselachtige ogen. Paula huiverde en tuurde naar de vlammen in de open haard.
'Wat kijk je eigenaardig, Paula,' zei Shane. 'Is er iets, lieveling?'
'Nee, nee, wat zou er zijn?' riep ze uit en schudde de muizenissen van zich af. 'Mag ik alsjeblieft nog een glas champagne?'

'Ik had dus toch gelijk?' zei Emily terwijl ze van Paula naar Winston keek. 'Kom, jullie zullen het moeten toegeven.'
'Je had volkomen gelijk, wat alles betreft,' erkende Paula. 'Het spijt me dat ik al die jaren geleden zo neerbuigend over je ideeën heb gedaan.' Ze hief haar glas en nam een slok rode wijn. 'Neem je daar genoegen mee, Dumpling?'
Emily glimlachte breed.
Ook Winston verontschuldigde zich. 'Neem me niet kwalijk dat ik ooit heb gedacht dat je een beetje getikt was toen je steeds maar beweerde dat Min geen zelfmoord had gepleegd.'
'Je excuses worden aanvaard.' Emily glimlachte haar man en nicht toe, waarna ze haar mes en vork pakte, een stukje lamsvlees afsneed en dat in haar mond stak.
Shane nipte peinzend van zijn wijn. 'Jij vermoedde dus aldoor al dat het moord was, Emily?'
'Ja.'
'Waarom?' wilde Shane nieuwsgierig weten.
'Er was een hiaat van vijf uur, daar zat ik mee, Shane.' Emily legde haar bestek neer en ging achterover in haar stoel zitten. 'Ik snapte maar niet waar Min was gebleven vanaf een uur of zes – op het mo-

ment dat Anthony haar bij het meer had gezien – tot het tijdstip van haar dood, rond een uur of elf. Haar auto heeft al die tijd bij het meer gestaan, dus ik wist zeker dat ze ergens op bezoek was gegaan... in het dorp of op het landgoed. Ik dacht zelfs aan een minnaar... maar ik kwam er niet uit... Het bleef een groot mysterie voor me.'
'Dat is dan eindelijk opgelost,' vervolgde Winston. 'En mijn zus is in ieder geval heel erg opgelucht. Jarenlang heeft die arme Sally geloofd dat zij en Anthony Min op de een of andere manier de dood in hebben gedreven. God zij dank is de zaak eindelijk opgehelderd. De wereld ziet er voor de Dunvales een stuk lichter uit.'
'Heeft Anthony ook uitgelegd waarom Michael Lamont opeens bekende dat hij Min, zonder het te weten, heeft gedood?' vroeg Shane met een blik op Winston.
'Anthony vertelde ons dat Lamont er niet meer mee kon leven. Zijn geweten plaagde hem zozeer dat hij er ziek van werd,' antwoordde Winston. 'Kennelijk is hij naar Anthony toe gegaan om hem de waarheid over die avond te vertellen. Toen Anthony hem erop wees dat een dode geen water in zijn longen kan krijgen en dat Min dus nog geleefd moet hebben toen hij haar in het meer gooide, raakte Lamont buiten zinnen en hij was zo geschokt, zo kapot, dat hij die beroerte kreeg.'
'Gelukkig kan Anthony nu Lamont dood is de hele zaak begraven,' zei Paula zachtjes. 'Het zou voor de familie afschuwelijk zijn geweest als Anthony het onderzoek had moeten laten heropenen. Om van Lamont nog maar te zwijgen, want die had terecht moeten staan wegens moord, daar twijfel ik niet aan.'
'Ik heb altijd het gevoel gehad dat Bridget O'Donnell meer wist dan ze losliet,' merkte Emily op. 'Maar toen Anthony hier vorige week was, vroeg ik naar haar en toen keek hij heel eigenaardig. Hij vertelde me dat Bridget niets wist over Mins dood en dat ze die avond met migraine op haar kamer zat, zoals ze tijdens het gerechtelijk onderzoek ook had verteld, toen ze Anthony zijn alibi bezorgde. Maar toch...'
'Neemt u me niet kwalijk, mevrouw O'Neill,' zei de huishoudster terwijl ze de eetkamer binnenkwam. 'Het spijt me dat ik u tijdens het eten moet storen, maar er is telefoon voor u, het is belangrijk.'
'Dank je, Mary,' zei Paula. Ze schoof haar stoel naar achteren en stond op. 'Excuseer me even, jongens, ik ben zó terug.'
Paula haastte zich naar de hal, zich afvragend wie haar op dit uur van de zaterdagavond zou bellen. Ze pakte de hoorn. 'Hallo?'
'Mevrouw O'Neill, met Ursula Hood.'

Paula pakte de hoorn steviger beet toen ze de stem hoorde van mevrouw Hood, Alexanders huishoudster op Nutton Priory. Al haar zintuigen vertelden haar dat er onheil dreigde. Haar keel voelde wat droog aan. 'Goedenavond, mevrouw Hood. Wat kan ik voor u doen?'
'Mevrouw O'Neill... Ik bel u omdat... Er is iets vreselijks gebeurd.' De vrouw kon niet verder spreken. Er viel een korte stilte. Toen vervolgde ze rustig: 'Meneer Barkstone ging vroeg in de avond jagen in het bos. Hij... hij... heeft zichzelf geraakt.'
Paula's nekharen gingen overeind staan en ze begon te beven. 'Is hij ernstig gewond, mevrouw Hood?' vroeg ze met trillende stem.
Mevrouw Hood schraapte haar keel. 'O, mevrouw O'Neill... Hij is... hij is... Meneer Barkstone is dood. Ik vind het zo erg, zo vreselijk.'
'O god nee!' riep Paula uit en zocht steun bij de eikehouten tafel. Ze probeerde het schokkende nieuws te verwerken en de tranen terug te dringen.
Mevrouw Hood zei zachtjes: 'Ik kan het niet geloven dat hij dood is... Zo'n aardige man.' De huishoudster verloor haar zelfbeheersing opnieuw, maar vermande zich en legde uit: 'Ik heb *u* gebeld omdat ik het niet over mijn hart kon verkrijgen zijn zusters te bellen... Ik zou niet weten hoe ik het mevrouw Harte moest vertellen, of juffrouw Amanda, en juffrouw Francesca...'
'Dat is wel goed, mevrouw Hood,' zei Paula langzaam. 'Ik begrijp het best. Mevrouw Harte dineert vanavond hier. Ik zal het haar en haar zusters voorzichtig vertellen. Maar kunt u me alstublieft iets meer zeggen... over... wat er is gebeurd?'
'Nee, eigenlijk niet, mevrouw O'Neill. Toen meneer Barkstone niet kwam eten vanavond, heb ik de butler naar zijn slaapkamer gestuurd. Daar was hij niet. Toen bleek dat niemand hem uit het bos had zien terugkomen. De butler, de huisknecht en de chauffeur zijn hem toen gaan zoeken...' Mevrouw Hood snoot haar neus. 'Ze hebben hem onder een van die grote eiken gevonden, het geweer lag naast hem. Hij was al dood.'
'Dank u, mevrouw Hood,' wist Paula met moeite uit te brengen. Ze deed haar uiterste best om haar emoties onder controle te houden. 'Ik regel alles hier wel. Mijn man en ik komen binnen een uur naar Nutton Priory. Ik weet zeker dat meneer en mevrouw Harte met ons meekomen.'
'Ik wacht op u, mevrouw O'Neill. Hartelijk bedankt.'
Paula legde de hoorn op het toestel en stond nog even aan haar neef te denken. O Sandy, Sandy, waarom moest je op die manier sterven?

Helemaal alleen in het bos. Er ging een steek door haar hart. Toen flitste er een verbijsterende, afschuwelijke en onaanvaardbare gedachte door haar heen. *Had hij zichzelf van het leven beroofd?* Nee. Dat zou hij nooit doen, hield ze zich voor. Sandy hield zo van het leven. Hij vocht ervoor om op de been te blijven. Elke minuut was kostbaar. Dat heeft hij me de laatste tijd zo vaak verteld. Ze zette de gedachte aan zelfmoord van zich af.
Nadat ze een paar keer diep adem had gehaald, liep Paula langzaam terug naar de eetzaal. Ze staalde zich om Emily het schokkende nieuws te brengen.

32

Het was een sombere dag voor april. Dikke, grauwe wolken pakten zich met grote snelheid samen aan de dreigende hemel, die versmolt met de grimmige, donkere hoogvlakten van Yorkshire. Hun eenzaamheid en onverbiddelijkheid riepen een dreigende sfeer op; er vielen die ochtend donkere schaduwen over Fairley. Geen straaltje zonneschijn verzachtte die ruige, door de wind geteisterde vlakten; de bijtend koude lucht deed vermoeden dat het ieder moment kon gaan regenen, terwijl de wind nog verder aanwakkerde.
Over de weg die deze belangrijke heuvelrug doorsneed, reed langzaam een rij auto's achter de lijkstoet aan. Even later verliet de stoet de heidevlakte en reed langzaam het lager gelegen dorp in; nog geen kwartier later stond hij stil voor het prachtige Normandische kerkje. Hier, in het oude portaal, wachtte de nieuwe predikant, de eerwaarde Eric Clarke, ter begroeting op de familie en vrienden van de overledene.
Zes slippedragers droegen Alexanders kist. Anthony Standish, graaf van Dunvale, en Winston Harte – zijn neven: verder Shane O'Neill en Michael Kallinski en twee van zijn vrienden van school. Zij hadden hem een groot deel van hun leven gekend en daarom hoorden ook zij nu het einde was gekomen bij hem om hem naar zijn laatste rustplaats op dit oude kerkhof te brengen.
De zes mannen tilden Alexanders kist met gemak op hun schouders en droegen hem met langzame, waardige pas over het stenen pad, onder de poort door naar de begraafplaats. Ze gingen gebukt onder smart, die van hun treurige gezicht was af te lezen. Elk had op zijn eigen manier veel gegeven om de man die ze nu kwamen begraven. De slippedragers brachten de kist naar het graf, waar de predikant al stond, samen met Alexanders rouwende zusters, Emily, Amanda

en Francesca, en zijn verdrietig huilende moeder, Elizabeth, die ondersteund werd door haar echtgenoot, de Fransman Marc Deboyne. Aan de andere kant van het graf stond de rest van de familie met de vele vrienden, allen in rouwkleding.
Anthony keek diep bedroefd; zijn gezicht stond treurig en strak terwijl hij tussen zijn vrouw Sally en Paula in ging staan. Hij dook dieper weg in zijn zwarte overjas, huiverend in de onstuimige wind die over de vlakte kwam aanwaaien. De jonge blaadjes aan de bomen ritselden en de bloemen in de kransen bewogen zachtjes. Anthony keek er strak naar. Ze herinnerden hem eraan dat het inderdaad lente was [illegible] tere bloemetjes, zo kleurrijk tegen die donkere aarde... het felgeel en het paars van narcissen en krokussen, het doorschijnend wit van de lichte narcissen... het donkere bloedrood van tulpen. Hij luisterde nauwelijks naar de predikant, die de plechtigheid opende; hij werd geplaagd door verontrustende gedachten.
Sandy's begrafenis riep herinneringen op aan die andere teraardebestelling die hij pas enkele weken terug in Ierland had bijgewoond. Hij zag nog steeds voor zich hoe Michael Lamont die afgrijselijke ochtend op Clonloughlin was neergestort, toen hij hem over Mins dood had aangesproken. Lamont was een paar dagen later in de kliniek overleden; hij had de zware beroerte niet overleefd. Als hij in leven was gebleven, zou hij volstrekt hulpeloos zijn geweest. Om de een of andere eigenaardige reden voelde Anthony zich een beetje verantwoordelijk voor de dood van zijn rentmeester. Aan de andere kant, zoals Sally steeds maar weer tegen hem zei, was Lamont de ellende en de schande van een proces bespaard. Dat zou hij nooit hebben overleefd, beweerde ze stellig. Misschien had ze gelijk. Hij probeerde de gedachten aan Lamont van zich af te zetten, wat gedeeltelijk lukte.
Een lange zucht voer door Anthony heen en hij keek opzij naar Sally. Hij glimlachte flauwtjes toen ze haar arm door de zijne stak en dichter bij hem kwam staan. Het was net of ze alles begreep. En dat was natuurlijk ook zo. Ze stonden elkaar zeer na; intiemer konden twee mensen nauwelijks worden.
Hij wierp een blik op zijn moeder, Edwina, de douairière. Was ze maar niet uit Ierland overgekomen. Ze voelde zich de laatste tijd niet zo goed en ze zag er inderdaad heel broos uit – een oude dame van over de zeventig met wit haar. Zij was het eerste kind van Emma Harte, de dochter van Edwin Fairley.
Wat een historie vertegenwoordigt dit kerkhof, ontzagwekkend, dacht Anthony opeens terwijl zijn ogen over de grafstenen dwaalden. Het lag hier vol Hartes en Fairleys. Vele generaties. Hij was zowel

een Harte als een Fairley, en dan ook nog gedeeltelijk Standish. De gedachte viel hem in dat het allemaal hier was begonnen, in het unieke kerkje dat achter hem oprees... Het was begonnen met Emma Harte, toen ze hier in april 1889 was gedoopt. Bijna honderd jaar geleden. Lieve hemel, zijn grootmoeder zou eind van deze maand drieënnegentig zijn geworden als ze was blijven leven. Zelfs na al die jaren miste hij haar nog steeds.

In gedachten zag hij Emma voor zich. Wat een unieke, briljante vrouw was ze toch geweest. Ze had van al haar kleinkinderen gehouden, maar hij wist dat ze een speciale band met Alexander had gehad. Maar dat gold toch eigenlijk voor hen allemaal? Sandy had kans gezien het beste in hen naar boven te halen. Ja, door hem te kennen, waren zij allen betere mensen geworden.

Hij moest nu weer aan zijn neef denken. De brief zat in de binnenzak van zijn colbert, waar hij hem droeg sinds hij hem de dag na Sandy's dood had ontvangen. Hij wist al dat Sandy dood was voordat de brief met de ochtendpost werd bezorgd. Paula had hem immers de avond daarvoor vanuit Nutton Priory gebeld om het hem en Sally te vertellen. Niettemin was die brief aanvankelijk een schok geweest. Tot hij de woorden was gaan begrijpen en ze had kunnen aanvaarden.

Hij had de brief nu al zo vaak gelezen, dat hij hem grotendeels uit het hoofd kende. Het was alsof de woorden hem in het geheugen gegrift stonden. Het was geen lange brief, nuchter en zakelijk eigenlijk, typisch Sandy... en de brief was alleen voor zijn ogen bestemd. Dat was de reden waarom hij er niet eens met zijn vrouw over had gesproken, of met Paula, die per slot van rekening het hoofd van de familie was. Maar zij hoefden hem niet te lezen.

Toen hij zijn ogen dichtdeed, zag hij in gedachten Sandy's handschrift voor zich... en dat wonderlijke stukje van de brief dat hem zo had geroerd.

'Ik wil dat je begrijpt waarom ik dit doe, Anthony,' had Sandy in zijn keurige handschrift genoteerd. *'Voornamelijk voor mezelf, vanzelfsprekend. Eindelijk een kans om te gaan. Maar het zal iedereen de ellende van een langdurig sterfbed besparen. Ik weet dat geen van jullie het zou kunnen aanzien dat ik moet lijden. En daarom, voordat ik er een eind aan maak, neem ik afscheid, beste neef en dierbare vriend. Je moet weten dat ik blij ben dat ik dit aardse leven kan verlaten... Ik kan ontsnappen... ik ben vrij...'*

Onder de brief had Sandy een postscriptum gekrabbeld: *'Je bent een reuze goede vriend voor me geweest, Anthony. Meer dan eens heb je me door moeilijke tijden geholpen, misschien wel zonder het te besef-*

fen. Dank je. Moge God jou en de jouwen zegenen.'
Anthony wist dat het onverstandig zou zijn de brief te bewaren, maar hij had het nog niet over zijn hart kunnen verkrijgen hem te vernietigen. Maar dat móest hij doen. Vandaag. Na de begrafenis, als hij op Pennistone Royal terug was. Hij zou naar de badkamer van hun suite gaan en hem verbranden en de verkoolde snippers door het toilet spoelen. Alleen hij wist dat Sandy zijn dood zorgvuldig had voorbereid, dat hij in het bos was gaan jagen en dat hij, nadat hij enkele hazen en konijnen had gevangen, zichzelf had doodgeschoten, maar op zo'n manier dat het een ongeluk scheen. Hij zou Sandy's geheim nooit aan iemand onthullen. Uiteraard had er een gerechtelijk onderzoek plaatsgevonden en de rechter had verklaard dat het een ongeluk was geweest, precies zoals Alexander had voorzien. Niemand vermoedde de waarheid, zelfs Paula, de schranderste van de familie, niet.
'Het zij zo,' zei Anthony fluisterend, uitkijkend over de verre vlakten, nog steeds in gedachten bij Sandy, aangegrepen door zovele herinneringen... die hem nog even meevoerden terug in de tijd.
Onverwacht viel er stralend zonlicht door de donkere wolken en de loodgrijze, sombere lucht werd vervuld van een magnifieke gloed, die van onder de grauwe horizon leek uit te stralen. De adem stokte Anthony in de keel bij zoveel schoonheid en hij sloeg zijn ogen ten hemel en glimlachte. In de rust van zijn vriendelijke, liefhebbende hart zei hij Sandy vaarwel. Zijn pijn is ten einde, dacht Anthony. Eindelijk heeft hij vrede. Hij is naar zijn geliefde Maggie gegaan.
De korte plechtigheid liep ten einde.
De kist werd neergelaten in de rijke aarde van Yorkshire, waar Sandy's voorouders lagen. Toen de predikant zijn gebedenboek dichtsloeg, wendde Anthony zich van het graf af.
Hij pakte Sally bij haar arm. 'Laten we teruggaan naar Pennistone Royal om iets te drinken en te eten,' zei hij.
Sally knikte. 'Ja, we hebben iets warms nodig. Het is ijskoud vanmorgen.'
Paula, die met hem meeliep, rilde. Ze keek van Shane naar Anthony. 'Ik haat dat drinken en eten na een begrafenis. Het is een barbaarse gewoonte.'
'Nee,' zei Anthony met gedempte stem. 'Dat is niet waar.' Hij stak zijn arm door de hare en ze regelden hun tempo naar elkaar, over het stenen pad naar de poort en de klaarstaande auto's. 'De lunch geeft ons de gelegenheid om een poosje samen te zijn, om elkaar te troosten... en om Sandy te gedenken zoals hij was. We moeten troost putten uit het feit dat we hem hebben gekend en zijn liefde

hebben ervaren. En om zijn leven te gedenken.'

Die woorden zouden Paula bijblijven. Ze echoden haar nog in de oren toen ze een week later op een ochtend naar Heathrow werd gereden om met de Concorde naar New York te gaan.
Amanda zat naast haar achter in de Rolls-Royce; ze was bedroefd en in zichzelf gekeerd, ze sprak nauwelijks. Een paar minuten voordat ze op de luchthaven aankwamen, pakte Paula de hand van haar nichtje in de hare en drukte hem.
Amanda keek haar aan en fronste licht, toen beantwoordde ze Paula's gebaar.
'Je denkt aan Sandy, hè?' vroeg Paula.
'Ja,' fluisterde Amanda.
Paula klopte haar vol genegenheid op haar hand. 'Treur maar om hem,' fluisterde ze. 'Gooi het verdriet eruit. Dat is noodzakelijk... het hoort bij het genezingsproces. Maar put ook troost uit je mooie herinneringen aan Sandy, de jaren die je met hem hebt gehad toen je opgroeide. Wees blij dat hij je broer was, dat hij je zoveel liefde, zoveel van zichzelf heeft gegeven.'
'Wat ben je toch wijs, Paula. Ik zal het proberen...' Amanda's lip begon te trillen. 'Maar ik mis hem zo vreselijk.'
'Natuurlijk, dat is heel gewoon. En dat zal nog heel lang zo blijven. Maar ik vind ook dat je moet bedenken dat Sandy nu uit zijn lijden is.' Paula zweeg even, om er nog zachtjes aan toe te voegen: 'Laat hem gaan, liefje, laat hem in vrede rusten.'
Amanda kon geen woord uitbrengen. Ze knikte alleen maar een paar keer, wendde toen haar hoofd af en keek strak naar buiten. Ze was te geëmotioneerd om te kunnen reageren, maar ze wist dat Paula daar begrip voor zou hebben en haar stilzwijgen zou respecteren.
Een poosje later, toen ze voor hun vertrek in de Concorde-lounge een kopje koffie dronken, boog Amanda zich opeens dichter naar Paula toe en zei zachtjes: 'Fijn dat je zo'n goede vriendin bent. Daar ben ik heel dankbaar voor.' Ze keek met nietsziende ogen voor zich uit en fluisterde toen: 'Wat is het leven toch onzeker, hè, Paula? Niemand weet wat er met ons gaat gebeuren... In één oogwenk kan je leven drastisch veranderen...'
'Ja, het leven kan aan een zijden draadje hangen. Maar het kan ook prachtig zijn, weet je. En het leven behoort aan de levenden. Wij moeten doorgaan.'
'Dat zei Grandy ook altijd!' Amanda keek Paula aan en er verscheen een glimlach op haar gezicht. 'Ik heb gisteravond zo'n leuk telefoontje gehad van Francesca. Ze is in verwachting.'

'Wat een goed nieuws! We zullen in New York op babykleertjes uit moeten.' Paula pakte haar kopje, nam een slokje koffie en keek Amanda peinzend aan. Ze zette het kopje weer op het schoteltje en zei weloverwogen: 'Misschien vind je dat het me niets aangaat, maar je bent dol op Michael Kallinsky, nietwaar?'
Amanda keek haar met een verraste blik in haar groene ogen aan. Een lichte blos kleurde haar hals en steeg op naar haar bleke wangen.
'O jee, ligt het er zo dik op?'
'Alleen voor mij. Ik zie altijd alles. En vergeet niet dat ik je al vanaf je geboorte ken.'
'Maar hij heeft geen belangstelling voor mij,' beweerde Amanda.
'Dat zullen we nog wel eens zien.'
'Hoezo?'
'Michael en jij hebben de laatste tijd veel contact gehad, maar altijd over zaken en de overname van Lady Hamilton Clothes. Nu moet hij je eens in een ander daglicht zien, buiten het werk om, met andere mannen die zich om je verdringen... dat doen ze meestal, heus, schud nou maar niet zo met je hoofd. Omdat jullie toch allebei in New York zijn, geven Shane en ik een paar diners en cocktailparty's... Ik zal ervoor zorgen dat Michael je nog beter leert kennen. Op een meer persoonlijk vlak.'
'O,' was alles wat Amanda kon bedenken.
'Vertrouw maar op mij. Je toekomst ziet er volgens mij rooskleurig uit.'
'Die van jou ook,' antwoordde Amanda prompt. 'Ik weet zeker dat je die keten van Larson krijgt.'
'Ik hoop van harte dat je gelijk krijgt,' zei Paula en deed een schietgebedje.

Terwijl de Concorde van British Airways naar New York vertrok, landde er gelijktijdig een vlucht van Quantas uit Hongkong op Heathrow.
Nog geen uur later waren de passagiers van boord gegaan, was de bagage op de lopende band te voorschijn gekomen en was Jonathan Ainsley – die eruitzag als de typisch welvarende zakenman die hij was – via de douane de aankomsthal binnengelopen.
Zijn ogen dwaalden zoekend over de mensen die bij het hek stonden te wachten. Hij stak zijn hand ter begroeting omhoog toen hij het vlammend rode haar en het stralende gezicht zag van zijn chic geklede nicht, Sarah Lowther Pascal.
Sarah zwaaide terug en even later omhelsden ze elkaar vol genegenheid.

'Welkom thuis, Jonny,' zei Sarah terwijl ze zich losmaakten en elkaar waarderend opnamen.
'Het is fijn om terug te zijn. Het is eeuwen geleden.' Hij glimlachte naar haar, gebaarde de kruier dat hij mee moest lopen en pakte Sarah bij de arm om haar mee te loodsen naar de parkeerplaats.
'Wat een bof dat jouw reis naar Londen samenviel met de mijne,' zei Jonathan een minuut of tien later terwijl ze zich comfortabel naar Londen lieten brengen in de grote limousine met chauffeur die Sarah had gehuurd om hem op te halen.
'Inderdaad,' zei ze. 'Yves wilde dat ik de galerie kwam bekijken die hem hier vertegenwoordigt en ik moest zelf deze week ook het een en ander regelen op zakelijk gebied. Het trof dus uitstekend, Jonny.'
'Hoe gaat het met Yves?' vroeg Jonathan.
'Bijzonder goed,' antwoordde Sarah enthousiast. 'Hij schildert briljant op het ogenblik.'
'En hij verkoopt ook goed,' zei Jonathan zachtjes terwijl hij haar een zijdelingse blik toewierp. 'En hij is niet krenterig, aan je sieraden te zien... en dat is toch zeker een pakje van Givenchy?'
Sarah knikte en glimlachte verheugd om zijn complimentjes. 'Hij is reuze royaal, maar mijn eigen investeringen brengen ook ruime dividenden op...' Ze keek Jonathan van opzij aan. 'En hoe gaat het met Arabella?'
'Geweldig!' Jonathans gezicht klaarde meteen op en hij begon te vertellen over Arabella en hun leven in Hongkong. Hij sloeg niets over en wist van geen ophouden.
Sarah wenste dat ze nooit over dat mens was begonnen. Ze had een gloeiende hekel aan de vrouw van haar neef.
Terwijl ze achterover leunde in de zachte, bordeauxrode leren kussens, deed ze alsof ze aandachtig naar Jonathan luisterde; ze knikte af en toe en keek alsof ze geen woord wilde missen, maar in feite ontging haar volkomen wat hij allemaal zei.
Een en al onschuld is ze, dacht Sarah, die Arabella. Maar zodra ik haar ontmoette, zag ik wat voor type het was. Ze is slim en slinks en ze wil haar slag slaan. En ze heeft een verleden, die meid. Ik weet het zeker. Ik wou dat ik hem voor haar kon waarschuwen, maar dat durf ik niet. Het verbaasde haar hogelijk dat Jonathan zich door Arabella Sutton had laten inpalmen. Zelfs Yves, die gewoonlijk geen belangstelling had voor andere vrouwen, leek door haar geboeid toen Jonathan en zij eerder dat jaar in Mougins waren komen logeren. Ze was dan ook uiterst charmant. En beeldschoon. Dat weelderige zilverblonde haar, die amandelvormige ogen, dat sensationele figuur. Een seksbom, dat wil ik wedden, dacht Sarah verachtelijk. Het was

onredelijk, maar ze had een hekel aan haar. Wat kon het haar schelen met wie haar neef trouwde? Maar ze was nu eenmaal heel erg op Jonny gesteld en zijn welzijn ging haar ter harte.
Ze had nu haar eigen gezin, een echtgenoot die haar aanbad en een engelachtig, getalenteerd kind. Maar Jonathan vertegenwoordigde haar verleden, haar banden in Engeland. Haar ouders leefden nog, evenals die van Jonny: haar tante Valerie en oom Robin. Maar om de een of andere reden hield ze het meest van Jonathan, al was hij voor het grootste deel verantwoordelijk voor de verwijdering tussen haar en hun andere neven, nichten, tantes en ooms. De ruzie in de familie Harte had haar veel verdriet gedaan. Hoewel ze sommigen van hen minachtte, had ze er toch last van dat ze min of meer verbannen was en dat ze niet langer deel uitmaakte van die voorname clan.
Jonny was helemaal in Arabella's ban, dat was overduidelijk. Sarah vond het vervelend dat ze niet zijn volledige aandacht had. Dat had ze al eerder meegemaakt, toen Sebastian Cross nog leefde. Boezemvrienden waren ze geweest, vanaf hun studietijd op Eton. En ze waren dik bevriend gebleven. Ze vroeg zich wel eens af waarom; Sebastian was niet bijzonder aardig geweest. Een sjofel type, vond zij. En hij had zich altijd zo eigenaardig op Jonny geconcentreerd. Als ze niet beter had geweten, zou ze hebben gezworen dat Sebastian van de verkeerde kant was. Maar zijn reputatie als rokkenjager was hem voorgegaan. Nu vroeg ze zich af of dat wel iets te betekenen had gehad. Sebastian was zo'n vreemde vogel geweest. Hij was overleden aan een overdosis cocaïne. Nadat Jonathan uit Engeland was weggegaan, had hij niets dan pech gehad; al zijn zakelijke transacties waren rampzalig afgelopen. Ze had gehoord dat hij arm als een kerkrat was gestorven.
Jonathan tikte haar op haar arm en riep boos uit: 'Je zit mijlenver weg, Sarah. Luister je wel?' Hij keek haar indringend aan; zijn lichte ogen werden veelbetekenend tot spleetjes geknepen.
'Ja, natuurlijk luister ik,' protesteerde ze, waarna ze hem al haar aandacht schonk, want ze wilde hem niet boos maken. Jonny was nogal opvliegend.
'Zit je iets dwars?' drong Jonathan aan. Zoals gewoonlijk zaten ze zo op dezelfde golflengte, dat het was alsof hij haar gedachten kon lezen. Een gewoonte die Sarah altijd verontrustte.
'Eerlijk gezegd zat ik net aan Sebastian Cross te denken,' bekende Sarah. 'Die is toen op een vreemde manier gestorven, hè?'
Jonathan was heel even stil. 'Ja,' zei hij ten slotte. 'Onder heel eigenaardige omstandigheden.' Weer was het even stil, toen ging hij rustig verder: 'Hij was bi-seksueel. Dat wist ik natuurlijk niet.' Hij keek Sa-

rah recht aan en vertrouwde haar toe: 'Dat bekende hij me pas toen hij me in Hongkong kwam opzoeken, dat eerste jaar dat ik daar zat... Hij bekende dat ik... eh, laten we zeggen, het voorwerp van zijn hartstocht was.'
'O hemel,' zei Sarah, niet bijzonder verrast door deze onverwachte onthulling. 'Wat vervelend voor je.'
Jonathan glimlachte zuinig. 'Om je de waarheid te zeggen, héél vervelend, Sarah. Maar hij heeft mijn afwijzing heel goed opgevat. Tenminste, dat geloofde ik toentertijd.'
Sarah zei geen woord, maar nam hem scherp op.
'Denk je dat hij daarom is gestorven, Sarah?' vroeg hij. 'Denk je dat hij die overdosis met opzet heeft genomen... per-ongeluk-expres?'
'Dat is wel eens bij me opgekomen.'
'Treurig eigenlijk.'
'Ja.'
'Wat onaardig van me, liefje, ik vergeet helemaal te vragen naar dat aanbiddelijke kind van je. Hoe gaat het met de kleine Chloe?' Jonathan veranderde abrupt van gespreksonderwerp, want hij had geen zin om bij Sebastian Cross te blijven stilstaan en het verleden op te rakelen. Hij was alleen geïnteresseerd in de toekomst, waar hij zich de laatste tijd intensief mee bezighield.
'Met Chloe gaat het gewoonweg fantastisch,' zei Sarah, en begon een lofzang op haar dochtertje, een van haar lievelingsonderwerpen – het andere was haar echtgenoot. 'Ze is stapel op haar oom Jonny... en voordat ik van de week uit Frankrijk vertrok, moest ik beloven dat ik je het weekend mee terug neem naar Mougins. Je gaat toch mee, hè?'
'Ik zal zeker mijn best doen.'
'Mooi.' Sarah draaide zich half naar hem toe en keek hem lang en onderzoekend aan. 'Wat bedoelde je eigenlijk toen je me uit Hongkong opbelde en zei dat onze tijd nog wel zou komen en dat we het Paula binnenkort betaald kunnen zetten?'
Jonathan leunde dichter naar haar toe. Er gleed een gemene, veelbetekenende uitdrukking over zijn slappe gezicht. 'Ik geloof dat niemand onfeilbaar is, dat zelfs de gewiekste zakenlui soms een beoordelingsfout maken. En ik heb altijd geweten dat Paula O'Neill eens een vergissing zou begaan. Ik heb afgewacht... Ik heb goed opgelet... en diep van binnen voel ik dat ze op het punt staat iets doms te doen. De kans zit er dik in, zie je, want het is haar te lang voor de wind gegaan. En als zij haar fatale fout maakt, ben ik in de buurt om mijn slag te slaan.'
Sarah keek hem indringend aan. Haar belangstelling was gewekt.

'Wat bedoel je? Hoe weet je dat? Vertel, Jonny, vertel wat je weet!'
'Later,' antwoordde hij terwijl hij haar op de hem eigen wijze vertrouwelijk in haar arm kneep. 'Wacht maar tot we onder ons zijn, in mijn suite in het Claridge... En dan zal ik je vertellen hoe ik Paula O'Neill kapot zal maken.'
Sarah huiverde van leedvermaak bij de gedachte aan Paula's val. 'Ik brand van nieuwsgierigheid. Ik weet zeker dat je een briljant plan hebt opgesteld... O, wat heb ik ernaar verlangd om zelf wraak te nemen op dat kille, inhalige kreng. Zij heeft Shane van me afgepakt, nog afgezien van al het andere.'
'Ja zeker,' beaamde Jonathan, daarmee Sarah's broeiende haat voor Paula aanwakkerend. Dat deed hij al jaren, want hij had een bondgenoot voor zijn lage plan nodig, al was het maar vanwege de morele steun.
Hij stak zijn hand in zijn jaszak en zijn vingers sloten zich om de steen van jade. Zijn talisman. Die had hem in het verleden geluk gebracht. Dat zou in de toekomst ook gebeuren; hij had geen reden daaraan te twijfelen.

Winnaars en verliezers

Onnatuurlijk handelen baart onnatuurlijke problemen.
WILLIAM SHAKESPEARE, *Macbeth*

Men moet derhalve een vos zijn om een val op te merken,
en een leeuw om de wolven te verjagen.
MACHIAVELLI, *De vorst*

Alles of niets.
HENRIK IBSEN, *Brand*

33

'Jij bent werkelijk het beste dat Philip ooit is overkomen,' zei Daisy vol liefde en respect voor de jonge Amerikaanse vrouw die nu haar schoondochter was.
Madelana straalde en ze lachte vrolijk en zachtjes, waarna ze het zich gemakkelijk maakte op de bank. 'Dank u. Het is heerlijk om dat te weten.'
Ze zaten in de woonkamer van het huis in Point Piper in Sydney, waar Philip al enkele jaren eigenaar van was en waar hij en Maddy het grootste deel van de week verbleven als ze niet op Dunoon waren.
Het was een mooie middag in augustus, hoewel het in Australië nog winter was. Even daarvoor had Madelana de deuren naar het terras en de tuin opengezet. Een zachte bries deed de zijden gordijnen fluisterend bewegen, een mengeling van de geur van kamperfoelie, een vleugje eucalyptus en het pittige zilt van de zee meevoerend.
Madelana glimlachte haar schoonmoeder toe en voegde er nog aan toe: 'Omgekeerd geldt overigens hetzelfde, Daisy. Je zoon heeft een heel ander mens van me gemaakt, een compleet mens. Hij heeft al mijn verdriet en somberheid verdreven en hij geeft me zoveel liefde dat ik wel eens bang ben dat het geluk me te veel wordt.'
Daisy knikte, want ze begreep precies wat Madelana bedoelde. Ze vond het prettig dat Maddy zo openhartig en ongekunsteld was en haar gevoelens zo gemakkelijk en graag onder woorden bracht, soms zelfs zeer welsprekend. Bovendien was ze dankbaar dat haar zoon zo'n goede echtgenoot was, dat hij zich na jaren van vrijheid zo gemakkelijk aan het huwelijk had aangepast en dat hij en Maddy zo intens gelukkig waren.
'Als een huwelijk echt goed is, is er op de hele wereld niets mooiers, het is door niets te vervangen,' zei Daisy gloedvol. 'En het is fantastisch om een relatie te hebben met een man die zich zo volledig geeft... zoals Philip en Jason allebei doen.'
Daisy zweeg even en keek naar de foto's van haar eerste echtgenoot, met Philip, Paula en haar tweeling – Lorne en Tessa – en met haarzelf erbij. Stralend gelukkige familiefoto's, die Philip op een tafeltje bij de open haard gegroepeerd had staan. Peinzend dacht ze terug aan haar leven met David en toen ze Maddy weer glimlachend aankeek, deed ze dat met een zekere mate van weemoedigheid.
'Toen David bij die lawine om het leven kwam, dacht ik dat de wereld stilstond. En in zekere zin was dat natuurlijk ook zo,' vertrouwde Daisy haar toe. Ze sprak gemakkelijker tegenover Maddy over haar eerste echtgenoot dan ooit tevoren.

'Zie je, Maddy, ik had een volmaakt huwelijk met mijn lieve David... vanaf het moment dat ik op mijn achttiende met hem trouwde. Ik geloof stellig dat zoiets uniek was, dat ik dat met een andere man nooit zou kunnen herhalen, en dat kon ook niet. Om de eenvoudige reden dat geen twee mannen hetzelfde zijn – wat vanzelfsprekend ook voor vrouwen geldt – en dat elke relatie weer anders is, met sterke en zwakke punten. Ik heb een nieuw begin kunnen maken door uit Engeland hierheen te komen, en vooral mijn liefdadigheidswerk voor zieke en gehandicapte kinderen gaf me een nieuw doel in mijn leven. Maar Jason heeft weer een echte vrouw van me gemaakt. Híj heeft míj weer een compleet mens gemaakt, Maddy.'
'Hij is een fantastische man,' erkende Maddy in alle oprechtheid, gedachtig de vele vriendelijke en liefdevolle dingen die ze de afgelopen maanden van de robuuste Australiër had mogen meemaken. 'We hebben allebei geboft met onze echte veertigkaraats kerels.'
'Reken maar!' riep Daisy lachend uit; zoals gewoonlijk vermaakte ze zich kostelijk om Madelana's wonderlijke uitdrukkingen. Ze popelde om Jason te vertellen wat Maddy van hem vond; zoals wel vaker, vond ze, had ze de spijker op zijn kop geslagen. Glimlachend boog Daisy zich voorover, pakte haar kopje thee en nam een slokje.
Het was even stil tussen de twee vrouwen die uit zulke heel verschillende milieus kwamen, uit zulke andere werelddelen, maar die niettemin in het jaar dat ze elkaar nu kenden, veel van elkaar waren gaan houden. Hun hechte band werd gevormd door de liefde die ze beiden koesterden voor Philip en Paula, en door Maddy's bezeten bewondering voor Emma Harte. Daisy hield de herinnering aan haar moeder graag in ere; ze vond het heerlijk om Maddy's niet-aflatende stroom vragen te beantwoorden en over Emma te vertellen, want ze kende allerlei anekdotes over de legendarische zakenvrouw. In haar schoondochter had ze een aandachtig en gretig gehoor gevonden. En ten slotte was daar nog de band die geschapen werd door het kind dat Madelana verwachtte. Philips kind... en de erfgenaam van het McGill-imperium, waar Daisy al zo lang naar verlangde.
Terwijl Daisy haar thee dronk en Madelana aandachtig bestudeerde, dacht ze aan de baby. Ze wou dat het kind er al was, want het was al bijna twee weken te laat en iedereen werd met de dag ongeduldiger. Alleen Maddy bewaarde haar kalmte. Ze was goed gezond en moest een beetje lachen om de voortdurende bezorgdheid waarmee ze werd omringd.
'Ik ben blij dat je toch geen vruchtwaterpunctie hebt laten doen,' zei Daisy, die als eerste de stilte verbrak, 'al kan ik nauwelijks wachten... Ik ben zó nieuwsgierig, ik wil nu wel eens weten of je een

kleinzoon of een kleindochter in je buik hebt.'
Madelana glimlachte. 'Ik geloof niet dat ik dat echt wilde weten... Ik heb liever dat het een verrassing blijft.' Ze legde haar handen in een beschermend gebaar over de baby heen. Ze begon te lachen. 'Maar ik heb het eigenaardige gevoel dat het een meisje is, Daisy.'
'Echt waar?'
Maddy knikte en boog zich naar voren. 'En als het een meisje is, noemen we haar Fiona Daisy Harte McGill. Wat een mondvol, hè? Maar we wilden haar per se naar mijn moeder en naar jou noemen, èn we wilden de achternamen van haar overgrootouders niet vergeten.'
'Wat roerend! Ik voel me vereerd... en diep gevleid,' antwoordde Daisy. Er stond genoegen te lezen in haar levendig blauwe McGill-ogen, die zo sprekend leken op die van haar vader.
Madelana ging verzitten en verschikte de vele kussens in haar rug om het zich gemakkelijker te maken. Ze voelde zich opeens log en een beetje verkrampt.
'Is er iets?' vroeg Daisy toen ze zag dat Maddy's gezicht van pijn vertrok.
'Nee hoor, ik voel me prima, alleen een beetje stram vandaag. Maar om je de waarheid te zeggen, van mij mag de baby nu ook wel komen. Ik voel me net een overmaatse, overrijpe watermeloen die op het punt staat open te barsten! Ik waggel als een vis op het droge achter Philip aan... een gigantische aangespoelde walvis of zoiets!'
Daisy barstte in lachen uit. 'En stel dat het een jongen wordt? Hoe gaat hij dan heten?'
'Paul McGill. Naar jouw vader.'
'O Maddy, wat lief van jou en Philip. Wat enig vind ik dat!'
Daisy stond op en liep naar het dressoir waar ze haar tas had neergezet toen ze arriveerde. Ze maakte hem open, pakte er een leren doosje uit en gaf dat aan Madelana. 'Dit is voor jou.'
Madelana keek verrast op naar haar schoonmoeder, waarna ze het juwelendoosje aanpakte. Het leer was sleets en bekrast; het vergulde randje was dof geworden. Ze deed het deksel open en hield haar adem in toen ze de smaragden broche op het zwarte fluweel zag liggen.
'O Daisy, wat prachtig. *Schitterend.* Dank je wel, heel hartelijk bedankt. Het is een heel oud sieraad, hè?'
Daisy, die naast Madelana op de bank was gaan zitten, knikte. 'Het dateert uit de jaren twintig. Ik wilde je al heel lang iets heel bijzonders geven, en uiteindelijk...'
'Maar je hebt me al zoveel gegeven!' onderbrak Madelana haar. 'Ik heb al zoveel mooie cadeaus van jou en Jason, èn van Philip gekre-

gen. Jullie verwennen me allemaal.'
'We houden nu eenmaal van je, Maddy. Maar zoals ik al zei, ik wilde je juist op dit moment iets heel bijzonders geven... en daarom heb ik die smaragden broche uit mijn verzameling gekozen. Niet alleen omdat het zo'n mooi sieraad is dat je prachtig zal staan, maar ook omdat het van mijn moeder is geweest. Ik weet zeker dat je dat waardeert, vooral om de gevoelswaarde.'
'En of ik dat doe. Maar ik kan het echt niet aannemen, Daisy. Het is een familie-erfstuk.'
'En ben jij dan soms geen familie? Lieve kind, je bent de vrouw van Philip,' zei Daisy zachtjes maar nadrukkelijk. Ze nam de broche uit het doosje en samen bekeken ze het sieraad. Ze bewonderden het delicate vakmanschap, de schoonheid van het ontwerp en de stralend diepe kleur van de smaragden.
'Er is een heel mooi verhaal verbonden aan dit sieraad,' vertelde Daisy. 'Wil je het horen?'
'O ja, graag.'
Glimlachend legde Daisy de broche in het met fluweel beklede doosje en ze installeerde zich op haar gemak in de kussens. Ze dacht aan haar moeder; ze zag haar voor zich als jong meisje rond de eeuwwisseling, zoals ze al zo vaak had gedaan in het verleden, waarbij ze zich steeds weer verwonderde over haar buitengewoon sterke karakter.
'Het verhaal begon eigenlijk in 1904,' begon Daisy. 'Zoals je weet was Emma dienstmeisje op Fairley Hall in Yorkshire; ze werkte daar al vanaf haar twaalfde. Op een zondagmiddag in maart van dat jaar kwam haar beste vriend, Blackie O'Neill, haar opzoeken. Hij had een broche van groen glas in de vorm van een strikje gekocht, voor haar vijftiende verjaardag, eind april. Hij ging namelijk weg, maar hij wilde haar voor die tijd iets geven. Maar goed, Blackie legde Emma uit dat toen hij het strikje in de etalage van een winkel in Leeds had zien liggen, de stenen hem hadden herinnerd aan haar smaragdgroene ogen. Vanzelfsprekend was de jonge Emma verrukt van de broche, al was het maar een goedkoop dingetje, want ze had nog nooit zoiets gehad. Zij vond het 't allermooiste sieraad van de wereld. En die middag beloofde Blackie haar iets... Hij zei tegen haar dat hij op een dag, als hij rijk zou zijn, precies zo'n broche voor haar zou kopen, maar dan van èchte smaragden. En hij heeft woord gehouden. Vele jaren later heeft hij haar dit gegeven... Dit is dus de smaragden broche van Blackie,' besloot Daisy haar verhaal. En ze voegde er nog aan toe: 'Toen mijn moeder overleed, heeft ze mij het sieraad nagelaten, samen met haar verzameling smaragden die mijn vader haar in de loop der jaren had gegeven.'

'Wat een mooi verhaal! De broche is schitterend, maar ik weet nog steeds niet of ik hem wel kan aannemen, Daisy. Moet het gezien de geschiedenis die erachter zit eigenlijk niet naar Paula gaan?'
'Nee, nee, zij en ik willen allebei dat jij hem krijgt!' beweerde Daisy met grote stelligheid. Ze drukte Madelana vol genegenheid de hand. 'Ik heb er met Paula over gesproken en zij vindt, net als ik, dat het een heel passend geschenk voor jou is. En als mijn moeder nog leefde, zou ze er vast net zo over denken.'
Madelana besefte dat het geen zin had nog langer te protesteren, dat dat zelfs onaardig zou zijn. Ze bedankte nogmaals met zachte stem en liet zich de broche door haar schoonmoeder op haar wijde jurk spelden. Toen kwam ze moeizaam overeind, liep naar de spiegel boven de open haard en bekeek zichzelf. De broche was uitzonderlijk mooi, en ze was diep geroerd omdat Daisy haar iets had gegeven dat eens aan Emma Harte had toebehoord.
Madelana ging weer zitten en even later leunde Daisy achterover in de kussens. 'Nu we het toch over mijn dochter hebben, vind jij dat ze er verkeerd aan heeft gedaan die winkelketen van Larson in Amerika over te nemen?'
'Natuurlijk niet!' riep Madelana uit. Ze ging wat rechterop zitten en beantwoordde Daisy's indringende blik. 'Ze is een briljant zakenvrouw en ik heb haar nog nooit een verkeerde beslissing zien nemen.'
'Ik wou alleen dat ze me had verteld *waarom* ze eigenlijk wilde dat ik vorig jaar die Sitex-aandelen zou verkopen. Ze had me in ieder geval de kans moeten geven haar het kapitaal te verschaffen dat ze voor de overname van Larson nodig had.' Daisy slaakte een diepe zucht. 'Paula kan vreselijk koppig zijn en ze wil alles altijd per se op háár manier doen. Ze is sprekend mijn moeder. Hemel, ik weet niet wat ik ermee aan moet... meestal is de zakenwereld me een raadsel.'
Daisy stond op, liep naar de open haard en steunde met een hand tegen de schoorsteenmantel. 'En Shane begrijp ik ook niet, eerlijk gezegd. Ik snap werkelijk niet waarom hij mij of Philip niet al lang geleden over haar plannen heeft verteld. En waarom heeft hij haar in hemelsnaam niet geadviseerd? Na wat hij gisteravond zei, had me dat wel zo verstandig geleken, vind je ook niet?'
'Ik weet niet of Paula wel geadviseerd kán worden. Ze is zo zelfverzekerd en in haar manier van zakendoen zo briljant, dat ze van niemand raad nodig heeft. Bovendien, Shane bemoeit zich er liever niet mee. Hij houdt zich afzijdig en dat is voor iedereen het verstandigst, dat beseft hij inmiddels volgens mij wel.'
Daisy fronste haar wenkbrauwen. 'Sommige dingen die ik gisteravond aan tafel hoorde, verbaasden me. Keek jij er niet van op?'

'Eigenlijk niet,' antwoordde Madelana naar waarheid. 'Vergeet niet dat ik in New York Paula's assistente was, en ze zocht al een hele tijd naar een Amerikaanse winkelketen. Hoe dan ook, zoals ik al eerder zei, ik vertrouw volkomen op haar oordeelsvermogen. Dat zou jij ook moeten doen. Ik weet dat Philip er ook zo over denkt en Shane ook, dat kon ik opmaken uit wat hij tijdens het etentje zei.' Madelana keek Daisy aan met een blik die naar ze hoopte geruststellend was. 'Ik wil er nog één ding aan toevoegen. Is de gedachte nooit bij je opgekomen dat Paula iets zou willen opzetten dat helemaal alleen van haar is?'
'Maar dat heeft ze toch al, Maddy, kindjelief!' riep Daisy verwonderd uit. 'De Harte-keten, en dan nog...'
'Maar die is door Emma opgezet,' merkte Madelana meteen op. 'In feite heeft Paula alles wat ze beheert van haar grootmoeder geërfd. Misschien heeft ze de emotionele behoefte om... nou ja... om helemaal zelf en met haar eigen geld iets te *scheppen* en *op te bouwen*.'
'Heeft ze dat laten doorschemeren toen jullie in New York samenwerkten?'
'Nee, maar ik ken haar heel goed, ik voel dat zo aan.'
Daisy keek nog steeds verwonderd maar zweeg, peinzend over wat haar schoondochter had gezegd. Ten slotte merkte ze op: 'Wie weet heb je gelijk, Maddy. Ik had het nooit zo bekeken. Niettemin vind ik dat ze toch een gigantische extra last op zich heeft genomen, terwijl ze al zo ontzettend veel te doen heeft.'
Op zachte toon antwoordde Maddy: 'Probeer je geen zorgen te maken over Paula en haar expansiedrift in Amerika. Ze redt zich wel, het komt allemaal best in orde. Philip gelooft dat ze een aardje naar haar grootmoeder heeft, en jij zei daarnet ook al dat ze sprekend je moeder is. Het kan nooit kwaad om een tweede Emma Harte te zijn,' besloot Maddy plagend.
Daisy kon er gelukkig om lachen. 'Nee, dat kan nooit kwaad,' antwoordde ze.

34

Later, nadat haar schoonmoeder naar huis was gegaan, sloeg Madelana een dikke, witwollen cape om en ging naar buiten. Ze wandelde langzaam door de tuin, wat ze twee keer per dag deed, genietend van de lichaamsbeweging en de frisse lucht.
Hoewel de wind was gaan liggen, was het aardig koud geworden en het begon al te schemeren. In dat zachte, gedempte licht, dag noch

nacht maar ergens daartussenin, was het alsof alles er vriendelijker uitzag.
De glasheldere lucht had niet langer die scherpe, ijzige, blauwe en witte tinten, maar werd geleidelijk aan donkerder; aan de horizon, waar de zon in de zee verdween, vertoonde de hemel amberkleurige en roze strepen. En in de geborgenheid van die stille tuin, waar niets zich verroerde, was het enige geluid het kabbelen van de golven tegen de rotsen van het schiereilandje waarop de villa was gebouwd.
Aan het eind van het brede pad stond Madelana een ogenblik uit te kijken over het zich eindeloos uitstrekkende, inktzwarte water. Het zag er koud, dreigend en peilloos diep uit en ondanks haar warme cape huiverde ze. Ze draaide zich snel om en haastte zich terug naar het huis. Ze zag dat er in enkele kamers licht werd op gedaan, waardoor haar pad werd beschenen.
Wat zag haar huis er warm en gezellig uit, in tegenstelling tot die afschrikwekkende zee achter haar. Ze versnelde haar pas; opeens wilde ze niets liever dan binnen zijn. Even later deed ze de tuindeuren van de bibliotheek dicht en liep het vertrek door naar de gang, nog steeds licht huiverend.
Toen ze haar cape in de garderobekast in de gang hing, hoorde ze stemmen in het keukengedeelte. Dat waren de twee dienstmeisjes, Alice en Peggy, en mevrouw Ordens, de huishoudster, die samen kwetterden als een vlucht opgewonden mussen. De drie vrouwen zorgden bijzonder goed voor hen, wat het onderhouden van twee huizen – de villa hier in Point Piper en het appartement boven in de McGill Tower – er een stuk gemakkelijker op maakte. Ze maakte aanstalten om naar de keuken te gaan, maar besloot toen zich eerst te gaan verkleden.
Een lichte zucht van geluk ontsnapte Madelana terwijl ze naar de bovenverdieping liep. De laatste dagen voelde ze zich doortrokken van een ongekende tevredenheid. Door Philips liefde en de baby die ze verwachtte, was ze uitzinnig gelukkig. Het zou nu niet lang meer duren of ze waren met z'n drieën in plaats van met z'n tweeën. Ze kon haast niet meer wachten... ze verlangde ernaar haar kind in haar armen te houden.
Toen ze de deur van hun slaapkamer opendeed en naar binnen ging, werd ze begroet door de rosse gloed van het open-haardvuur. Dit was een van de twee vertrekken in het huis die ze na haar huwelijk opnieuw had ingericht; ze had een combinatie van zachte tinten groen en een opvallende witte sits met roze pioenrozen, vuurrode rozen, gele lelies en donkergroene bladeren gebruikt. Het levendige groen en de luchtige stof, die ze royaal had toegepast, benadrukten hoe ruim

de kamer eigenlijk was. Er was een grote erker met uitzicht over de tuin en de zee met een brede, gebogen vensterbank eronder, en er stond een enorm hemelbed.
In een hoekje bij de open haard stond een antieke secretaire. Maddy ging eraan zitten en pakte de brief aan zuster Bronagh in Rome die ze was begonnen toen Daisy eerder dan verwacht op de thee was gekomen.
Ze las de brief snel door, voegde er nog een laatste zin en een groet aan toe, om hem vervolgens te ondertekenen. Nadat ze hem in een envelop had gedaan en die had geadresseerd, zette ze hem bij de andere brieven, aan zuster Mairéad in New York, Patsy Smith in Boston en Paula in Londen. Maddy was een ijverig briefschrijfster die geregeld epistels pende aan haar vier beste vriendinnen om hun haar laatste nieuwtjes te vertellen. Na de lunch had ze besloten om die brieven af te maken voordat ze naar het ziekenhuis ging om haar baby te krijgen; ze was ervan overtuigd dat hun kind nog deze week geboren zou worden.
Madelana leunde achterover in haar stoel en keek peinzend terug op het afgelopen jaar. Wat een bijzonder jaar was het geweest. *Wonderbaarlijk*. Dat was eigenlijk het enige woord dat erbij paste. Maar het is nog niet eens een heel jaar, dacht ze opeens. Ik heb Philip in september ontmoet, en nu is het nog maar augustus. Wat is er in die korte tijd veel gebeurd. Ze legde haar handen in haar schoot en verstrengelde haar vingers onder haar dikke buik, nu weer denkend aan de baby en intussen eindeloze plannen makend voor de toekomst.
Ten slotte sloeg ze haar ogen op en keek naar de merklap die ze al sinds haar kindertijd bezat. Samen met haar andere bezittingen was het werkstuk naar Australië verscheept en het hing nu boven haar bureautje aan de wand.
Als je dag is omzoomd met gebed, komen er niet zo gauw rafels aan, had haar moeder zovele jaren geleden met nette steekjes in felblauwe wol geborduurd.
O moeder, dacht ze, alles is uiteindelijk goed afgelopen voor mij, precies zoals jij me voorspelde toen ik nog klein was. Ik ben inderdaad gezegend.
Maddy keek naar de foto's in hun zilveren lijstjes op haar bureau... haar ouders, Kerry Anne, Joe Jr. en Lonnie. Jullie zijn al heel lang bij me weg, maar ik draag jullie allemaal in mijn hart en dat zal ik altijd blijven doen, fluisterde ze zacht voor zich uit.
Terwijl ze naar haar familieleden zat te staren, besefte ze dat haar herinneringen veel zoeter waren, veel minder pijnlijk, dan ooit tevoren. Dat kwam uiteraard omdat ze een gelukkige, tevreden vrouw

was die zich niet langer eenzaam of alleen voelde. Ten slotte waren de scherpe kantjes van het verdriet er wat af gegaan, of misschien zelfs wel helemaal verdwenen.
Een half uur later liep Maddy de slaapkamer uit. Ze had zich opnieuw opgemaakt en onberispelijk verzorgd; ze droeg een slank afkledend, marineblauw zijden hesje over een pyjama-achtige broek van dezelfde stof. Emma's smaragden broche had ze op haar schouder gespeld. Ze droeg er een snoer gelijkmatige parels bij, grote parels in haar oren en verder haar trouw- en verlovingsring. Over haar arm had ze een marineblauwe sjaal van zware jacquardzijde geslagen, met dichte franje eraan, terwijl ze de brieven in een blauwzijden avondtasje bij zich had. Die zou ze straks in het Sydney-O'Neill Hotel posten.
Voordat ze naar beneden ging, bleef ze even staan bij een deur iets verderop in de gang. Ze ging naar binnen en deed licht op. Stralend van genoegen keek ze de vroegere logeerkamer rond, waar nu een babykamer van gemaakt was. Philip en zij hadden samen voor de inrichting gezorgd. Ze hadden voor vrolijk geel en wit gekozen, met felroze als opvallend kleuraccent, omdat die combinatie noch specifiek meisjes-, noch jongensachtig was.
Met een liefkozend gebaar streek ze over de rand van de wieg, waarna ze naar het raam liep om het gordijn, met teksten van kinderliedjes erop gedrukt, recht te trekken. Langzaam liep ze de ruime, gezellige kamer door en controleerde voor de zoveelste keer of alles in orde was. Toen deed ze het licht uit, trok de deur achter zich dicht en glimlachte intens tevreden omdat alles perfect geregeld was, klaar om hun kind te ontvangen.
In de hal beneden kwam Maddy mevrouw Ordens tegen.
'O, bent u daar, mevrouw Amory,' zei de huishoudster met een warme glimlach. 'Ik wilde u net komen zeggen dat Ken de auto heeft klaarstaan om u naar Sydney te brengen.'
'Dank u, mevrouw Ordens,' zei Maddy glimlachend. 'Maar ik ben ruimschoots op tijd; laten we nog even naar de keuken gaan. Ik wil nog een paar dingen met u afspreken voor ik wegga.'

Shane vond dat Madelana er nooit mooier had uitgezien dan vanavond. Het was duidelijk dat ze verliefder was dan ooit, en voor Philip gold hetzelfde. Hun geluk straalde af op alles wat ze deden of zeiden.
Toen hij een paar dagen terug in Sydney was aangekomen, was het hem meteen opgevallen dat ze dikker in haar gezicht was geworden sinds hij haar in januari voor het laatst in Yorkshire had gezien. Het

was niet langer zo heel mager en de extra pondjes stonden haar goed. Haar wangen vertoonden een zachte blos, haar grote grijze ogen sprankelden en ze straalde iets heel bijzonders uit, waardoor hij zijn ogen niet van haar af kon houden. Het was alsof ze van binnenuit licht uitstraalde. Geen wonder dat de andere gasten in het restaurant af en toe tersluiks in hun richting blikten. Maar Philip was ook een knappe kerel; hij zag er gedistingeerd uit en hij genoot in Australië een zekere bekendheid. Ook dat zou een verklaring voor de schuinse blikken kunnen zijn. Dit tweetal vormde een opvallende combinatie, die een bepaalde glamour uitstraalde.
Van het begin af aan was het een gezellige avond geweest.
Het drietal had tijdens het eten in de Orchideeënzaal van het hotel heel wat afgelachen. Meteen al toen Madelana in Shanes suite aankwam, waar Philip een aperitief met hem zat te drinken, had er een vrolijke stemming geheerst. Philip had Madelana met attenties omringd, haar in een gemakkelijke stoel geïnstalleerd, koel mineraalwater voor haar ingeschonken en had zich ook verder gedragen als een verliefd man, wat hij dan ook was. En zij was hartelijk en warm geweest, en had zich alles laten aanleunen, met aldoor die tevreden glimlach om haar mond. Shane was blij hen zo gelukkig te zien, want hij wist hoe belangrijk een goed huwelijk was. Zij boften al evenzeer als hij en Paula.
'Maar goed, Shane,' zei Philip, 'we gaan dit weekend niet naar Dunoon. De baby is nu zóveel te laat dat dokter Hardcastle liever heeft dat we in Sydney blijven. Hij is ervan overtuigd dat het kind ieder moment kan komen, Maddy trouwens ook, en hij vindt het beter als we in de buurt zijn.'
'Hij heeft volkomen gelijk,' zei Shane. 'En als ik alleen aan mezelf denk, ben ik blij dat jullie in de stad zijn. Misschien kom ik zondag de hele dag naar Point Piper, als het jullie schikt en als die kleine rakker nog steeds op zijn plaats zit natuurlijk.'
Philip glimlachte. 'Dat hadden wij ook al gedacht, alleen hadden we gehoopt dat je het hele weekend zou kunnen komen. Je kunt vrijdagavond met me meerijden, dan heb je tijd om je te ontspannen en het hotel en de problemen die ermee samenhangen even van je af te zetten.'
'Wat een geweldig idee! Dat doe ik graag. Het lijkt me heerlijk om bij jullie te zijn en het kalm aan te doen, behalve wat lezen en naar muziek luisteren. Sinds ik hier ben, heb ik nog geen minuut rust gehad.'
Maddy riep uit: 'O, wat fijn dat je bij ons komt logeren, Shane. En mevrouw Ordens kan ontzettend lekker koken. Ze maakt je lieve-

lingsgerechten klaar, als je mij even zegt wat je wilt hebben.'
Shane schudde lachend zijn hoofd. 'Geen liflafjes voor mij, lieve meid. Paula heeft me op een streng dieet gezet. Volgens haar ben ik van de zomer in Zuid-Frankrijk te veel aangekomen. Maar ja, Bonestaak is dan ook zelf altijd zó mager dat iedereen met haar vergeleken moddervet is.' Hij keek Madelana vrolijk plagend aan. 'Jij bent ook aan de magere kant – als je niet zwanger bent.'
'Ja,' beaamde ze. 'Ik denk dat Paula en ik veel energie verbranden wanneer we aan het werk zijn.'
'Over werken gesproken, ben je nog steeds van plan bij Harte-Australië door te gaan als de baby er is?' vroeg Shane nieuwsgierig.
'O ja, ik denk van wel,' antwoordde Maddy. 'Als de baby er is neem ik een maand of twee vrij, want ik kan thuis of in het appartement werken en telefoneren, tot ik weer geregelde uren draai, van negen tot vijf en zo.'
'Er wordt een suite voor Maddy ingericht, naast mijn kantoor in de McGill Tower,' zei Philip. 'Op die manier hoeft ze maar één trap op naar de kinderkamer die we in het appartement hebben laten maken.'
'Paula heeft vaak genoeg een van onze kinderen mee naar kantoor gesleept... En Emily trouwens ook,' vertelde Shane lachend. 'Echt iets voor vrouwen van de familie Harte, volgens mij. Straks hoor je ook bij die club, Maggie!'
Ze glimlachte hem stralend toe, maar haar lach ging over in een langgerekte geeuw. Ze deed haar best haar gaap te onderdrukken, maar dat lukte niet zo goed. Met haar hand voor haar mond geeuwde ze nog een paar keer.
Dat ontging Philip niet. 'Ik zal mijn vrouw maar eens naar bed brengen,' kondigde hij aan. Hij stond op en hielp Maddy overeind. 'Ik hoop dat je het niet erg vindt dat we zo vroeg weggaan, Shane, maar we moeten er echt vandoor.'
'Natuurlijk niet.' Ook Shane schoof zijn stoel naar achteren en stond op. 'Ik loop even met jullie mee. Trouwens, ik zal er niets van krijgen als ik eindelijk eens op een redelijke tijd in bed lig.'
Shane liep met hen mee door de Orchideeënzaal. Ze gingen met de lift naar beneden en wandelden door de donkergroene marmeren lounge naar de uitgang. 'Daar is Ken met de auto,' zei hij toen ze buiten stonden. Hij kuste Maddy, omhelsde zijn zwager en toen ze waren ingestapt gooide hij het achterportier met een klap dicht en zwaaide hen na.
Toen de Rolls-Royce wegreed, legde Philip zijn arm om Madelana heen en trok haar dicht tegen zich aan. 'Voel je je wel goed, lieveling?'

'Ja, uitstekend, Philip. Alleen heel erg moe, dat is alles.' Ze legde haar hoofd op zijn schouder. 'Ik werd erdoor overvallen... zo'n gevoel dat ik uitgeteld ben en geen stap meer kan verzetten.'
'Denk je dat de baby nu gaat komen? Heb je al weeën?'
'Ik voel nog niets.' Ze glimlachte tegen zijn borst en liet haar arm onder zijn colbertje om hem heen glijden, alsof ze nog dichter bij hem wilde zijn. 'Zodra ik ook maar één pijntje voel, zal ik het je meteen laten weten, reken maar.'
Hij streek over haar kastanjebruine haar en kuste haar op haar kruintje. 'O god, ik hou toch zoveel van je, Maddy. Ik geloof niet dat ik je ooit duidelijk kan maken hoeveel je voor me betekent.'
'Mmm, je bent lief,' zei ze glimlachend, waarna ze opnieuw een reeks geeuwen moest onderdrukken. 'Ik hou ook van jou... Ik zal blij zijn als we thuiskomen... Ik verlang zó naar mijn bed.' Haar oogleden voelden zo zwaar dat ze haar ogen nauwelijks open kon houden. Haar ogen vielen dicht en tijdens de rit naar Point Piper doezelde ze af en toe weg.

De volgende ochtend na het ontbijt ging Philip weer even naar boven om Maddy gedag te zeggen. Ze lag echter nog in diepe slaap verzonken in het grote hemelbed; haar kastanjebruine haar golfde warrig over het kussen. In rust was haar gezichtje vredig, ontspannen, zonder de levendigheid en beweeglijkheid die het zo aantrekkelijk maakte als ze wakker was.
Wat heb ik toch een mooie vrouw, dacht hij, terwijl hij zich over haar heen boog om haar zachtjes op haar wang te kussen. Hij kon het niet over zijn hart verkrijgen haar wakker te maken. Ze was de vorige avond zo moe geweest dat ze bijna geen woord kon uitbrengen en ze had haar extra rust vanmorgen nodig. Hij streek een plukje haar uit haar gezicht, kuste haar nogmaals en sloop zachtjes de slaapkamer uit.
Ken stond al op de oprijlaan met de Rolls-Royce te wachten toen Philip even voor zevenen naar buiten kwam. Even later waren ze op weg naar Sydney. Philip maakte zijn aktentas open, nam de dringendste stukken door die hij de avond tevoren had meegenomen en bereidde zich voor op zijn werkdag, wat zijn gewoonte was tijdens de half uur durende rit naar de stad. Hij maakte snel enkele aantekeningen, bestudeerde een gedetailleerd memo van Tom Patterson – hoofd van hun afdeling Mijnbouw en een van de beste opaaldeskundigen ter wereld – en nam andere memo's door van de diverse directeuren die voor de McGill Corporation werkten. Ten slotte stopte hij alle documenten weer in zijn koffer. Hij leunde achterover en gedurende

de rest van de rit overdacht hij alles wat hij had gelezen.
Om klokke half acht beende hij de directiekantoren van de McGill Corporation boven in de McGill Tower binnen. Zijn assistent, Barry Graves, en zijn secretaresse, Maggie Bolton, zaten al op hem te wachten. Nadat hij het tweetal vriendelijk had begroet, gingen ze gedrieën naar Philips heiligdom, voor de gebruikelijke ochtendbespreking.
Terwijl hij aan zijn bureau ging zitten zei Philip: 'De belangrijkste vergadering die voor vandaag op de agenda staat, is die met Tom Patterson. Hij is gisteravond waarschijnlijk veilig uit Lightning Ridge aangekomen?'
'Inderdaad,' zei Barry. 'Hij heeft een minuut of tien geleden gebeld en ik heb bevestigd dat we hem rond half twaalf vanmorgen verwachten, en dat we hier zouden eten.'
'Prima!' zei Philip. 'Ik verheug me erop mijn ouwe makker weer eens te spreken. Het is maanden geleden dat Tom voor het laatst in Sydney was. Er stonden nogal wat uitgesproken meningen in zijn memo. Ik heb het in de auto onderweg doorgenomen en hij moet me een paar punten nog maar eens haarfijn uitleggen. Maar daar kunnen we het beter nu maar niet over hebben.' Philip keek naar Maggie, die met potlood en blocnote in de aanslag tegenover hem zat.
'Was er vandaag nog iets bijzonders bij de post?' vroeg hij, kijkend naar de stapel paperassen die voor hem lag.
'Niets belangrijks, voor het merendeel privé-post, een paar uitnodigingen, verzoeken om geld van liefdadigheidsinstellingen, het gebruikelijke patroon. O ja, en een leuk briefje van Steve Carlson. Hij zit nog in Coober Pedy. En hij heeft het daar prima naar zijn zin,' besloot Maggie glimlachend.
Philip lachte mee. 'Ik had hem dus helemaal verkeerd ingeschat! Die kerel was slimmer dan ik dacht.'
Het drietal wisselde blikken van verstandhouding. Lachend dachten ze terug aan de jonge Amerikaan die ze voor een groentje hadden versleten toen hij een jaar terug Philips raad was komen vragen over het winnen van opaal.
Een tikje zuur merkte Barry op: 'Typisch een beginneling die boft, een toevalstreffer. Let op mijn woorden, hij piept nog wel eens anders.' Hij sloeg een van de mappen die hij bij zich had open en vervolgde zakelijk: 'Ik beschik nu over alle informatie over die krantenketen in Queensland. De baas daar schijnt wel oren naar overname te hebben. Ik heb een overzicht met alle saillante bijzonderheden opgesteld, Philip. Bovendien heeft Gregory Cordovian gisteravond gebeld, maar je was net weg. Hij wil eens met je praten.'
'Nee maar!' riep Philip uit. Zijn stem klonk zeer verrast. Hij keek

Barry onderzoekend aan. 'Kan het zijn dat hij dan eindelijk een wapenstilstand wil sluiten?'
'Geen idee. Hij laat het achterste van zijn tong niet zien. Maar ik heb zo'n idee dat hij een redelijk gesprek met je wilde hebben. Hij klonk vriendelijker dan in het verleden. Wie weet wil hij zelfs die televisiestations in Victoria verkopen. En vergeet niet, Philip, *hij* heeft *ons* gebeld! Volgens mij is dat een gunstig voorteken.'
'Ja zeker. En misschien heb je wat die tv-stations betreft wel gelijk.'
Barry knikte en tikte op een andere map. 'Dit zijn verslagen over onze natuurlijke energiebronnen, het onroerend goed in Sydney en onze andere mijnbouwbelangen. Voor volgende week donderdag moet je die hebben doorgenomen, want dan hebben we die reeks vergaderingen met de directeuren van al die bedrijven.'
'Dat zal ik doen. Laat die dossiers maar hier, Barry. Heb jij nog iets, Maggie?'
Zijn secretaresse bladerde in haar blocnote terug. 'Ian MacDonald heeft gistermiddag laat gebeld. Hij heeft een complete set zeilen voor je klaar, inclusief die spinnaker en het materiaal voor het stormgrootzeil. Hij wil weten wanneer je bij hem langs kunt komen. Hij vroeg of je op de werf kwam lunchen.'
'Morgen of vrijdag... Dan ben ik toch vrij?'
'Morgen wel ja. Maar vrijdag niet. Dan vergader je met je moeder en de beheerders van de Daisy McGill Amory Foundation. Een werklunch hier in de Tower, in de privé-eetzaal.'
'Ach ja, dat was ik helemaal vergeten.' Philip keek peinzend. 'Misschien kun je beter een afspraak met Ian maken voor de volgende week. Dat schikt me beter.'
'Goed.' Maggie stond op. 'Wat mij betreft, was dat het. Ik laat jullie alleen. Bel maar als je koffie wilt, Philip.'
'Zal ik doen, dank je.'
Barry liep naar het bureau. 'Ik heb op dit moment niets bijzonders meer. Ik ga me eens verdiepen in het rapport dat ik aan het opstellen ben over de buitenlandse belangen van je moeder. Dat schiet niet erg op.'
'Oké, ga je gang, Barry. Ik heb voorlopig genoeg aan die spullen daar,' zei hij, wijzend op de dossiers die Barry net op zijn bureau had neergelegd. 'Ik zie je straks wel bij die vergadering met Tom. Zodra hij er is, wil ik het weten.'
'Daar kun je op rekenen, Philip.'
Toen hij alleen was wijdde Philip zich aan de twee rapporten over hun ijzerertsbelangen. Achterover geleund in zijn stoel begon hij aan het eerste verslag, dat zo'n vijftien getypte pagina's besloeg. Hij zat

nog te lezen en aantekeningen te maken toen Maggie hem een uur later koffie kwam brengen, en hij begon pas om tien uur aan het rapport over het onroerend goed in Sydney. Hij was halverwege dat dossier, toen hij Maggies stem over de intercom hoorde.
'Philip...?'
'Ja, Maggie?'
'Neem me niet kwalijk dat ik je stoor, maar ik heb je huishoudster aan de lijn. Ze zegt dat het dringend is.'
'O... Goed, verbind maar door.' De telefoon begon meteen te rinkelen. Hij nam de hoorn op. 'Ja, mevrouw Ordens?'
'Er is iets niet goed met uw vrouw,' zei de huishoudster, zonder erom heen te draaien. Uit haar stem klonk grote ongerustheid.
'Hoezo, wat bedoelt u?' vroeg Philip op scherpe toon. Zijn schrik was duidelijk te horen. Hij ging rechterop zitten en omklemde de telefoonhoorn.
'Ik kan haar niet wakker krijgen. Ik ben om half tien naar haar toe gegaan, zoals u had gezegd, maar ze sliep zo diep dat ik besloot haar nog even te laten liggen. Ik heb net haar ontbijt boven gebracht en ik probeer al tien minuten om haar wakker te maken, maar het lukt me niet, meneer Amory. Volgens mij is ze bewusteloos.'
'O mijn god!' Philip sprong overeind; in zijn hoofd begonnen allerlei alarmsignalen af te gaan. 'Ik kom er meteen aan!' riep hij. 'Nee, nee, dat heeft geen zin. Ze moet naar het ziekenhuis. De eerstehulpafdeling in het St.-Vincent. Ik stuur een ambulance. U gaat met haar mee. Ik zie u samen met dokter Hardcastle in het ziekenhuis. Over een paar minuten bel ik u nog even terug. Bent u in de slaapkamer?'
'Ja.'
'Blijf daar tot de ambulance komt. Laat mijn vrouw geen ogenblik alleen.'
'Natuurlijk niet. Maar schiet alstublieft op, meneer Amory. Ik weet zeker dat het heel ernstig is.'

35

Een particuliere ambulance vervoerde Madelana naar het St.-Vincentziekenhuis in Darlinghurst, op ongeveer een kwartier afstand van Point Piper. Dit ziekenhuis lag het dichtst bij de oostelijke voorsteden van Sydney en het was het enige met een afdeling voor noodgevallen als deze.
Mevrouw Ordens reed mee in de ambulance. Ze hield Madelana's krachteloze hand vast en waakte over haar, zoals ze Philip had be-

loofd. Geen ooghaartje bewoog tegen het bleke gezichtje, maar Madelana's ademhaling was regelmatig, waarvoor mevrouw Ordens in ieder geval dankbaar was.
Zodra de ziekenwagen bij het ziekenhuis aankwam, werd Madelana met grote haast naar de afdeling spoedgevallen gereden, terwijl mevrouw Ordens een kamertje werd gewezen dat op verzoek van de arts van de patiënte voor haar in gereedheid was gebracht.
Rosita Ordens ging op Philip Amory zitten wachten. Samen met Malcolm Hardcastle, de bekende gynaecoloog in Sydney en al jarenlang een goede vriend van Philip, was hij op weg naar het ziekenhuis. Met de handen ineengeklemd zat Rosita Ordens verwachtingsvol naar de deur te kijken. Ze wenste dat haar werkgever er al was. Hij zou de zaak efficiënt aanpakken om erachter te komen wat zijn vrouw precies mankeerde. Eén ding was zeker: de eigenaardige blik die de twee ziekenbroeders hadden gewisseld toen ze Madelana Amory zagen, had haar helemaal niet aangestaan.
Rosita boog haar hoofd. Ze concentreerde zich in gedachten op de knappe, aardige Amerikaanse vrouw op wie ze de afgelopen acht maanden zo gesteld was geraakt. Ze wenste vurig dat alles goed met haar kwam, dat ze haar ogen zou opslaan en zou praten met de artsen die haar nu onderzochten.
Rosita was evenals Madelana katholiek en ze begon zachtjes te bidden. 'Wees gegroet Maria, vol van genade, de Heer is met u, gezegend zijt gij onder de vrouwen, en gezegend is Jezus de vrucht van uw schoot... Wees gegroet Maria, vol van genade, de Heer is met u, gezegend zijt gij... Wees gegroet Maria, vol van genade... Wees gegroet Maria...' Steeds maar weer herhaalde ze die woorden. Bidden hielp Rosita en in moeilijke tijden werd ze er rustig van. Bovendien was ze heel gelovig en ze was ervan overtuigd dat haar gebeden door haar genadige God zouden worden verhoord.
Toen de deur werd opengegooid hief ze met een ruk haar hoofd. 'O, meneer Amory! God zij dank!' riep ze uit toen ze Philip zag. Ze sprong op en liep naar hem toe.
Philip nam haar hand in de zijne. 'Fijn dat u me gebeld hebt, mevrouw Ordens en dat u zo snel en doortastend bent opgetreden. Ik ben u heel dankbaar.'
'Bent u al bij uw vrouw geweest?'
'Heel eventjes, met dokter Hardcastle. Hij doet zelf het onderzoek. Vanzelfsprekend maakt hij zich zorgen om de baby. Na overleg met de dienstdoende artsen zal hij me wel kunnen vertellen wat de oorzaak van haar toestand is.'
'Is ze inderdaad bewusteloos?'

'Ik ben bang van wel.'
Rosita Ordens' adem stokte. 'Had ik maar eerder geprobeerd om haar wakker te maken, dan...'
'U treft geen blaam, mevrouw Ordens,' onderbrak Philip haar meteen. 'Dat heeft geen enkel nut en u hebt gedaan wat u het beste leek. Per slot van rekening zag ze eruit alsof ze alleen maar diep sliep. Dat dacht ik zelf ook.'
Rosita Ordens knikte met een somber gezicht. Ze maakte zich vreselijk ongerust.
'Ken staat buiten, met de auto,' vervolgde Philip. 'Hij brengt u terug naar huis. Zodra ik iets meer weet, bel ik u.'
'Dolgraag, meneer Amory. Ik wacht met spanning af. Alice en Peggy ook.'
'Dat weet ik.' Hij liep met de huishoudster mee naar de deur. 'Ken staat geparkeerd bij de hoofdingang... Hij wacht op u.'
'Dank u, meneer Amory.' Rosita glipte het kamertje uit. Ze begreep dat haar werkgever alleen wilde zijn.
Philip ging zitten, meteen diep verzonken in angstige gedachten. Zijn brein werkte op volle toeren, zoekend naar verklaringen. Het was niet gewoon om zomaar bewusteloos te raken, zoals met Maddy het geval was. Hij was ervan overtuigd dat er iets ernstigs aan de hand was. Er moest meteen actie worden ondernomen. Hij zou er een team specialisten bij roepen, zo nodig zou hij hen ophalen met zijn privéjet, waar ze ook zaten. Ja, dat zou hij onmiddellijk gaan doen. *Nu*. Hij stond op, maar ging toen trillend van de zenuwen weer zitten. Hij verdrong opnieuw het afschuwelijke gevoel van paniek dat hem overspoelde. Hij moest kalm blijven en de zaak nuchter en redelijk aanpakken. Niettemin viel het hem moeilijk zich te beheersen. Het liefst was hij naar Maddy toegerend om voor haar te zorgen, om bij haar te blijven tot ze weer gewoon was. Maar dat had in dit stadium geen zin. Hij was machteloos, hij kon niets doen. Voorlopig was ze in goede handen. Philip vond dat je de deskundigen ongestoord hun werk moest laten doen. Hij zelf zou geen dokter gaan spelen.
Na wat voor Philip een eeuwigheid leek maar wat in werkelijkheid maar twintig minuten waren, kwam Malcom Hardcastle het kamertje binnen.
Philip stond meteen op en beende naar hem toe. Hij keek de gynaecoloog scherp onderzoekend aan; zijn gezicht stond bezorgd en vol vragen. Zenuwachtig vroeg hij: 'Wat is de oorzaak van Maddy's toestand, Malcolm?'
De dokter pakte Philip bij de arm en troonde hem mee naar het zitje.

'Laten we eens even gaan zitten.'
Philip was een opmerkzaam man, en toen Malcolm hem niet rechtstreeks antwoord gaf, wist hij dat er iets heel ernstigs was. Angst om Maddy vloog hem naar de keel. 'Wat is er volgens jou tussen gisteravond en vanmorgen met mijn vrouw gebeurd?' vroeg hij indringend. Zijn blauwe ogen fonkelden.
Malcolm wist niet hoe hij het moest vertellen. Na een korte aarzeling zei hij op rustige toon: 'We zijn er bijna zeker van dat Maddy een hersenbloeding heeft gehad.'
'O mijn god, nee toch!' Philip keek de dokter stomverwonderd aan. Hij was verbijsterd, geschokt. 'Dat kan niet... dat kan gewoonweg niet!'
'Het spijt me vreselijk, Philip, maar ik ben bang dat alle tekenen in die richting wijzen. Twee gerenommeerde hersenchirurgen hebben Maddy inmiddels onderzocht. Ik heb ze net gesproken en...'
'Ik wil er nog meer specialisten bij hebben!' onderbrak Philip hem. Zijn stem klonk hard en sloeg over.
'Dat dacht ik al. Ik heb dokter Litman gevraagd of hij contact met Alan Stimpson wilde opnemen. Zoals je wel zult weten, is dat de beroemdste hersenchirurg van Australië; hij wordt beschouwd als een van de besten ter wereld. Gelukkig woont hij in Sydney.' Malcolm legde zijn hand op Philips arm en voegde er zo geruststellend mogelijk aan toe: 'En we boffen, want hij was toevallig vanmorgen in het St.-Margaretziekenhuis hier in Darlinghurst. Dokter Litman kon hem nog te pakken krijgen voordat hij weer naar de stad ging. Hij kan ieder moment hier zijn.'
'Bedankt, Malcolm,' zei Philip, die een beetje kalmeerde. 'Neem me niet kwalijk dat ik zo opvloog. Ik ben ook zó bezorgd.'
'Dat is begrijpelijk. Je hoeft je niet te verontschuldigen, Philip. Ik begrijp best dat je in spanning zit.'
Er werd geklopt en de deur ging open. Voor hem stond een lange, slanke man met rossig haar, een sproetig gezicht en vriendelijke grijze ogen.
Malcolm Hardcastle sprong overeind. 'Dat is snel, Alan. Fijn dat je er bent. Mag ik je even voorstellen aan Philip McGill Amory – Philip, dit is dokter Alan Stimpson, over wie ik je net vertelde.'
Philip, die ook was opgestaan, begroette de befaamde chirurg. Ze schudden elkaar de hand, waarna het drietal ging zitten.
Alan Stimpson was een openhartig man, die er het liefst geen doekjes om wond. 'Ik heb net met dokter Litman gesproken, meneer Amory, en ik zal uw vrouw zo dadelijk onderzoeken.' Hij keek Philip strak aan en vervolgde: 'Ik wist echter niet dat de zwangerschap al zo ver

gevorderd was dat het kind zelfs al twee weken te laat is.' Hij wierp een blik op Malcolm. 'Heb jij meneer Amory al uitgelegd hoe groot het risico van een hersenscan is voor het ongeboren kind?'
Malcolm schudde zijn hoofd. 'Nee, nog niet. Ik wachtte op jou.'
'Kunt u me dat uitleggen, alstublieft?' zei Philip tegen Alan Stimpson. Zijn angst nam toe. Hij klemde zijn handen in elkaar om te verhinderen dat ze trilden.
'Een hersenscan levert stralingsrisico op, meneer Amory. De ongeboren baby ondervindt daar waarschijnlijk schade van.'
Philip was even stil. Toen vroeg hij: 'Móet u een hersenscan van mijn vrouw maken?'
'Het zou ons in staat stellen de omvang van de bloeding te bepalen.'
'Zo.'
Dokter Stimpson vervolgde op dezelfde vriendelijke toon: 'Maar voordat we daar een beslissing over nemen, moet ik uw vrouw grondig onderzoeken. Daarna overleg ik met mijn collega's en daarna besluiten we wat er het beste kan gebeuren.'
'Ik begrijp het,' antwoordde Philip. 'Maar ik hoop dat het niet te lang duurt. Spoed is toch zeker geboden?'
'Ja zeker,' antwoordde Alan Stimpson. Hij stond op. 'Wilt u me nu excuseren?' Bij de deur keek hij nog even om naar de gynaecoloog. 'Ik wil graag dat je bij het onderzoek bent, Malcolm, dan kun je ons adviseren in verband met de zwangerschap van de patiënte.'
Malcolm sprong overeind. 'Natuurlijk, Alan.' Hij wendde zich tot Philip. 'Wacht hier maar... en probeer kalm te blijven... Wind je niet op.'
'Ik zal mijn best doen,' mompelde Philip, maar hij wist dat het hem niet zou lukken. Met zijn hoofd in zijn handen raakte hij in gepeins verzonken. Hij tobde over Maddy, waarbij zijn ongerustheid steeds groter werd. Hij kon de schok nog niet verwerken. Het was ongelooflijk dat er zoiets afgrijselijks was gebeurd. Ze had zich gisteravond nog zo goed gevoeld. Hij had het idee dat hij een afschuwelijke nachtmerrie beleefde waar geen eind aan kwam.

Tien minuten later hief Philip met een ruk zijn hoofd op en keek in het zorgelijke gezicht van zijn zwager, Shane O'Neill, die in de deuropening stond.
'Ik ben meteen gekomen toen ik het hoorde!' riep Shane uit. 'Ik was niet in het hotel, maar Barry wist waar ik zat. Ik moest van hem zeggen dat hij Daisy nog niet te pakken heeft kunnen krijgen.'
'Fijn dat je er bent,' zei Philip zachtjes.
'Barry vertelde me dat de huishoudster Maddy vanmorgen bewuste-

loos heeft gevonden. Wat is er gebeurd, Philip? Wat is er met haar?'
'De artsen denken dat ze een hersenbloeding heeft gehad.'
'Allemachtig!' Shane was met stomheid geslagen. Hij stond Philip ongelovig aan te kijken.
'Het is waarschijnlijk vannacht gebeurd,' voegde Philip er nog aan toe. Zijn stem was nauwelijks hoorbaar.
Shane ging naast hem zitten. 'Maar gisteravond aan tafel leek ze nog volkomen gewoon! Weten ze al wat de oorzaak van die bloeding is?'
Philip schudde zijn hoofd. 'Nog niet. Maar dokter Stimpson is met het onderzoek bezig. Hij is een van de beste hersenchirurgen ter wereld. We boffen ontzettend dat hij niet in het buitenland zat, maar dat hij nota bene vanmorgen in een ziekenhuis hier vlakbij, in Darlinghurst, was.'
'Ik heb wel eens van die Stimpson gehoord,' zei Shane. 'Hij heeft een fantastische reputatie en hij heeft wonderbaarlijke resultaten op zijn naam staan. Als ik afga op wat ik over hem heb gelezen, bestaat er geen betere.'
'Ja, hij is briljant,' Philip draaide zich naar Shane toe. 'Ik weet niet wat ik moet beginnen als Maddy iets overkomt,' bracht hij met trillende stem uit. 'Zij is het belangrijkste in mijn leven...' Hij kon zijn zin niet afmaken en wendde zijn hoofd af, opdat Shane de tranen niet zou zien die opeens in zijn ogen glinsterden.
'Het komt heus wel weer goed met Maddy,' zei Shane geruststellend en vol vertrouwen. 'We mogen niet meteen het ergste denken, we moeten een positieve houding aannemen, Philip. Je zult haar niet verliezen. Die gedachte moeten we vasthouden.'
'Ja... Ik ben blij dat je er bent, Shane. Dat is een hele steun.'
Shane knikte. Er viel een stilte.
Al Philips gedachten en zijn hele hart gingen uit naar zijn vrouw op de afdeling spoedgevallen. Hij haalde zich haar voor de geest. Toen hij haar daarnet had gezien, was haar gezichtje bleek, stil en uitdrukkingsloos geweest. Hij kon maar niet vergeten hoe slap haar hand in de zijne had gevoeld. Maddy had iets levenloos' gehad. Hij schrok terug voor de gedachte dat ze hem misschien zou ontvallen. Hij weigerde daar over na te denken.
Af en toe keek Shane naar Philip. Zijn hart ging uit naar zijn zwager. Maar hij zei niets, omdat hij Philip niet in zijn gepeins wilde storen. Het was duidelijk dat hij met rust gelaten wilde worden. Hij was mijlenver weg met zijn gedachten; zijn knappe gezicht stond diep bezorgd en in zijn helderblauwe ogen, die zo op die van Paula leken, tekende zich groeiende angst af.
Shane leunde achterover in zijn stoel. In stilte bad hij voor Maddy.

Toen Daisy even later het kamertje binnenkwam, stond Shane onmiddellijk op en liep naar haar toe. Ze zag heel bleek en haar gezicht droeg een diep bezorgde uitdrukking. Shane sloeg met een beschermend gebaar zijn arm om haar heen.
Ze keek vragend naar hem op. 'Wat is er met Maddy gebeurd?' vroeg ze met trillende stem terwijl ze zich aan hem vastklampte.
Shane legde met gedempte stem uit: 'Ze zijn bang dat ze een hersenbloeding heeft gehad.'
'O nee! Maddy toch niet! Philip...' Ze vloog naar haar zoon toe, ging in de stoel zitten waaruit Shane net was opgestaan en stak haar hand naar hem uit als om hem te troosten.
'Rustig maar, moeder,' zei Philip. Hij nam haar hand in de zijne en kneep er geruststellend in. 'De doktoren zijn Maddy aan het onderzoeken... Malcolm Hardcastle, de twee artsen van het ziekenhuis en Alan Stimpson, de beroemde hersenchirurg.'
'Hij is fantastisch goed,' zei Daisy, die blij was te horen dat deze man het medisch onderzoek leidde. Dat gaf haar nieuwe hoop voor Maddy. 'Ik heb hem door mijn werk wel eens ontmoet... Een betere kun je niet hebben, je had geen betrouwbaarder arts voor Maddy kunnen vragen.'
'Dat weet ik, moeder.'
Daisy keek naar Shane, die vlak bij hen stond. 'Barry maakt zich heel ongerust, want hij heeft nog niets van jullie gehoord. Je moet hem even bellen, Shane, om hem te vertellen wat er aan de hand is. Dan kan hij contact opnemen met Jason, die is gisteravond naar Perth gegaan.'
'O hemel, ja, ik ben vergeten hem te bellen,' mompelde Philip. 'Ik zal het gelijk even doen, en dan bel ik meteen mevrouw Ordens. Zij en de dienstmeisjes zijn net zo bezorgd als wij.'

'Het spijt me, meneer Amory, maar het staat zo goed als vast dat uw vrouw een hersenbloeding heeft gehad,' vertelde dokter Stimpson ruim een half uur later. 'Haar toestand is zeer zorgwekkend.'
Philip, die bij het raam stond, dacht dat zijn benen hem niet langer zouden dragen. Hij plofte in de stoel die naast hem stond. Zijn stem weigerde dienst.
Shane, die even tevoren met de twee artsen had kennisgemaakt, nam de leiding. 'Wat lijkt u de beste behandeling, dokter Stimpson?' vroeg hij de hersenchirurg.
'Ik wil zo snel mogelijk een scan maken, en daarna wil ik haar schedel lichten. Een dergelijke operatie vermindert in ieder geval de druk van het bloedstolsel op haar hersens. Ik moet erop wijzen dat ze zon-

der die operatie misschien nooit meer bij bewustzijn komt. Het kan zijn dat ze de rest van haar leven in coma ligt.'
Philip smoorde een gekwelde kreet. Hij balde zijn handen tot vuisten, zodat zijn nagels in zijn handpalmen drukten. *Maddy, nooit meer bij bewustzijn.* Die gedachte was zo afschuwelijk, zo angstaanjagend, dat hij hem verdrong; hij kon en wilde er niet over nadenken, laat staan het idee aanvaarden.
Alan Stimpson, een begrijpend man, zag de pijn op Philips gezicht en de angst in die opvallend blauwe ogen. Hij wachtte zwijgend tot de man tegenover hem zichzelf weer enigszins in de hand had.
Ten slotte fluisterde Philip: 'Gaat u alstublieft door, dokter Stimpson.'
'En dan zijn er nog de complicaties voor de baby, meneer Amory. Als uw vrouw pas een paar weken of zelfs een paar maanden zwanger was, zou ik een abortus aanraden. Uiteraard is dat in dit stadium van de zwangerschap onmogelijk. En... tja, de weeën kunnen elk moment beginnen. Het is daarom beter dat het kind via de keizersnede wordt geboren. Ik vind dat hiermee niet langer gewacht kan worden.'
'Ik kan die keizersnede nu meteen doen,' zei Malcolm.
'Brengt dat het leven van mijn vrouw in gevaar?' vroeg Philip meteen.
Alan Stimpson gaf hem antwoord. 'Integendeel... Volgens mij loopt ze meer risico als Malcolm geen keizersnede doet. Bovendien brengt dat het voordeel met zich mee dat ik de scan en de operatie kan uitvoeren zonder het kind in gevaar te brengen.'
'Dan moet die keizersnede nu meteen worden uitgevoerd,' antwoordde Philip snel. Verder uitstel kon hij niet verdragen. 'Maar ik wil graag dat Maddy naar een privé-kliniek wordt gebracht... Als ze vervoerd mag worden tenminste.'
'We kunnen het zo regelen dat uw vrouw naar de particuliere vleugel, hiernaast, wordt gebracht,' antwoordde de chirurg.
'Laten we dat dan maar doen.' Philip stond op. 'Ik zou nu graag naar mijn vrouw toe gaan. En ik blijf bij haar als ze naar hiernaast wordt gebracht.'

36

Die middag, een paar minuten over tweeën, voerde Malcolm Hardcastle een keizersnede uit op Madelana Amory.
De baby die hij haalde was gezond, maar de moeder was zich dat niet bewust. Zij bleef in coma.

Malcolm bracht het nieuws over aan Philip.
Deze wachtte ongeduldig in een privé-vertrek naast de kamer die voor Maddy bestemd was, samen met Shane en Daisy.
'Je hebt een dochter, Philip,' kondigde Malcolm aan.
Philip liep te ijsberen. Hij stond abrupt stil en draaide zich om naar de gynaecoloog. 'Is alles goed met Maddy? Heeft zij het goed doorstaan?' vroeg hij, want zijn vrouw kwam op de eerste plaats.
'Ja. Haar toestand is nog precies zoals vanmorgen, toen ze werd binnengebracht. Ze is dus helaas nog niet bij bewustzijn gekomen, maar aan de andere kant is haar toestand ook niet verslechterd.'
'Is dat een goed teken? Biedt dat hoop?' wilde Shane weten.
'Ja... Ze lijkt... haar toestand lijkt stabiel.'
'Mag ik bij haar?' vroeg Philip.
'Nog niet... Ze ligt nog op de verkoeverkamer.'
'Wanneer mag ik dan wèl bij haar?' vroeg hij nogmaals, zachtjes maar dwingend.
'Over een uurtje. Wat je dochter betreft, het is een volmaakte, prachtige baby. Ze weegt ruim zeven pond.'
Philip herstelde zich enigszins. Hij schudde Malcolm stevig de hand. 'Bedankt voor alles wat je hebt gedaan, Malcolm. Ik ben je dankbaar, en ik ben blij dat de baby het goed maakt.'
'Mogen we de baby wel even zien?' Daisy keek naar Malcolm, waarna ze haar blik op haar zoon, die naast haar stond, liet rusten. 'Ik wil mijn kleindochter graag begroeten.'
'Natuurlijk mag u haar zien, mevrouw Rickards.'
Met z'n vieren liepen ze de kamer uit en wandelden door de gang naar de glazen wand van de babykamer, waar de pasgeboren kinderen heen werden gebracht.
'Dat is ze!' riep Malcolm even later uit. Een verpleegkundige, die de befaamde gynaecoloog had zien staan, had al een baby uit een wiegje gehaald. Ze bracht haar naar het raam, zodat ze haar konden bekijken.
'O Philip, wat een schatje,' zei Daisy zachtjes. Haar gezicht klaarde op. 'Kijk eens, ze heeft een rossig kuifje. Volgens mij hebben we weer een roodharige in de familie.'
'Ja,' antwoordde haar zoon onaangedaan terwijl hij door het glas naar de baby staarde. Hij wou dat hij wat enthousiaster op het kind kon reageren. Maar hij maakte zich zo bezorgd om zijn vrouw, dat al het andere onbelangrijk scheen.
Ten slotte wendde hij zijn blik af en nam Malcolm terzijde. 'Wat gebeurt er nu? Wanneer gaat Stimpson die scan maken?'
'Zo gauw mogelijk. Waarom ga je niet even een frisse neus halen?

Of ga met je moeder en zwager een kop thee of koffie drinken.'
'Ik ga hier niet weg! Ik blijf bij Maddy!' riep Philip uit. 'Misschien willen zíj er even uit, maar ik niet, o nee. Nogmaals bedankt wat je voor mijn vrouw en kind hebt gedaan, Malcolm,' zei hij en wendde zich af.
Later, toen ze waren teruggekeerd in de kamer in de particuliere vleugel van de kliniek, stelde Philip Shane voor dat deze samen met Daisy naar het huis in Point Piper zou gaan om daar wat te ontspannen en een hapje te eten en iets te drinken. 'Jullie hoeven niet bij mij te blijven,' merkte hij op terwijl hij in een stoel neerviel.
'We blijven wèl bij je,' antwoordde Shane prompt. 'We laten je niet in de steek.'
'We blijven, Philip, probeer maar niet ons op andere gedachten te brengen!' zei Daisy met een stem die even resoluut klonk als die van haar moeder. 'Lieve hemel, Shane en ik houden het toch niet uit als we niet bij jou en Maddy zijn. We zíjn al zo bezorgd, en dat zou nog veel erger worden als we ver weg in Point Piper zitten en niet weten wat er gaande is.'
Philip miste de kracht om te protesteren, laat staan om met Daisy of Shane in discussie te gaan.
Een poosje ijsbeerde hij nerveus de kamer rond en daarna liep hij de gang op en neer, waarbij zijn agitatie steeds groter werd. In een poging zijn groeiende angst in te tomen, ging hij terug naar de kamer, belde zijn kantoor in de McGill Tower en sprak even met zijn secretaresse, Maggie, en zijn assistent, Barry. Af en toe zei hij iets tegen zijn moeder en Shane, maar meestal zweeg hij en stond droefgeestig naar buiten te kijken.
Hij was eraan gewend om zijn eigen lot in handen te hebben. Hij was een daadkrachtig man, hij maakte de dienst uit, hij hield van actie, hij was een doorzetter. Hij was niet gewend om in noodgevallen lijdzaam toe te kijken, wat er ook gebeurde. Maar op dit moment, misschien het beslissendste van zijn leven, had hij geen keus. Hij was geen arts en kon dus niets doen om de vrouw die hij boven alles lief had te helpen. Zijn frustratie groeide gelijk op met zijn angst.
Even voor drie uur mocht hij naar Maddy toe. Ze lag nog steeds in coma en reageerde niet op zijn aanwezigheid. Vervuld van nieuwe pijn, verdriet en wanhoop kwam hij terug.
Daisy en Shane probeerden hem te troosten en gerust te stellen, maar veel resultaat boekten ze niet.
'Ik weet wel dat je in een situatie als deze niets kunt uitrichten,' zei Daisy. Ze ging naar Philip toe en pakte hem bij zijn arm, vol medelijden voor haar zoon en bezorgdheid om het welzijn van haar schoon-

dochter. 'Maar we moeten proberen dapper te zijn en te blijven hopen, jongen. Maddy is sterk, en als iemand hier doorheen kan komen, is zij het wel.'
Hij keek neer op Daisy en knikte, waarna hij zich van haar afwendde opdat ze niet kon zien hoe pijn en intens verdriet hem overspoelden.
Om vier uur kwam Alan Stimpson binnen en vertelde rustig dat hij een hersenscan had uitgevoerd.
'Uw vrouw heeft een ernstige hersenbloeding gehad. Dat vermoedde ik bij mijn eerste onderzoek al, maar ik moest zekerheid hebben,' zei hij.
Philip slikte eens. Zijn grootste angst was bevestigd. Met licht trillende stem vroeg hij: 'Heeft u enig idee wat de oorzaak van die bloeding kan zijn geweest?'
Heel even zweeg Alan Stimpson. 'Het kan heel goed zijn dat haar zwangerschap er de oorzaak van is geweest. Dat komt wel eens meer voor.'
Philip was zo ontsteld dat hij geen woord kon uitbrengen.
'Ik wil haar nu gaan opereren, meneer Amory. Ik neem aan dat u haar nog even wilt zien voordat ze wordt voorbereid op de operatie?'
'Ja zeker.' Philip keek naar zijn moeder. 'We hadden pater Ryan moeten laten komen. Maddy zou er graag haar geestelijke bij hebben gehad, hoe de operatie ook afloopt. Wil jij hem voor me bellen, moeder?'
Hoewel zijn onverwachte verzoek dat een bevestiging was van haar eigen diepe angst haar verraste, knikte Daisy. 'Ja,' antwoordde ze zo rustig mogelijk. 'Ik zal het meteen doen, jongen.'
'Er is grote kans dat de operatie slaagt,' zei Alan Stimpson vol zelfvertrouwen terwijl hij van Daisy naar Philip keek. 'Ik zal alles doen wat in mijn vermogen ligt om haar leven te redden.'
'Natuurlijk, dat weet ik,' antwoordde Philip.
De twee mannen liepen zwijgend door de gang. De chirurg liet Philip een vertrek naast de operatiekamer binnen, waarna hij de deur zachtjes dichtdeed.
Philip liep naar Maddy toe.
Vol liefde keek hij op haar neer. Wat maakte ze een kleine, weerloze indruk zoals ze daar op dat smalle ziekenhuisbed lag. Haar gezicht zag krijtwit, even wit als de lakens. Alan Stimpson had hem verteld dat ze haar haar moesten afscheren. Dat prachtige, kastanjebruine haar. Het liet hem onverschillig, zolang ze haar leven maar redden. Haar lokken lagen uitgewaaierd op het kussen en omkransten haar gezicht. Hij voelde hoe zijdezacht ze waren, waarna hij zich vooroverboog en er een kus op drukte.

Hij ging op een stoel zitten en nam haar hand in de zijne. Haar hand voelde krachteloos aan. Hij bracht zijn gezicht dicht bij het hare en kuste haar op de wang. Tegen haar haren fluisterde hij: 'Laat me niet alleen, Maddy. Alsjeblieft, laat me niet in de steek. Vecht. Vecht voor je leven, lieveling van me.'
Ten slotte keek hij haar nog even indringend aan, hopend op en biddend voor het kleinste teken van begrip, een teken dat ze hem had gehoord.
Hij wist dat ze niets had gehoord ze lag zo onbeweeglijk...
Nogmaals kuste hij haar, toen ging hij weg. Hij had het gevoel dat zijn hart brak.

'Mijn horloge staat stil,' zei Daisy tegen Shane. 'Hoe laat is het?'
Shane keek op zijn horloge. 'Bijna zes uur. Zal ik ergens een pot thee vandaan zien te halen?'
'Ja, ik lust wel een kopje. En u, pater Ryan?'
Maddy's pater, die inmiddels was gearriveerd, keek op van het gebedenboek in zijn hand. 'Graag, mevrouw Rickards, dat is heel vriendelijk van u. Ik doe met u mee.'
'Philip?'
'Ik heb liever koffie, moeder, als...' begon hij, maar maakte zijn zin niet af omdat Alan Stimpson binnenkwam.
De chirurg deed de deur achter zich dicht en leunde ertegenaan. Hij was nog gekleed in zijn groenkatoenen operatiepak en kwam kennelijk rechtstreeks van de operatiekamer. Hij bleef daar staan, zonder iets te zeggen, terwijl zijn ogen strak op Philip gevestigd waren.
Philip staarde terug. De uitdrukking op het gezicht van de chirurg was zo eigenaardig, hij kon hem niet doorgronden...
Alan Stimpson zei: 'Het spijt me heel, heel erg, meneer Amory. Ik heb alles gedaan wat in mijn vermogen lag om uw vrouw te redden, maar ik vrees dat ze op de operatietafel is gestorven. Het spijt me vreselijk.'
'Nee,' zei Philip. 'Nee.'
Hij tastte naar de stoel waar hij achter stond, zoekend naar steun. De knokkels van zijn gebruinde handen werden wit. Hij wankelde even.
'Nee,' zei hij nogmaals.
Pater Ryan stond op en hij hielp Daisy overeind. De tranen waren haar in de ogen gesprongen en ze legde een hand over haar mond om de snik in haar keel te smoren. Ze liep snel naar Philip toe, gevolgd door Shane en pater Ryan.
Daisy's hart brak toen ze naar haar zoon keek. Ze durfde nog niet

te denken aan de uitwerking die Maddy's dood op hem zou hebben. Hij had zijn vrouw geadoreerd. Het leven is niet eerlijk, dacht Daisy, terwijl haar ogen opnieuw vol tranen schoten. Maddy was nog te jong om al bij ons weg te gaan.
Philip ontweek zijn moeder, Shane en de bezorgde geestelijke. Hij schudde heftig zijn hoofd heen en weer, alsof hij de woorden van de arts wilde ontkennen. Zijn blauwe ogen stonden verbijsterd, niet-begrijpend. Hij pakte Alan Stimpson bij de arm. 'Ik wil naar mijn vrouw,' zei hij hees.
Stimpson nam hem mee naar hetzelfde vertrek naast de operatiekamer waar hij hem eerder die middag met Maddy alleen had gelaten.
Opnieuw keek Philip op haar neer. Wat zag ze er vredig uit nu ze dood was. Haar gezicht verried geen spoor van pijn of lijden. Hij knielde naast het bed neer en pakte haar hand. Die was ijskoud. Tegen beter weten in probeerde hij hem te warmen.
'Maddy! Maddy!' riep hij opeens met gesmoorde stem uit, hees van ellende. 'Waarom moest jij sterven? Zonder jou heb ik niets. Helemaal niets... O Maddy, Maddy...'
Hij boog zijn hoofd en hete tranen drupten op zijn vingers, die de hare vast omsloten. Hij bleef nog lange tijd bij haar, tot Shane hem kwam halen.

37

Hij nam haar mee naar Dunoon. Na een korte privé-mis in de rooms-katholieke kathedraal St.-Mary in Sydney vloog hij met haar stoffelijk overschot naar de schapenfokkerij in Coonamble. Gedurende de hele vlucht zat hij naast haar kist. Shane vergezelde hem. Zijn moeder en Jason volgden in Jasons bedrijfsjet, samen met pater Ryan.
Na de landing liet Philip Madelana's kist naar het grote huis rijden, waar hij in de lange galerij werd neergezet, te midden van de portretten van zijn voorouders. Daar bleef ze de hele nacht.
De volgende ochtend daagde met een helderblauwe, wolkeloze hemel en in het schitterende, stralende zonlicht zagen de tuin en het landgoed Dunoon er magnifiek uit. Maar Philip merkte het niet. Hij was verdoofd door de schok; hij deed werktuiglijk wat van hem werd verwacht, als een automaat, maar voor de rest was hij zich de aanwezigheid van de anderen niet bewust.
Om haar kist het laatste deel van de reis te laten afleggen koos hij als slippedragers Shane, Jason, Barry, Tim – de beheerder – en

Matt en Joe, de paardenknechten, die tijdens haar korte verblijf daar zeer op haar gesteld waren geraakt.
Klokke tien uur die zaterdagochtend namen de zes mannen haar kist op hun schouders en droegen hem de villa uit. Ze liepen achter pater Ryan aan over het kronkelige pad tussen de ruime gazons en bloemenborders door, naar de kleine privé-begraafplaats verderop. De open plek lag beschut door bomen en werd omsloten door een oude, stenen muur. Hier lag Andrew McGill begraven, de pater familias, samen met zijn vrouw Tessa en alle andere Australische McGills die van hen afstamden; hun graven waren gemarkeerd door eenvoudige, marmeren stenen.
Voor zijn vrouw had Philip het graf naast Paul gekozen.
De dag dat hij Madelana O'Shea voor het eerst had gezien, had ze naar Pauls portret staan kijken. En later had ze gezegd dat ze even had gedacht dat de grote man zelf tot leven was geroepen toen ze hem in de deuropening van de galerij had zien staan. Maddy had vaak plagend opgemerkt dat hij er net zo schurkachtig uitzag als zijn grootvader, en ze was al evenzeer geboeid geweest door Paul McGill als door Emma Harte.
Daarom vond hij het niet meer dan logisch dat haar laatste rustplaats naast zijn grootvader lag. Om een onverklaarbare reden had het iets troostrijks voor hem te weten dat zij daar dicht bij elkaar in dat stukje grond lagen.
De pater, Philip en de slippedragers kwamen ten slotte bij het open graf tot stilstand. Het lag in een hoekje van de begraafplaats, overschaduwd door de prachtige goudkleurige iepen en naar citroen geurende eucalyptusbomen waar ze zo van was gaan houden, zoals ze ook was gaan houden van Dunoon en van het schitterende land eromheen, dat haar zo had doen denken aan haar geboortestaat, Kentucky.
Daisy stond al te wachten, met mevrouw Carr, de huishoudster, de andere bedienden en werknemers van de fokkerij, samen met hun echtgenoten en kinderen. Iedereen was in het zwart gekleed of droeg een zwarte band om hun donkergetinte kleren; de vrouwen en kinderen hadden bossen bloemen of een enkele bloemstengel in de hand. Terwijl ze daar zo stonden, met gebogen hoofd luisterend naar pater Ryan, die de rooms-katholieke uitvaart leidde, huilden ze openlijk om Madelana van wie ze veel hadden gehouden en die veel te kort bij hen op Dunoon had gewoond.
Philips verdriet had zich naar binnen gekeerd.
Inwendig voelde hij zich verkild en gedurende de hele ceremonie liet hij geen traan. Hij stond stram en stijf met zijn handen langs zijn zij.

Hij had iets grimmigs en sombers over zich en zijn levendige, korenblauwe ogen stonden leeg; zijn knappe gezicht was magerder geworden en stond uitdrukkingsloos. Hij had iets dreigends zoals hij daar stond en hij deed zo afwerend dat iedereen op een afstand bleef.
Toen het laatste gebed voor Maddy's zieleheil door pater Ryan was uitgesproken en haar kist ter aarde was besteld, nam hij de gefluisterde, welgemeende condoleances van zijn werknemers in ontvangst. Daarna liep hij met grote passen terug naar huis.
Shane en Daisy haastten zich achter hem aan. Hij sprak geen woord tot ze binnen waren. In de grote hal wendde hij zich tot hen. 'Ik kan hier niet blijven,' zei hij zachtjes. 'Ik ga weg, moeder. Ik moet alleen zijn.'
Daisy keek op naar haar zoon. Haar gezicht was bleek en vertrokken van verdriet, haar ogen zagen rood van het huilen. Ze legde zachtjes haar hand op zijn arm. 'Laat het alsjeblieft niet weer zo worden als toen je vader bij die lawine omkwam, Philip. Je moet je verdriet uiten, je moet om je Maddy rouwen. Pas dan kun je weer verder leven.'
Hij keek Daisy aan alsof hij haar niet zag. Zijn ogen boorden zich dwars door haar heen en richtten zich op een beeld in de verte dat alleen hij zag. 'Ik wil niet leven. Zonder Maddy heeft het geen zin.'
'Zoiets mag je niet zeggen! Je bent nog een jonge man!' riep Daisy uit.
'Jij begrijpt het niet, moeder. Ik ben alles kwijt.'
'Maar je hebt de baby toch, je dochter, Maddy's dochter,' zei Daisy meteen. Ze voelde zich ellendig van verdriet en haar gevoelens lagen maar al te duidelijk op haar gezicht te lezen.
Opnieuw keek Philip dwars door zijn moeder heen. Hij gaf geen antwoord, draaide zich met een ruk om, liep de hal door en beende weg zonder nog één keer om te kijken naar buiten.
Daisy keek hem na. Haar hart brak toen ze dacht aan haar eenzame zoon. Ze begon zachtjes te huilen en wendde zich tot Shane. Ze maakte een afschuwelijk hulpeloze indruk. Ze wist niet wat ze moest beginnen.
Shane legde zijn arm om haar heen en nam haar mee naar de salon. 'Philip redt zich wel,' stelde hij haar gerust. 'Hij heeft nog een shock, hij kan nog niet helder nadenken.'
'Ja, dat weet ik wel, Shane, maar ik maak me grote zorgen om hem. Paula trouwens ook,' zei Daisy snikkend. 'Dat zei ze gisteren tegen me, toen ze uit Londen belde. Ze zei: "Hij mag zijn verdriet niet oppotten, zoals hij deed toen vader stierf. Als hij dat doet, komt hij nooit over Maddy's dood heen." Ik weet precies wat ze bedoelt. En ze heeft groot gelijk.'

Daisy ging op de bank zitten, zocht in haar tas naar een zakdoek, droogde haar ogen en snoot haar neus. Ze keek naar Shane, die bij de open haard stond en zei op scherpe toon: 'Misschien hebben we er helemaal verkeerd aan gedaan Paula ervan te weerhouden hierheen te komen.'
'Nee, Daisy, daar hebben we juist goed aan gedaan! Voor alleen een dag of drie, vier is dat een veel te lange reis! Philip zei het zelf toch ook meteen. Hij wilde per se dat ze in Engeland bleef.'
'Zíj had hem misschien kunnen helpen. Ze konden altijd erg goed samen praten, dat weet je toch, Shane.'
'Inderdaad, wie weet,' beaamde Shane iets minder fel. 'Maar aan de andere kant geloof ik niet dat zelfs haar aanwezigheid de schok en zijn verdriet zou hebben verzacht. Het is allemaal zo vreselijk plotseling en onverwacht gegaan dat hij helemaal uit zijn doen is, nog afgezien van zijn grote verdriet. En dat is volkomen begrijpelijk als je nagaat dat Maddy nog geen week geleden in blakende gezondheid verkeerde en wachtte op de geboorte van hun kind. Alles was even mooi en ze hielden zoveel van elkaar. En dan opeens: weg! Van de ene dag op de andere is ze dood. Hij heeft een harde klap gehad; hij staat letterlijk te wankelen op zijn benen door deze tragedie, Daisy. Maar heus, hij komt er wel weer bovenop. Hij moet wel... Hij heeft geen keus. Maar we moeten hem de tijd gunnen.'
'Ik weet het niet...' zei Daisy aarzelend, 'hij aanbad Maddy.'
'Dat mag je wel zeggen,' zei Jason, die met grote stappen de salon binnenkwam en zich naar Daisy toe haastte. 'En hij zal nog heel lang verdriet hebben. Maar Shane heeft echt gelijk, lieveling, Philip komt er wel weer bovenop. *Uiteindelijk*. Op de een of andere manier redden we ons allemaal, nietwaar?'
'Ja,' fluisterde Daisy, terugdenkend aan David.
Jason ging naast haar zitten en legde troostend een arm om haar heen. 'Kom, liefje,' zei hij, 'probeer niet zo over hem te tobben.'
'Ik kan er niets aan doen.' Ze keek naar Shane. 'Waar zou hij heen zijn gegaan?'
'Waarschijnlijk naar Sydney... om alleen te zijn. Net als een gewond dier wil hij in eenzaamheid zijn wonden likken.'
'Philip heeft een gigantisch bedrijf dat geleid moet worden,' merkte Jason op. 'En dat doet hij zeer gewetensvol, Daisy. Je zult zien dat hij maandag net als anders het heft in handen neemt. En als ik hem net zo goed ken als ik me verbeeld, stort hij zich met dubbele energie op zijn werk.'
'En dat werk wordt zijn redding,' verklaarde Shane rustig. 'Net als toen David was omgekomen zal hij het beschouwen als een middel

om het verdriet te verwerken. Het houdt hem op de been tot het genezingsproces goed op gang is.'
'Ik hoop maar dat hij zijn verdriet inderdaad goed kan verwerken en dat hij nog een beetje toekomst voor zichzelf ziet,' zei Daisy.
Ze keek bezorgd fronsend van haar man naar haar schoonzoon. 'Philip kan zo vreemd reageren. Hij is al zo lang een raadsel voor veel mensen, voor mij soms ook.' Ze zuchtte en opeens schoten haar ogen weer vol tranen. 'Arme Maddy, ik was dol op haar. Maar dat gold voor ons allemaal, nietwaar? Ze was net een tweede dochter voor me. Waarom moest zíj nu juist sterven?' Daisy schudde haar hoofd en voordat een van de mannen iets kon zeggen, vervolgde ze zachtjes. 'Het zijn altijd de goede mensen die ons ontvallen, vinden jullie ook niet? Het is allemaal zo oneerlijk... zo ontzettend oneerlijk.' Tranen druppelden uit Daisy's ogen en liepen over haar wangen.
Jason trok haar in zijn armen. 'Ach liefje toch, ach liefje toch,' fluisterde hij in een poging haar te troosten en te kalmeren. Hij wist niet wat hij moest doen; woorden schoten te kort. Hij wist trouwens maar al te goed dat woorden in deze omstandigheden maar een schrale troost zijn.
Even later vermande Daisy zich. Ze ging wat rechterop zitten, snoot haar neus en bette haar ogen. Ze keek opeens vastberaden en zei zo dapper mogelijk: 'We moeten proberen Philip zo goed mogelijk door deze tragedie heen te slepen.'
'Hij weet dat we voor hem klaar staan,' zei Shane terwijl hij Daisy zo opgewekt mogelijk toelachte om haar naar beste kunnen een hart onder de riem te steken. 'Hou goede moed.'
'Ja, ja, ik zal mijn best doen.' Ze wendde zich naar Jason toe. 'Waar is pater Ryan?'
'Die zit in de bibliotheek, met Tim en zijn vrouw en nog een paar anderen. Mevrouw Carr zorgt voor koffie en cake en een drankje voor degenen die behoefte hebben aan iets sterkers.'
'Wat onbeleefd van ons! We moeten erheen!' kondigde Daisy aan en ze stond meteen op. 'We moeten voor Philip inspringen.' Haastig liep ze de kamer uit.
Jason volgde haar op de voet, met Shane in zijn kielzog.
In zijn hart maakte Shane zich ondanks zijn bemoedigende woorden tegenover Daisy grote zorgen om Philip. Hij popelde om op maandagochtend van Dunoon te vertrekken. Hij wilde dolgraag naar Sydney, om dicht bij Philip te zijn en een wakend oog op hem te kunnen houden.

Niemand kwam er ooit achter waar Philip dat weekend heen was ge-

gaan nadat hij op de dag van Maddy's begrafenis zo onverwacht van Dunoon was vertrokken.
Toen Shane later die avond probeerde hem in Point Piper te pakken te krijgen, had mevrouw Ordens gezegd dat hij niet thuis was. Ook bleek hij niet in het appartement in de McGill Tower te zijn, zo vertelde José, de Filippijnse huisknecht.
Of deze twee ter wille van hun werkgever niet de waarheid spraken, kon Shane niet goed uitmaken. Hij deed daar ook niet zo erg zijn best voor, want hij wist dat als Philip zich achter zijn personeel wilde verschuilen, hij dat zeker zou doen. Hij kon net zo koppig zijn als Paula. Dat was een familietrekje dat ze van Emma Harte hadden meegekregen.
Die maandagmorgen echter was Philip zoals altijd om precies half acht op zijn kantoor in de McGill Tower binnengewandeld en hij had Maggie en Barry opgetrommeld voor hun gebruikelijke ochtendbespreking.
Hij maakte zo'n koele, beheerste indruk en hij was zo afwerend in zijn gepantserde verdriet, dat Maggie noch Barry een troostend gebaar durfde te maken of iets in de privé-sfeer waagde te zeggen.
Zoals Jason had voorspeld, stortte Philip zich op zijn werk, en wel met een fanatisme dat iedere beschrijving tartte. Naarmate de dagen verstreken, werkte hij steeds langer door. Zelden ging hij voor negen uur of half tien naar zijn appartement, waar de Filippijnse bediende een lichte maaltijd voor hem had klaarstaan. Daarna ging hij naar zijn slaapkamer, stond de volgende ochtend om zes uur op en zat om half acht weer op kantoor, zonder ook maar één keer af te wijken van dit meedogenloze werktempo. Sociale contacten had hij niet, de enigen met wie hij omging waren zijn personeelsleden. In feite meed hij iedereen met wie hij niet rechtstreeks via zijn werk was betrokken; ook zijn moeder en Shane, met wie hij vroeger het beste had kunnen praten, ontliep hij. Zijn gedrag baarde hun steeds meer zorgen, maar ze stonden machteloos.
Barry Graves, die tijdens de werkuren het meest in Philips gezelschap verkeerde, verwachtte eigenlijk dat hij op een gegeven moment wel een soort toespeling op Maddy, haar overlijden of het kind zou maken, maar dat gebeurde niet. Barry vond dat hij naarmate de tijd verstreek steeds koeler en introverter werd. Er broeide een beteugelde woede in hem die, naar Barry wist, binnenkort in de een of andere vorm zou uitbarsten.
Ten slotte belde Barry in zijn wanhoop Daisy op een middag thuis en had een vertrouwelijk en lang gesprek met haar, over haar zoon en zijn bezorgdheid voor hem.

Zodra Barry had neergelegd, belde Daisy Shane, die net was teruggekeerd van een tweedaagse reis naar Melbourne en Adelaide, waar hij een bezoek had gebracht aan de O'Neill Hotels.
'Ik moet vandaag in de stad zijn, over niet al te lange tijd al. Mag ik even bij je langskomen, Shane?' vroeg Daisy.
'Natuurlijk,' antwoordde hij. 'Dat is prima.' Hij keek op de klok die op zijn bureau stond. Het was vijf over drie. 'Kom over een uurtje maar. Dan drinken we samen thee en dan kunnen we eens rustig praten, Daisy-lief.'
'Dank je, Shane. Fijn dat ik meteen kan komen.'
Klokke vier uur liet zijn secretaresse zijn schoonmoeder zijn privé kantoor in het Sydney-O'Neill Hotel binnen. Shane stond op en liep om zijn bureau heen om haar te begroeten.
Nadat hij haar wang had gekust, hield hij haar op armslengte en nam haar nauwlettend op. 'Je ziet er zoals altijd beeldschoon uit, Daisy. Maar je kijkt bezorgd,' zei hij ernstig. 'Je maakt je zorgen om Philip,' voegde hij eraan toe terwijl hij haar meetroonde naar de bank onder het brede raam dat uitzicht bood over de haven van Sydney.
Daisy gaf geen commentaar. Ze gingen naast elkaar zitten. Daisy pakte Shanes hand en keek hem recht aan. Ze kende hem al zijn hele leven, vanaf de dag dat hij was geboren, en ze hield van hem alsof hij een eigen kind was.
'Je bent altijd zo'n goede vriend voor me, Shane,' zei ze na een korte stilte, 'en ook een geweldige schoonzoon, niet te vergeten. Je was een grote troost voor me toen moeder stierf en ik zal niet gauw vergeten dat je een enorme steun voor me was, ook in de afschuwelijkste tijd van mijn leven... toen David verongelukte. Je was een rots in de branding, ook voor Paula. En nu moet ik je weer vragen om me te helpen, je moet iets voor me doen.'
'Je weet dat ik alles zal doen wat in mijn vermogen ligt, Daisy.'
'Ga naar Philip,' zei ze terwijl ze zich dringend naar hem toe boog. 'Praat met hem. Probeer tot hem door te dringen. Zorg dat hij inziet dat hij ziek wordt als hij zo doorgaat.'
'Maar hij wil me helemaal niet zien!' riep Shane uit. 'Het kost me tijden om hem aan de telefoon te krijgen! Je weet dat ik hem elke dag bel. Maggie moet hem letterlijk dwingen mijn telefoontjes aan te nemen. Het is iedere keer weer een strijd, dat kan ik je wel vertellen. En als ik hem vraag – bijna smeek – of we eens een afspraak kunnen maken, verschuilt hij zich achter zijn drukke werkzaamheden, vergaderingen en dat soort dingen.'
'O ja, ik weet het, ik zit met dezelfde problemen en ik ontmoet dezelfde tegenstand. Maar volgens mij ben jij een van de twee mensen

die tot hem kunnen doordringen. De andere is Paula, maar zij is er niet. Dus moet jíj het doen. Alsjeblieft, alsjeblieft, doe het voor mij, en voor Philip. Je moet hem helpen om met zichzelf in het reine te komen,' smeekte ze wanhopig.
Shane zweeg en dacht na.
'Ga vanavond naar zijn appartement,' opperde Daisy impulsief. 'Zet desnoods je voet tussen de deur! Ach nee, dat hoeft niet, ik zal José bellen om te zeggen dat je komt. Hij laat je wel binnen, en dan wil Philip vast wel met je praten, dat weet ik zeker.'
'Oké,' stemde hij in. 'Ik zal gaan, ik zal mijn best doen.'
'Dank je, Shane.' Ze probeerde te glimlachen, maar dat lukte nauwelijks. 'Barry heeft zijn best al gedaan,' verklaarde Daisy, 'maar hij kan natuurlijk niet zo ver gaan als jij. Hij maakt zich grote zorgen om hem. Hij zegt dat Philips woede zich opkropt. Echte woede. Woede omdat Maddy is gestorven. Hij schijnt haar dood niet te kunnen accepteren, hij kan de gebeurtenissen niet in het juiste perspectief zien.'
'Het is dan ook een afschuwelijke schok voor hem...'
Daisy wilde iets zeggen, bedacht zich en beet op haar lip. Toen zei ze zachtjes: 'O Shane, hij is nog niet eens naar de baby komen kijken sinds Jason en ik haar uit het ziekenhuis mee naar ons huis hebben genomen. Ook heeft hij nog geen één keer naar haar gevraagd.'
Shane keek daar niet van op. 'Wat dat betreft moet je hem tijd gunnen,' zei hij en zweeg peinzend. Hij koos zijn woorden met zorg en voegde eraan toe: 'Het kan best zijn dat hij de baby verwijt dat Maddy dood is en dat hij daarmee zichzelf verwijten maakt, want hij is de vader van het kind. Vergeet niet wat Alan Stimpson zei: Maddy's zwangerschap kan de oorzaak van die hersenbloeding zijn geweest. Ik ben nog niet vergeten hoe verbijsterd Philip keek toen hij dat hoorde.'
Daisy knikte. 'Ik ook niet, en ik had dat ook al bedacht. Dat hij zichzelf verwijten maakt, bedoel ik.' Ze slaakte een diepe zucht. 'Barry zegt dat Philip ontzettend depressief is. Maddy's dood heeft een wond in zijn hart geslagen, een wond die maanden nodig heeft om te genezen.'
Als er ooit genezing volgt, dacht Shane somber, hoewel hij die gedachte niet uitsprak om zijn schoonmoeder niet onnodig te verontrusten. In plaats daarvan zei hij: 'Vertel me eens over de baby, Daisy.'
Haar gezicht klaarde meteen op. 'O Shane, het is een schatje. Ze doet me denken aan jullie Linnet en Emily's Natalie. Ze wordt vast en zeker ook zo'n Botticelli-achtig engeltje met rood haar... Een echte

kleine Harte, door en door.'
Shane knikte glimlachend en luisterde vol aandacht. Hij wist hoe belangrijk het voor Daisy was om over haar kleindochter te spreken, de lang verwachte erfgename van het grootse McGill-imperium. Het arme kind, dacht hij op een gegeven moment, ze is op de wereld gekomen met een zware last: de dood van haar moeder. Toen drong het tot Shane door dat hij alles wat in zijn macht lag moest doen om ervoor te zorgen dat Philip de baby zou accepteren en van haar ging houden. Ter wille van hen beiden. De vader had de dochter net zozeer nodig als de dochter de vader.

Nadat Daisy was weggegaan, worstelde Shane zich door een enorme stapel paperassen heen die zich de week daarvoor had opgehoopt. Toen schreef hij snel een briefje aan Paula en briefkaarten voor Lorne, Tessa, Patrick en Linnet. Even voor zes uur was hij klaar, waarna hij een bespreking had met Graham Johnson, de manager van de O'Neill-hotelketen in Australië, en drie andere directeuren van binnen het bedrijf. Het voornaamste onderwerp op de agenda was het nieuwe hotel dat in Perth in aanbouw was.
Om half acht sloot Shane de vergadering, waarna hij en Graham naar het Wentworth Hotel wandelden om te gaan eten. Als Shane in Sydney was, bracht hij altijd even een bezoek aan andere hotels in de stad. Hij kreeg dan een indruk van de entourage, het eten, het drinken, de service en de toestand in het algemeen, zodat hij een vergelijking kon maken tussen de concurrentie en zijn eigen hotel. Hij kwam graag in het Wentworth en hij en Graham genoten van een verrukkelijk maal van geroosterd lamsvlees met verse groenten en een uitstekende fles van de plaatselijke rode wijn. Ze spraken voornamelijk over zaken en over de vele aspecten van het nieuwe hotel in Perth. Shane beloofde om de volgende week met Graham naar West-Australië te vliegen, voordat hij naar Londen terugging.
Om tien uur kwamen de twee mannen het hotel uit. Graham nam een taxi naar huis en Shane wandelde in de richting van Bridge Street, waar de McGill Tower zich bevond. Hij had behoefte aan een eindje lopen in de frisse lucht nadat hij de hele dag op kantoor had gezeten. Bovendien wilde hij er zeker van zijn dat Philip klaar was met eten en werken als hij langskwam. Daisy had geopperd dat hij het om half elf zou proberen, en hij had haar raad opgevolgd.
Een poosje later, toen hij dicht bij de zwartglazen wolkenkrabber kwam, staalde Shane zichzelf met het oog op de naderende confrontatie met zijn zwager. Hij wist dat het moeilijk ging worden – pijnlijk, emotioneel en ingrijpend. In de lift, op weg naar boven, vroeg

hij zich af wat voor wijsheid hij Philip in zijn diepe verdriet te bieden had, en hij besefte dat het niet veel was. Het enige dat hij kon doen, was begripvol met hem praten, en hem zijn steun en zijn liefde bieden.

Zoals met Daisy afgesproken, deed José Shane open zodra hij aanbelde.
De Filippijnse bediende liet hem binnen in de schitterend ingerichte woonkamer, die hoog boven de stad scheen te zweven. Er was die avond weinig licht op, zodat het spectaculaire uitzicht alle aandacht kon krijgen. Met een beleefde buiging zei de bediende: 'Ik zal meneer Amory zeggen dat u er bent.'
'Dank je, José.' Shane liep naar een stoel en ging zitten.
José was een tel later alweer terug en boog nogmaals. 'Meneer Amory vraagt of u wilt wachten.'
'Ja, dat is goed. Nogmaals bedankt.'
De Filippino glimlachte en haastte zich geluidloos weg.
Na een kwartier begon Shane ongerust te worden; hij vroeg zich af waarom Philip zo lang op zich liet wachten. Hij stond op, liep naar de bar aan het andere eind van het vertrek en schonk zichzelf een bescheiden glaasje cognac in. Daarmee liep hij weer naar zijn stoel en ging verder zitten wachten. Af en toe een slokje nemend bereidde hij zich inwendig voor op het gesprek met Philip; hij zocht de juiste woorden, de goede benadering. Eén ding was van het allergrootste belang. Wat hij verder ook bereikte vanavond, hij moest Philip zien over te halen morgen met hem naar Daisy's huis te gaan om naar de baby te kijken. Dat had hij Daisy beloofd en hij wist hoe belangrijk het was dat Philip het idee van zich afzette dat hem enige blaam trof. Shane was ervan overtuigd dat de baby een belangrijke rol zou spelen voor Philips welzijn. Als hij haar eenmaal had aanvaard, zou hij van haar gaan houden en pas dan zou hij beginnen te herstellen van zijn verdriet om Maddy.
Het duurde nog een kwartier voordat Philip ten slotte uit zijn werkkamer kwam. Hij bleef in de deuropening staan en keek zwijgend naar Shane. Zijn gezicht stond gemelijk.
Shane stond meteen op, deed een stap naar voren en bleef toen met ingehouden adem staan. Het kostte hem al zijn zelfbeheersing om geen bezorgde uitroep te slaken toen hij zag hoe zijn zwager eruitzag. Philip was afgevallen en hij maakte een uitgeputte indruk. Maar vooral zijn gezicht was ontstellend. Hij was onherkenbaar. De wangen waren mager en ingevallen, de helderblauwe ogen stonden dof en waren rood omrand en de diepe kringen eronder waren net blauwe

plekken. Maar het opvallendst was misschien wel zijn zwarte haar. Aan beide slapen was het puur wit geworden.
Shane had er nooit aan getwijfeld dat Philip Maddy's dood nog niet had kunnen verwerken, maar hoe groot en diep zijn verdriet was, daar had hij zich op verkeken. Deze man was kapot; hij leed nog erger dan Shane zich had voorgesteld. Toen begreep hij dat de onaangedaanheid die Philip naar buiten toe toonde, misschien volkomen gespeeld was. Zijn koele zelfbeheersing en afstandelijkheid, zoals Barry zijn houding had beschreven, waren zijn enige afweermiddelen tegen zijn algehele ineenstorting. Dit alles werd Shane in een flits duidelijk toen hij Philip zag staan en zijn hart ging naar hem uit.
Shane kwam naar Philip toe en de beide mannen schudden elkaar even hartelijk als anders de hand.
'Ik had je bijna weggestuurd,' zei Philip. Hij liet Shanes hand los, haalde gelaten zijn schouders op en liep naar de bar, waar hij een groot glas wodka voor zichzelf inschonk, met ijsblokjes uit de zilveren emmer.
'Maar dat had geen zin, dat zag ik eigenlijk wel in,' ging hij verder, zonder zich om te draaien. 'Ik wist dat je morgen of overmorgen toch zou terugkomen en dat mijn moeder op de stoep zou staan. En Jason. En toen bedacht ik dat een van jullie misschien op het krankzinnige idee zou komen om Paula te laten overkomen, dus leek het me beter je maar te woord te staan...' Hij maakte zijn zin niet af. Zijn stem klonk dodelijk vermoeid. Hij was uitgeput door slaapgebrek en hoe moe hij was, werd duidelijk toen hij zich naar de bank sleepte en ging zitten. Zijn gebruikelijke krachtige vitaliteit was verdwenen.
Shane sloeg hem een poosje gade, waarna hij zachtjes opmerkte: 'Het is nu drie weken geleden dat Maddy werd begraven en in die tijd heb ik je maar één keer gesproken. Hetzelfde geldt voor Daisy. Je moeder maakt zich zorgen over je, Philip, en ik eerlijk gezegd ook.'
'Spaar me jullie bezorgdheid! Het gaat prima met me!' zei Philip kortaf, met meer pit dan hij tot nu toe had getoond.
'Dat is niet waar! Het gaat helemaal niet prima met je!' weerlegde Shane promt.
'O, in godsnaam, het gaat goed.'
'Ik vind anders van niet. En eerlijk gezegd kun je in een periode als deze niet zonder je familie. Je hebt mij, Daisy en Jason nodig. Mijd ons alsjeblieft niet. We willen je helpen, Philip, we willen je zo goed mogelijk troosten.'
'Jullie kunnen mij niet troosten. Ik zal het wel overleven, iedereen overleeft zoiets, denk ik. Maar het verdriet blijft voor altijd bij me... Ze was nog zo jong, snap je dat dan niet? Van oude mensen

verwacht je dat ze sterven... zo zit de levenscyclus in elkaar. Als we iemand die oud was begraven, heelt de tijd uiteindelijk de wond. Maar als we een zo jong iemand begraven, gaat het verdriet nooit, nooit meer over.'

'Het gaat wèl over, heus, geloof me,' zei Shane gloedvol. 'Maddy zou niet willen dat je zo deed. Zij zou willen dat je kracht putte uit...'

'En begin me alsjeblieft niet over godsdienst, Shane!' riep Philip geërgerd uit.

'Dat was ik ook niet van plan,' antwoordde Shane rustig.

Philip slaakte een lange, vermoeide zucht, leunde achterover en sloot zijn ogen.

Even was het stil tussen de twee mannen. Opeens stond Philip op, liep naar de bar en deed nog wat ijsblokjes in zijn glas. Hij keek Shane indringend aan en zei op uiterst sombere toon: 'Ik kan me van het afgelopen jaar niets herinneren, Shane. Dat is nog het allerergste. Het is... het is... leeg. Ze is weg alsof ze nooit deel heeft uitgemaakt van mijn leven.' Zijn stem begaf het en hij vervolgde schor: 'Ik kan me haar niet eens herinneren... Ik kan me Maddy niet meer voor de geest halen.'

'Dat komt door de shock,' zei Shane snel. Hij sprak vol zelfvertrouwen, want hij wist dat het waar was wat hij zei. 'Heus, het komt alleen door de shock, Philip. Ze komt echt wel weer bij je terug.'

Philip schudde heftig zijn hoofd. 'Nee, ze komt niet terug. Ik weet dat ze niet terugkomt.'

'Haar lichaam is dood, maar jij hebt haar geest in je,' zei Shane. 'Ze leeft in jou voort. Haar geest draag je met je mee, die leeft ook voort in het kind. Alleen haar lichaam is er niet meer. Geloof me alsjeblieft. Maddy zit in je hart en in je herinneringen, en zo zal het altijd blijven. En dan is er nog het kind.'

Philip reageerde niet.

Hij liep langzaam van de bar naar het raam; hij bewoog zich als een oude man. Hij stond naar buiten te kijken. Hij had aandachtig naar Shane geluisterd en zijn woorden in zich opgenomen. Nu probeerde hij ze te verwerken en ze te accepteren. Was het waar wat hij zei? Leefde Maddy's geest in hem voort? Zou ze altijd bij hem blijven? Hij zuchtte. Hij vond geen troost in wat Shane tegen hem had gezegd. Enkele dagen geleden had hij zich neergelegd bij het definitieve van de dood en hij had erkend dat zijn Maddy voorgoed bij hem weg was. Zij had alles voor hem betekend; ze was zijn leven geweest. Maddy had zijn inwendige pijn weggenomen en alleen al als hij aan haar dacht, had hij van binnen een warm gevoel gekregen. Nu kon hij zich haar gezicht niet eens voor de geest halen. Hij moest naar een foto kijken om zijn geheugen op te frissen. Hij begreep niet hoe dat kwam, want hij had toch zo ontzettend veel van haar gehouden. Hij kneep zijn ogen stijf dicht en legde zijn pijnlijke hoofd tegen het glas. Hij had haar gedood. Hij had de vrouw gedood van wie hij meer had gehouden dan van het leven zelf...

Shane zei iets en Philip opende zijn ogen. Maar hij gaf geen antwoord, want hij had niet naar zijn zwager geluisterd.

Hij staarde naar de donkere hemel. Schitterend was die vanavond, een diep nachtblauw, fluweelzacht, wolkeloos, bezaaid met twinkelende sterren en de heldere knipperende lichtjes van de vele wolkenkrabbers in het centrum van de stad. Boven de oostelijke voorsteden zag de lucht eigenaardig purper, een gloed die uitwaaierde in onvoorstelbaar mooie tinten goud en warm, stralend rood.

Het wordt morgen een prachtige dag, dacht Philip verstrooid. *Avondrood, mooi weer aan boord, morgenrood, water in de sloot.* Hoe vaak had zijn grootmoeder dat niet tegen hem gezegd toen hij nog klein was. Emma was altijd weer geboeid geweest door mooie luchten en het licht dat daarin speelde. Onverwacht maakte de schoonheid van deze avondhemel dat hij een brok in zijn keel kreeg – waarom was hem niet helemaal duidelijk. En toen schoot het hem te binnen. Ook Maddy had altijd opmerkingen gemaakt over het heldere licht, de mooie wolken en de veranderende kleuren naarmate de dag overging in de avond en nacht.

Opeens verstrakte Philip en hij ging iets dichter bij het raam staan. Hij tuurde naar een donkere wolkenmassa boven de torenhoge kantoorgebouwen een eind verderop. Wat eigenaardig. Hij kon niet goed zien wat het was. 'O mijn god!' riep hij een fractie van een seconde later uit. 'O mijn god!'

Shane sprong overeind en rende naar hem toe. 'Wat is er? Voel je je niet goed?'

Philip draaide zich met een ruk om, pakte Shane bij zijn arm en trok hem naar het raam. 'Kijk! Daar! Die zwarte rook, die rode gloed. O Jezus, Shane, het Sydney-O'Neill staat in brand!'

Shane stond als aan de grond genageld. De adem stokte hem in de keel toen hij Philips blik volgde. Hij kende het silhouet van Sydney niet zo goed als zijn zwager en het duurde even voordat hij de rook kon onderscheiden en zag waar die vandaan kwam. Hij begreep onmiddellijk dat het inderdaad zijn hotel was dat in vlammen opging, want hij had het enorme raam van zijn beroemde Orchideeënzaal herkend.

Zonder een woord te zeggen draaide hij zich om en rende weg.

Philip volgde hem op de voet.
Samen gingen ze met de lift naar beneden, elkaar sprakeloos en ontzet aanstarend. Toen de deuren openschoven, renden ze de hal in en raceten Bridge Street in.
Ze begonnen in de richting van het Sydney-O'Neill te rennen. Het geluid van hun voetstappen werd overstemd door de gillende sirenes van de drie brandweerwagens die met halsbrekende snelheid langskwamen.

38

Terwijl Shane in de richting van het hotel rende, wist hij niet precies wat hij daar zou aantreffen. Rampzalige toestanden, dat was duidelijk, maar hoe groot de schade zou zijn moest nog blijken.
Alleen een hoteleigenaar kon de ware verschrikking en de nachtmerrieachtige gevolgen van een hotelbrand begrijpen. Al Shanes zintuigen waren dan ook gespitst op het grootst denkbare gevaar en eindeloze problemen van het afgrijselijkste soort. Er zou paniek uitbreken, er zou angst en chaos heersen en mensen zouden gewond raken, van licht tot heel ernstig. Rookvergiftiging, brandwonden, gebroken ledematen, trauma's, shock... En er zouden slachtoffers vallen.
Toen hij de hoek om kwam kon hij het Sydney-O'Neill helemaal zien, zijn favoriete hotel in de internationale keten. Wat hij zag, maakte dat hij abrupt stilstond. 'O god! Nee! Nee!' riep hij uit. Even was hij zo verbijsterd dat hij stokstijf bleef staan.
Zijn hotel brandde van onder tot boven. Vlammen en zwarte rook sloegen eruit. Helikopters hingen boven het brandende gebouw om mensen van het dak te halen. Brandweerwagens waren volop in bedrijf, een legertje brandweerlieden bediende de slangen vanaf de grond en vanaf ladders; anderen probeerden met behulp van ladders en touwen diegenen te redden die op enkele hoger gelegen verdiepingen door het vuur ingesloten waren.
Op de strategische punten stonden ambulances en politiewagens geparkeerd. Artsen, verpleegkundigen en politiemannen deden alles wat in hun vermogen lag om de slachtoffers te helpen. Drie ziekenwagens met gewonden reden met grote snelheid langs hem heen. Met gillende sirenes spoedden ze zich naar het dichtstbijzijnde ziekenhuis.
Shane haalde zijn zakdoek te voorschijn om zijn gezicht af te vegen. Hij transpireerde hevig van het harde lopen, de plotselinge intense warmte en de angst om de mensen die wellicht nog zaten ingesloten.
Het tafereel was even afschrikwekkend als hij had verwacht. Overal

lagen glasscherven en brokstukken op de grond, de rook was verblindend en verstikkend, politie- en hotelmedewerkers schreeuwden bevelen en er werd gehuild en geweeklaagd. Een groep hotelgasten, velen in nachtkleding, stonden met geschrokken gezichten bij een politiewagen. Shane wilde net naar hen toe gaan, toen hij zag dat twee van de portiers hen al bijstonden. Ze werden meegenomen naar de ambulance waar een geïmproviseerde EHBO-post van was gemaakt; daar zouden ze kunnen worden behandeld voor kleine verwondingen en shock.
Met zijn zakdoek voor zijn mond drong Shane zich door de krioelende mensenmassa: hotelmedewerkers en veiligheidsmensen, politieagenten, ziekenbroeders en chauffeurs van ambulances. Hij moest dichter naar het hotel zien te komen, want hij wist dat hij onmiddellijk de leiding op zich moest nemen.
Een agent hield hem tegen. 'U mag niet dichterbij, meneer. Het kan gevaarlijk zijn.'
'Bedankt voor de waarschuwing, maar ik ben Shane O'Neill, de eigenaar van het hotel. Ik móet erdoor, ik moet helpen waar ik kan.'
'Gaat uw gang, meneer O'Neill,' zei de agent, die hem opeens herkende. Hij keek Shane vol medeleven aan terwijl hij hem langs de houten versperring liet die inderhaast was opgericht.
Bijna meteen zag Shane Peter Wood staan, de manager die avonddienst had gehad. Hij greep hem bij zijn arm.
Wood draaide zich bijna agressief om. Toen hij zag dat het Shane was, gleed er een opgeluchte uitdrukking over zijn gezicht. 'Meneer O'Neill! God zij dank dat u ongedeerd bent! Toen rond elf uur het eerste alarm afging, hebben we geprobeerd te bellen. We merkten dat u niet in uw suite was, maar we wisten niet of u ergens anders in het hotel was. We hebben ons vreselijk bezorgd gemaakt en we hebben aldoor naar u uitgekeken.'
'Ik was weg,' zei Shane. Hij keek de man indringend aan. 'Weet je hoeveel slachtoffers er zijn?'
Peter Wood schudde zijn hoofd. 'Niet precies. Maar ik dacht dat er ongeveer vijftien gewonden zijn.' Hij zweeg even en vervolgde veel zachter: 'En vier doden, geloof ik.'
'O nee toch!' Shane nam Wood terzijde terwijl enkele gasten door een veiligheidsbeambte werden weggeloodst. Toen ze buiten gehoorsafstand waren, vroeg hij: 'Is al bekend wat de oorzaak is?'
'Nee, maar ik heb daar zo mijn eigen ideeën over.'
Shane keek hem fronsend aan. 'Je wilt toch niet zeggen dat de brand is aangestoken?'
'Nee, nee. Waarom zou iemand het hotel in brand willen zetten?'

'Een rancuneuze werknemer misschien? Iemand die onlangs is ontslagen?'
Wood antwoordde zeer resoluut: 'Nee, meneer O'Neill. Zoiets is het zeker niet. Naar mijn mening is het een ongeluk geweest.'
'Zo. Waar is het begonnen, Peter?'
'Op de vierendertigste verdieping.' Wood keek Shane veelbetekenend aan. 'U hebt geboft, meneer O'Neill. U bent ternauwernood ontsnapt.'
Shane keek Wood strak aan terwijl de betekenis van diens woorden tot hem begon door te dringen. Zijn eigen suite lag op die verdieping, samen met enkele andere privé-appartementen die verhuurd werden. Op de vijfendertigste verdieping waren kamers en suites voor hotelgasten en op de zesendertigste verdieping, helemaal bovenin in het gebouw, lag de beroemde Orchideeënzaal.
Shane riep uit: 'God zij dank heb ik die hele vijfendertigste verdieping en de Orchideeënzaal vorige week gesloten in verband met werkzaamheden. Als we gasten op de vijfendertigste verdieping hadden gehad, zou de ramp tien keer zo groot zijn geweest, om nog maar te zwijgen van zo'n tweehonderd mensen die normaal gesproken naar het restaurant waren gekomen om te eten en te dansen.'
'Ja, dat hebben wij ook al gezegd.'
'Ik neem aan dat de meeste gasten naar de andere hotels zijn geëvacueerd?'
Wood knikte. 'Naar het Hilton en het Wentworth. In zekere zin hebben we nog geboft, meneer. Het O'Neill was van de week niet helemaal volgeboekt.'
Op dat moment kwam Philip aanrennen. Hij was buiten adem en zweette. 'Ik heb je overal gezocht,' zei hij tegen Shane, waarna hij Peter Wood toeknikte. 'Wat kan ik doen?'
'Niet zoveel,' antwoordde Shane. 'Voor zover ik het kan overzien, hebben mijn personeel en de hulpdiensten fantastisch werk gedaan. Een paar minuten geleden toen ik aankwam leek het een grote chaos, maar dat is het niet. Zo te zien hebben ze de situatie volledig in de hand.' Hij keek naar het hotel en zijn gezicht betrok. Twee van de middenverdiepingen brandden nog steeds, maar er waren al versterkingen aangerukt; nog meer brandweerlieden bonden met hernieuwde krachten de strijd met het vuur aan, dat spoedig onder controle zou zijn.
Philip zei: 'Misschien kan ik...'
Shane noch Peter Wood hoorde wat hij nog meer zei. Zijn woorden werden overstemd door een krachtige ontploffing. Het was alsof er diverse ladingen dynamiet explodeerden. De schok echode door de

lucht. Ze draaiden zich wankelend om naar het hotel. Schrik en angst stonden op hun gezichten te lezen.
'Wel verdomme, wat was dat?' riep Philip uit.
'Ramen die knappen door de intense hitte,' zei Shane en rilde. Hij vreesde dat er nog meer slachtoffers zouden vallen.
'Maar ik zie geen scherven vallen,' zei Philip verbaasd.
'Ik ook niet,' zei Shane. 'Maar toch moet het dat geweest zijn.'
Peter Wood opperde: 'Het zijn waarschijnlijk de ruiten aan de andere kant van het gebouw, meneer Amory, de kamers aan de kant van de haven.'
Een jonge vrouw in een peignoir en met een besmeurd gezicht kwam haastig naar hen toe. Ze maakte een onzekere, angstige indruk.
'Kunt u me helpen, alstublieft,' zei ze en trok Philip aan zijn arm. 'Help me alstublieft! Ik kan mijn dochtertje niet vinden. Ze is weg. Ik kan haar nergens vinden. Ik weet zeker dat we haar mee naar buiten hebben genomen, ik weet het zeker.' Het gezicht van de vrouw vertrok en ze begon hysterisch te huilen.
Philip sloeg zijn arm om haar heen. 'Ik weet zeker dat ze in veiligheid is. Kom, ik zal u helpen zoeken.'
'Ze is pas vier,' snikte de vrouw. 'Ze is nog maar zo klein, zo heel klein.'
Philip loodste haar mee en probeerde haar intussen te troosten. Door de afgrijselijke tragedie van de brand waren zijn eigen verdriet en zijn alles verterende leed vergeten.

Om vier uur die ochtend was het vuur gedoofd. Alle gewonden, een stuk of vijfentwintig, waren naar de EHBO-afdeling van het St.-Vincentziekenhuis en andere klinieken in de stad gebracht. De doden, in totaal negen mannen en vrouwen, lagen in het mortuarium.
Brandweerlieden, politie- en hotelmedewerkers waren bezig orde in de chaos te scheppen. Shane had de leiding en handelde alles rustig autoritair en beslist af.
Het Sydney-O'Neill was een smeulende zwartgeblakerd ruïne, een uitgebrand omhulsel dat tegen de lucht afstak. Shane en Philip stonden toen het licht werd samen te midden van de puinhopen naar boven te kijken. Hun gezichten stonden somber en grimmig.
'Wat een afschuwelijke tragedie,' zei Shane zachtjes tegen zijn zwager. 'Zoveel gewonden en doden. Het had nooit mogen gebeuren. Ik kan aan niets anders denken dan aan de verwanten van de overledenen.' Hij slaakte een diepe zucht. 'Gelukkig heb jij die jonge vrouw kunnen helpen. Ze was helemaal buiten zinnen. Waar heb je dat meisje uiteindelijk gevonden?'

'In een van de ambulances, er werd goed voor haar gezorgd. Ze was gelukkig niet gewond. Ze was alleen doodsbang toen ze haar moeder nergens meer zag.' Philip pakte Shane troostend bij zijn arm. 'Wat vreselijk dat jou dit moest overkomen, Shane. Je vindt het natuurlijk afschuwelijk dat er doden en gewonden te betreuren zijn, maar afgezien daarvan was je juist zo trots op de veiligheidsvoorzieningen, dat weet ik.'

Toen Shane bleef zwijgen, ging Philip verder: 'Ik begrijp heel goed wat juist dít hotel voor je betekende. Ik vind het heel naar voor je. Ik zal alles doen wat in mijn vermogen ligt om je te helpen.'

'Dank je, Philip.' Shane wreef over zijn vermoeide gezicht en schudde moedeloos het hoofd. Blackies droom is in rook opgegaan, dacht hij, want hij herinnerde zich nog hoe opgewonden zijn grootvader was geweest over de bouw van het Sydney-O'Neill. Hij had zovele jaren terug tijdens een bezoek met Emma aan Sydney het stuk grond ontdekt en aangekocht en hij had uitgemaakt dat dit het pronkstuk van alle hotels moest worden, aan de andere kant van de wereld. Blackie had de bouw zelf niet meer meegemaakt, maar hij had voor zijn dood de schetsontwerpen van de architect nog goedgekeurd. Nu was zijn droom in enkele uren tijd vervlogen.

'Ik ga het herbouwen,' zei Shane, alsof hij zijn grootvader een belofte deed.

'Natuurlijk,' antwoordde Philip. 'Kom, ga mee naar mijn appartement om je te wassen. Je hebt schone kleren en zo nodig. Gelukkig hebben we ongeveer dezelfde maat.'

Later die ochtend, nadat hij had gedoucht, zich had geschoren en zich in kleren van zijn zwager had gestoken, vestigde een dodelijk vermoeide Shane zijn hoofdkwartier in de bestuurskamer van de McGill Corporation.

Daar hield hij zijn eerste vergadering, daar begon het onderzoek naar de oorzaak van de brand in zijn hotel. Ook aanwezig waren Peter Wood, de manager die nachtdienst had gehad toen de brand was uitgebroken, Lewis Bingley, de algemeen directeur, Graham Johnson, de hoofddirecteur van de O'Neill-keten in Australië, enkele hoge functionarissen van het Sydney-O'Neill en de korpschef van de brandweer, Don Arnold, die het bluswerk had geleid.

Nadat iedereen was voorgesteld en begroetingen waren uitgewisseld, vatte Shane de koe bij de horens. 'Ik vrees, meneer Arnold,' zei hij, 'dat we bij u om informatie moeten aankloppen. Ik heb begrepen dat u en uw mannen lange gesprekken hebben gehad met vele hotelmedewerkers. Hebt u enig idee hoe de brand is ontstaan?'

'Door onachtzaamheid bij een van de hotelgasten,' antwoordde de korpschef. 'Uit wat we op de vierendertigste verdieping waar de brand is begonnen, hebben aangetroffen en uit wat we nadien hebben ontdekt, weten we zeker dat een brandende sigaret de oorzaak is geweest. Waarschijnlijk is die op een bank in een suite op die verdieping terechtgekomen, in een van die verhuurde appartementen. In dit geval was de suite verhuurd aan de Jaty Corporation.
'Kunt u ons iets uitgebreider informeren, meneer Arnold?' vroeg Shane.
'Ja zeker. Een van de obers van room-service is vroeg in de ochtend bij ons gekomen. Hij vertelde me dat hij zich kon herinneren dat hij een asbak had zien staan op de leuning van de bank in die suite. Dat was toen hij rond acht uur de serveerwagen kwam ophalen. Ik neem aan dat die asbak op de leuning van de bank is blijven staan en dat er nog diverse keren gebruik van is gemaakt voordat het echtpaar dat de suite had gehuurd naar bed is gegaan. Later is die asbak op de bank gevallen en een sigaret die nog niet helemaal uit was, heeft de bank in brand gezet. Liever gezegd, de bank zal enkele uren hebben gesmeuld, voordat hij echt vlam vatte. Vlak nadat de twee mensen wakker werden, waren ze dood.'
'Hoe weet u dat?' vroeg Shane rustig.
'Twee van mijn mannen troffen hen aan in de slaapkamer. Ze hadden geen brandwonden, maar ze hadden giftige dampen binnengekregen, afkomstig van de schuimrubber vulling van de bank. Die is zo brandbaar, dat een vlammenzee zoals u gisteravond in uw hotel had, binnen enkele seconden ontstaat. Bovendien zijn die vlammen zo intens heet dat ze gaten in wanden en plafonds maken en ruiten doen springen. De vulling veroorzaakt ook nog dodelijk giftige dampen, voornamelijk cyanide en koolmonoxyde.'
Shane was ontzet. Hij keek naar Lewis Bingley en riep op scherpe toon uit: 'In 1981 zijn door de Britse overheid al wetten aangenomen die het gebruik van dit soort schuimvulling in meubilair verboden. In al mijn hotels werd dat materiaal al een jaar lang niet meer toegepast. Hoe komt het dat het hier nog aanwezig was?'
Lewis Bingley schudde zijn hoofd. 'We hebben uw instructies wel degelijk opgevolgd, meneer O'Neill. In het hotel staat geen meubilair met dat soort vulling. U weet dat we alle meubels hebben vervangen.'
'Maar u hoort toch wat meneer Arnold net zei! Die bank in de suite van de Jaty Corporation was ermee bekleed!'
De algemeen directeur beet zenuwachtig op zijn lip. 'Ik vermoed dat dit er op de een of andere manier doorheen geglipt moet zijn. Ziet u, meneer O'Neill, de president-directeur van de Jaty Corporation

heeft zijn eigen binnenhuisarchitect en die heeft de suite voor hem ingericht.'
'Waren zij van onze nieuwe voorschriften op de hoogte?' wilde Shane weten.
'Ja zeker. Maar kennelijk hebben ze ze naast zich neergelegd,' antwoordde Bingley zachtjes.
'Dat is te gek voor woorden!' barstte Shane uit. 'Maar ons treft ook blaam, want wij hebben nagelaten te controleren of men zich aan onze regels had gehouden.' Hij probeerde zijn kokende woede te beteugelen en wendde zich tot de brandweerman. 'Wie waren de mensen die in die suite zijn omgekomen? Zijn ze al geïdentificeerd?'
'Het waren de zoon en schoondochter van de president-directeur van de Jaty Corporation.'
Shane schudde bedroefd zijn hoofd. Zijn gezicht stond ernstig en zorgelijk. 'Zo is het vuur dus volgens u ontstaan, maar wat is er verder gebeurd?'
'Volgens mij heeft het volgende zich afgespeeld.' Don Arnold begon zijn verhaal. 'Om even te recapituleren: de sigaret heeft de bank aangestoken. Het schuim smeulde en raakte ten slotte in brand. Dat moet naar mijn schatting rond kwart voor elf, tien voor elf zijn geweest. De vlammen waren zo intens heet dat de ruiten enkele seconden later al sprongen. Door de nieuwe zuurstoftoevoer ontstond er een vlammenzee die regelrecht door de deuren van de suite brandde. Aangewakkerd door de zuurstof kreeg het vuur een moorddadige kracht en het verplaatste zich razendsnel door de gang van de vierendertigste verdieping. Dit alles heeft zich in enkele minuten tijd afgespeeld. Tien minuten tot een kwartier, zou ik zeggen. Vuur verplaatst zich met de snelheid van het licht.'
Shane knikte begrijpend. Hij kon even geen woord uitbrengen. Wat hij zojuist had gehoord schokte hem diep. Onachtzaamheid, dacht hij. Ten eerste bij de inrichting van die suite, en vervolgens bij mijn managers. Ze hadden die suite moeten controleren voor hij in gebruik werd genomen. Deze tragedie had heel goed voorkomen kunnen worden als ze dat hadden gedaan. Hij zuchtte. Hij zou Lewis Bingley verantwoordelijk moeten stellen.
'Eén ding is zeker, meneer O'Neill,' zei Arnold. 'Uw veiligheidsvoorzieningen zijn uitstekend. De rookdetectors, de branddeuren en de sprinklerinstallatie werkten allemaal perfect. Als het hotel niet zo goed beveiligd was geweest, was de ramp nog veel groter geweest.'

'Ik krijg hier de kriebels,' zei Jason.
Shane keek hem strak aan. 'Wat bedoel je?'

'Ik word er gedeprimeerd van. Het is hier zo verdomd somber, met de gordijnen dicht en die paar lampen op.' Jason keek met een schuin oog naar de fles whisky op de salontafel. 'En drinken halverwege de middag, dat is niets voor jou, Shane. Kom op, makker, je komt geen stap verder met dat gehijs.'
'Ik ben zo nuchter als het maar zijn kan. Maar eerlijk gezegd zou ik me dolgraag willen bedrinken. Ik zou het liefst straalbezopen zijn, als je het wilt weten.'
Jason schudde zijn hoofd. 'Je hebt rotpech gehad, Shane, inderdaad. Maar je bent toch geen klein kind, je weet dat zulke dingen kunnen gebeuren.'
'Ik kan maar niet geloven dat het hotel tot de grond toe is afgebrand,' begon Shane. Hij sprong op en begon te ijsberen, wat hij al dagen geregeld deed. *'Nalatigheid! Achteloosheid, wel verdomme nog aan toe!'* brieste hij. 'Als ik niet de hele dag met mijn neus erbovenop zit, gaat alles mis...'
'Als je geen gedonder wilt, moet je niet in zaken gaan. En gedonder krijg je nu eenmaal altijd, makker. Maar ik begrijp wat je bedoelt. Die brand is een afschuwelijke tragedie. Ik snap best dat je nijdig bent.'
Shane riep uit: 'Ik betaal ze royaal, ik geef ze een dertiende maand, ze profiteren van allerlei extraatjes en de hemel weet van wat nog meer, en ze kunnen niet eens het meubilair in een privé-suite in de gaten houden. Het is misdadig, Jason. Misdadig. Jij weet net zo goed als ik dat die brand nooit was ontstaan als ze hun zaakjes voor elkaar hadden gehad. Die arme mensen zouden niet zijn omgekomen of gewond zijn geraakt als mijn managers hun werk goed hadden gedaan. Daar gaat mijn bloed van koken. Zoveel pijn en verdriet voor alle betrokkenen. En ik krijg natuurlijk allerlei processen aan mijn broek, om van de verzekeraars nog maar te zwijgen. Die zijn al een eigen onderzoek naar de oorzaak van de brand begonnen.'
'Tja, dat zat er dik in, Shane,' merkte Jason terecht op. 'Dat weet je toch? Hoe dan ook, ze zullen wel tot dezelfde conclusie komen als de brandweer, vast en zeker. Hoor eens, er is geen reden waarom je niet vast kunt beginnen met plannen voor de herbouw van het Sydney-O'Neill. Laten de architecten maar vast een schetsontwerp maken.'
'Ik denk niet dat ik ga herbouwen.'
Jason keek ontzet. 'Je móet een nieuw hotel bouwen, Shane! Dat ben je verplicht tegenover je grootvader. Belangrijker nog, tegenover jezelf!'
Shane reageerde niet. Hij liet zich op de bank ploffen en legde met

een gebaar vol vermoeidheid en wanhoop zijn hoofd in zijn handen. Jason keek opeens bezorgd op hem neer. Hij had Shane nog nooit zo meegemaakt, zo onverzorgd en ongeschoren en halverwege de middag nog in pyjama en kamerjas. Wat mankeerde die jonge jongens tegenwoordig? Hadden ze dan geen pit meer in hun lijf? Eerst was Philip ingestort na Maddy's dood en nu zag Shane eruit alsof hij ook elk moment de geest kon geven.
Jason schraapte zijn keel. 'Je was zo kortaf tegen Daisy vanmiddag over de telefoon, dat ze mij vroeg eens poolshoogte te gaan nemen. Ze wil dat je vanavond bij ons in Rose Bay komt eten.'
Shane hief zijn hoofd op en schudde van nee. 'Ik moet werken.' Hij verzette de stapel mappen op de salontafel. 'Ik moet al die paperassen afhandelen.'
'Het is zaterdag. Je moet af en toe gas terugnemen. Trouwens, waar is Philip?'
'Eerlijk gezegd, ik heb geen idee, Jason. En als je me nu wilt excuseren, ik kan me op dit moment echt niet druk over hem maken. Ik heb genoeg op mijn boterham.'
'Ja, ik weet het. Daarom willen Daisy en ik dat je bij ons komt eten. Het zal je goed doen om er eens uit te zijn en weer onder de mensen te komen.'
'Nee, ik wil alleen zijn. Heus, dat is het beste. Ik heb zoveel te doen. En ik moet nadenken.'
'Als je van gedachten verandert, je bent altijd welkom, dat weet je.'
'Ja. En bedankt, Jason.'
Shane pakte de fles whisky en schonk zijn glas nog eens vol.
Jason schudde treurig zijn hoofd. Hij liep de werkkamer uit, de gang door en vertrok stilletjes uit het appartement.

39

Helemaal alleen draafde hij over zijn land. Hij bereed Black Opal, zijn ravezwarte hengst. Naast hem stapte in hetzelfde tempo een ruiterloos paard. Het was Gilda, de vos die hij Maddy na hun huwelijk had gegeven. In de stal had hij het dier Maddy's met zilver gedreven zadel omgegespt, met de stijgbeugels omhoog, om aan te geven dat haar eigenaresse haar nooit meer zou berijden.
Dit was de eerste keer dat hij op Dunoon was sinds hij Maddy er vier weken terug had begraven.
Toen hij vrijdagavond aankwam, hadden Tim en alle anderen op de fokkerij hem hartelijk verwelkomd. Het was duidelijk dat ze blij wa-

ren dat hij ten slotte was teruggekeerd. Ook hijzelf was er blij om. Maddy's dood had hem inwendig verscheurd en hij leed ondraaglijk verdriet. Hij was bang geweest dat het te pijnlijk zou zijn om hier terug te komen. Ze waren samen zo gelukkig geweest op Dunoon. Maar nu hij op deze zaterdagmiddag door de lieflijke, landelijke omgeving reed, kreeg hij het gevoel alsof er een zekere vrede in hem daalde. Hij wist dat dat gedeeltelijk werd veroorzaakt door de rustige sfeer en de stilte die hier heersten.
Lange tijd volgde hij de Castlereagh River, daarna sloeg hij af, stak enkele weilanden over en koos het kronkelige pad dat door de groene heuvels van Dunoon voerde. Boven aan de steile helling steeg hij af, liep naar de grote eik en tuurde uit over het bijzondere landschap. Wat zag het er na twee dagen regen mooi uit. Alles was groen en fris. Het was eind augustus; bijna was de winter voorbij. Over een paar weken zou het lente zijn; nu al was het schitterend weer en zacht voor de tijd van het jaar. Philip keek omhoog. De lucht was helderblauw, de zon scheen stralend. Juist de volmaaktheid van deze dag leek zijn droefheid te benadrukken. Het was een dag die je zou moeten delen... met iemand...
Philip draaide zich om en ging onder de eik zitten, tegen de oude stam geleund. Hij zette zijn breedgerande hoed af, gooide hem opzij en probeerde zich te ontspannen. Zijn gedachten vlogen nog chaotisch alle kanten op; zijn brein was nog verdoofd van verdriet. Maar misschien zou hij hier enige verlichting vinden.
Dit was een heel bijzonder plekje voor hem, al vanaf zijn jeugd. Ook Maddy was van dit hooggelegen stuk land gaan houden. Zij had gezegd dat het was alsof je deel uitmaakte van de hemel. Hij glimlachte bij de herinnering, waarna hij terugdacht aan de ochtend dat hij haar, nog geen jaar geleden, had ontmoet in de portrettengalerij.
Ze waren hierheen gereden en hadden een poosje onder deze bladerrijke, oude boom gezeten. Hij had toen enkele zeer persoonlijke opmerkingen gemaakt, wat ook hem zelf toentertijd had verbaasd. Maar ze had het niet erg gevonden. Ze had hem lang aangekeken met die mooie, intelligente ogen – grijs, rustig en vast, maar ze had geen commentaar geleverd. En precies op dat moment had hij geweten dat hij met haar wilde trouwen.
Madelana was uniek geweest na alle vrouwen die hij ooit had ontmoet. Meteen al bij hun kennismaking had ze iets ongekend vertrouwds gehad. Het was alsof hij haar vroeger had gekend, van haar was gescheiden en vervolgens met haar was herenigd. Nu besefte hij dat hij dat zo had aangevoeld omdat hij zijn hele leven al naar iemand als zij zocht, dat zij de vrouw was die strookte met het ideaal-

beeld in zijn gedachten. Hij had haar dan eindelijk gevonden, alleen om haar weer te verliezen... zo gauw.
Maddy was innerlijk zo heerlijk evenwichtig geweest. Misschien was dat wel de bron van haar uitstraling... Een fragment van een gedicht van Rupert Brooke schoot door hem heen... *En om jou heen was het licht dat het grauwe eind der nacht vervult, ... en, in het ruisen van je jurk, onnaspeurlijke tederheid.*
Philip sloot zuchtend zijn ogen en hij stond zichzelf toe dat hij werd meegevoerd door talloze gedachten. Langzaam aan kwamen de herinneringen boven... Hij kon zich alle bijzonderheden van hun verhouding weer voor de geest halen... Elk moment dat hij ooit met haar had doorgebracht was opeens glashelder zichtbaar. Hij herinnerde zich de uren, de dagen, de weken, de maanden. Elk afzonderlijk detail was nauwkeurig en juist geplaatst, alsof een film zich voor zijn ogen ontrolde. En daar op die heuvel, waar Emma Harte hem als jongen had gebracht, vond hij zijn Maddy weer terug. Hij zag haar zoals ze was geweest op het moment dat hij haar voor het eerst had gezien in de galerij – het beeld was intact. Hij rook de geur van haar haren, hoorde de lach en de vreugde in haar stem, voelde de zachte aanraking van haar hand op de zijne. En toen kwamen de tranen en hij huilde om haar, en hij bleef op de heuvel tot het begon te schemeren.
En terwijl hij terugreed naar het landhuis, door de groene heuvels van Dunoon, met het ruiterloze paard naast zich, voelde hij overal om zich heen haar aanwezigheid en hij wist dat hij zijn Maddy nooit meer opnieuw zou verliezen. Ze was in zijn hart en ze zou zolang hij leefde deel van hem uitmaken. Shane had gelijk gehad. Haar geest leefde in hem voort.

Laat die avond vloog hij terug naar Sydney. Maandagmorgen vroeg ging hij naar Rose Bay.
Zijn moeder keek verbaasd op toen hij opeens midden in de woonkamer stond; de verrassing stond op haar gezicht te lezen terwijl ze hem haastig kwam begroeten.
Door de ramen scheen koel zonlicht naar binnen en verlichtte Philips gezicht tot in alle pijnlijke details. Daisy kromp inwendig ineen en haar hart deed pijn. Hij zag eruit alsof hij in geen weken had geslapen. Zijn gezicht was typisch dat van een wanhopig man. Zijn uitputting ontstelde haar, evenals het witte haar bij zijn slapen. In Daisy's ogen was hij nog maar een schim van de man die hij eens was geweest; hij was niet langer knap terwijl zijn energie en kracht volkomen waren verdwenen.

Ze had haar zoon het liefst in haar armen genomen om hem te troosten, maar dat durfde ze niet. Hij had haar sinds Maddy's dood op een afstand gehouden, en ze had zijn wensen gerespecteerd. Er had niets anders op gezeten dan hem alleen te laten met zijn verdriet. Het verbaasde haar dan ook nog meer toen hij naar haar toe kwam en zijn armen om haar heen sloeg. Hij hield haar stevig vast; net als toen hij nog klein was en getroost moest worden. Ze klampte zich aan hem vast, haar hele hart ging naar hem uit. Ze spraken geen van beiden. Deze lange omhelzing was genoeg; woorden waren overbodig. En Daisy begreep diep in haar hart dat het genezingsproces was begonnen. Ze dankte God.
Ten slotte liet hij haar los. 'Moeder, het leek me beter om eens naar je toe te komen...'
'Ik ben blij dat je dat hebt gedaan, Philip.'
'Ik heb me schandalig gedragen, moeder. Ik besef heel goed dat ik onmogelijk ben geweest; ik heb het je heel moeilijk gemaakt, de anderen trouwens ook. Maar echt, ik kon er niets aan doen.'
'O jongen... ik begrijp het, echt, ik begrijp het. Je hebt ook zoveel verdriet gehad.'
'Ja.' Even aarzelde hij, toen vervolgde hij langzaam: 'Het was hartverscheurend om te moeten aanzien hoe Maddy's jonge leven zo tragisch eindigde en ik dacht werkelijk dat ik het verlies nooit zou kunnen dragen. Het is een ware hel geweest, moeder. Maar gisteravond, toen ik terug kwam vliegen uit Dunoon, begon het tot me door te dringen dat mijn verdriet voor een deel ook zelfmedelijden was. Ik rouwde niet alleen om Maddy, maar ook om mezelf... en ik rouwde om het leven dat we nu nooit samen zullen hebben.'
'Dat is vanzelfsprekend,' zei Daisy zachtjes. Haar levendige blauwe ogen stonden meelevend.
'Ach, het zal er wel bij horen.' Hij liep naar de deur, maar draaide zich opeens naar haar om. Het was even stil, toen gooide hij eruit: 'Ik kom de baby halen.'
Daisy keek hem aan en haar hart werd lichter. 'Fiona is bij de kinderjuf. Dat jonge Engelse meisje dat Maddy in dienst had genomen voordat ze...' Daisy maakte haar zin niet af en keek ongemakkelijk naar Philip.
'Spreek gerust over Maddy's dood, moeder. Ik heb het aanvaard.'
Daisy kon alleen maar knikken. Ze was bang dat haar stem zou trillen als ze wat zei.
Ze ging hem voor naar boven. 'Dit is meneer Amory, mijn zoon,' zei Daisy tegen de nanny toen ze de kamer binnenkwamen.
'Ja, dat weet ik, mevrouw Rickards. We hebben al kennisgemaakt

toen ik met mevrouw Amory kwam praten.'
Philip schudde haar de hand, zei iets ter begroeting en liep toen naar het wiegje dat in de hoek van de slaapkamer stond die voor de baby was ingericht.
Hij keek neer op het kind.
Sinds haar geboortedag had hij haar niet meer gezien. Ze was al een maand oud. Na een paar tellen tilde hij haar een beetje aarzelend uit de wieg, met een angstig gezicht, alsof hij bang was dat ze zou breken.
Hij hield haar op armslengte en keek strak naar het kleine gezichtje. Een paar ernstige, grijze ogen staarden zonder te knipperen naar hem op. Maddy's ogen, dacht hij, en zijn keel werd dichtgeschroefd. Hij hield de baby stevig tegen zijn borst, dicht tegen zijn hart, en legde een hand met een beschermend gebaar om haar hoofdje. Dit was Maddy's kind. Zijn kind. Een golf van liefde voor de baby welde in hem op.
Langzaam liep Philip, met Fiona in zijn armen, naar de deur. Daar draaide hij zich om.
'Ik neem mijn dochter mee naar huis,' zei hij. Hij keek Daisy aan. 'Kijk niet zo zorgelijk, moeder. Het is goed. Met mij is alles goed.' Er gleed een glimlachje om zijn mond. 'En met *ons* komt alles goed. Wij hebben elkaar.'

40

'Ik heb geprobeerd je nog te bereiken, Emily,' zei Paula toen haar nicht haastig de werkkamer van het huis aan Belgrave Square binnenkwam. 'Maar je was al weg, zei je huishoudster.'
Emily bleef midden op het antieke Aubusson-tapijt staan. Ze keek met half dichtgeknepen ogen naar Paula, die op de bank zat, in het schijnsel van de septemberzon. 'Ik hoef dus uiteindelijk niet met je mee naar Heathrow?'
Paula schudde met een spijtig gezicht haar hoofd. 'Ik heb net met Shane gebeld. Hij wil niet dat ik naar Sydney kom. En dus heb ik mijn reis afgezegd.'
Emily keek verbaasd. 'Maar waarom wil hij niet dat je komt? Je zei dat hij er laatst helemaal voor was, toen jij het opperde.'
'Dat was ook zo, en ik vind nog steeds dat ik in zo'n situatie bij hem hoor te zijn, maar hij zegt dat hij alles zelf wel aankan. Hij beweert met klem dat hij de schok van de brand te boven is. Hoe dan ook, hij vindt dat ik bij de kinderen moet blijven. Je weet dat hij zo'n idee-

fixe heeft: een van ons moet thuisblijven voor de kinderen.'
'Winston denkt er net zo over. Maar wij toch eigenlijk ook?' herinnerde Emily haar. Ze nam Paula nauwlettend op. 'We mogen niet vergeten dat Grandy ons heeft geleerd dat we verantwoording voor onze kinderen moeten dragen. Ze zei dat de kinderen op de eerste plaats horen te komen, hun behoeften gaan boven alles. Ze hamerde er steeds weer op, waarschijnlijk omdat ze haar eigen kinderen zo vaak verwaarloosde.'
'Emily! Dat is onaardig!'
'Maar het is waar. En Grandy zei het zelf. Ze had het zo druk met het opbouwen van haar imperium, dat haar kinderen op de tweede plaats kwamen. Op jouw moeder na. Tante Daisy bofte. Waarschijnlijk omdat Gran het al had gemaakt toen zij geboren werd.'
Paula kon er gelukkig om lachen. 'Ja, zoals altijd heb jij weer gelijk, Emily.' Ze slaakte een lange, diepe zucht. 'Hoewel ik eigenlijk graag bij Shane zou willen zijn, vrees ik dat ik me bij zijn besluit moet neerleggen.' Er speelde een wrang glimlachje om haar mond. 'Toch vind ik het jammer dat ik zijn telefoontje vanmorgen niet ben misgelopen. Zie je, ik vind dat hij me nodig heeft, al was het maar vanwege de morele steun.'
'Waarom *ga* je dan niet gewoon,' opperde Emily.
'Kom, Dumpling, je weet toch zeker wel beter!' Paula lachte vreugdeloos. 'Shane zou razend op me zijn. Je weet hoe bazig en autoritair hij soms is, en dan zou de reis zinloos zijn.'
'Ik denk dat je beter kunt doen wat hij zegt,' beaamde Emily, wetend hoe moeilijk Shane soms kon zijn. Ze ging in de stoel tegenover Paula zitten, keek naar het ontbijtblad op de antieke koffietafel die tussen hen in stond en zag dat de hoeveelheid voor twee personen was bedoeld. 'Wat ontzettend lief dat je ook aan mij hebt gedacht,' zei ze met een glimlach. Terwijl ze de theepot pakte en een kopje volschonk, keek ze naar het mandje verse broodjes. 'Jij hoeft die brioche zeker niet, hè?'
'Nee, ik ben de afgelopen week te dik geworden. Maar jij mag hem ook niet hebben,' waarschuwde Paula.
'Ik zou het eigenlijk niet moeten doen, ik weet het,' zei Emily en pakte intussen het broodje. Peinzend verorberde ze haar brioche. Nadat ze een slokje thee had genomen, leunde ze achterover en zei bedachtzaam: 'Luister eens, Paula, misschien zou Winston naar Sydney moeten gaan. Dan kan híj Shane gezelschap houden en ik weet zeker dat hij zich op allerlei manieren nuttig kan maken. Hij vertrekt vanmiddag uit Toronto en komt vanavond in New York aan. In plaats van in Rochester naar die drukkerij te gaan kijken, zou hij naar Los

Angeles kunnen vliegen. Vandaaruit zou hij kunnen doorreizen naar Sydney, met die nachtvlucht waar jij altijd zo enthousiast over bent. Ik zal hem nu meteen bellen.'
'Maar het is in Canada vier uur 's morgens!'
'Nou en? Dit is een noodsituatie.'
'Nee, dat is niet waar, Emily, niet meer. Trouwens, ik geloof niet dat Winston dat moet doen. Shane redt zich wel, hij is een sterke persoonlijkheid. Alleen heeft die brand hem tijdelijk uit zijn evenwicht gebracht. Zeg eens eerlijk, dat is toch heel gewoon? Hij vond het afschuwelijk dat er zoveel doden en gewonden waren. Dat zei hij iedere keer maar weer als hij belde, en je weet dat hij voortdurend aan de telefoon hangt sinds het is gebeurd. Volgens mij heeft hij een paar dagen lang een depressie doorgemaakt, tenminste, die indruk kreeg ik van moeder. Maar daar is hij nu overheen; dat hoor ik aan zijn stem. Zoals ik al zei, ik zou veel liever naar hem toe gaan, maar ik moet doen wat *hem* het beste lijkt.'
'Ja,' antwoordde Emily bedachtzaam, waarna ze eraan toevoegde: 'Natuurlijk, hij is heel sterk, daar heb je gelijk in. Als íemand zoiets aankan, is het Shane wel.'
'Ik weet het zeker, Dumps. Vergeet niet, hij is daar niet alleen. Mijn moeder en Jason zijn er en Philip.'
'Gaat het weer wat beter met Philip?' vroeg Emily.
'Gelukkig wel. Shane vertelde me dat hij van de week naar mijn moeder is gegaan en eindelijk de baby mee naar huis heeft genomen.'
'De hemel zij dank! Ik moet toegeven dat ik me zorgen begon te maken. Ik zag al helemaal voor me dat tante Daisy en oom Jason Fiona zouden moeten grootbrengen. Stel je voor, op hun leeftijd!'
Paula glimlachte flauwtjes. 'Shane is van mening dat die rampzalige brand met de hele nasleep Philip met een schok uit zijn verdoving heeft gewekt en tot de werkelijkheid heeft teruggebracht.'
'Hij heeft vast gelijk. Shane heeft veel mensenkennis, hij begrijpt wat er in anderen omgaat en wat hen beweegt.' Ze schudde bedroefd haar hoofd. 'Arme Maddy... dat ze zo is gestorven, zo plotseling. Ik kan het maar moeilijk aanvaarden.'
'Ik weet wat je bedoelt.' Paula zweeg en dacht aan Maddy. Ze voelde een doffe pijn in haar hart om het verlies van haar schoonzuster. Ze miste haar vreselijk en haar eigen verdriet was nog vers. Op sommige momenten schoten haar ogen vol tranen, zelfs tijdens haar werk, en als ze in gezelschap van anderen was moest ze zich excuseren; dan zocht ze even de eenzaamheid om haar zelfbeheersing te hervinden. Maddy was een unieke vrouw geweest, die op hen allemaal invloed had gehad.

Paula nestelde zich in de kussens en staarde in de verte.
Emily sloeg haar gade maar ze zei niets, want ze wilde haar niet storen. Ze wist dat Paula aan Madelana dacht, wier dood haar zo diep had geschokt en haar zo uit haar evenwicht had gebracht.
Schijnbaar zonder aanleiding zei Paula opeens somber: 'Ik denk wel eens dat er een vloek op deze familie rust.'
Emily schrok van de ernstige toon van haar stem. Ze ging rechtop in haar stoel zitten en keek haar met open mond aan. 'Paula! Wat bijgelovig van je!'
'Denk eens na over het afgelopen jaar, Emily. In Ierland is die oude zaak uit de doofpot gehaald, wat uiteindelijk tot de dood van de rentmeester heeft geleid. Het was voor Anthony en Sally vreselijk enerverend om Mins dood opnieuw te moeten beleven. En sinds die gebeurtenissen voelt Anthony zich verantwoordelijk voor de beroerte die Michael Lamont trof.'
'Het is maar goed dat Michael Lamont aan een beroerte is overleden, anders had hij wegens moord terecht moeten staan.'
'Lieve god, Emily! Wat jij allemaal niet durft te zeggen! Soms weet ik niet wat ik ervan denken moet.'
'Maar het is de waarheid, en ik ben geen hypocriet.'
'Dat weet ik wel, maar je zegt het zo cru.'
'Net als Gran.'
'Ja, net als Gran,' beaamde Paula. Ze was even stil, waarna ze zachtjes vervolgde: 'Toen volgde Sandy's dodelijke ziekte, zijn jachtongeluk, daarna Maddy's hersenbloeding en vorige week is het Sydney-O'Neill in vlammen opgegaan. Dat is toch zeker genoeg om het idee te krijgen dat er een vloek op ons rust. Bovendien, kijk eens naar de vreselijke dingen die Grandy tijdens haar leven zijn overkomen. En die lawine waarbij vader, Jim en Maggie zijn omgekomen? En mijn kleine Patrick, die gehandicapt is geboren.' Paula keek Emily veelbetekenend aan. 'Het is net alsof we ergens voor gestraft worden.'
Omdat ze Paula's plotselinge, morbide gedachtengang niet wilde aanmoedigen, riep Emily spottend uit: 'Ach kom! Daar geloof ik niets van. Wij zijn een heel grote familie, net als de Kennedy's. Er gebeuren de vreselijkste dingen tijdens al die levens, maar als je met zovelen bent, zoals bij ons, lijken de rampen veel talrijker te zijn dan in een kleine familie. En ondanks alles vind ik toevallig dat we boffen... op talloze manieren.'
'Toegegeven, we zijn allemaal fantastisch geslaagd en rijk, maar we hebben ruimschoots ons deel gehad in rampspoed.'
'En er volgt ongetwijfeld nog veel meer.'

'Lieve hemel, Emily, wat kun jij iemand goed troosten.'
'Sorry, kindje, het was niet mijn bedoeling de spot te drijven met de afschuwelijke dingen die onlangs in Australië zijn gebeurd. Maar ik ben niet bijgelovig, en ik verbaas me over jouw houding. Een vloek, kom nou toch.' Emily grinnikte en schudde haar hoofd alsof ze het reuze grappig vond. 'Ik kan je dit vertellen: als onze Gran nog leefde, zou ze er hartelijk om lachen.'
'Hoezo?'
'Zij zou ook vinden dat je overdrijft. Ze heeft vaak gezegd dat we ons eigen scenario schrijven, dat we leven in wat we zelf scheppen en dat wij uiteindelijk zelf verantwoordelijk zijn voor alles wat ons overkomt.'
'Ik kan me niet herinneren dat ze dat ooit heeft gezegd.' Paula keek Emily fronsend aan. Haar ogen stonden verbaasd. 'Weet je zeker dat het Grandy was die dat zei?'
'Ja, heel zeker.'
Paula knikte en begon over iets anders.
Maar later die avond zou ze zich die woorden herinneren en hoewel ze moest toegeven dat er een grond van waarheid in zat, vervulde haar dat met een groeiende angst.

De rest van de ochtend en het grootste deel van de middag spendeerde Paula in de zaak in Knightsbridge, op de verkoopafdelingen.
Toen ze even na half vier haar kantoor binnenliep, begon net haar privé-telefoon te rinkelen. Ze haastte zich naar haar bureau, boog zich eroverheen en graaide de hoorn naar zich toe. Ze verwachtte half en half dat het Shane was. Sydney lag tien uur voor op Londen, en voordat hij naar bed ging, belde hij haar vaak.
Haar stem klonk dan ook vrolijk toen ze zei: 'Met Paula O'Neill.'
Met de hoorn tegen haar oor gedrukt liep ze om haar bureau heen.
'Met Charles Rossiter, Paula.'
'Hallo, Charles! Hoe gaat het met je?' Ze was teleurgesteld, maar ze bleef opgewekt.
'Eh... Met mij gaat het goed, dank je.'
'Je hebt mijn boodschap dus doorgekregen?'
'Welke boodschap?' Hij klonk vaag, een tikje ongeduldig.
'Ik heb je vanmorgen gebeld om door te geven dat ik uiteindelijk niet naar Sydney ga. We kunnen dus toch op vrijdag lunchen, zoals we oorspronkelijk hadden afgesproken.'
'O ja, natuurlijk heb ik die boodschap gekregen...'
Het werd opeens stil, haar bankier aarzelde. 'Daar bel je toch over?' vroeg Paula, 'om onze lunchafspraak te bevestigen?'

'Nee, eerlijk gezegd niet.'
Ze hoorde een eigenaardige klank in zijn stem. 'Zijn er soms problemen, Charles?'
'Ik ben bang van wel.'
'Maar ik dacht dat die nieuwe stukken in orde waren en dat...'
'Dit heeft niets te maken met onze normale bankzaken, Paula,' onderbrak Charles haar. 'Er is iets dringends aan de hand. Ik vind dat je vanmiddag voor een bespreking naar de bank moet komen. Laten we zeggen om een uur of vijf.'
'Waarom Charles? Wat is er aan de hand? Je doet zo geheimzinnig.'
'Ik heb vanmiddag een telefoontje gekregen van sir Logan Curtis. Ik weet zeker dat je wel eens van hem hebt gehoord, hij is van Blair, Curtis, Somerset & Lomax.'
'Natuurlijk. Een vooraanstaand advocatenkantoor. Sir Logan heeft zich onderscheiden als een van de scherpzinnigste juristen in het land.'
'Precies. Sir Logan heeft om die vergadering gevraagd. Hier, op de bank. Hij wil dat jij erbij bent.'
'Waarom?' vroeg ze verbaasd.
'Het schijnt dat hij je neef, Jonathan Ainsley, vertegenwoordigt. Die is vanuit Hongkong naar Londen gekomen. Volgens sir Logan dringt Ainsley aan op een bijeenkomst met ons. Om een zakelijke aangelegenheid met jou te bespreken.'
Paula was zo verbijsterd dat ze de hoorn bijna liet vallen. Even was ze sprakeloos, toen riep ze uit: 'Ik heb niets zakelijks met Jonathan Ainsley te bespreken! En dat weet jij heel goed, Charles. Je regelt al jaren mijn bankzaken. Mijn neef krijgt dividend van Harte Enterprises, vanzelfsprekend, maar dat is het enige dat hij nog met de familie te maken heeft. Of met onze ondernemingen.'
'Sir Logan denkt er anders over.'
'Maar jij weet toch beter!' riep ze uit. Haar stem sloeg bijna over. 'Sir Logan heeft zich niet goed laten informeren.'
'Dat geloof ik niet.'
'Charles, wat bedoel je in hemelsnaam?' Perplex liet ze zich in haar stoel vallen.
'Hoor eens, Paula, ik wil er via de telefoon liever niet op ingaan. Nog afgezien van het feit dat het een vertrouwelijke aangelegenheid is, ben ik even uit de jaarlijkse bestuurvergadering weggelopen om je te bellen, nadat ik had besloten sir Logans verzoek om een bespreking in te willigen. Ik heb echt veel haast. Ik moet nu terug naar die vergadering. Maar ik wil je wel zeggen dat je *per se* aanwezig moet zijn.'
'Ik begrijp er niets van.'

'Wat Jonathan Ainsley ook met je te bespreken heeft, het schijnt dat deze bank, de andere banken met wie jij zaken doet en de Harteketen erbij betrokken zijn.'
'Nu snap ik er helemaal niets meer van! Je moet me uitleggen waar het over gaat!'
'Ik ben bang dat ik dat niet kan doen, Paula,' riep Charles uit, hoewel hij probeerde zich te beheersen. 'Ik doe niet ontwijkend, geloof me, echt niet. Sir Logan heeft me alleen in grote lijnen ingelicht. Ook hij wilde via de telefoon niet over vertrouwelijke zaken praten. Maar hij benadrukte wel dat de zaak voor ons allen van groot belang is. Daarom heb ik toegestemd in die bespreking. Zo te horen is de toestand kritiek. Bovendien, jouw aanwezigheid is van het allergrootste belang.'
'Ik zal er zijn, Charles. Klokke vijf uur.'
'Mooi zo. Nog één ding... Ik moet je waarschuwen, Paula. Jonathan Ainsley is er vanmiddag ook bij.'
'Ik begrijp het,' antwoordde ze verbeten.
Nadat ze gedag had gezegd en had neergelegd, leunde Paula achterover in haar stoel en drukte haar vingers tegen haar ogen. Ze was zo verbijsterd dat ze een paar minuten nodig had om haar chaotische gedachten op een rijtje te zetten en helder te kunnen nadenken.
Ze concentreerde zich op haar neef. *Jonathan Ainsley,* dacht ze. *Waarom is hij teruggekomen? Wat wil hij?* Ze wist niet wat het antwoord op die vragen was. Maar ze herinnerde zich wel het dreigement dat hij jaren geleden had geuit en ze verkilde.

41

Het was precies vijf voor vijf toen Paula de Rossiter Merchant Bank in de City van Londen binnenliep.
De secretaresse van Charles Rossiter stond haar al op te wachten bij de receptie en ze nam haar onmiddellijk mee naar Charles' kantoor. De directeur van de bank, een oude familievriend, haastte zich Paula te begroeten en kuste haar op de wang.
'Zijn ze er al?' vroeg Paula na de begroeting, terwijl ze elkaar midden in het vertrek ernstig stonden aan te kijken.
'Ja, ze zijn een kwartiertje geleden gearriveerd. Ze zitten op ons te wachten in de bestuurskamer.'
'Weet je inmiddels al iets meer, Charles?'
'Een beetje. Sir Logan heeft me in grote lijnen op de hoogte gebracht.'

'Jonathan Ainsley heeft Harte-aandelen in zijn bezit, nietwaar?'
Charles knikte.
'Hij heeft een deel van mijn tien procent, die ik van de hand heb gedaan, opgekocht, of zelfs alles?'
'Ja. *Alles.*'
'Dat dacht ik al. Onderweg heb ik zitten nadenken,' zei Paula zachtjes, waarna ze de bankier flauwtjes toelachte.
'Hij wil deel gaan uitmaken van de directie van Harte.'
'Dat kan toch niet! Met tien procent van de aandelen in zijn bezit heeft hij daar het recht niet toe! Hij kan stikken!'
'Hij eist het, Paula. En naar mijn mening is hij erop uit om het je zeer lastig te maken.'
'Dat is duidelijk, Charles. Anders zou hij niet de moeite hebben genomen helemaal uit Hongkong te komen. Kom, zullen we naar binnen gaan en de koe bij de horens vatten?'
'Ja, laten we dat doen,' stemde Charles in en liep met haar mee de kamer door. Hij opende de zijdeur die rechtstreeks toegang gaf tot de met eikehout betimmerde bestuurszaal.
Sir Logan Curtis – een kleine, grijze man die er jonger uitzag dan ze had verwacht – kwam naar hen toe.
'Mevrouw O'Neill, ik ben Logan Curtis,' zei hij voordat Charles hen aan elkaar had kunnen voorstellen. Glimlachend stak hij zijn hand uit.
Paula schudde hem de hand. 'Prettig met u kennis te maken,' zei ze zakelijk. Vanuit haar ooghoek zag ze Jonathan aan de vergadertafel zitten. Hij stond niet op en ook begroette hij haar niet. Ze deed alsof hij lucht was.
'Uw neef wil graag onder vier ogen met u praten, mevrouw O'Neill,' zei sir Logan. 'Wij zullen u beiden alleen laten.' Hij wierp Charles Rossiter een veelbetekenende blik toe en liep naar de deur.
De bankier, die het niet leuk vond om in zijn eigen bestuurskamer gecommandeerd te worden, kookte opeens van woede. Hij wendde zich tot Paula: 'Ben jij het daarmee eens?' vroeg hij, met een bezorgd gezicht.
'Ja, natuurlijk, Charles,' antwoordde ze rustig.
Charles Rossiter had bewondering voor de beheerste houding die ze gezien de omstandigheden wist op te brengen. Niettemin voegde hij er nog geruststellend aan toe: 'Als je me nodig hebt, ik zit hiernaast, Paula.'
'Dank je, Charles, dat is heel attent van je.' Ze glimlachte tegen hem, waarna hij wegging en de deur zachtjes achter zich dichtdeed.
Toen ze alleen was met haar neef, draaide ze zich langzaam om en

liep naar de vergadertafel.
Jonathan wendde zijn blik niet van haar af. Hij voelde zich opgetogen nu hij, naar hij wist, de macht in handen had. Hij vond het heerlijk om het spel van kat en muis met haar te kunnen spelen. Hij had lang moeten wachten voordat hij wraak kon nemen op Paula O'Neill en eindelijk had hij haar te pakken. Hij had al besloten niet op te staan en niet te vragen of ze wilde gaan zitten. Hij was niet van plan beleefd te doen tegen dit kille, berekenende kreng, de reïncarnatie van zijn boosaardige grootmoeder, Emma Harte.
Een paar passen bij de tafel vandaan bleef Paula stilstaan. Ze beantwoordde zijn blik zonder met haar ogen, die koud en staalhard stonden, te knipperen.
Jonathan verbrak de stilte. 'Het is lang geleden dat wij samen aan een vergadertafel zaten,' begon hij poeslief. 'Ik geloof dat het twaalf jaar geleden is dat dat heilige boontje, die Alexander, me de laan uit stuurde en jij me uit de familie verbande.'
'Ik ben ervan overtuigd dat deze bijeenkomst niet is belegd om oude herinneringen op te halen,' bitste Paula. 'Zullen we dus maar ter zake komen?'
'Het zit zo: ik heb...'
'Ik weet dat je aandelen in de Harte-keten bezit,' zei ze op scherpe toon. 'Tien procent. Ik weet ook dat je denkt dat je daarmee recht hebt op een plaats in het bestuur. Het antwoord op je eventuele vraag is *nee*. En nu je weet hoe ik erover denk, vertrek ik.'
Paula draaide zich om en liep naar de deur. Ze was intelligent en schrander genoeg om te doorzien dat hij nog meer in petto had, dus wekte het geen verbazing of schrik toen hij zei: 'Ik ben nog niet met je klaar, Paula. Ik moet je nog iets vertellen.'
Ze bleef staan en draaide zich naar hem om. 'En dat is?'
'In de loop van al die jaren heb ik via diverse tussenpersonen Harte-aandelen gekocht. Bij elkaar bezit ik nu zesentwintig procent.'
Hoewel dit haar verbaasde, zag ze kans haar verrassing te verbergen. Ze hield haar gezicht in de plooi, ze knipperde niet met haar ogen en besloot niets terug te zeggen. Ze sloeg hem nauwlettend gade. Instinctief bleef ze op haar hoede.
Jonathan vervolgde: 'Bovendien beschik ik over het stemrecht van nog eens twintig procent...' Hij zweeg even om zijn woorden extra nadruk te geven en een zelfgenoegzame glimlach gleed langzaam over zijn gezicht. 'Denk je eens in, Paula, zesenveertig procent in mijn handen! En jij hebt nog maar eenenveertig procent.' Hij lachte triomfantelijk. 'Ik beschik dus over meer aandelen in de Harte-keten dan jij!' Zijn slimme oogjes waren een en al leedvermaak. 'Wat on-

verstandig van je om jezelf in zo'n kwetsbare positie te plaatsen... en dat alleen om die winkels van Larson in Amerika te kopen.'
De schok was zo groot dat Paula bang was dat haar benen haar niet langer zouden dragen. Maar ze zag kans rechtop te blijven staan, ondanks het feit dat ze over haar hele lichaam beefde. Ze kon het zich niet permitteren dat te laten merken.
Zachtjes en beheerst merkte ze op: 'En van wie zijn die twintig procent dan wel?'
'Het gaat om de aandelen die aan James en Cynthia Weston zijn nagelaten, door hun grootvader, wijlen Samuel Weston.'
'Zij zijn minderjarig. Die aandelen worden beheerd door hun juridisch adviseurs, de executeurs testamentairs van de nalatenschap van hun grootvader. Traditiegetrouw stemmen Jackson, Coombe & Barbour altijd met mij mee, net als Sam Weston toen Emma Harte nog leefde.'
'Tradities kunnen veranderen, Paula.'
'Ik kan me niet voorstellen dat Jackson, Coombe & Harbour zich met jou inlaten.'
'Geloof het toch maar wel, want het is waar.'
'Je bluft.'
'Helemaal niet.' Hij stond op en liep naar de andere kant van het vertrek. Halverwege de deur bleef hij staan en draaide zich om. 'Met een week of twee heb ik nog eens vijf procent in mijn bezit, waarmee ik een meerderheidsbelang krijg. Ga je spullen maar vast pakken, tante, en ruim je bureau uit. Ik neem je kantoor over.' Hij keek haar koud en indringend aan; zijn verbitterde afkeer voor haar was overduidelijk van zijn gezicht af te lezen. 'Ik zeg het je maar vast, ik ga een overnamebod op Harte uitbrengen. En ik verzeker je, het zal me lukken. Deze keer zal *ik* als winnaar uit de bus komen! En *jij* zult de verliezer zijn, Paula O'Neill!'
Ze verwaardigde zich niet hem antwoord te geven.
Hij sloeg de deur van de vergaderkamer met een klap achter zich dicht.

Paula liet zich in de dichtstbijzijnde stoel vallen. Inwendig trilde ze helemaal en om te voorkomen dat ze beefden, omklemde ze met beide handen de tas op haar schoot. Ze had het gevoel dat alle kracht uit haar was weggestroomd.
Charles Rossiter verscheen in de deuropening. Hij haastte zich naar haar toe; zijn gezicht was net zo wit als het hare, hij keek ernstig en zijn ogen stonden zorgelijk.
'Toen ik dat telefoontje kreeg, wist ik wel dat er problemen dreigden,

maar ik had geen idee dat het zo erg zou worden,' riep hij uit. 'Sir Logan heeft me net verteld wat Ainsley van plan is. Ik ben verbijsterd.'
Paula knikte, ze kon even geen woord uitbrengen. Van haar zelfverzekerde houding was niets over.
Charles nam haar onderzoekend op. 'Ik zal een cognacje voor je halen. Je ziet er belabberd uit.'
'Dank je, maar liever geen cognac, Charles, daar hou ik niet van. Heb je ook wodka?'
'Ja, ik zal het even halen. Ik heb zelf ook een borrel nodig.'
Even later kwam hij terug met een fles en twee glazen uit de bar in zijn kantoor. Hij schonk in en reikte haar een glas aan. 'Drink het maar in één teug leeg. Dat helpt het beste.'
Ze deed wat hij zei en voelde de alcohol in haar keel prikken, gevolgd door een warm gevoel dat haar doorstroomde. Even later zei ze langzaam: 'Ik kan niet geloven dat een degelijk, ouderwets advocatenkantoor als Jackson, Coombe & Barbour dit hebben gedaan. Ze hebben zich met Jonathan ingelaten. Kan het zijn dat hij bluft, Charles?'
'Dat betwijfel ik. Trouwens, waarom zou hij? Bovendien wilde hij door sir Logan Curtis mee te nemen jou – en mij – laten zien dat wat hij doet keurig volgens het boekje is en dat alles wat hij gaat proberen volkomen gewettigd is. Sir Logan vertelde me dat hij rijk is, dat hij het zelfstandig "heeft gemaakt" en dat hij directeur is van een groot bedrijf, Janus and Janus Holdings, in Hongkong. Hij en zijn vrouw logeren al een paar weken in het Claridge Hotel. Nee, Paula, ik vrees dat hij niet bluft.'
Woedend riep ze uit: 'Maar waarom is Arthur Jackson opeens tegen me? Waarom stemt hij met Jonathan mee?'
'Ik twijfel er niet aan of Ainsley heeft Jackson een riant bedrag geboden om met hem mee te stemmen, iets dat voor die kinderen zeer gunstig is. Ainsley moet een soort afspraak met dat advocatenkantoor hebben gemaakt, Paula. Als hij niet alle troeven in handen had, was hij vandaag niet hier gekomen.'
Ze knikte terneergeslagen, want ze wist dat hij gelijk had.
Charles vervolgde: 'Hij wilde jouw reputatie als hoofd van Harte bij onze bank natuurlijk bezoedelen, hij wilde het vertrouwen in jou schade toebrengen. Daarom wilde hij hier die bespreking houden. Listig kereltje, hè? Maar ik kan je zeggen dat *ik* achter je sta, Paula. Onze *bank* staat achter je. Net zo goed als we altijd achter je grootmoeder hebben gestaan.'
'Dank je, Charles.' Ze keek hem strak en somber aan. 'Wat een ellendige situatie.'

'Dat mag je wel zeggen.' Hij zweeg peinzend en ging verder: 'Alleen al het gerucht dat er een bod op Harte wordt gedaan kan rampzalig voor je zijn.'
'Ik weet het.' Ze sprong abrupt op.
Charles keek verbaasd. 'Wat ga je doen?'
'Ik heb behoefte aan frisse lucht. Ik ga terug naar de zaak.'
'Maar je wilt toch zeker nog bespreken wat we verder moeten gaan doen, Paula!'
'Dat doe ik liever morgen, Charles, als je het goed vindt. Ik moet nu even alleen zijn. Wil je me excuseren?'

Ze zat aan haar bureau in haar kantoor van Harte in Knightsbridge, in het beroemdste warenhuis ter wereld, haar eigen territorium, haar citadel.
Ze kon zich niet verroeren en kon alleen maar denken aan de afschuwelijke problemen waarmee ze geconfronteerd werd. Ze had het gevoel alsof ze lichamelijk was mishandeld. Haar gedachten tolden door haar hoofd en af en toe sloeg de paniek in golven door haar heen, zodat redelijk denken uitgesloten was.
Voor het eerst in haar leven was Paula O'Neill bang.
Ze was bang voor Jonathan Ainsley, voor de macht die hij zo plotseling, zo onverwacht, over haar had. Zijn spookachtige verschijning hing als een donkere wolk om haar heen. Ze verafschuwde haar hulpeloosheid, haar machteloosheid, maar ze wist heel goed dat die gevoelens niet zo makkelijk zouden verdwijnen.
Hij heeft me in de hoek gedreven, dacht ze. Weer probeerde ze de opkomende misselijkheid, waar ze al een uur lang last van had, te onderdrukken. *Hij zal me ruïneren, net zoals hij al die jaren geleden al dreigde. En het is allemaal mijn eigen schuld.*
De misselijkheid nam toe en ze rende naar de badkamer in de aangrenzende kleedkamer. Over de wasbak gebogen kokhalsde ze tot ze het gevoel had dat ze leeg was van binnen. Toen ze ten slotte haar rug rechtte en in de spiegel keek, zag ze dat haar gezicht lijkbleek was; haar ogen waren rood en waterig en haar wangen zaten vol strepen mascara. Nadat ze die met een tissue had verwijderd, vulde ze een glas met koud water en dronk er gretig van. Die wodka is verkeerd gevallen, hield ze zich voor, terwijl ze heel goed wist dat het iets anders was. De zenuwen, de angst en de paniek hadden haar van streek gemaakt.
Terug in het kantoor liep ze snel naar haar bureau, maar ze bleef midden in de kamer staan. Het portret van haar grootmoeder boven de open haard trok haar aandacht, doordat het werd aangelicht door

een lamp die erboven hing. Behalve haar bureaulamp was dat de enige verlichting in het schemerige vertrek, zodat het portret extra opviel. Ze liep erheen en keek op naar het geliefde gezicht van Emma Harte, dat zo sprekend in olieverf was afgebeeld.

O Grandy, wat heb ik gedaan? Hoe heb ik zo dom kunnen zijn? Ik heb alles wat jij hebt opgebouwd in de waagschaal gesteld, ik heb me in een kwetsbare positie geplaatst. Jij hebt me eens gevraagd om je droom vast te houden, en ik heb het tegenovergestelde gedaan. Ik heb je in de steek gelaten. O Gran, wat moet ik in hemelsnaam beginnen? Hoe kan ik voorkomen dat de zaak in verkeerde handen valt?

Het knappe gezicht op het portret keek haar aan. De glimlach was vriendelijk, maar de groene ogen stonden waakzaam en schrander. Leefde ze nog maar, dacht Paula, opeens door emotie overmand. De tranen sprongen haar in de ogen. Wat voelde ze zich eenzaam.

Ze droogde haar ogen met haar zakdoek en ging op de bank zitten, terwijl ze intussen het gezicht van haar grootmoeder bleef bestuderen. Nerveus speelde ze met het zakdoekje en ze vroeg zich af hoe de briljante Emma Harte zich uit een afschuwelijke situatie als deze zou hebben gered.

Maar de goede invallen en slimme oplossingen bleven Paula onthouden en in haar nervositeit begon ze het kanten zakdoekje in stukjes te scheuren. Ze was uitgeput en als verlamd van angst. Ze leunde achterover tegen de kussens, sloot haar ogen en probeerde tot rust te komen in de hoop enige orde in haar warrige en verontrustende gedachten te kunnen aanbrengen.

Toen de klok het hele uur sloeg, kwam Paula overeind. Ze keek op de klok op de schoorsteenmantel. Tot haar verbazing bleek het negen uur te zijn. Waar was de tijd gebleven? Had ze zitten dommelen? Ze besefte dat ze al ruim een uur op de bank zat.

Ze stond op, liep naar het bureau en pakte de hoorn van de telefoon, maar legde hem meteen weer neer. Het had geen zin om Shane te bellen. Hij had al genoeg aan zijn hoofd. Haar problemen zouden hem alleen maar van streek maken. Het was veel beter om tot morgen te wachten, of tot overmorgen; ze zou het hem vertellen als ze een strategie had uitgestippeld. En dat zou ze absoluut moeten doen, ze móest iets bedenken om Jonathan Ainsley's bod op de aandelen van Harte te dwarsbomen. *Dit mocht ze niet laten gebeuren.*

Onverwacht werd ze overvallen door hetzelfde gevoel van claustrofobie dat ze had ervaren in de bestuurskamer van de Rossiter Merchant Bank. Ze had het gevoel alsof ze zou stikken. Ze moest hier weg, ze moest naar buiten om frisse lucht op te snuiven.

Ze pakte gauw haar tas, rende het kantoor uit en ging met de personeelslift naar de begane grond. Na een korte groet voor de veiligheidsbeambte liep ze de zaak uit.

Het was fris buiten op deze woensdagavond en tamelijk koud voor september. Maar Paula voelde zich erdoor verkwikt. Ze leefde weer helemaal op terwijl ze zich weghaastte van de drukke straat en in de richting liep van haar huis aan Belgrave Square.
Sinds ze bij de bank in de City was weggegaan, had ze zich verdoofd, terneergeslagen en paniekerig gevoeld. Maar tijdens haar wandeling begonnen deze negatieve gevoelens te verdwijnen. Ze had nog geen idee wat ze ging doen of hoe ze Jonathan Ainsley moest aanpakken, maar ze wist wel dat het een harde strijd tussen hen zou worden. En ze was vastbesloten hem met alle middelen die haar ten dienste stonden, te bevechten; ze zou alles doen wat in haar vermogen lag om te winnen. Ze kon het zich niet permitteren om te verliezen. Haar neef zou een koele, berekende en slinkse tegenstander zijn, daar twijfelde ze niet aan. Hij had geen loos dreigement geuit. Hij meende het oprecht, hij deinsde voor niets terug. Hij wilde Harte bezitten. Even belangrijk: hij wilde, nee, hij móest haar kapotmaken. Zijn beweegredenen waren een warrige mengeling van emoties. Onder andere koesterde hij al sinds hun jeugd een diepgaande jaloezie voor haar.
Plotseling viel het haar in dat er diverse mogelijkheden waren om Jonathan een hak te zetten. Maar zou het haar lukken? Ze vroeg zich af of haar methoden wettig waren. Ze was daar niet zeker van. Ze zou morgen de statuten van Harte eens moeten nalezen. Zodra ze thuiskwam zou ze John Crawford, haar notaris, bellen, want het was duidelijk dat ze een raadsman nodig had.
Haar brein werkte weer. Dat besef bezorgde haar een enorme opluchting. Haar gedachten tolden door haar hoofd en ze was zo geconcentreerd op wat er in haar omging, dat ze pas merkte dat ze haar huis voorbij was gelopen toen ze op Eaton Square was.
Ze wist meteen waar ze naar toe ging. Ze zou sir Ronald Kallinski opzoeken. Haar oom Ronnie, haar wijze raadsman. Hij was de enige die haar kon helpen en haar de weg kon wijzen, zoals Emma Harte haar begeleid zou hebben als ze nog had geleefd.

42

Wilberson, de butler van sir Ronald Kallinski, maakte een paar tellen nadat Paula had aangebeld de deur open.
Er gleed een verbaasde uitdrukking over zijn gezicht toen hij haar op

de stoep zag staan. 'Nee maar, mevrouw O'Neill, goedenavond,' zei hij met een beleefde hoofdknik.
'Is sir Ronald thuis, Wilberson? Ik moet hem dringend spreken.'
'Hij heeft vanavond bezoek, mevrouw O'Neill. Hij en zijn gasten zitten te dineren.'
'Het is echt heel dringend, Wilberson. Wil je alsjeblieft tegen sir Ronald zeggen dat ik er ben?' Voordat de butler haar kon tegenhouden was ze langs hem heen de marmeren hal in gelopen, waar antieke Franse tapijten aan de wand hingen. 'Ik wacht hier wel,' zei ze resoluut terwijl ze de deur van de bibliotheek opendeed.
'Goed, mevrouw O'Neill,' zei Wilberson. Hij wist zijn ergernis te verbergen, liep gelaten de ruime hal door en klopte op de deur van de eetkamer.
Een paar seconden later al haastte sir Ronald zich de bibliotheek in om zich bij haar te voegen. Paula's onaangekondigde komst om half tien in de avond had hem verrast. Maar zijn verbaasde uitdrukking maakte plaats voor een bezorgde blik toen hij haar zag.
'Je ziet er slecht uit, Paula! Wat is er in hemelsnaam aan de hand? Ben je ziek?'
'Nee, oom Ronnie. En neem me niet kwalijk dat ik zomaar kom binnenvallen. Maar er is iets vreselijks gebeurd. Ik zit in grote problemen en ik heb uw hulp nodig. Er dreigt een bod op de aandelen van Harte te worden uitgebracht, waardoor ik de zeggenschap over de winkelketen kwijtraak.'
Sir Ronald was verbijsterd. Hij zag meteen in dat ze niet overdreef. Dat lag niet in haar aard. 'Een ogenblikje, Paula. Ik zal mijn gasten uitleggen dat ik dringend even weg moet. Michael zal de honneurs voor me moeten waarnemen. Ik ben zo terug.'
'Dank u, oom Ronnie,' zei Paula, waarna ze op de leren Chesterfield-bank ging zitten.
Toen hij terugkwam nam hij meteen tegenover haar plaats. 'Begin maar bij het begin, Paula, sla niets over,' beval hij.
Langzaam en precies, met haar gebruikelijke aandacht voor details, vertelde ze hem alles wat er die dag was gebeurd. Ze had een ijzeren geheugen en kon alle gesprekken woordelijk reproduceren. Ze begon met het telefoontje van Charles Rossiter en eindigde met de confrontatie tussen haar en Jonathan Ainsley.
Sir Ronald had aandachtig zitten luisteren. Zijn kin rustte op zijn hand en af en toe knikte hij. Toen ze hem ten slotte alles had verteld, riep hij boos uit: 'Mijn vader wist wel hoe hij iemand als Jonathan Ainsley zou noemen!' Hij zweeg even, keek haar strak aan en zei vol verachting: 'Een *schurk*.'

'Ja, hij is de grootste schurk die er rondloopt.' Paula schraapte haar keel. 'Maar eerlijk gezegd is het allemaal mijn eigen schuld. Ik heb hem en zijn soortgenoten de kans geboden.' Ze schudde zuchtend haar hoofd. 'Ik vergat dat Harte een naamloze vennootschap is, ik vergat dat ik aandeelhouders had. Ik geloofde dat de zaak van mij was, dat niemand ooit zou proberen me uit het zadel te wippen. Ik liep over van zelfvertrouwen. Ik was niet genoeg op mijn hoede. En dan ben je kwetsbaar, dat blijkt maar weer eens.'
Sir Ronald knikte en bestudeerde haar nauwlettend. Hij hield van haar als van een dochter en hij bewonderde en respecteerde haar als geen ander. Ze was stoutmoedig en briljant en had een goed zakeninstinct. Er was heel wat moed voor nodig om te zeggen wat ze hem net had verteld, om haar fouten toe te geven. Niettemin had het hem meteen versteld doen staan dat ze een deel van haar Harte-aandelen van de hand had gedaan. Dat was ontegenzeggelijk een grove fout geweest.
'Ik zal nooit begrijpen waarom je die tien procent hebt verkocht, Paula,' zei hij op ietwat scherpe toon. 'Nooit, zolang als ik leef. Dat is een smet op je oordeelsvermogen.'
Ze keek neer op haar handen en draaide haar trouwring om en om. Toen ze ten slotte naar hem opkeek, glimlachte ze flauwtjes en schuldbewust. 'Ik weet het. Maar ik wilde met mijn eigen geld een winkelketen kopen... Iets dat echt van mij werd.'
'Je moest je ego zo nodig oppeppen.'
'Inderdaad.'
Sir Ronald zuchtte diep en vervolgde op wat vriendelijker toon: 'Maar goed, niemand is onfeilbaar, Paula, zakenmensen zoals wij al helemaal niet. De mensen schijnen te denken dat wij uit ander hout gesneden zijn, dat we tot een apart ras behoren en dat we immuun zijn voor menselijke zwakheden. Ze denken dat wij keihard en gevoelloos zijn, zonder een enkel zwak puntje, om te kunnen onderhandelen en geld te kunnen verdienen. Maar daar klopt niets van.' Hij schudde zijn hoofd en besloot: 'In jouw geval heeft een emotionele behoefte je parten gespeeld, waardoor je je hebt laten afleiden.'
'Ik vermoed dat ik mezelf iets wilde bewijzen.'
Een kostbare manier om iets te bewijzen, dacht hij, maar hardop zei hij: 'Wroeging en spijt zijn verspilling van kostbare tijd. We moeten het nadeel omzetten in voordeel, om ons ervan te verzekeren dat jij als winnares uit de bus komt. Laten we de mogelijkheden eens op een rijtje zetten.'
Ze knikte. Zijn woorden sterkten haar in haar voornemen en in haar houding, die sinds ze met hem zat te praten steeds positiever was ge-

worden. 'Ik zou met Arthur Jackson kunnen gaan praten, bij Jackson, Coombe & Barbour; ik zou een beroep op zijn loyaliteit kunnen doen, zodat hij zijn beslissing om met Jonathan mee te stemmen, herziet,' zei ze. 'Misschien zou ik zelfs kunnen ontdekken welk lokmiddel Jonathan heeft gebruikt en zelf met...'
'Bel in ieder geval met Jackson,' onderbrak sir Ronald haar. 'Maar je moet er niet van opkijken als hij geen oren naar je voorstellen heeft. Hij heeft geen verplichtingen tegenover jou en hij hoeft je niets te vertellen.'
'Oom Ronnie, hij heeft zich onethisch gedragen!'
'Zo lijkt het misschien, maar dat staat niet vast. Arthur Jackson is executeur testamentair van de nalatenschap van Sam Weston. Hij heeft maar één verplichting, namelijk tegenover de kinderen wier belangen hij beschermt. Als hij een lucratieve transactie kan afsluiten of nieuwe inkomsten voor hen kan aanboren, zal hij dat niet nalaten.'
'Dat heeft hij in de transactie met Jonathan zeker gedaan.'
'Dat lijkt me heel waarschijnlijk. Ainsley is altijd een slimme scharrelaar geweest. Hij zal wel hebben aangeboden om uit zijn eigen zak een flink bedrag voor de Westons te storten, op voorwaarde dat ze met hem meestemmen.' Sir Ronald wreef over zijn kin en tuitte peinzend zijn lippen. Toen vervolgde hij: 'Ik zal morgen mijn oor eens te luisteren leggen. Ik ken wel wat foefjes om achter een en ander te komen. In ons wereldje bestaan geen geheimen, weet je. Stel je telefoontje naar Arthur Jackson nog maar even uit.'
'Dat zal ik doen. Bedankt, oom Ronnie.' Ze leunde gespannen voorover. 'Is er een goede reden om geen B.V. van Harte te maken? Kan ik mijn aandeelhouders uitkopen?'
'Er is een heel goede reden om dat niet te doen. Ik vind het niet goed.'
'Zou het mogen en kunnen volgens de wet?'
'Ja zeker. Maar om er een B.V. van te maken, zou je op de vrije markt met je aandeelhouders moeten onderhandelen. En daarmee zou je je blootgeven aan alle roofzuchtige opkopers van bedrijven in de City en in Wall Street.' Hij schudde zeer heftig zijn hoofd. 'Nee, nee, dat kan ik niet goedvinden, Paula. Dan zouden er anderen gaan meebieden, die niet zulke beste bedoelingen hebben. Trouwens, waarom zouden je aandeelhouders je geld aannemen? Misschien hebben ze liever het geld van sir Jimmy Goldsmith, of van sir James Hanson, of van Carl Icahn of van Tiny Rowland... of van *Jonathan Ainsley*. Jullie zouden tegen elkaar op gaan bieden en alles wat je daarmee bereikt, is dat de koers van de aandelen stijgt.'

Haar gezicht nam een iets andere uitdrukking aan en ze wendde haar blik af. Ze beet op haar lip. Even later keek ze hem weer aan en vroeg vermoeid: 'Wat kan ik dan wèl doen, oom Ronnie?'
'Je kunt gaan zoeken naar een paar kleinere aandeelhouders, die samen tien procent van de Harte-aandelen bezitten. Misschien zijn het er vier of vijf, misschien zelfs wel twaalf. Zoek ze op, koop ze uit – voor veel geld als dat nodig is. Je bezit al eenenveertig procent. Je hebt maar eenenvijftig procent nodig om een beslissende meerderheid te hebben.'
'God, wat ben ik toch stom, oom Ronnie! Wat mankeert me toch vanavond? Ik vergeet steeds van alles. Het is duidelijk dat ik niet helder kan denken.'
'Dat is heel begrijpelijk, want je hebt een schokkende middag gehad. Bovendien...' Hij zweeg even peinzend voordat hij verder ging. 'Ik geloof dat er één ding is dat je per se moet doen, kindje.'
'En dat is?'
'Je moet je van Jonathan Ainsley ontdoen.'
'Hoe?'
'Dat weet ik nu nog niet.' Sir Ronald duwde zich overeind, liep naar het raam en tuurde uit over Eaton Square, terwijl zijn analytische geest de diverse mogelijkheden de revue liet passeren. Ten slotte draaide hij zich om. 'Wat weten we van dic schurk?'
'Ik vrees niet zoveel. Hij is uit Engeland weggegaan en woont sindsdien in Hongkong.'
'Hongkong! Is hij daar terechtgekomen nadat Alexander hem de laan uit had gestuurd? *Interessante* stad, Hongkong. Kom, vertel me alles wat je weet, al is het weinig.'
Paula deed wat hij vroeg en herhaalde de informatie die Charles Rossiter haar had doorgegeven en die hij op zijn beurt weer van sir Logan Curtis had.
'Ga graven, Paula,' zei sir Ronald tegen haar, 'en graaf diep. Heb jij contact met een detectivebureau dat je voor zakelijke doeleinden gebruikt? Zo niet, dan kan ik je iemand aanbevelen.'
'Nee, dat hoeft niet, dank u. Ik werk altijd met Figg International, al jaren. Die regelen alle veiligheidsdiensten in de diverse zaken, de bewaking en zo – u kent dat wel, de gebruikelijke dingen. Toevallig hebben zij ook een rechercheafdeling met kantoren en agenten over de hele wereld.'
'Mooi zo. Stuur ze er onmiddellijk op af. Een klaploper als Jonathan Ainsley móet toch iets te verbergen hebben...' Sir Ronald maakte zijn zin niet verder af, want de deur van de bibliotheek zwaaide open. Michael kwam binnen en toen hij Paula zag riep hij lachend uit:

'Aha, dus voor jóu moest hij zo dringend weg!' Toen hij zag hoe ernstig Paula en zijn vader keken, sloeg hij meteen een andere toon aan. 'Aan jullie gezichten te zien was het inderdaad heel dringend.' Zijn ogen bleven op Paula rusten. Hij zag hoe intens bleek ze zag en hoe moe haar ogen stonden. 'Wat is er? Heeft het soms iets te maken met de brand in Sydney, Paula?'

'Nee, Michael,' antwoordde Paula rustig, waarna ze een blik op zijn vader wierp.

Sir Ronald zei: 'Jonathan Ainsley is komen opdagen. Hij zit in Londen om Paula het leven zuur te maken.'

'Op welke manier?' wilde Michael weten.

'Oom Ronnie legt het wel uit.'

Nadat zijn vader hem op de hoogte had gebracht, ging Michael naast Paula op de bank zitten. Vol genegenheid nam hij haar hand in de zijne. 'Vader heeft een paar uitstekende mogelijkheden genoemd, maar wat kan *ik* voor je doen?' vroeg hij.

'Ik weet het echt niet, Michael, maar bedankt voor je aanbod. Nu ga ik terug naar de zaak. Ik moet in de boeken duiken en computeruitdraaien doornemen. Ik móet die kleine aandeelhouders zien op te sporen. Zo snel mogelijk.'

'Ik kom je helpen,' kondigde Michael aan.

'Dat hoeft echt niet, hoor. Oom Ronnie heeft gasten, ik heb jullie diner al verstoord.'

'Zo'n klus kun je niet alleen aan,' protesteerde Michael fel. 'Daar ben je de hele nacht mee bezig.'

'Ik was van plan Emily te bellen.'

'Goed idee. Laten we dat meteen van hieruit doen. Dan zien we haar op de zaak wel. Vele handen maken licht werk.'

'Maar...'

'Laat Michael alsjeblieft meegaan, lieve kind,' onderbrak sir Ronald haar. 'Ik vind het een rustig idee dat hij met je meegaat.'

'Goed dan.' Paula stond op en kuste hem op zijn wang. Hij omhelsde haar even en ze zei zachtjes: 'Ik weet niet hoe ik je moet bedanken, oom Ronnie.'

Hij keek haar glimlachend aan. 'We zijn nu eenmaal stapel op je,' zei hij.

43

'Ken uw vijand,' zei Paula. 'Daar draait het allemaal om, Jack, dat is de reden waarom ik heb gevraagd of je hier kwam.'

Jack Figg, directeur van Figg International, knikte prompt. 'Ik snap het.'
'De situatie is ernstig. Anders zou ik je niet om half twaalf 's avonds hebben opgetrommeld.'
'Ik zit er niet mee. Voor jou kom ik altijd, Paula.'
Jack Figg, die aan het hoofd stond van het grootste en succesvolste recherchebureau in Engeland, leunde achterover in de stoel tegenover haar. Hij viste een in leer gebonden notitieboekje uit zijn colbertje en zei: 'Oké, Paula, steek maar van wal. Geef me zoveel mogelijk informatie.'
'Dat is het 'm juist, ik weet niet zoveel. Maar goed, ik heb begrepen dat Jonathan Ainsley al twaalf jaar in Hongkong woont, sinds hij uit Engeland wegging. Hij heeft een bedrijf dat Janus and Janus Holdings heet. Het lijkt waarschijnlijk dat hij zich met onroerend goed bezighoudt; op dat gebied is hij deskundig. Hij is getrouwd, maar ik weet niet met wie. Charles Rossiter vertelde me dat ze op het ogenblik in het Claridge logeren. O ja, hij zei erbij dat zijn vrouw zwanger is.' Paula haalde haar schouders op. 'Meer kan ik je niet vertellen.'
'Het is duidelijk dat we in Hongkong moeten beginnen. Maar ik zal hem ook hier laten schaduwen, dan weten we wat hij in zijn schild voert.'
'Dat is een goed idee, en zoals ik al eerder zei, de situatie is *ernstig*.'
'Ik begrijp het. En ongetwijfeld had je die informatie gisteren al willen hebben.'
'Nee, eerlijk gezegd vijf jaar terug al,' antwoordde Paula rustig.
Jack Figg keek haar veelbetekenend aan. 'Maar hoe lang heb ik ècht de tijd?'
'Vijf dagen, op z'n hoogst. Maandag wil ik je verslag op mijn bureau zien.'
'Lieve god, Paula! Ik kan niet toveren! In zo'n korte tijd kan ik niets beginnen!'
'Jack, je zult wel moeten, anders is die informatie van nul en generlei waarde voor me. Dan is het al te laat.' Ze boog zich over het bureau; haar gezicht stond gespannen en haar blauwe ogen namen hem indringend op. 'Het kan me niet schelen hoeveel agenten je erop zet. Honderd, als het nodig is...'
'Als ik dat doe, gaat het je een heleboel geld kosten,' onderbrak Jack haar.
'Heb ik je ooit te kort gedaan, Jack?'
'Nee, natuurlijk niet, dat is jouw stijl niet. Maar als we diep moeten graven en een compleet profiel moeten opstellen, zou het wel eens duur kunnen worden. Héél duur. Vooral als de tijd zo dringt. Als ik

een beeld wil oproepen zoals jij van me vraagt, moet ik die Ainsley binnenstebuiten keren. Ik zal er inderdaad een heleboel mensen op moeten zetten. Bovendien zal het nodig zijn om enkelen van mijn agenten uit landen in het Verre Oosten in Hongkong te stationeren. Dat op zich stuwt de prijs al omhoog. En dan nog allerlei fooien, smeergelden...'
Paula onderbrak zijn betoog. 'Ik hoef er het fijne niet van te weten, Jack. Doe het nu maar. *Alsjeblieft.* Verschaf me zoveel informatie over Jonathan Ainsley als je kunt verzamelen. Ik heb een wapen nodig om me tegen hem te kunnen verdedigen. Hij móet iets te verbergen hebben.'
'Dat hóeft niet, Paula. Misschien is hij zo onschuldig als een pasgeboren lam.'
Ze zweeg, want ze wist dat dit waar kon zijn.
'Maar ik hoop voor jou dat het niet zo is,' zei Jack gauw. 'Hoor eens, ik zal mijn uiterste best doen om je maandag iets te leveren. Maar het kan misschien dinsdag worden.'
'Doe je uiterste best maar, Jack.'
'Ik ga meteen beginnen,' beloofde hij, popelend om zijn telefoons en telexmachines in werking te stellen. Hij stond op. 'Het Verre Oosten is al opgestaan voor de volgende werkdag.'

Nadat Paula met Jack Figg was meegelopen naar de directielift en hem nogmaals had bedankt, haastte ze zich naar het kantoor waar Emily en Michael de lijsten met aandeelhouders zaten door te nemen.
'Al iets gevonden?' vroeg ze vanuit de deuropening.
'Nog niet,' antwoordde Emily. 'Maar wees niet bang, het zal niet lang meer duren of we komen met een paar namen op de proppen. Hoe ging het met Jack Figg? Doet ie het?'
'Ja zeker. En ik heb alle vertrouwen in hem. Als er iets is, komt Jack er wel achter.'
'O, ik weet zeker dat er in Jonathan Ainsley's leven modder valt op te spitten!' riep Emily uit. 'Toen hij nog hier woonde verkeerde hij ook altijd al in dubieuze kringen. Neem nou die afgrijselijke Sebastian Cross.'
Paula voelde een koude rilling over haar rug lopen. 'Daar wil ik liever niet over nadenken!'
'Hij is dood, hij doet je niks. Trouwens, sta daar niet te lanterfanten, kom ons maar eens helpen.'
'Natuurlijk.' Paula voegde zich bij hen.
Emily gaf haar een stapel computeruitdraaien. 'Begin hier maar eens mee, maar voordat je erin duikt, zal ik een kop koffie en een broodje

voor je halen. Je hebt de hele avond nog niets gehad, Paula.'
'Ik heb geen trek, liefje. Maar ik heb wel zin in een kop koffie, graag, Dumps.'
Paula concentreerde zich op het bovenste vel papier en liet haar ogen snel langs de lijst namen glijden. Hartc had honderden kleine aandeelhouders, die slechts enkele aandelen in hun bezit hadden, en anderen die in de loop der jaren aardige aantallen hadden verworven. Opeens zonk de moed haar in de schoenen. Dit was een hopeloze taak, zoals Michael al had voorspeld. Misschien hadden ze er wel meer dan één nacht voor nodig, misschien wel enkele dagen, om de mensen die ze nodig hadden op te sporen. Jonathan had gepocht dat hij snel de vijf procent die hij nog te kort kwam zou aankopen. Maar het was geen snoeverij, ze wist dat hij dat vast van plan was.
'Ik wil wedden dat Jonathan zijn makelaars en allerlei kerels heeft rondlopen die allemaal proberen Harte-aandelen op te kopen!' riep ze uit, daarmee haar gedachten hardop uitsprekend. Ze keek naar Michael.
Hij beantwoordde haar blik. 'Dat weet ik wel zeker. Maar jij bent in het voordeel, Paula. Jij beschikt over interne informatie: deze lijsten.'
'Ja,' antwoordde ze mat en las verder.
Emily haalde koffie voor hen alle drie en ging naast Paula zitten. 'Kop op, meisje. We zien heus gauw resultaat. Zoals Gran altijd al zei: vele handen maken licht werk. Maar o, ik wou dat Winston en Shane ook konden meehelpen.'
'O, ik ook, Emily. Ik mis Shane zo erg, en in zoveel opzichten. Ik kan nauwelijks wachten tot hij uit Australië terugkomt. Ik heb altijd het gevoel dat ik maar een half mens ben als hij er niet is.'
'Bel je hem morgen, om hem dit te vertellen?' informeerde Emily.
'Ik zal wel moeten, anders voelt hij zich gepasseerd. Ik hoop alleen maar dat hij het zich niet te veel aantrekt. Dat zou ik niet kunnen verdragen. De arme schat, hij heeft de laatste tijd al zoveel te verwerken.'
Haar tedere stembuiging en die liefderijke en verlangende blik in haar ogen, raakten Michael diep. *Ze aanbidt Shane,* dacht hij in een ogenblik van helder inzicht. *Hij is haar hele leven.* En op dat moment wist Michael dat het dom van hem was geweest ook maar één tel te denken dat ze ooit op zijn avances zou zijn ingegaan. Alleen de gedachte aan wat hij in een moment van onbedachtzaamheid had kunnen doen, bezorgde hem inwendig een gevoel van gêne.
Hij boog zijn hoofd en deed alsof hij zich verdiepte in de lijst namen, ten einde zijn onbehaaglijke gevoel te verbergen. Zijn verlangen naar

haar was het afgelopen jaar niet verminderd. Hij had voortdurend over haar gefantaseerd, maar wat had hij zich belachelijk aangesteld – dat zag hij nu wel in. Ze was gelukkig getrouwd met zijn vriend. Hoe had hij ooit kunnen denken dat ze belangstelling had voor hem, of voor welke man dan ook? Sinds hun jeugd was er nooit een ander geweest dan Shane.

Michael had het gevoel alsof er een sluier was opgetild. Hij zag opeens alles heel helder. Hij begreep nu ook wat ze eerder dat jaar had geprobeerd... ze had Amanda steeds weer onder zijn aandacht gebracht. Dat had hij maanden terug in New York al moeten inzien; toen al had hij moeten begrijpen dat Paula ver buiten zijn bereik lag. Maar hij had zo verstrikt gezeten in de fantasie in zijn hoofd, dat hij voor vele dingen blind was geweest, vooral voor de wcrkelijkheid.

'Hebbes!' ricp Emily schril. 'Ik heb een aandeelhouder met flink wat aandelen gevonden.'

'Hoeveel?' vroeg Paula, die nauwelijks durfde ademen.

'*Vier* procent. Tjonge, dat moet een behoorlijk rijke tante zijn.'

'Wie is het?' vroeg Paula opgewonden; uit haar stem klonk hetzelfde enthousiasme dat Emily uitstraalde.

'Een mevrouw Iris Rumford uit...' Emily gleed met haar vinger over de regel '...Bowden Ghyll House, Ilkley!'

'Ze komt uit Yorkshire,' zei Michael rustig. 'Misschien is dat een goed voorteken, Paula.'

Zaterdagochtend om tien uur zat Paula tegenover mevrouw Iris Rumford in de fraaie salon van haar prachtige oude landhuis in Ilkley.

Het was Paula wel duidelijk dat mevrouw Rumford een welgestelde vrouw was. Ze was vriendelijk ontvangen en toen ze enkele minuten terug was aangekomen, had ze meteen koffie aangeboden gekregen. Paula had een kopje geaccepteerd en de twee vrouwen hadden over koetjes en kalfjes en over het weer gepraat. Nu ze haar koffie bijna op had, zei Paula: 'Het is heel vriendelijk van u dat u me hebt willen ontvangen, mevrouw Rumford. Zoals mijn assistente u al vertelde, wilde ik met u praten over uw aandelen in de Harte-vestigingen.'

'Inderdaad. Het genoegen is overigens geheel aan mijn kant, mevrouw O'Neill. Bovendien, dit was het minste wat ik kon doen, want op donderdag heb ik nog thee gedronken met uw neef, Jonathan Ainsley.'

Paula liet bijna haar kopje vallen. Ze zette het behoedzaam op het bijzettafeltje. Dit was het laatste wat ze had verwacht te horen en ze nam Iris Rumford onderzoekend op. 'Ik vermoed dat hij ook over

uw aandelen Harte kwam praten?'
'Ja, mevrouw O'Neill. Inderdaad. Hij heeft me een uitstekende prijs geboden, meer dan uitstekend zelfs.'
Paula kreeg een droge keel en ze slikte een paar keer voordat ze zei: 'En hebt u zijn aanbod aanvaard, mevrouw Rumford?'
'Nee, dat heb ik niet.'
Paula ontspande zich. Ze glimlachte de oudere vrouw toe. 'Dus ik kan er nu een bod op doen?'
'Dat kunt u doen, ja.'
'Noemt u maar een prijs, mevrouw Rumford.'
'Ik zou het niet weten.'
'Maar u weet toch wel hoeveel u voor uw aandelen wilt ontvangen?'
'Nee. Ziet u, ik ben er niet zo op gebrand ze te verkopen. Mijn overleden echtgenoot heeft ze in 1959 voor me gekocht.' Ze lachte een beetje eigenaardig. 'Ik ben eraan gehecht. Harte is mijn favoriete zaak in Leeds. Ik kom er al heel lang.'
Paula bleef doodstil zitten en verdrong haar ergernis. Het was duidelijk dat haar bezoek niets zou uithalen. Maar ze kon het zich niet permitteren deze vrouw tegen zich in het harnas te jagen, want ze had haar veel te hard nodig. 'Het is fijn om te horen dat u graag in onze zaak komt, en dat u een tevreden klant bent,' zei Paula. 'Maar luistert u goed, ik zou toch graag willen dat u mijn aanbod in overweging neemt. Ik wil uw aandelen kopen voor dezelfde prijs die meneer Ainsley ervoor heeft geboden.'
Iris Rumford bestudeerde haar even en fronste licht, alsof ze probeerde een beslissing ergens over te nemen. Toen zei ze: 'Wordt dit een harde strijd? Van het soort waarover je in de krant leest?'
'Ik hoop oprecht van niet,' riep Paula zachtjes uit.
Onverwacht kwam Iris Rumford overeind uit haar stoel.
Ook Paula stond op, want ze besefte dat het gesprek ten einde was.
'Het spijt me, mevrouw O'Neill,' zei mevrouw Rumford zachtjes. 'Misschien had ik u niet moeten laten komen. Ik vrees dat u uw tijd heeft verdaan. Ziet u, ik dacht dat ik mijn aandelen zou willen verkopen, maar ik heb me bedacht.'
'Ik vind het echt jammer dat te horen.' Paula stak haar hand uit en deed haar best om hartelijk te blijven.
Iris Rumford schudde haar de hand. 'Ik zie wel dat u boos bent. En ik kan het u niet kwalijk nemen. Neem me maar niet kwalijk dat ik zo weifel. En alstublieft, vergeeft u een oude vrouw haar gebrek aan besluitvaardigheid.'
'Het geeft niet, echt niet,' antwoordde Paula. 'Mocht u nog van gedachten veranderen, belt u me dan alstublieft.'

De hele terugweg naar Leeds legde Paula briesend van woede af. Het gedrag van de oude vrouw verbaasde en irriteerde haar, en bovendien was ze teleurgesteld. Had Iris Rumford heel even in haar leven belangrijk willen zijn? Of was het eenvoudig een kwestie van nieuwsgierigheid van een eenzame, oude vrouw? Had ze Jonathan en haar alleen maar willen ontmoeten? Paula vroeg zich af hoe Jonathan Ainsley Iris Rumford had gevonden en hoe hij wist dat zij aandelen Harte in haar bezit had.
Ze zuchtte wanhopig, zette haar voet flink op het gaspedaal en stuurde de Aston Martin richting Leeds. Haar bezoek aan Iris Rumford was pure tijdverspilling geweest.

Het grootste deel van de dag werkte Paula in haar kantoor in de zaak te Leeds. Een enkele keer ging ze naar een van de afdelingen toe, maar ze wijdde zich vooral aan haar administratieve werk. En ze probeerde niet aan Jonathan Ainsley te denken, noch aan de eventuele overname, noch aan het angstige vooruitzicht dat ze de winkelketen aan hem zou verliezen.
Als ze gespannen raakte, herinnerde ze zichzelf eraan dat haar makelaars en Charles Rossiter gedurende de afgelopen achtenveertig uur kans hadden gezien nog eens zeven procent Harte-aandelen voor haar te bemachtigen. Die hadden ze overgenomen van negen kleine aandeelhouders die Emily en Michael uit de computeruitdraaien hadden gezocht.
'Nog maar drie procent, meer heb ik niet nodig,' zei ze zachtjes als ze haar sombere stemming wilde verbeteren. De woorden boden haar enige troost.
Om vier uur stopte ze een stapel stukken in haar aktentas, deed het kantoor op slot en vertrok. Meestal bleef ze tot zes uur, zelfs op zaterdag. Maar Emily kwam die avond op Pennistone Royal eten, en Paula wilde nog een uurtje bij Patrick en Linnet zijn voor haar nicht arriveerde.
Het was een prachtige, zonnige septembermiddag en het was de hele dag zeer druk geweest in Leeds. Het verkeer op Chapeltown Road was één dichte stroom auto's nu iedereen na een dagje in de stad naar de buitenwijken terugkeerde. Maar Paula reed uitstekend; ze zwenkte van de ene file naar de andere en bevond zich algauw op de weg naar Harrogate.
Ze naderde de rotonde in Alwoodley toen de autotelefoon begon te rinkelen. Ze pakte de hoorn en zei: 'Hallo,' half en half verwachtend dat het Emily was.
'Mevrouw O'Neill, met Doris,' zei de telefoniste van Harte.

'Ja, Doris?'
'Ik heb een zekere mevrouw Rumford uit Ilkley aan een andere lijn,' zei het meisje. 'Ze beweert dat het heel dringend is en dat u haar telefoonnummer hebt.'
'Inderdaad, Doris. Maar het zit in mijn aktentas. Geef haar alsjeblieft het nummer van mijn autotelefoon en vraag of ze me direct belt. Bedankt.'
Een paar minuten al nadat Paula had neergelegd, rinkelde het toestel opnieuw. Het was Iris Rumford, en ze wond er geen doekjes om. 'Zou u morgen bij me kunnen komen om nog eens over die aandelen te praten?'
'Ik kan echt niet, mevrouw Rumford. Ik moet morgen naar Londen. Trouwens, u wilt toch niet verkopen, dus het lijkt me ook niet zo zinvol, nietwaar?'
'Misschien neem ik uw aanbod alsnog in overweging, mevrouw O'Neill.'
'Dan kan ik beter nu meteen komen.'
'Dat is goed,' stemde Iris Rumford in.

'U weet niet wie ik ben, hè?' vroeg Iris Rumford een uur later aan Paula.
Paula schudde haar hoofd. 'Zou ik u moeten kennen?' Ze fronste perplex haar wenkbrauwen en keek de vrouw tegenover haar onderzoekend aan. Iris Rumford was mager maar levendig, met zilverwit haar en een frisse kleur; zo te zien was ze in de zeventig. Paula wist zeker dat ze haar niet kende. 'Hebben we elkaar dan wel eens ontmoet?' vroeg ze nog steeds fronsend.
Iris Rumford leunde achterover en beantwoordde Paula's doordringende blik. Ten slotte antwoordde ze langzaam: 'Nee, we hebben elkaar niet ontmoet. Maar u hebt mijn broer gekend, zij het oppervlakkig.'
'O ja?' Paula trok een donkere wenkbrauw op. 'Hoe heette hij?'
'John Cross.'
Paula slaakte bijna een kreet, zo verraste die naam haar. Ze zag kans op normale toon te zeggen: 'We hebben elkaar ontmoet toen hij eigenaar was van Cross Communications.' Terwijl ze dat zei, dacht Paula aan wijlen zijn zoon, Sebastian, eens haar dodelijke vijand en Jonathans beste vriend. Nu begreep ze meteen hoe Jonathan wist dat Iris Rumford aandelen Harte bezat.
'U bent heel aardig en coulant tegen mijn broer geweest, aan het eind van zijn leven,' vervolgde Iris Rumford. 'Hij heeft me op zijn sterfbed over u verteld. Hij had respect voor u, hij vond dat u hem billijk

had behandeld. Uw andere neef, Alexander Barkstone, heb ik vluchtig ontmoet toen mijn broer in het St.-Jamesziekenhuis in Leeds lag.'
Iris Rumford keek in het vuur van de open haard. Er viel een korte stilte. 'U en meneer Barkstone... ach, u bent beiden heel anders dan Jonathan Ainsley...' Ze keek Paula aan en lachte.
Paula wachtte, zich afvragend wat er nu zou komen. Toen mevrouw Rumford niet verder ging, zei ze: 'Ja, dat geloof ik ook. Ik hoop het. Helaas is meneer Barkstone inmiddels overleden.'
'Ach, het spijt me dat te horen.' De oude vrouw staarde weer in de vlammen. Ze mompelde: 'Eigenaardig, nietwaar, dat mensen uit één familie zo verschillend kunnen zijn. Mijn neef Sebastian was een slecht mens. Ik heb me nooit veel met hem bemoeid. John aanbad hem natuurlijk, zijn enige zoon, zijn enig kind. Maar hij heeft mijn broer gedood, hij heeft hem met al zijn slechtheid het graf in gedreven. En Jonathan Ainsley was van hetzelfde laken een pak. Ook hij vertegenwoordigde enkele nagels in de doodkist van mijn arme broer. Een naar duo, Sebastian en uw neef.'
Opeens draaide Iris haar zilverwitte hoofd weer naar Paula toe. 'Ik wilde u leren kennen, mevrouw O'Neill, om zelf te kunnen beoordelen wat voor iemand u bent. Daarom heb ik u gevraagd of u vanmorgen bij me kwam. U bent eerlijk, dat zie ik aan uw ogen. Bovendien heb ik hier in de buurt nooit een kwaad woord over u opgevangen. De meesten zeggen dat u op Emma Harte lijkt. Zij was een goede vrouw; ik ben blij dat u naar haar aardt.'
Paula wist niets te zeggen. Ze hield haar adem in.
'En dus, als ik u er persoonlijk mee help, zal ik u mijn aandelen Harte verkopen.'
Even was Paula bang dat ze in tranen zou uitbarsten. 'Dank u, mevrouw Rumford. U zou me er ontzettend mee helpen. Ik zou u diep dankbaar zijn als u ze aan mij verkocht en niet aan mijn neef.'
'O, ik ben nooit van plan geweest ze aan hem te verkopen. Ik wilde alleen... ach, ik wilde hem nog eens zien, want ik wilde zeker weten dat mijn oordeel over hem juist was geweest. Bovendien schonk het enige bevrediging om hem een worst voor te houden en die gauw weer weg te halen.' Ze schudde haar hoofd. Er blonk een berekenend lichtje in haar wijze, oude ogen. 'Toen u opbelde over die aandelen, kreeg ik het idee dat hij het u moeilijk maakte. Geeft niets, hij krijgt zijn trekken nog wel eens thuis.'
'Ja.' Paula boog zich voorover en zei: 'Ik zei u vanmorgen dat ik de aandelen wilde overnemen tegen de prijs die Jonathan Ainsley had geboden. Dat aanbod geldt uiteraard nog steeds.'
'Lieve hemel, dat doet er niet toe! Ik pieker er niet over om u af te

zetten, mevrouw O'Neill. U mag ze tegen de normale koers hebben.'

44

Paula stond voor de open haard in haar kantoor bij Harte in Knightsbridge, onder het portret van Emma. Het was dinsdagmiddag kwart over drie en ze wachtte op Jonathan Ainsley.
Normaal droeg ze zwarte kleding naar haar werk. Vandaag had ze een felrode wollen jurk gekozen, een eenvoudig model met lange mouwen. Die kleur leek haar toepasselijk. Het was een sterke, uitdagende en sprekende tint die haar houding kracht bijzette.
Ze had het nadeel in voordeel omgezet. Ze stond op het punt haar vijand te vernietigen.
Toen Jonathan echter enkele minuten later binnenkwam, besefte ze dat hij van de verkeerde veronderstelling uitging dat zíj voor hèm zou capituleren. Zijn hele houding straalde dat uit. Hij kwam ontspannen binnen; hij keek arrogant en glimlachte superieur.
Midden in het vertrek bleef hij staan.
Omdat ze tegenstanders waren, begroetten ze elkaar niet.
'Je hebt me een boodschap gestuurd,' zei hij. 'Hier ben ik. Heb je me iets te zeggen?'
'Je hebt verloren!'
Hij lachte haar in haar gezicht uit. 'Ik verlies nooit!'
'Dan wordt dit de eerste keer voor je.' Ze hief haar hoofd, met een gebaar vol zelfvertrouwen en trots. 'Ik heb aandelen Harte bijgekocht...' Ze zweeg om haar woorden kracht bij te zetten. 'Ik beschik nu over eenenvijftig procent.'
Dat nieuws bracht hem van zijn stuk. Hij herstelde zich. Zonder enige emotie te tonen, merkte hij snijdend op: 'Nou en? Ik heb vijfenveertig procent. Ik ben de op één na grootste aandeelhouder en ik heb dus alle recht om een zetel in het bestuur te eisen. Dat verzoek zal ik vandaag officieel indienen. Via mijn advocaat. Bovendien ga ik een bod tot overname uitbrengen.' Zijn ogen namen haar koeltjes op. 'In de nabije toekomst wordt dit mijn kantoor.'
'Dat betwijfel ik!' antwoordde ze fel. 'Trouwens, jij hebt geen zesenveertig procent. Je hebt maar zesentwintig.'
'Ben je vergeten dat ik beschik over de aandelen die door Arthur Jackson worden beheerd voor de erven Weston?'
'Ik vergeet helemaal niets. En ik ben er volkomen van overtuigd dat Arthur Jackson na vandaag nooit meer zaken met je wil doen.'
'Doe niet zo bespottelijk!' Zijn gezicht nam een zelfgenoegzame uit-

drukking aan. 'Ik heb een overeenkomst met hem en met zijn kantoor gesloten. Het staat zwart op wit.'
Paula deed een stap naar voren, pakte een bruine envelop van de tafel en tikte er met een felrode nagel op. 'Als Arthur Jackson dit rapport heeft gelezen, dat een uur geleden bij hem is bezorgd, weet ik bijna zeker dat hij die overeenkomst verscheurt.'
'Wat is dat dan wel voor rapport?' vroeg hij minachtend.
'Een onderzoek naar je handel en wandel in Hongkong.'
Hij wierp haar een verachtelijke blik toe en merkte laatdunkend op: 'Je kunt niets tegen me aanvoeren. Ik heb niets op mijn kerfstok.'
Paula bestudeerde hem nauwlettend. 'Gek genoeg,' zei ze na een stilte, 'ben ik geneigd je te geloven. Maar ik ben de enige.'
'Wat bedoel je daarmee?'
Ze negeerde zijn vraag en vervolgde: 'Je hebt in Hongkong een partner, een stille vennoot, een zekere Tony Chiu, zoon van Wan Chin Chiu, die vorig jaar is overleden. De oude Chiu was je mentor, je adviseur, en vanaf het moment dat je in de kroonkolonie arriveerde bovendien je stille partner. Jammer genoeg is de zoon niet zo eerzaam en betrouwbaar als zijn vader.'
'Mijn handel en wandel in Hongkong gaan jou niets aan!' protesteerde hij. Hij was woedend, maar probeerde zich in toom te houden.
'O, zeker wel. Als jij probeert Harte over te nemen, gaat mij dat wel degelijk aan.'
'En ik neem Harte over!'
'Nee, dat gebeurt niet!' Haar ogen vernauwden zich tot spleetjes en ze vervolgde zachtjes maar op vernietigende toon: 'Een interessante ontdekking was dat Tony Chiu nog een nevenactiviteit heeft. Een zeer lucratieve nevenactiviteit. Men beweert dat hij de grootste opiumdealer in de Gouden Driehoek is, met een immens netwerk dat zich over Laos en Thailand uitstrekt. Het komt hem goed uit, hè, dat hij het geld dat hij met drugshandel verdient via Janus and Janus Holdings wit kan maken zonder dat iemand vermoedt wat hij uitvoert. Wat een fraaie dekmantel voor hem. Maar ik vraag me af hoe de overheid en de politie in Hongkong zouden reageren als ze ervan af wisten – als ze de feiten kenden.'
Hij keek haar met open mond aan. 'Je liegt!' schreeuwde hij. 'Dat rapport waar jij je wanhopig aan vastklampt is van A tot Z gelogen! Tony Chiu is geen drugshandelaar, hij is een respectabel en *gerespecteerd* bankier. En hij gebruikt mijn bedrijf heus niet om drugsgelden wit te maken. Dan zou ik het toch weten? Zoiets kan hij niet doen zonder dat ik op de hoogte ben.'
Ze glimlachte spottend. 'Doe niet zo naïef. Jij hebt Chinese werkne-

mers die in zíjn dienst zijn; zelfs toen zijn vader nog leefde, zijn die er al door hem neergezet. Hij heeft ze zelf uitgekozen met het oog op de toekomst, als hij zijn vaders bankzaken zou overnemen. En die mannen zijn zijn spionnen binnen jouw organisatie.'

'Geklets!'

'Je vrouw, Arabella, weet er alles van. Zij is zijn partner, al jarenlang. En hij heeft veel van haar zakelijke activiteiten gefinancierd, onder andere die antiekwinkel die ze nu in Hongkong heeft. Ook zij is een spion van hem. Daarom is ze met je getrouwd. Om jou te kunnen bespioneren.'

Jonathan kookte van woede; hij kon geen verstandig woord uitbrengen. Het liefst had hij Paula O'Neill in haar gezicht geslagen omdat ze zulke onvoorstelbare dingen over Arabella zei. Hij haalde een paar keer diep adem en bracht er boos en moeizaam uit: 'Iemand met een levendige fantasie heeft je wat voorgespiegeld. *Het zijn leugens, niets dan leugens!*' Hijgend ging hij verder: 'Mijn vrouw kent Tony Chiu niet eens.'

'Waarom vraag je het haar niet?'

Zijn lip krulde zich en zijn lichte ogen vulden zich met haat jegens haar. Hij verplaatste zijn blik naar het portret van Emma Harte boven haar hoofd en zijn afkeer voor de twee vrouwen nam nog toe. 'Vuil kreng dat je bent!' siste hij. 'Je bent al net zo erg als dat rotwijf! Ik spuug op haar graf! Ik spuug op het jouwe!' vloekte hij.

De denigrerende woorden over haar grootmoeder wekten Paula's woede. Ze bracht hem de doodsteek toe. Haar woorden zorgvuldig kiezend, zei ze afgemeten: 'Die mooie Arabella Sutton, die doktersdochter uit Hampshire, is niet helemaal waarvoor ze zich uitgeeft. Je weet ongetwijfeld dat ze enkele jaren in Parijs heeft gewoond. Maar wist je dat ze een "meisje van Claude" was?' Paula lachte kil en tartte hem: 'Je wilt me toch niet vertellen dat jij, een man van de wereld, niet alles af weet van madame Claude. Zij stond aan het hoofd van de geslaagdste, nee, zelfs de verfijndste seksorganisatie die ooit in Parijs heeft bestaan. En tot 1977...'

Jonathan keek haar met open mond aan. Hij was met stomheid geslagen.

'...was Arabella Sutton, *jouw vrouw,* een van madame Claudes call-girls. Ze heette toen Francine.'

'Ik geloof je niet,' riep hij. 'Arabella is...'

'Je kunt me maar beter wel geloven!' riep ze terug. Ze gooide hem de envelop toe, die voor zijn voeten op de grond viel. 'Het rapport en de kopieën van bepaalde officiële documenten zullen je interesseren.'

Jonathan zag de envelop wel liggen, maar hij maakte geen aanstalten hem op te rapen.
Op ijzige toon zei Paula: 'In plaats van dat je mijn leven komt verzieken, kun je beter orde op zaken gaan stellen bij jezelf.'
Hij deed zijn mond open om iets te zeggen, maar bedacht zich. Hij keek naar de envelop die aan zijn voeten lag. Hij had haar het liefst laten zien wat hij van haar rapport dacht door hooghartig weg te lopen. Maar dat kon hij niet. Zijn overweldigende verlangen en zijn verterende behoefte om de officiële stukken waar ze op had gezinspeeld te bekijken, waren sterker dan hij. Hij bukte zich, raapte de envelop op, draaide zich om en beende met grote passen naar de deur.
'Ik heb gewonnen!' riep Paula hem na. 'Vergeet dat nooit!'
Hij stond stil en keek naar haar om. 'Dat zullen we nog wel eens zien.'

Paula liep naar haar bureau, ging zitten en reikte naar de telefoon, maar ze bedacht zich. Ze bleef een poosje zitten peinzen. Ze moest nog één ding doen om het succes volledig te maken, maar daarvoor moest ze absoluut meedogenloos zijn, nog meedogenlozer dan Emma Harte ooit was geweest. Ze schrok er nog steeds voor terug. Ze keek naar het portret van haar grootmoeder en liet vervolgens haar ogen rusten op de foto van Shane en de kinderen in het zilveren lijstje, die op haar bureau stond. Ook zij waren Emma's erfgenamen. Ze moest Harte voor hen veiligstellen, koste wat kost.
Zonder verder nog te aarzelen pakte ze de hoorn van haar privé-telefoon en belde sir Ronald op zijn privé-lijn.
Na twee keer bellen nam hij op. 'Met Kallinski.'
'Oom Ronnie, ik ben het weer. Neem me niet kwalijk dat ik u vandaag steeds lastig val.'
'Je bent helemaal niet lastig, kindje.' Even was het stil. 'Is hij al weg?'
'Ja. Geschokt, maar hij geeft niets toe. In feite was hij vastbesloten me te blijven bestrijden. En daarom zal ik me van hem ontdoen op de manier die we hebben besproken. Een exemplaar van het rapport gaat naar de overheid in Hongkong. Maar eerlijk gezegd, oom Ronnie, ik...'
'Ik hoop niet dat je er spijt van hebt, Paula.'
'Ik word op die manier nog harder dan Grandy ooit is geweest.'
'Dat is niet waar, kindje. Emma kon *ontzettend* hard zijn als dat nodig was... bijvoorbeeld als het ging om Harte, het imperium dat ze van de grond af had opgebouwd, of om mensen van wie ze hield.'

'Misschien hebt u gelijk.'
'Ik ben ervan overtuigd,' zei sir Ronald zachtjes. 'Ik zei je gisteravond nog dat Jonathan Ainsley je nooit met rust zal laten. Hij zal altijd blijven proberen Harte te veroveren. Dat is nu eenmaal zijn aard.'
Toen ze zweeg, voegde sir Ronald er nog aan toe: 'Je hebt geen keus, je moet hem nu tegenhouden, om jezelf te beschermen.'
'Ja, dat begrijp ik, oom Ronnie.'

Hij zat in het hoekje van de lounge van het Claridge, waar het theetijd was. Maar hij hoorde nauwelijks het gerinkel van theekopjes, de violen of het achtergrondgeroezemoes. Hij zat veel te aandachtig te lezen om iets te merken.
Jonathan had het rapport twee keer doorgenomen.
Eerst had hij het als een puur verzinsel van de hand willen wijzen, een wraakzuchtige interpretatie van de feiten, vooral de gedeelten over Tony Chiu. Maar toch had hij het er moeilijk mee. Er stond te veel juiste informatie in om het hele stuk als kletskoek te bestempelen. Tot zijn verbazing was een hele pagina gewijd aan zijn verhouding met lady Susan Sorrell. Dat was zo'n geheime relatie geweest, dat hij zijn ogen nauwelijks kon geloven toen hij haar naam tegenkwam. Hij was ervan overtuigd dat Susan tijdens hun affaire haar mond stijf dicht had gehouden. Erna trouwens ook. Ze was als de dood voor geroddel en ze wilde zich de woede van haar man niet op de hals halen. Scheiden van haar rijke bankier was het laatste dat ze wilde.
Hij zelf kwam even onberispelijk uit het rapport naar voren als hij tegenover Paula O'Neill had beweerd, ondanks de informatie over Tony, waar hij behoorlijk van was geschrokken. Als dat echt waar was, zou hij betrokken kunnen zijn bij iets waar hij niets van af wist. Janus and Janus kon gevaar lopen, evenals hijzelf. Dit zou wel eens een ernstige zaak kunnen blijken. Hij moest zo spoedig mogelijk terug naar Hongkong om zijn eigen onderzoek te beginnen.
Maar wat hem het meeste dwars zat was het gedetailleerde verslag van Arabella's verleden, ondersteund met fotokopieën van stukken die betrekking hadden op haar tijd in Parijs. Haar hele leven in Frankrijk was nagetrokken en was nauwgezet genoteerd op deze getypte pagina's. Hij twijfelde er niet meer aan of ze had inderdaad onder de naam Francine geleefd, als een van de meisjes van madame Claude. Nog afgezien van de documentatie waren er zoveel andere dingen die het rapport geloofwaardig maakten. Bijvoorbeeld haar seksuele bedrevenheid en kennis, haar houding tegenover mannen,

die riekte naar het beroep van courtisane, haar wereldwijsheid, haar élégance... De meisjes van madame Claude waren allemaal precies zo geweest.
Nadat hij de papieren zorgvuldig in de envelop had gestopt, stond hij op en haastte zich naar de lift. Zijn reis naar Hongkong was op dit moment nog niet te verwezenlijken, maar hij kon wel naar boven gaan en zijn vrouw met het rapport confronteren.
Op weg naar boven, naar de tiende verdieping, laaide zijn onderdrukte woede op tot razernij. Toen hij de suite binnenging, zag hij lijkbleek en trilde inwendig. Hij ging stilletjes de hal in, maar ze had hem al gehoord en kwam hem glimlachend tegemoet.
'Jonathan, lieveling, hoe is het gegaan?' vroeg ze terwijl ze hem op zijn wang kuste.
Jonathan was diep geschokt door wat hij net over zijn vrouw had gelezen en hij kon het nauwelijks verdragen dat ze hem aanraakte. Hij moest zich beheersen om niet op haar kus te reageren of haar te slaan.
Hij had van haar gehouden, hij had haar beschouwd als zijn fraaiste bezit. Nu was ze bezoedeld, beschadigd, waardeloos.
'Hoe is de bijeenkomst bij Harte afgelopen?' vroeg ze nogmaals.
'Hmm, matig,' antwoordde hij afwerend. Hij zag kans zich in te houden, hoewel hij inwendig kookte van woede.
Arabella keek hem bevreemd aan, want ze merkte op dat hij ietwat afwerend reageerde. Toen deed ze dat meteen af als irritatie vanwege Paula O'Neill, die bij hem geen goed kon doen.
Ze draaide zich om en liep terug naar de zitkamer, waar ze had zitten lezen. Ze nestelde zich op de bank. Haar breitas stond naast haar en ze maakte die open, pakte het babyjasje eruit waar ze aan bezig was en begon te breien.
Jonathan liep met haar mee, legde de envelop op een tafeltje en liep naar de bar om zich een pure wodka in te schenken.
Terwijl hij stond te drinken keek hij naar haar. Het viel hem op hoe zwaar ze was. De baby kon elk moment komen en hoewel hij de confrontatie met Arabella liever niet wilde uitstellen, wist hij dat hij zich moest intomen. Hij hoefde haar niet meer en hij zou zich zo snel mogelijk van haar laten scheiden, maar zijn kind wilde hij wel degelijk... zijn zoon en stamhouder.
Op nonchalante toon vroeg hij: 'Heb jij in Hongkong ooit een zekere Tony Chiu ontmoet?'
Als Arabella zich over zijn vraag verbaasde, liet ze dat niet merken.
'Nee. Waarom vraag je dat?' zei ze zachtjes, een en al rust en tevredenheid.

'Zomaar. Zijn naam viel tijdens de lunch toen ik met mijn advocaten zat te praten. Ik dacht dat jij hem op reis wel eens tegen het lijf was gelopen, of dat je iets over hem zou weten.'
'Ik ben bang van niet, lieveling.'
Hij dronk zijn wodka op, pakte de envelop en liep de kamer door. Terwijl hij tegenover haar ging zitten, zei hij: 'Je hebt jaren in Parijs gewoond, maar je wilt er nooit heen. Waarom eigenlijk niet?'
'Ik heb het nooit zo'n fijne stad gevonden,' zei ze. Ze keek op van haar breiwerkje en glimlachte hem teder toe.
'Maar waarom heb je er dan bijna acht jaar gewoond?'
'Ik werkte er. Je weet toch dat ik fotomodel was. Vanwaar al die vragen over Parijs, lieve Jonny?'
'Ben je soms bang om naar Parijs te gaan?' vroeg hij.
'Natuurlijk niet. En waarom doe jij zo eigenaardig? Ik begrijp je niet.'
'Ben je bang dat je een van je oude... gelieven tegen het lijf loopt, is dat het, *Francine?*'
Arabella keek hem strak aan. Haar gitzwarte ogen straalden niets dan onschuld uit. 'Ik weet niet waar je op aanstuurt, of waarom je me Francine noemt.' Ze lachte zachtjes en schudde haar hoofd.
'Omdat je die naam gebruikte toen je call-girl was.'
'Hoe kom je dáár in hemelsnaam bij?' riep ze uit terwijl ze hem schuins aankeek.
'Ontken het maar niet! De stukken heb ik hier, dank zij Paula O'Neill. Je mag ze zelf lezen,' zei hij terwijl hij haar indringend aankeek. 'Er is een onderzoek naar mijn handel en wandel gedaan, en ze hebben jou ook niet vergeten.'
Arabella had geen keus, ze moest de stukken die hij haar toestak wel aanpakken.
'Lees!'
Opeens werd ze doodsbang. Ze zag het duistere lichtje in zijn ogen, de kille onverzoenlijkheid op zijn gezicht. Als hij werd gedwarsboomd, kon hij wreed en gevaarlijk zijn, dat wist ze; ze kende zijn opvliegendheid. Ze deed wat hij zei en liet haar ogen snel over de pagina's glijden; ze wilde ze helemaal niet lezen, want ze wist dat de stukken een veroordeling inhielden. Maar bepaalde woorden sprongen naar voren. Ze volgde de grote lijn en er werd een band om haar hart gelegd.
Ze reikte hem de papieren weer aan. Haar gezicht zag krijtwit. Tranen glinsterden in haar ogen. 'Lieveling, alsjeblieft, je begrijpt het niet. Ik zal het je uitleggen. Mijn verleden heeft niets te maken met nu, met het heden, met jou, met ons. Dat is allemaal zo lang geleden

gebeurd. Ik was nog heel jong. Pas negentien. Ik heb dat leven allang achter me gelaten, lieve Jonny.'
'Ik vraag het je nog één keer,' zei hij. 'Ken je Tony Chiu?'
'Ja,' fluisterde ze.
'Heeft hij je financieel geholpen met je antiekzaak in Hongkong?'
'Ja.'
'Waarom?'
'Daarvoor hebben we al eens eerder zaken gedaan samen. Hij is een soort ondernemer.'
'En hij heeft je op mijn spoor gezet, nietwaar? Hij heeft je als lokaas gebruikt. Hij wilde dat jij me in je netten verstrikte en met me trouwde, zodat je een oogje in het zeil kon houden. Voor hem.'
'O nee, dat is niet waar. O Jonny, ik ben verliefd op je geworden! Heus! Dat weet je toch!'
'Geef nou maar toe dat het een valstrik was. Ik weet alles,' snauwde hij haar toe.
Ze begon te beven en stortte in. 'Ja, die avond bij Susan Sorrel, toen we elkaar leerden kennen, heb ik geprobeerd je te verleiden,' riep ze uit. 'Maar al heel gauw daarna werd ik verliefd op je. Ik wilde alleen maar van je houden. Echt waar. Dat móet je gemerkt hebben in die tijd in Mougins; we waren zo bijzonder intiem met elkaar, we waren één.'
'Ik kan geen woord van wat je zegt geloven,' riep hij uit en schonk zijn glas nog eens vol.
Ze keek toe terwijl hij naar de bar liep en daarna weer ging zitten. Toen zei ze: 'Ik heb tegen Tony gezegd dat ik hem geen informatie over jou kon geven. *Dat ik dat niet zou doen.* En in dat besluit werd ik nog gesterkt toen ik ons kind verwachtte... Ik hou van je,' herhaalde ze. Ze meende het oprecht. Haar ogen lieten zijn gezicht niet los.
'Ben je ook betrokken bij zijn handel in drugs?'
'Ik weet niet waar je het over hebt,' riep ze verbijsterd uit.
'In godsnaam, ontken toch niet alles!' schreeuwde hij. Er knapte iets binnen in hem. Hij sprong op, pakte haar bij haar schouders en rammelde haar heftig door elkaar. 'Hoer!' riep hij haar toe. 'Slet, *putain.* Ik heb van je gehouden, nee, ik heb je aanbeden. Ik dacht dat je volmaakt was, dat je de mooiste vrouw ter wereld was, zonder een smetje. Maar je bent niets... Stuk vuil.'
Arabella begon onbeheerst te snikken. 'Je moet me geloven, Jonny. Ik hou van je, met mijn hele hart, en ik heb hem niets verteld...'
'Je liegt!' schreeuwde hij haar toe.
Ze pakte hem bij de mouw van zijn colbertje.

Hij schudde haar handen van zich af. Zijn gezicht was een en al verachting en haat. 'Raak me niet aan.'
Opeens vertrok Arabella's gezicht van pijn en ze legde haar handen op haar buik. 'De baby! Ik geloof dat de baby komt. Ik voel een wee. O alsjeblieft, help me... Help me, Jonny. Breng me naar het ziekenhuis. *Alsjeblieft,*' smeekte ze.

Tegen de tijd dat Jonathan Arabella naar de Londense kraamkliniek had gebracht, had ze flink weeën. Ze werd meteen naar de verloskamer gebracht.
Jonathan ging zitten wachten in de kamer die in de beroemde privé-kliniek voor de aanstaande vaders was gereserveerd. Anderhalf uur later werd zijn zoon geboren. Een zuster kwam hem dat vertellen. Ze zei erbij dat hij dadelijk naar zijn vrouw en kind mocht komen kijken.
Arabella interesseerde hem niet. Zijn belangstelling ging helemaal uit naar zijn zoon. De erfgenaam die hij zich altijd al had gewenst. Zo gauw mogelijk zou hij het kind bij haar weghalen. Vrouwen zoals Arabella – hoeren – hadden geen belangstelling voor kinderen. De jongen zou een goede Engelse opvoeding en opleiding krijgen. Opeens moest hij aan scholen denken. Hij zou de jongen naar Eton sturen, waar hij zelf op school had gezeten, en daarna naar de universiteit van Cambridge.
In gepeins verzonken zat hij rustig en geduldig te wachten tot hij zijn kind mocht zien. Hij merkte dat hij opgewonden was en dat hij zich erop verheugde de baby in zijn armen te houden. Wat zouden zijn vader en moeder gelukkig zijn. Dit was hun eerste kleinkind. Misschien zou hij hem Robin noemen. Na de doop zou de receptie in het Lagerhuis plaatsvinden. Als vooraanstaand politicus en parlementslid kon zijn vader dat gemakkelijk regelen.
Zijn gedachten namen een andere wending en dwaalden naar Paula O'Neill en het probleem Harte. Meer dan ooit was hij vastbesloten door te zetten en haar het beheer te ontnemen. Hij moest wel. Hij moest nu immers aan zijn stamhouder denken.
Eerder dan hij had verwacht kwam een zuster hem halen. Hij liep door de gang met haar mee naar de privé-suite die hij een maand tevoren voor Arabella had besproken. De zuster liet hem binnen, verdween en zei zachtjes dat ze de baby zou halen.
Arabella zat half rechtop in de kussens geleund. Ze zag er bleek en vermoeid uit.
'Jonny,' begon ze en stak haar hand naar hem uit. Haar ogen stonden smekend. 'Alsjeblieft, doe niet zo tegen me. Geef me nog een

kans, ter wille van ons kind. Ik heb nooit iets in jouw nadeel gedaan. Nooit. Ik hou van je, lieveling.'
'Ik wil niet met je praten,' zei hij bits.
'Maar Jonny...' Ze zweeg toen de deur openging. Dezelfde zuster kwam binnen, deze keer met de baby op de arm, gewikkeld in dekentjes en een dunne kasjmir sjaal.
Terwijl de zuster de baby in Arabella's uitgestrekte armen legde, haastte hij zich naar het bed. Samen keken ze neer op hun kind.
Jonathan verstrakte. Het eerste dat hij zag was de mongolenplooi, dat kleine huidplooitje dat de binnenooghoek bedekt, zo onmiskenbaar oosters.
De ontsteltenis op zijn gezicht weerspiegelde zich ook in de verbijsterde uitdrukking op Arabella's gezicht. Ze keek sprakeloos naar hem op.
'Dit is niet mijn kind!' riep Jonathan. Zijn woede ontlaadde zich. 'Het is van Tony Chiu! Of van een andere Chinees, vuile hoer dat je bent!'
Hij drong zich langs de verbluft kijkende zuster en liep half rennend, half struikend de kamer uit. Hij wilde de afstand tussen hem en Arabella zo groot mogelijk maken.

De geüniformeerde chauffeur startte de auto en de statige, zilvergrijze Rolls-Royce reed geluidloos weg bij het Claridge Hotel, op weg naar de Londense luchthaven.
Jonathan leunde achterover en zonk in de zachte, leren kussens. Zijn woede was alleen nog maar toegenomen. Hij kon de schok van Arabella's verleden niet verwerken, van haar bedrog, haar verraad en de wetenschap dat ze tijdens hun huwelijk met een andere man had geslapen. Een oosterling. Dat kon ze onmogelijk ontkennen. De baby was het levende bewijs. *Tony Chiu,* dacht Jonathan voor de zoveelste keer. Haar oude vriend en weldoener was de kandidaat die het meest voor de hand lag.
Hij keek naar zijn aktentas die naast hem op de achterbank lag en weer concentreerden zijn gedachten zich op het rapport. Hij wist niet zeker hoeveel waarheid er school in de informatie over de activiteiten van Tony Chiu. Maar als die werkelijk geld via Janus and Janus sluisde, zou hij daar een stokje voor steken. Onmiddellijk. En op de een of andere manier zou hij wel iets bedenken om het zijn Chinese partner betaald te zetten.
Jonathan popelde om terug te keren naar Hongkong. Hij keek op zijn horloge en zag dat het pas half tien was. Hij had nog ruim de tijd om de vlucht van middernacht te halen die hem naar de Britse

kroonkolonie zou brengen.
Hij stak zijn hand in zijn zak en werktuiglijk sloten zijn vingers zich om de dikke steen van jade. Hij haalde hem te voorschijn en bekeek hem bij het schemerige licht in de wagen. Peinzend kneep hij zijn ogen half dicht. Het was alsof de steen er anders uitzag. Om de een of andere reden was de glans eraf. Maar toch was het zijn talisman. Hij lachte vreugdeloos. Wat een talisman! De laatste tijd had hij hem geen geluk gebracht. Alleen maar ongeluk. Heel erg veel ongeluk.
Jonathan draaide het raampje open, gooide de steen naar buiten en keek hem na. De steen rolde de goot in.
De auto reed door. Glimlachend leunde Jonathan achterover. Hij was blij dat hij dat stuk jade had weggegooid. Nu keerde misschien het tij.

Epiloog

Elk van ons is de auteur van zijn eigen leven... op geen enkele manier kunnen we de schuld afschuiven en niemand anders kan de complimentjes in ontvangst nemen.

Paul McGill in *De macht van een vrouw*

Ze zaten naast elkaar op de hooggelegen rotsen. Het was een stralende zaterdagmiddag aan het eind van september. De hemel was blauw als ereprijs en blikkerde van de zon, en onder hen werd het aanzien van de onverbiddelijke vlakten verzacht door de ene golf paarse hei na de andere. Ergens in de verte klonk geruis van het water, waar een stroompje over rotsige spleten omlaagtuimelde. De heldere lucht was vervuld van de geur van heide, varens en bosbessen.
Ze zwegen al een poosje, elk in diep gepeins verzonken. Ze genoten ervan om weer bij elkaar te zijn, op deze vredige plek.
Opeens sloeg Shane zijn armen om Paula heen en trok haar dicht tegen zich aan. 'Het is heerlijk om weer thuis en bij jou te zijn,' zei hij. 'Als we gescheiden zijn, ben ik maar een half mens.'
Ze keek hem glimlachend aan. 'Ik voel precies hetzelfde.'
'Ik ben blij dat we vandaag naar de hei zijn gegaan,' vervolgde Shane. 'Er is op de hele wereld geen mooier plekje.'
'De heidevelden van Grandy,' zei Paula. 'Zij kwam hier ook zo graag.'
'Vooral hier, op het hoogste punt.'
'Grandy heeft eens gezegd dat het geheim van het leven is te volharden,' zei Paula zachtjes. Ze keek hem vragend aan. 'Ik hoop dat ik kan volharden.'
'Natuurlijk kun je dat, mijn lieveling. Dat heb je al gedaan. In feite heb je niet alleen volhard, je hebt gezegevierd. Ze zou heel trots op je zijn. Emma wilde altijd al dat jij de beste zou zijn. En dat ben je.'
'Jij bent bevooroordeeld.'
'Dat klopt. Maar daarom is het nog niet minder waar wat ik zeg.'
'Ik had Harte bijna verspeeld, Shane,' fluisterde ze.
'Maar dat is niet gebeurd. En daar gaat het om, Paula.'
Hij sprong van de rots, pakte haar bij haar handen en hielp haar eraf. 'Kom, laten we maar eens teruggaan. Ik heb Patrick en Linnet beloofd dat we samen in de kinderkamer kwamen theedrinken.'
Ze liepen hand in hand over de hei, voortgestuwd door de wind, op weg naar de auto die op het landweggetje geparkeerd stond. Paula keek hem tersluiks aan. Ze hield van hem en ze was dolblij en opgelucht dat hij weer terug was uit Australië. Hij was de avond tevoren in Yorkshire aangekomen en sindsdien praatte hij over niets anders dan over zijn plannen om het Sydney-O'Neill Hotel te herbouwen.
Opeens bleef Paula stilstaan.
Ook Shane bleef staan en draaide zich naar haar toe. 'Wat is er?' vroeg hij. 'Problemen?'
'Ik hoop van niet,' antwoordde ze en begon te lachen. Haar ogen straalden van geluk. 'Ik wil het je al de hele tijd vertellen, maar ik

kan er geen speld tussen krijgen...'
'Wat wil je me dan vertellen?' vroeg hij nieuwsgierig.
Ze leunde tegen hem aan en keek naar hem op, naar dat gezicht dat ze haar hele leven al kende en beminde. 'We krijgen weer een baby. Ik ben bijna drie maanden zwanger.'
Hij trok haar in zijn armen en knuffelde haar, waarna hij haar op armslengte hield. 'Dat is het mooiste welkomstgeschenk dat ik ooit heb gekregen,' zei Shane glimlachend.
De hele terugweg lang naar Pennistone Royal speelde die glimlach om zijn mond.

Barbara Taylor Bradford

DE VROUWEN VAN MAXIM

Met *De vrouwen van Maxim* slaat Barbara Taylor Bradford een nieuwe weg in. In deze roman staat nu eens niet een vrouw, maar een man centraal.
Een man die we zien door de ogen van de vrouwen die hem in zijn leven omringen: zijn kindermeisje, zijn moeder, zijn echtgenotes, zijn maîtresse.
Multimiljonair Maximilian West is rijk bedeeld met macht en geld. Niettemin ligt er een schaduw over zijn leven en zijn er geheimen die hij moet ontsluieren. Daartoe heeft hij hulp nodig van de enige vrouw die de sleutel tot zijn verleden en zijn toekomst in handen heeft . . .

Barbara Taylor Bradford

DE STEM VAN HET HART

Afgunst, onstuimige liefde, bedrog, hartstocht, intrigerende mannen en felbegeerde vrouwen vormen de turbulente ingrediënten van deze boeiende roman.

De stem van het hart is het meeslepende verhaal van twee jonge, mooie en ambitieuze vrouwen die elkaar leren kennen als ze aan de rand van de volwassenheid staan en wier levens vanaf dat moment voorgoed met elkaar verweven zullen zijn.
Hun geschiedenis speelt zich af tegen de glamour achtergrond van de meedogenloze showbusiness en de snel wisselende actie sleept u mee van een luxueus appartement in New York naar het theater in Londen, van een historisch landgoed in Yorkshire naar een chalet in de Beierse Alpen en van de Franse Rivièra weer terug naar New York.
Daar krijgen de begrippen liefde en vriendschap in een spannende en emotionele climax een diepere betekenis.

Barbara Taylor Bradford

KOESTER MIJN DROOM

Emma Harte beheerst op bijna tachtigjarige leeftijd een familie-imperium, dat belangen omvat op allerlei gebied en in vele landen. Zij heeft haar kleindochter *Paula* tot haar opvolgster uitgeroepen, nadat zij ontdekte dat vier van haar eigen vijf kinderen tegen haar samenspanden. En nu vermoedt zij ook verraad bij een van haar kleinkinderen.
Maar wie is het?
Alexander? Hij lijkt degelijk, hardwerkend, betrouwbaar . . .
Emily, zijn zusje? Zij is vrolijk, optimistisch, een blonde schoonheid . . .
Sarah, de internationale mode-ontwerpster . . .?
Of *Jonathan?* Ambitieus, energiek en vol verlangen naar de toekomst . . .
En dan is er *Shane,* de kleinzoon van Emma's oudste vriend Blackie, die een verterende passie koestert voor Paula. Zal zij uiteindelijk moeten kiezen tussen haar kinderen en haar minnaar?

Deze meeslepende familiesaga speelt in een wereld van onmetelijke rijkdommen, waar ambitie, hartstocht en passie hevig oplaaien.